D0519845

Construyendo Bóvedas Tabicadas II

Building Tile Vaults II

Edición a cargo de | Edited by:
Fernando Vegas López-Manzanares
Rafael Marín Sánchez
Lidia García-Soriano
Camilla Mileto

Colaboradores | Collaborators:
Santiago Tormo Esteve
Arturo Zaragozá Catalán

Entidades colaboradoras | Collaborating entities
Generalitat Valenciana. Consellería d'Educació, Investigació, Cultura i Esport
Ajuntament de València
CTAV. Colegio Territorial de Arquitectos de València
CAATIE Valencia.
Colegio Oficial de Aparejadores, Arquitectos Técnicos e Ingenieros de Edificación de València.
EMR. Estudio Métodos de la Restauración SL.
Cátedra Unesco. Arquitectura de Tierra, Culturas Constructivas y Desarrollo Sostenible

Citar como / Cite as:
Vegas López-Manzanares, F., Marín Sánchez, R., García-Soriano, L., Mileto, C. (eds.) (2022).
Building Tile Vaults II. Valencia: Editorial Univertitat Politècnica de València.

Primera edición / First edition, 2022

Diseño y maquetación / Design and layout:
Lidia García-Soriano
Enrique Mateo

Imprime / Print: Byprint Percom SL
ISBN: 978-84-904-8827-0
Depósito Legal / Legal Deposit: V-782-2022

Cubierta: Imagen de la construcción del Panteón de la Familia Soriano Manzanet en Villarreal. Agosto 2015. Vegas-Mileto / Cover: Image of the construction of the Soriano Manzanet Family Pantheon in Villarreal. August 2015. Vegas-Mileto.

Impreso en España / Printed in Spain

Índice | Index

Prólogo

Las bóvedas tabicadas son, probablemente, la variante más conocida del amplio muestrario de técnicas de albañilería autoportantes concebidas para el cubrimiento de espacios usando ladrillos o piedras de laja y evitando el empleo de cimbras. Desde hace más de mil años, esta solución ha entusiasmado a muchos constructores por su versatilidad. Una virtud que hoy, como ya ocurrió en el pasado, ha favorecido la recurrente adaptación de esta bóveda elemental a sucesivas variantes técnicas, combinadas con otras propuestas constructivas.

Durante su dilatada historia, las bóvedas tabicadas han dado lugar a formas alabeadas, regladas, aristadas, de revolución o macladas. Y, para ello, han sido tendidas entre nervios o apoyadas sobre los muros; como cimbra perdida de una bóveda dispuesta a rosca o de un vertido de argamasa que a veces se aligeraba con vasijas cerámicas; o trasdosadas con tabiques, enjutas, fajas, lengüetas, costillas y callejones.

En los últimos tiempos la técnica ha cobrado un renovado impulso de la mano de arquitectos e investigadores que han visto en ellas no sólo un gran potencial expresivo, sino también una solución barata y eficaz para hacer frente a muchos de los grandes problemas de nuestro tiempo: no solo el respeto al medio ambiente, la importancia de recurrir a materiales locales, la dotación de viviendas en aquellas regiones con escasos recursos tecnológicos, el cubrimiento de espacios de grandes luces con costes reducidos, sino también la economía, versatilidad, rapidez de ejecución y fraguado, etc.

En el año 2011 la Universitat Politècnica de València acogió el I Simposio Internacional sobre Bóvedas Tabicadas. El evento, que contó con 26 prestigiosos ponentes procedentes de varios continentes y 160 asistentes, fue organizado en muy pocos meses y con escasos recursos económicos, dejando patente el interés científico y profesional por una técnica que en estos años no ha dejado de evolucionar y expandirse por los cinco continentes. Sus contribuciones sentaron las bases del conocimiento científico de dicha técnica, promoviendo su estudio en torno a tres ámbitos bien definidos: orígenes y evolución histórica, construcción y comportamiento estructural.

Siete años más tarde, en 2018, una parte de aquel mismo equipo de profesores de la UPV consideró conveniente la celebración de un nuevo simposio ante el notable auge observado en los últimos tiempos. En este caso, el debate se centró en los nuevos usos y las enormes posibilidades plásticas y funcionales que ofrecen las bóvedas tabicadas, aunque evidentemente, se incluyeron algunas sesiones de revisión científica de los últimos avances en el conocimiento de su evolución histórica, su adaptación técnica y sus lesiones. Y, como ya ocurrió en la reunión anterior, el encuentro logró salir adelante con limitados recursos económicos, pero con una respuesta envidiable de casi todos los profesionales e investigadores implicados en su conocimiento y desarrollo. Este libro, fruto de la invitación que han recibido algunos de estos participantes a escribir posteriormente sobre el tema en cuestión, ha llevado un lento proceso de elaboración que finalmente ve la luz.

Las veinticuatro aportaciones del libro han sido objeto de una rigurosa revisión por pares y por los propios editores, con reiteradas correcciones de los textos y las imágenes que los ilustran que han llegado a desesperar a alguno de sus autores. Estas se clasifican en tres grandes apartados: historia y construcción; nuevos usos de las bóvedas tabicadas; e intervención estructural.

El apartado «Historia y construcción» comienza con dos interesantes contribuciones escritas de Enrique Rabasa y Jesús Manuel Molero, Ignacio Gil y David Gallego sobre las bóvedas construidas sin necesidad de cimbra que redimensionan en el tiempo y el espacio la existencia y la frecuencia de este tipo de soluciones. Acto seguido, tanto Paolo Vitti como Antonio Almagro, desvelan importantes hallazgos respecto a los orígenes islámicos de la bóveda tabicada. Arturo Zaragozá y Rafael Marín reflexionan en un interesante texto sobre los elementos denominados accesorios de las bóvedas tabicadas, como los tabiques, las enjutas, las costillas y los callejones, al punto de llegar a invertir su trascendencia. Posteriormente, Aftab A. Jalia describe la historia y evolución de las bóvedas y cúpulas de mampostería en la India, al tiempo que Fernando Vegas y Camilla Mileto detallan la colaboración de Rafael Guastavino con Herbert Baker en la construcción del Parlamento de Nueva Delhi. Valentina Russo y Lia Romano describen cómo las bóvedas tabicadas también se extendieron hasta el antiguo Reino de Nápoles donde convivieron con las bóvedas tradicionales de cal y canto. Por último, Manuel Fortea realiza un repaso histórico sobre varios personajes históricos relacionados con la técnica y varios ejemplos sobre los que ha intervenido para reflexionar sobre su futuro próximo.

El apartado «Nuevos usos» de las bóvedas tabicadas recoge varias intervenciones contemporáneas para demostrar la vitalidad y la vigencia contemporánea de esta técnica de construcción milenaria, con proyectos y obras desarrollados no solo en España, sino también en Abu Dhabi, Andorra, Burkina Faso, China, Estados Unidos, Reino Unido, República Sudáfricana, Ruanda, Tanzania… Estos nuevos proyectos, desarrollados tanto en el ámbito de la arquitectura de cooperación con países en vías de desarrollo, como en contextos ricos e industrializados, abren perspectivas de futuro a la técnica gracias a su economía, versatilidad y ecología. A destacar la labor que está desarrollando el arquitecto Peter Rich y su equipo de Light Earth Designs en la difusión de esta técnica tradicional en todo el continente africano e incluso más allá. Otros autores de este apartado son Julio Jesús Palomino, Enric Dilmé, Camilla Mileto, Fernando Vegas, Lidia García-Soriano y Francisco Javier Gómez-Patrocinio.

El apartado «Intervención estructural» reúne ulteriores capítulos sobre Rafael Guastavino, como el análisis realizado por Esther Redondo sobre los ensayos desarrollados por este arquitecto sobre bóvedas tabicadas en Estados Unidos como medio para refrendar su validez, prestaciones y resistencia estructural. Berta de Miguel y Gabriel Pardo abordan específicamente los métodos de diagnóstico para las bóvedas tabicadas, en general, y las de Rafael Guastavino, en particular. Fernando Vegas y Camilla Mileto realizan un repaso minucioso del empleo de los diversos morteros de cemento en la obra tanto española como americana de Rafael Guastavino, con sus diferentes productores, así como un estudio de la proveniencia de la idea de Guastavino de aplicarlo a las bóvedas tabicadas. Dos capítulos, redactados respectivamente por René Machado y Francesco Doglioni, están dedicados al comportamiento estructural de las cúpulas y bóvedas tabicadas, tanto frente a esfuerzos normales como frente a movimientos telúricos, especialmente en Italia. Angelo Gaetani y Paulo B. Lourenço aportan su ensayo sobre la bóveda de crucería desde la perspectiva particular del arco. Rafael Soler y Alba Soler describen varias intervenciones de conservación de las denominadas cúpulas azules de Valencia, al tiempo que José Luis González analiza el colapso de algunas cúpulas de Domènech i Montaner para indagar sobre sus posibles diseños alternativos y su restauración. Por último, Michele Paradiso describe con gran conocimiento el nacimiento, la historia y la situación actual de las bóvedas tabicadas de las Escuelas Nacionales de Artes de La Habana.

Los editores

Prologue

Tile vaults, which use bricks or sandstone and do not need to resort to centring, are probably the best-known variant from a wide range of self-supporting building techniques for covering spaces. For over a thousand years this versatile solution has been of great interest to builders. Over the years, this has led to this basic shell being constantly adapted to successive technical variants, combined with other constructive proposals.

Throughout this long history tile vaults have been observed in different forms: warped, ruled, groin, domed or intersecting vaults. This involved placing them between ribs or resting them on walls; acting as the permanent centring for either a rowlock vault or just poured mortar, sometimes lightened with pottery; or with partition walls, spandrels, stiffbacks, etc. on the extrados.

There has been renewed interest in this technique in recent years thanks to the architects and researchers who have recognized its great potential for expression. It is also a cheap and efficient solution to tackle many of the major problems of our time. It is environmentally friendly, allows the use of local materials, can provide housing in regions with limited technological resources, covering large spaces at a low cost, and is also affordable, versatile, can be executed and sets rapidly, etc.

In 2011 the Universitat Politècnica de València hosted the 1st International Symposium on Tile Vaults. 26 prestigious speakers from several continents and 160 participants attended the event. Organized in the space of a few months with little funding, this symposium highlighted the scientific and professional interest in a technique which has continued to evolve in recent years, spreading worldwide. Its contributions laid the groundwork for the scientific knowledge of this technique, promoting its study from three well-defined perspectives: origins and historic evolution, construction, and structural behaviour.

Seven years later, in 2018, part of the same group of teaching staff from UPV felt the time was right to hold a new conference given its current increased recognition. On this occasion, the debate focused on the new uses and vast aesthetic and functional potential recently observed. Some scientific sessions were also included to review the latest advances in the knowledge of its historical evolution, technical adaptations and lesions. As with the previous edition, the conference went ahead with limited funding but with an enviable response from almost all of the professionals and researchers involved in its study and development. Subsequently an invitation was extended to some of these participants to write about the subject of the symposium and this book, the result of a slow drafting process, is now finally seeing the light.

The twenty-four contributions in the book have been subject to strict peer review as well as rigorous edition. The texts and accompanying images have been repeatedly corrected, exasperating some of the authors. There are three major sections in the book: history and construction; new uses of tile vaults; and structural intervention.

The "History and construction" section begins with two interesting contributions on vaults built without centring by Enrique Rabasa and Jesús Manuel Molero, Ignacio Gil and David Gallego, providing a new perspective in time and space of the existence and frequency of these solutions. Subsequently, Paolo Vitti and Antonio Almagro reveal major findings on the Islamic origins of tile vaults. In an interesting text Arturo Zaragozá and Rafael Marín reflect on the elements that are considered additional to tile vaults, including partition walls, spandrels and stiffbacks, emphasizing their importance. Following this, Aftab A. Jalia describes the history and evolution of masonry vaults and domes in India, while Fernando Vegas and Camilla Mileto provide a detailed account of the collaboration between Rafael Guastavino and Herbert Baker in the construction of the Parliament of New Delhi. Valentina Russo and Lia Romano describe how tile vaulting also spread to the ancient Kingdom of Naples where it coexisted with traditional limecrete vaults. Finally, Manuel Fortea provides a chronological overview of several historical figures linked to the technique and different examples of some of their interventions in order to provide a reflection on the near future.

The "New uses" section on tile vaults includes several contemporary interventions to reveal the vitality and current relevance of this construction technique which is at least thousand years old. These include projects and work executed in Spain, Abu Dhabi, Andorra, Burkina Faso, China, United States, United Kingdom, South African Republic, Rwanda, Tanzania… These new projects, carried out in developing countries as architectural cooperation as well as in rich industrialized ones, pave the way for future use of this environmentally-friendly affordable and versatile technique. It is worth noting the work carried out by the architect Peter Rich and his team from Light Earth Designs in the dissemination of this traditional technique throughout Africa and beyond. This section also features contributions from Julio Jesús Palomino, Enric Dilmé, Camilla Mileto, Fernando Vegas, Lidia García-Soriano and Francisco Javier Gómez-Patrocinio.

The "Structural intervention" section compiles later chapters on Rafael Guastavino, including Esther Redondo's analysis on the architect's tests on tile vaults in the United States which aims to confirm their validity, features and structural resistance. Berta de Miguel and Gabriel Pardo provide a specific examination of diagnostic methods for tile vaults in general, and particularly those of Rafael Guastavino. Fernando Vegas and Camilla Mileto painstakingly review the use of different cement mortars as well as their different manufacturers in the constructions of Rafael Guastavino, both in Spain and the United States. They also study how Guastavino came to apply these mortars to tile vaults. Two chapters, written by René Machado and Francesco Doglioni respectively, examine the structural behaviour of domes and tile vaults, both under normal stress conditions and in the case of earthquakes, especially in Italy. Angelo Gaetani and Paulo B. Lourenço provide a contribution on cross vaults analysed specifically as arches. Rafael Soler and Alba Soler describe several conservation interventions in the so-called blue domes in Valencia, while José Luis González analyses the collapse of several domes by Domènech i Montaner, researching on possible alternative designs and their restoration. Finally, Michele Paradiso provides an extensive description of the origin, history and current situation of the tile vaults in the National Art Schools in Havana.

The editors

I. HISTORIA Y CONSTRUCCIÓN

HISTORY AND CONSTRUCTION

Arco de Santa Ana (Cáceres)

ISBN. 978-84-9048-827-0

Bóvedas sin cimbra: ladrillo autoportante por hojas o recargado

Enrique Rabasa Díaz
Universidad Politécnica de Madrid

Abstract

The construction of vaults without formwork, or a remarkable reduction of auxiliary constructions, has been a constant aspiration throughout History. In the case of brick vaults, the construction without formwork has been achieved by techniques such as the timber vault, but also with vaults that Choisy called par tranches, by slices or leaves, which consists of taking advantage of the adhesion of the lime or earth mortar and a certain inclination in order of support it on the previous slice. It has a long history, especially brilliant in Byzantium. There were similar techniques in medieval Europe and notable examples in Spain, and a particular type has been used for at least three hundred years in Extremadura. A nineteenth-century manuscript, written by the Extremaduran architect Vicente Paredes, explains the particular arrangement of the brick in these vaults. It is currently used in a similar way also in Mexico, where this technique is known as bóvedas recargadas. *So it's hard not to think about knowledge transfers.*

Keywords: *Vaults without formwork, brick vaults, par tranches,* bóvedas recargadas, *Extremadura.*

Resumen

La construcción de bóvedas sin cimbra, o su reducción notable, ha sido aspiración constante a lo largo de la historia. Tratándose de bóvedas de ladrillo, la construcción sin cimbra ha sido resuelta por técnicas como la bóveda tabicada y también por las bóvedas que Choisy llama par tranches, por hojas, que consiste en aprovechar la adherencia del mortero de cal o de barro y una cierta inclinación para el apoyo en la hoja anterior. Con una larga historia, especialmente brillante en Bizancio, existen técnicas similares en la Europa medieval y ejemplos notables en España, y al menos desde hace trescientos años un tipo particular en Extremadura. El manuscrito decimonónico del arquitecto extremeño Vicente Paredes explica la particular disposición del ladrillo en estas bóvedas. En México se han construido y se siguen construyendo con una técnica similar las denominadas bóvedas recargadas, de manera que es difícil no pensar en transferencias del conocimiento.

Palabras clave: *Bóvedas sin cimbra, bóveda tabicada, par tranches, bóvedas recargadas, Extremadura.*

Una bóveda de piedra o una bóveda convencional de ladrillo requieren la ejecución previa de una bóveda de madera para sostener las piezas durante la construcción; con esta observación suele Enrique Nuere destacar coloquialmente la importancia de la carpintería. Es lógico que la aspiración a ahorrar este trabajo previo haya sido universal y frecuente en la historia de la construcción, con independencia de la disponibilidad de materiales, si bien es cierto que, en algunos lugares y momentos, la escasez de arbolado propició más especialmente el desarrollo de alternativas.

Cuando tender una bóveda requiere formalizar previamente un forro de apoyo, la forma de este forro debe mantenerse con el auxilio de un entramado, que es la parte más llamativa de las cimbras. Este entramado es concebido modernamente como una cercha, habitualmente triangulada. La palabra cercha, sin embargo, ha trasladado su significado, pues no hace mucho se empleaba para designar una tabla de madera curvada, como los camones de las bóvedas encamonadas o las reglas de borde curvo que se emplean en cantería para comprobar superficies cilíndricas o esféricas. Procesos constructivos relevantes del siglo XIX o grabados más antiguos que muestran las propuestas para la ejecución de obras singulares y de gran porte, como los dibujos de las cimbras empleadas en la construcción de San Pedro de Roma, remiten a la idea convencional de forros, costillas o camones sostenidos por una armadura, cuchillo o entramado formado por largueros y cuidadosamente diseñado. Pero estas imágenes no deben confundir. El sentido común y algunos restos muestran cómo en la mayoría de los casos estos forros previos pueden mantenerse en su lugar durante el montaje de la bóveda con el auxilio de solo algunos palos, más o menos intuitiva o irregularmente puestos (Huerta y Ruiz, 2016; Sobrino y Bustos, 2007) (Figura 1).

Por otra parte, se han empleado e imaginado ingeniosos procedimientos para mantener los sillares durante la construcción de una bóveda de piedra. Dejando de lado el sistema de vuelos sucesivos en toda la altura, o el avance por lechos horizontales en la primera parte de la bóveda –en el caso de las góticas es lo que se denomina enjarje-, se ha pensado alguna vez en la posibilidad de sostener las piezas con ayuda de cuerdas y pesos (Fitchen, 1961:182), que es un procedimiento evidentemente complejo e inseguro; pero también se han tallado dovelas con vierteaguas al exterior de la junta que podrían tener esa función (Alonso et al., 2009), y se sabe que Juan de Zumalacárregui empleaba grapas para el mismo fin en la Lonja de Sevilla (Pleguezuelo, 1990:28).

De las explicaciones de Rodrigo Gil contenidas en el tratado de Simón García (1681) y el conocido dibujo que las acompaña (fol. 25r), o de un dibujo del manuscrito de Rixner,[1] se deduce que en el montaje las bóvedas nervadas góticas más complejas también se empleaban solo algunos palos, aunque no situados de cualquier manera, sino dispuestos para el cuidadoso control de la posición de las claves; pero el resto son camones simples, o bien se omite.

Precisamente la construcción gótica, distinguiendo entre nervadura y plementería, hace posible especializar también los elementos de la cimbra. La palabra 'plementería' se encuentra en textos castellanos del siglo XVI como 'prendentería', término similar al francés y catalán *pendants*, (en francés también se puede encontrar *pendentifs* o *pandantifs*, y ahora es denominado *voûtains*), o a la *pendenteria* del manuscrito de Gelabert, denominaciones que transmiten así su calidad de obra apoyada en los nervios. Viollet-le-Duc, en el *Dictionnaire raisonnée...* (1867, 106) propuso una "cercha móvil", artilugio de longitud variable apoyado en dos nervios para sostener los sillarejos de cada hilada mientras son colocados. Este autor renunció a repetir la idea en otros lugares, y Fitchen (1961, 99) la criticó como injustificada y compleja, sugiriendo que se emplearía una cercha por cada hilada, apoyada en las cimbras de los nervios –en la catedral de Tudela se pueden ver mechinales en la parte superior de los nervios–. Choisy (1899, II 275) señala que, en algunos casos, con superficies de plementería muy extensas, su apoyo debía de ser más bien un entarimado completo. Pero en la plementería tardogótica, aparece la ocasión para evitar completamente la cimbra de la plementería –queda la de la nervadura–, dado que la extensión de

Figura 1. *Reconstrucción de la bóveda de sillería de una capilla en el pazo de Rois (La Coruña) por Santiago Huerta.*

cada casco o sector disminuye. Con este fin, por ejemplo, un procedimiento consiste en emplear una pieza o losa enteriza como hilada, con los extremos apoyados en los nervios correspondientes. Así lo explica Gelabert, que contempla el caso de solo una o dos piezas en toda la longitud, explicándolo sin dibujos, pero detallada y minuciosamente (Rabasa 2011, 412-419). Muchas bóvedas del gótico tardío son así. Otras soluciones, como losas planas apoyadas en arcos diafragma o nervios, suponen también un ahorro de cimbras. Viollet-le-Duc (1868, 481) ve el origen del gótico occidental en construcciones orientales con arcos diafragma que sostienen losas.

Otra alternativa para la plementería consiste en emplear el ladrillo. Este permite tender sin cimbra porciones de bóvedas tabicadas entre los nervios. Pero también es fácil colocar las piezas sin cimbra de manera que se ve su canto o su testa, es decir, a soga o a tizón, en el intradós. La mayor parte de la superficie de los paños de plementería es ligeramente inclinada -cerca del arranque, casi vertical-, así que esta disposición ofrece poco problema; cada hilada u hoja de ladrillo se apoya en la anterior, y no desliza, gracias a esa inclinación y la adherencia del mortero.

El investigador alemán David Wendland (2007) ha estudiado en profundidad el uso del ladrillo dispuesto de esta manera, por hojas más o menos inclinadas, en las bóvedas góticas nervadas y en aquellas otras, también góticas, que en lugar de nervios ofrecen aristas limpias entre los sectores de plementería, denominadas bóvedas celulares o diamantadas. Sus trabajos, tras concienzudas comprobaciones por medio de levantamientos, trazados infográficos, maquetas y modelos a tamaño real, no dejan lugar a dudas sobre el método y la forma que este procedimiento genera (Figura 2). La cantidad de bóvedas así ejecutadas en Centro Europa es enorme, y de algunas es visible el aparejo.

Las bóvedas bizantinas según Choisy

El tipo de bóvedas en las que cada hilada se apoya en la anterior confiando en la adherencia del mortero y con frecuencia en una cierta inclinación, fue denominado *par tranches* por Auguste Choisy, es decir, por rebanadas, rodajas, hojas. Emplea esta expresión para denominar a las bóvedas desarrolladas en ese ámbito a partir del siglo VI, en su libro *L'Art de batir chez les Bizantins* (Choisy,1883).[2] Pero, como es bien sabido, se encuentran ya bóvedas de este tipo con adobes en el Ramesseum de Luxor (siglo XIII a.C.) y su origen es, al parecer, nubio. Se empleó la misma técnica en la gran bóveda del palacio de Ctesifonte (siglo III d.C.). Según el relato de Choisy, Bizancio recogió, por una parte, la habilidad persa para disponer el ladrillo en muy distintos aparejos y, por otra, el hábito romano de cocción del ladrillo para obtener un producto de mayor calidad, dando lugar a las bóvedas por hojas bizantinas.

La narración que hace Choisy del desarrollo de las bóvedas por hojas en Bizancio, presenta una evolución sorprendentemente lógica. En primer lugar, expone diversas disposiciones de

Figura 2. *Bóveda en construcción dirigida por David Wendland como experiencia del sistema, en Meissen (Alemania).*

las hojas para la ejecución de bóvedas de cañón. La más elemental consiste en disponer las hojas en planos verticales, confiando la sustentación de cada ladrillo al pequeño apoyo de su borde fino, la testa o el canto, sobre el del ladrillo que ha sido colocado inmediatamente antes, y especialmente a la adherencia del mortero que lo recibe y retiene sobre la hoja anterior; las piezas giran alrededor del eje del cañón y la hoja de ladrillo forma una corona plana vertical (Figura 3A). Para mejorar la situación, se dispusieron las hojas superpuestas, no según planos del todo verticales, sino ligeramente inclinados (Figura 3B). Pero se dió una mejora aún más sustancial e ingeniosa. Cada una de las hojas compuestas de ladrillos puede desarrollarse, no en un plano, sino según un tronco de cono. En efecto, si el plano de cada ladrillo no es perpendicular al eje de giro, sino que forma con él cierto ángulo constante, el giro genera algo como una porción de superficie cónica (Figura 3C).

Como ocurría con las hojas planas, este tronco de cono puede, a su vez desarrollarse en vertical (con el eje de giro horizontal, coincidente con el eje de la bóveda) o bien ligeramente inclinado (con el eje inclinado, Figura 3D). Conviene resaltar aquí, por su relación con configuraciones que expondremos más adelante, que esta faja de ladrillos en forma de tronco de cono ofrece siempre, como muestran los dibujos de Choisy, su cara convexa hacia arriba y su cara cóncava, descansando sobre la hoja anterior, hacia abajo. También que los ladrillos que lo componen se colocan manualmente en su lugar desde el lado de la convexidad, lado en el que se sitúa el operario. Si bien es una mera especulación, Choisy también explica la forma de un cintrel o ligero artilugio de control que serviría, no para sostener a modo de cimbra, sino para controlar la correcta posición de cada pieza.

La habilidad de Choisy conduce al lector a comprender la forma y ejecución de las bóvedas bizantinas que parecen bóvedas de arista como una extensión del sistema pensado para bóvedas de cañón. En los cañones, cada hilada,

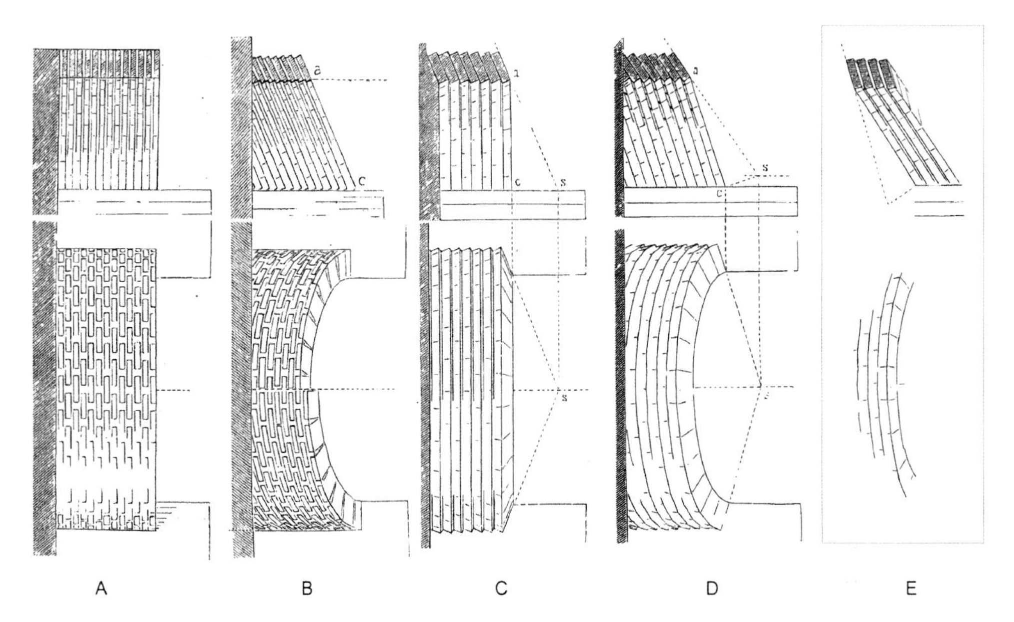

Figura 3. *De A a D, composición, a partir de fragmentos de las ilustraciones de Choisy (1883), de diversas maneras de disponer las hojas: A, planas verticales. B, planas inclinadas. C, troncocónicas de directriz vertical. D, troncocónicas de directriz inclinada. En E, elaborada empleando el mismo grafismo de Choisy, se ha añadido la que correspondería a las explicaciones de Vicente Paredes.*

plana o cónica, sigue un arco de circunferencia, en el caso más simple girando alrededor del eje de la bóveda. En cada uno de los cuatro sectores de las bóvedas de arista es posible seguir el mismo sistema, es decir, disponer cada hilada siguiendo un arco de circunferencia con centro en el eje correspondiente (Figura 4). Si estos arcos pudieran nacer justamente en los puntos de unas semielipses situadas en los planos diagonales, es decir, de las semielipses que debiera haber en una bóveda de aristas convencional –que son secciones oblicuas de los dos cañones que definen la bóveda–, generarían esos cilindros que son los cañones. Pero en los planos diagonales no se disponían semielipses, sino sencillos arcos de circunferencia, de manera que al hacer girar sus puntos alrededor del mismo eje, éstos describen circunferencias de radio variable, y se obtienen superficies de revolución cuya sección longitudinal es en general una extraña curva y no una recta (la que vemos en la sección de la Figura 4). Estas superficies se pueden determinar claramente desde un punto de vista geométrico, como se hizo en efecto en el siglo XIX –es una forma de lo que se llamó globloides–; los dibujos de Choisy reflejan estas formas con su habitual cuidado y rigor.[3]

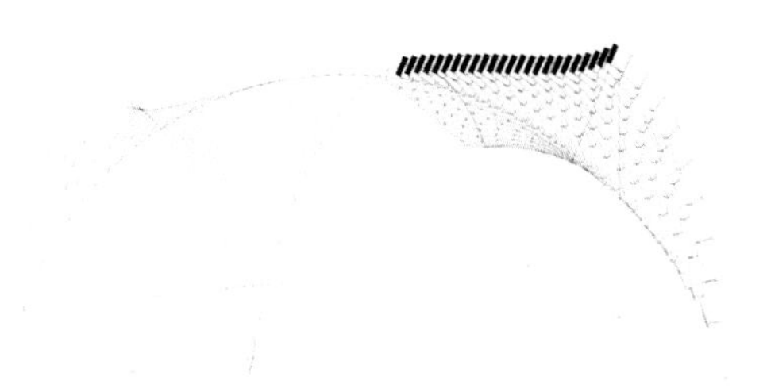

Figura 4. *Forma de la bóveda de arista bizantina como resultado de iniciar las hojas de ladrillo desde los puntos de un arco de circunferencia en la diagonal.*

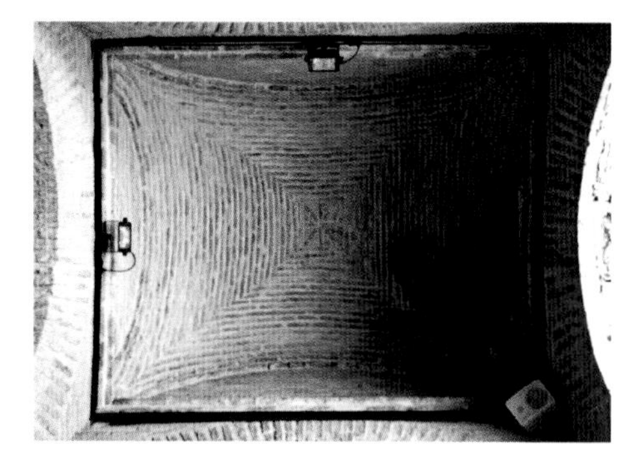

Figura 5. *Bóveda en la mezquita de las Tornerías.*

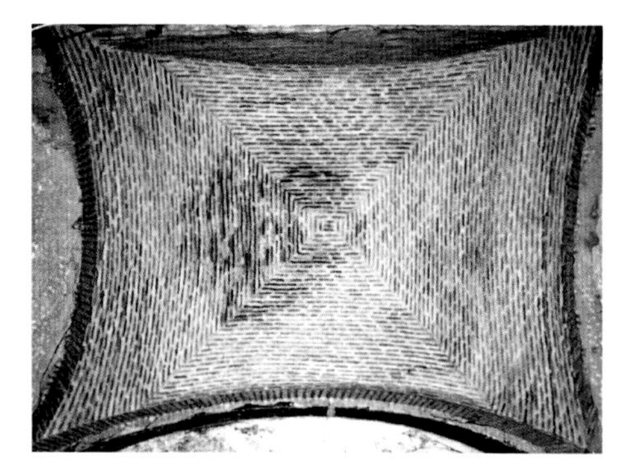

Figura 6. *Bóveda añadida en el siglo XII para formar el ábside de la ermita del Cristo de la Luz.*

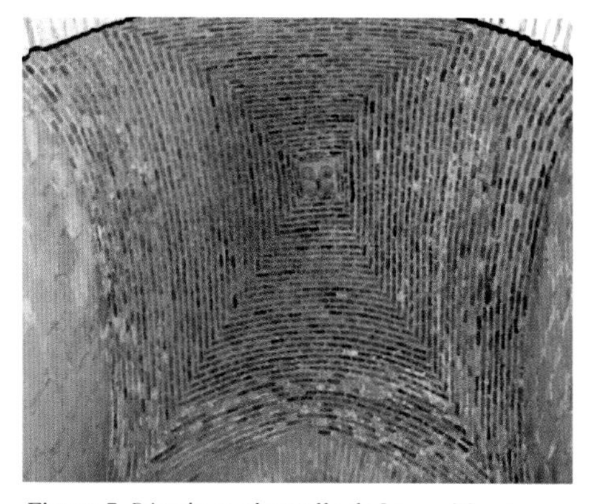

Figura 7. *Bóveda en el castillo de Lorca, Murcia.*

Para que el arco diagonal, un sencillo arco de circunferencia, no eleve su punto central mucho más que lo que lo hacen los cuatro arcos perimetrales, es adecuado que sea un arco rebajado, es decir, con el centro por debajo del plano de la imposta. Entonces la forma ideal de la sección longitudinal de estas bóvedas resultaría ser una curva con ciertas inflexiones. Como cabe suponer, en la realidad no es fácil reconocer esta forma a la vista, que sería parecida a la de un arco moderno para disparo de flechas, con concavidad central y una pequeña inflexión y elevación en los extremos. Choisy advierte que con frecuencia se pudo haber recortado la parte más exterior, que es la que adquiere una forma final abocinada. En cualquier caso, como señala Santiago Huerta (2009:302), no sabemos si la idea de Choisy es ajustada sin un levantamiento preciso de este tipo de bóvedas, que, al parecer, no se ha hecho.

Así pues, el imperio bizantino dominaba este tipo de bóvedas, ya en los primeros periodos, y las llegó a sistematizar de manera característica. Pero el sistema de formación de bóvedas por hojas sucesivas, ofreciendo el canto al intradós y aprovechando la adherencia de los morteros para tender cada hilada sin cimbras, se ha extendido por toda Europa e incluso América. No es fácil reconocer bóvedas de este tipo, ya que suelen quedar cubiertas por un revoco.

Las bóvedas de plementería de ladrillo y las bóvedas sin nervios alemanas pertenecen a este sistema. Sin duda debe de haber bóvedas ejecutadas de esta manera en muchos otros lugares, especialmente en Italia, donde al menos se conocen las habilidades de Brunelleschi para evitar las cimbras en la gran cúpula de Florencia, y existen otras cúpulas menores con aparejos en espina de pez que tendrían este propósito. Se pueden encontrar bóvedas por hojas semejantes a las bizantinas en castillos medievales españoles de La Mancha (véase el artículo de Ignacio Gil Crespo en este mismo volumen), en la mezquita de las Tornerías y en el Cristo de la Luz en Toledo, alrededor del siglo XII (Figura 5), y en el castillo de Lorca en Murcia, siglo XIII (Figura 6).[4]

Denominaciones

La distinción conceptual entre una bóveda convencional y una levantada por hojas es problemática en algunos casos. Una bóveda de cañón puede ofrecer los cantos o las testas de los ladrillos disponiendo hojas según la sección transversal, pero también ofrece los cantos o las testas en el intradós si se construye por hiladas rectas convencionales según las generatrices del cilindro; en esta última modalidad, que es la más común, las hiladas se van verticalizando progresivamente, de manera que, si en lugar de apoyar en una cimbra se confía en la adherencia del mortero, se podría considerar también una construcción por hojas, con el inconveniente de que las hojas no forman arcos. Algunas bóvedas bizantinas progresan, en efecto, por este sistema solo hasta cierta altura o cierta longitud de hilada.

En una bóveda semiesférica, la disposición habitual comienza estableciendo hiladas cónicas con los ladrillos muy horizontales en la parte baja, y al subir aumenta la inclinación. En este caso las hojas no forman arcos, sino círculos horizontales completos, y cada uno de ellos, así como la bóveda completa, es estable una vez cerrado cada círculo. De manera que, si se confía en la adherencia para su construcción, aún más en este caso se podría considerar de la misma familia que las bóvedas que denominamos por hojas. Sin embargo, en la mayor parte de los casos la diferencia entre una bóveda convencional y una bóveda por hojas es clara.

En Extremadura se ha empleado este sistema en la construcción de un tipo tradicional durante varios siglos. La zona llamada La Raya es lugar de especial concentración, y habría que incluir también el Alentejo, llegando hasta Lisboa, y el sur de Salamanca. Un estudio atento a este tipo de construcción seguramente descubriría que es mucho más general de lo que se puede pensar.

Al tratar de bóvedas extremeñas se suele destacar muy especialmente el uso de la construcción tabicada. Son las tabicadas extremeñas bóvedas de arista con hiladas cuadradas, con frecuencia rebajadas, pero con una peculiar forma que realza algo la clave central sobre las claves de los arcos perimetrales. Se menciona con menor frecuencia un tipo que es semejante, pero ejecutado con ladrillo por hojas. En Extremadura se conoce como bóveda a rosca.

No es prudente contradecir las denominaciones tradicionales de los procedimientos constructivos, pero conviene advertir que la bóveda a rosca extremeña no coincide con lo que en otros lugares se llama bóveda o arco a rosca, o rosca de ladrillo. Ya se han mencionado las dificultades de clasificación de algunos tipos de bóveda. Sin embargo, en el caso elemental de un arco, considerando el hecho simple de que el ladrillo tiene tres dimensiones, se puede afirmar que, cada hilada de ladrillo se puede disponer de tres maneras (Figura 8): la que se denomina comúnmente a rosca, que consiste en que el plano principal del ladrillo, la cara o tabla, se dirige hacia el eje de giro; la tabicada, de modo que la tabla forma el intradós; y la que corresponde a la técnica que aquí denominamos por hojas, que dispone la tabla frontalmente (o casi frontalmente), paralela al frente del arco. No hay más posibilidades, aunque, naturalmente, cada una de estas tres tiene dos variantes, según la

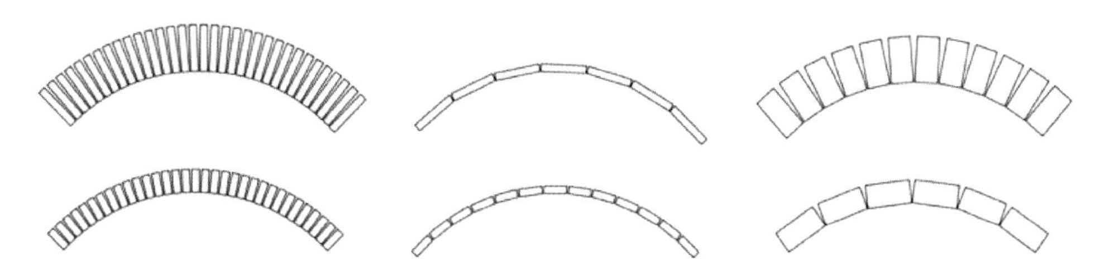

Figura 8. *Posibles posiciones del ladrillo en un arco. De izquierda a derecha, a rosca, tabicado, por hojas.*

disposición de las dos dimensiones de la cara. Pues bien, las bóvedas extremeñas, de las que se tratará a continuación, se han denominado a rosca, pero son del tercer tipo, por hojas.

Las bóvedas extremeñas llamadas de rosca

La bóveda por hojas extremeña conoció probablemente su apogeo en los siglos XVIII y XIX. Lo acredita el manuscrito que sobre este tipo de construcción escribió Vicente Paredes, quien lo fechó en 1883, en curiosa coincidencia con la publicación del libro de Choisy sobre Bizancio.[5] Aunque algunos otros habían mencionado el sistema con anterioridad (véase Rabasa et al., 2020), Paredes lo quiere explicar en profundidad.

Este tratado se titula "Construcción sin cimbra de las bóvedas de ladrillo con toda clase de morteros", pero en el manuscrito se puede ver que el título inicial, luego tachado, era "Construcción sin cimbra de las bóvedas de cal y ladrillo" (Paredes, [1883] 2004). Su lectura es algo pesada y poco fácil de seguir, pero ofrece alguna noticia e intuiciones interesantes. El texto manifiesta que Paredes consideraba la ejecución de bóvedas tabicadas como una práctica muy extendida y no específicamente propia de Extremadura, y frente a ellas quiere destacar, por el contrario, la bóveda extremeña construida sin cimbra, pero con cal. Con pesada retórica decimonónica dice:

> ... [está] próximo a desaparecer este método, porque el yeso en esta comarca va sustituyendo a la cal, y los albañiles dedicándose a imitar esta clase de bóvedas con las tabicadas, y porque no vemos lejano el día en que no sepan hacerlas como no se hacen en parte alguna y las sustituyan por las que, colocando los ladrillos pegados por sus cantos con yeso se construyen en todas partes, no ofreciendo otra dificultad ni más mérito que el de saber templar el mortero... (Paredes, [1883] 2004, 110).

De aquí se deduce que, en el pensamiento de Paredes, la bóveda típicamente extremeña presenta una forma general característica que puede ser alcanzada con la construcción tabicada o bien con la que denominamos por hojas. La primera técnica aprovecha la rapidez de fraguado del yeso, pero la segunda confía en una cierta adherencia, que se da, señala Paredes, en el mortero de cal y también en el de barro; probablemente por esto rectifica el título y se refiere a "toda clase de morteros".

En cuanto a la prioridad en la tradición extremeña de la bóveda de cal (hoja) sobre la de yeso (tabique), no tenemos aún datos suficientes. Manuel Fortea y Vicente López (1998:21) han mostrado la presencia de bóvedas tabicadas en Extremadura en el siglo XVII; la construida así en 1660 en la iglesia de Bienvenida (Badajoz) consta como una técnica novedosa en su momento. Quizá la idea de que la tabicada viene a reemplazar a la tradicional se mantuviera durante doscientos años, hasta el manuscrito de Paredes.

En la intuición de Paredes, la sustentación sin cimbra de los ladrillos se fundamenta por una parte en esta adherencia, y por otra en la disposición de los ladrillos y la forma de cada hilada. Es aquí donde introduce una reflexión algo torpemente explicada pero muy interesante para la comparación de esta tradición extremeña con la forma de ejecución que Choisy describe para las bizantinas.

Más arriba hemos explicado el importante papel que para Choisy cumple la modalidad de bóveda bizantina que dispone los ladrillos en forma troncocónica. Esa hilada deja su convexidad al exterior, desde donde trabaja el albañil. Pues bien, Paredes insiste mucho en la relevancia de una supuesta disposición de los ladrillos de la hilada siguiendo "conos constructivos", pero la posición de estos conos sería más bien la contraria a la mostrada en las explicaciones de Choisy.

Comienza Paredes apoyándose en la idea de estabilidad que resulta evidente en las hiladas circulares de una bóveda de media naranja convencional. Citando a Fray Lorenzo de San Nicolás, Paredes explica que cada una de estas hiladas forma un tronco de cono con el vértice hacia abajo, y cómo, completada la hilada, aunque sea horizontal, los ladrillos quedan comprimidos; el desarrollo de la idea le lleva a presentar como alternativa viable la bóveda plana de ladrillo formada por hiladas cónicas, cuya sección sería algo como un arco adintelado de ladrillo. Pasa después a considerar que la concavidad del apoyo, ventajosa para una hilada completa, lo sería también para un arco de esa circunferencia (contrarrestando, naturalmente, el empuje en los extremos), y que la posición más o menos inclinada de la hilada no impide este funcionamiento. Con algunos dibujos confusos (Figura 9) explica que, si una hilada cónica tiene su concavidad hacia abajo, se comporta simplemente como un arco, pero si, por el contrario, la tiene hacia arriba, como ocurre en las de la media naranja o en esa hipotética bóveda plana por hiladas redondas, entonces la compresión derivada del apoyo en el cono anterior supone una ventaja notable.

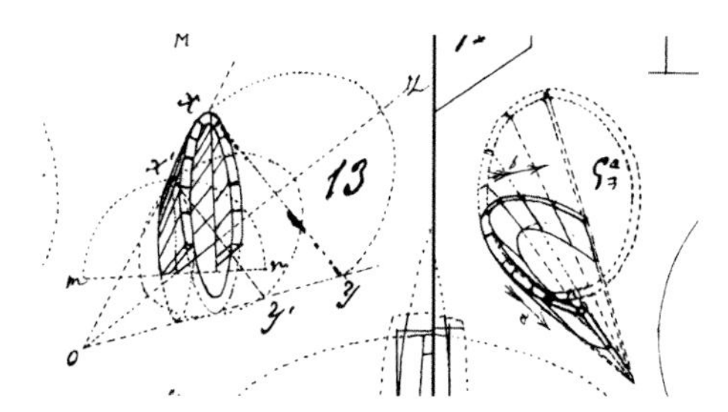

Figura 9. *Ilustración de las hiladas cónicas dispuestas con la convexidad hacia arriba o hacia abajo, en el manuscrito de Paredes ([1883] 2004), Figuras 5 y 13.*

Las bóvedas extremeñas que no son tabicadas, las que llaman a rosca, presentan a simple vista un gran parecido con las bóvedas de arista bizantinas, y ambas se adaptan a muy diversas disposiciones de los arcos perimetrales. Sin embargo, muestran algunas particularidades importantes en su ejecución y forma. Para definirlas debemos confiar en la apariencia de las viejas bóvedas sin revoco, ya que, aunque se han seguido empleando hasta no hace mucho, una hipotética permanencia invariable hasta nuestros días podría ser discutible.

Figura 10. *Bóveda en el Palacio de los marqueses de Oquendo en Cáceres (fotografía de Fernando Enríquez).*

La forma común de las extremeñas en viviendas es, lógicamente, rebajada; entonces tanto las aristas como los arcos perimetrales son rebajados, elípticos habitualmente, y la clave central presenta una ligera elevación, denominada retumbo (también se han empleado otras palabras). Pero, como hemos señalado, admiten cualquier condición para los arcos del contorno. En los arranques, o incluso en toda la arista, se colocan macizos de ladrillo, las llamadas pechinas, dispuesto de manera más o menos radial, es decir, como en una rosca convencional, en los que apoyan los extremos de las hiladas por hojas (López Romero y López Bernal, 2015). Estas hiladas aparecen curvas a la vista. Podemos suponer que se trata de hojas planas o troncocónicas. La curvatura del borde de la hoja se aprecia claramente desde abajo (Figura 10) y en algunos casos es muy cerrada. Si a partir de esas curvas, que son muy horizontales, imaginamos troncos de cono con la convexidad hacia arriba para horizontalizar los ladrillos aún más, al modo de Choisy, probablemente no habría espacio físico sobre la hilada anterior; y en el intradós, el tramo libre de solape entre hojas llegaría a quedar visto en mayor extensión que los cantos (Figura 11, izquierda). Así que la curvatura aparente de las hiladas parece hacer descartar que se empleara la solución troncocónica tal como la explica Choisy. Sin embargo, sí es posible que

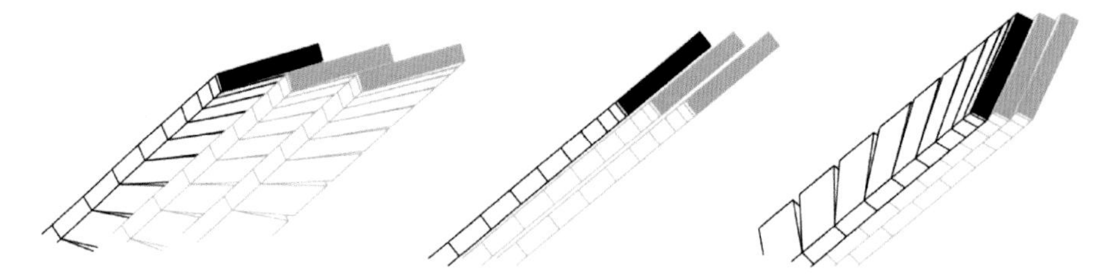

Figura 11. *Con hiladas de directriz muy inclinada, como suele suceder en las extremeñas, la disposición según conos convexos impide una correcta superposición; no existe ese problema si los conos son cóncavos (considerando cóncavo y convexo siempre desde el espacio del constructor). Aquí la inclinación en los tres casos es de 51 grados, que se corresponde con Albarrán (1885, V, Figura 7), pero en otras ilustraciones de este autor, y en las ejecutadas, es mayor.*

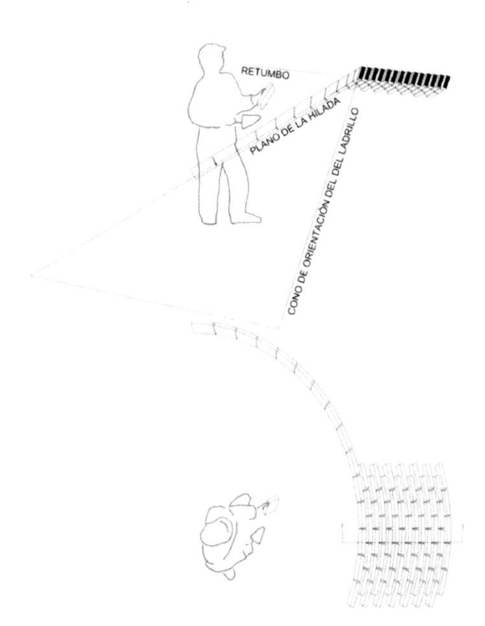

Figura 12. *Concavidad de la hilada en la bóveda extremeña; hiladas y operario en proyección horizontal y vertical. Las hiladas de las bóvedas extremeñas sueles ser cortas, pero aquí se ha extendido la primera para mostrar mejor su forma troncocónica.*

las hiladas sean sensiblemente planas, y quizá lo son en algunos casos, y también es posible la alternativa que propone Paredes (Figura 11, centro y derecha). Las hiladas podrían ser troncocónicas y con su concavidad dirigida hacia arriba. De esa manera, además, las piezas serían colocadas por un albañil desde la zona central de la bóveda, entre las cuatro hiladas que van avanzando (Figura 12). Eso tiene mucho sentido en principio, ya que la propia disposición abanicada y cóncava de los ladrillos se correspondería con una colocación manual cómoda desde esa zona cóncava.

Las hiladas de una bóveda de arista bizantina pueden ser planas o cónicas, pero parece que son siempre verticales, al contrario que las de los cañones. Una diferencia notable entre las bóvedas de arista por hojas que se pueden ver en Estambul y las que se encuentran en Cáceres –de apariencia semejante, por otra parte, como muestran las Figuras 13 y 14– es que, en las primeras, las hiladas y juntas más exteriores son verticales, es decir, forman cuadrados concéntricos en planta, mientras que en las segundas, ya desde el perímetro las hiladas han de aparecer como líneas sobre planos inclinados, y requieren en consecuencia un cierto relleno de hiladas interrumpidas en la especie de enjutas que hay entre la primera hilada completa y el arco o muro de apoyo.

El resto del escrito de Paredes, de una manera muy propia de finales del XIX, se adentra en cuestiones geométricas y abstractas, pretendidamente más científicas, que no mejoran en nada el conocimiento de esta tradición. Como ha ocurrido tantas veces, se especula estérilmente sobre la naturaleza cilíndrica, esférica, esferoidal, elíptica, etc. de los paños resultantes, es decir, de unas formas geométricas que derivan de la actividad manual de un operario, el cual

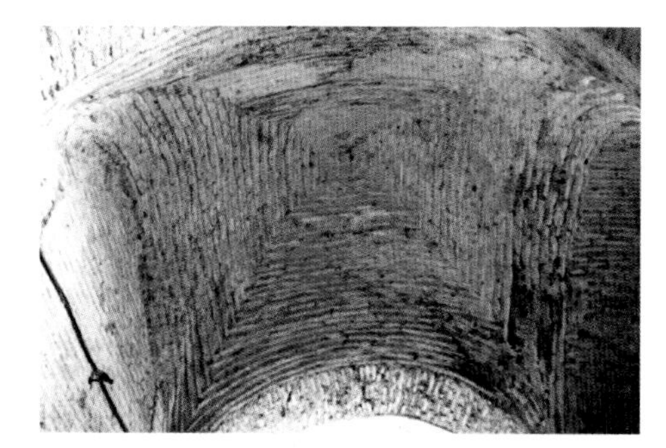

Figura 13. *Bóveda por hojas en Santa Sofía de Constantinopla.*

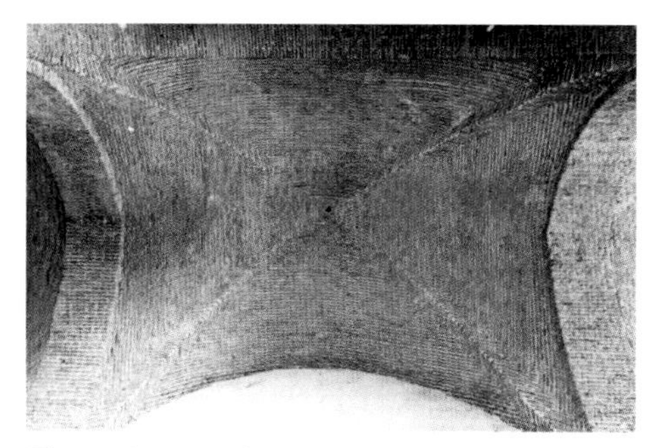

Figura 14. *Bóveda por hojas en la catedral de Plasencia (estas datan del siglo XVIII, según información del pro-fesor Francisco Javier Pizarro Gómez).*

evidentemente nunca ha tenido preocupaciones de ese tipo en la mente. Es interesante observar que en las conclusiones Paredes propone como mejores dimensiones del ladrillo, para este propósito, las 14×21×3,2 cm, y afirma que el trabajo resulta a 2-3 reales por metro cuadrado, desarrollado por albañiles que ganan 20 reales en un día de 10 horas. No se sabe si eso incluye a un maestro bovedero y su ayudante, pero sí se deduce que resultarían unos cuatro metros cuadrados por día.

México

En la actualidad es México el lugar donde más se experimenta con este modo de construir bóvedas de ladrillo sin cimbra y por hojas. Los resultados son sorprendentes, por ejemplo, en las bóvedas tendidas por Ramón Aguirre Morales y Alfonso Ramírez Ponce, ambos profesores de universidad y constructores activos que transmiten su quehacer con entusiasmo. Es este último quien ha acuñado una denominación muy expresiva para tal manera de hacer: bóvedas recargadas.[6] En efecto, los ladrillos de sus bóvedas se disponen por hojas que, ligeramente inclinadas, descansan en las anteriores. Es el canto lo que aparece en el intradós, y en las zonas más horizontales de la bóveda puede resultar un escalonamiento visible de estos cantos. Las dimensiones que Alfonso Ramírez prefiere son 5×10×20 cm (1000 cm^3, muy semejante a los 941 cm^3 del ladrillo de Paredes) y ofrece también, como Paredes, una estimación del progreso del trabajo, 2 horas por hombre y metro cuadrado (cuatro metros cuadrados por día de 8 horas), frente a las 5 horas de un trabajo convencional.

Esta técnica ha sido un uso tradicional en El Bajío mexicano. A la vista de los precedentes, la aparición de la bóveda por hojas –o recargada, o autoportante– precisamente en México, no debería ser considerada a la ligera como un caso de evolución convergente. Se ha dicho que el trujillano Francisco Becerra, que trabajó en Puebla, pudo haber llevado las tradiciones extremeñas en el siglo XVI,[7] pero, evidentemente, no fue el único constructor extremeño en Nueva España.

Antes hemos señalado que para asentar un ladrillo hay tres posiciones básicas. Por otra parte, los morteros de yeso o cal han tenido un recorrido muy largo. En consecuencia, no se puede negar la posibilidad de que las disposiciones tabicadas y por hojas se hayan podido considerar eficaces más de una vez a lo largo de la historia, sin necesidad de pensar en una transmisión del conocimiento. Sin embargo, tras el origen el Egipto y Persia, es tentador imaginar los lugares mencionados aquí al tratar las bóvedas por hojas recibidas con mortero de cal,[8] como acontecimientos sucesivos: Bizancio, experiencias europeas y españolas medievales, Extremadura, y finalmente México.

Notas

[1] Rixner (1445-1515, 280-283). Debo la observación a la profesora Ana López Mozo.

[2] También lo había dicho así en un artículo anterior menos difundido (Choisy, 1876); Ger y Lóbez (1869) había empleado el término "hojas" (véase Rabasa et al., 2020) y más modernamente se ha escrito sobre ellas como *pitched vaults*. Esta última expresión alude a una ligera inclinación de los ladrillos, que explicaremos a continuación, pero no parece tan apropiada, porque en ocasiones son perfectamente verticales.

[3] Como en otros casos, los dibujos de Choisy son una abstracción que muestra con extraordinaria claridad y rigor la forma resultante de un proceso. Naturalmente, la realidad de la construcción da lugar a ejecuciones algo menos precisas y, sobre todo, a superficies en las que la continuidad superficial, alcanzada con piezas prismáticas, no es perfecta.

[4] La mayor parte de ellas son semejantes a las bóvedas vaídas bizantinas. La vaída bizantina se obtiene simplemente diseñando el arco diagonal semicircular en lugar de rebajado.

[5] Choisy adelantó sus ideas en una publicación anterior (Choisy, 1876). Para la posibilidad de que Paredes conociera las ideas de Choisy, véase Rabasa et al., 2020.

[6] En inglés se ha usado la denominación *pitched bricks*, pero Alfonso Ramírez ha preferido *leaning brick*.

[7] Fernández Muñoz (2007, 313 y otras) interpreta que de un texto sobre la construcción por Francisco Becerra de una bóveda de piedra sillería se desprende que fue construida sin cimbra.

[8] Los ejemplos de bóvedas por hojas que hemos conocido hasta ahora situados en el norte de África o de la España musulmana son al parecer predominantemente ejecutados con mortero de yeso, y con mucha frecuencia esto permite disponer hojas planas perfectamente verticales.

Nota: Salvo indicación contraria, las imágenes de este artículo pertenecen a los autores.

Referencias

ALBARRÁN Y SÁNCHEZ, J. (1885). *Bóvedas de ladrillo que se ejecutan sin cimbra.* Memorial de Ingenieros del Ejército, año XL, n. IV, V, VII y VIII.

ALONSO RODRÍGUEZ, M. Á., CALVO LÓPEZ, J., RABASA DÍAZ, E. (2009). Sobre la configuración constructiva de la cúpula del crucero de la Catedral de Segovia. En *Actas del Sexto Congreso Nacional de Historia de la Construcción*, 21-24 de octubre de 2009, editado por Santiago Huerta, 53-62. Madrid: Instituto Juan de Herrera, SEHC.

CHOISY, A. (1876). "Note sur la construction des voûtes sans cintrage pendant la période byzantine". En *Annales des Ponts et Chaussées.* 5 série, 2E sem.12: 439-449, Pl. 21.

CHOISY, A. (1883). *L'Art de bâtir chez les Byzantins.* Paris: Librairie de la Société Anonyme de Publications Periodiques (traducción en *El arte de construir en Bizancio*, Madrid: Instituto Juan de Herrera, 1997).

CHOISY, A. (1899). *Histoire de l'architecture.* Paris: Gauthier-Villars. 2 tomos.

FERNÁNDEZ MUÑOZ, Y. (2007). *Francisco Becerra. Su obra en Extremadura y América.* Cáceres: Servicio de Publicaciones de la Universidad de Extremadura.

FITCHEN, J. (1961). *The construction of Gothic Cathedrals.* Oxford: Clarendon Press.

FORTEA LUNA, M. y V. LÓPEZ BERNAL (1998). *Bóvedas extremeñas: proceso constructivo y análisis estructural de bóvedas de arista.* Badajoz: Colegio de Arquitectos de Extremadura.

GARCIA, S. (1681). *Compendio de arquitectura y simetría de los templos conforme a la medida del cuerpo humano*, Ms. 8884, Biblioteca Nacional de Madrid (facsímiles en México: Escuela Nacional de Conservación, Restauración y Museologia., 1979; Valladolid: C. O. de Arquitectos de Valladolid, 1991).

GER Y LÓBEZ, F. (1869). *Manual de construcción civil.* Badajoz: Imprenta de Don José Santamaría.

HUERTA, S. y A. RUIZ (2006). Some notes on gothic building processes: the expertises of Segovia cathedral. En *Proceedings of the Second International Congresson Construction History.* Cambridge: Queens' College. 1619-1632.

HUERTA, S. (2009). The Geometry and Construction of Byzantine vaults: the fundamental contribution of Auguste Choisy. En *Auguste Choisy (1841-1909): L'architecture et l'art de bâtir:* Actas del Simposio Internacional celebrado en Madrid, 19-20 de noviembre de 2009 editado por F.J. Girón y S. Huerta, 289-305. Madrid: Instituto Juan de Herrera.

LÓPEZ ROMERO, M. y V. LÓPEZ BERNAL (2015). Las aristas en "espiga" de la bóveda sin cimbra de Extremadura. En *Actas del Noveno Congreso Nacional y Primer Congreso Internacional Hispanoamericano de Historia de la Construcción*, Segovia, octubre de 2015, editado por S. Huerta y F. López Ulloa, Vol. 2. Madrid: Instituto Juan de Herrera, SEHC. 949-957.

PAREDES Y GUILLÉN, V. [1883] (2004). *Tratado de bóvedas sin cimbra de Vicente Paredes Guillén* (Francisco Javier Pizarro Gómez y José Sánchez Leal (eds.) facsímil de manuscrito Construcción sin cimbra de las bóvedas de ladrillo con toda clase de morteros, conservado en dos partes en el Archivo Histórico Provincial de Cáceres, legado Paredes).

PLEGUEZUELO HERNÁNDEZ, A. (1990). La Lonja de Mercaderes de Sevilla: de los proyectos a la ejecución. *Archivo español de arte, 63*(249), 15-42.

RABASA DÍAZ, E. (2011). *El manuscrito de cantería de Joseph Gelabert.* Madrid: Fundación Juanelo Turriano y COA de Islas Baleares.

RABASA DÍAZ, E., A. LÓPEZ-MOZO Y M. Á. ALONSO-RODRÍGUEZ. (2020). Brick vaults by Slices in Choisy and Paredes. *Nexus Network Journal, 22*(4): 811-830. https://doi.org/10.1007/s00004-020-00504-1

RIXNER, W. y J. REITER (1445-1599) (Rixner 1445-1515, y aportaciones de Reiter 1540-1599). *Bauhüttenbuch des Wolfgang Rixner*, Wien, Albertina, Cim. VI, Nr. 5.

SOBRINO, M. y C. BUSTOS (2007). Cimbras para bóvedas: noticias de algunos casos. En *Actas del quinto Congreso Nacional de Historia de la Construcción*, editado por Santiago Huerta. Madrid: Instituto Juan de Herrera. 907-14.

VIOLLET-LE-DUC, E. (1868). *Dictionnaire raisonné de l'architecture française du XIe au XVIe siècle*. Tomo 4. París: Morel.

VIOLLET-LE-DUC, E. (1868). *Dictionnaire raisonné de l'architecture française du XIe au XVIe siècle*. tomo 9. París: Morel.

WENDLAND, D. (2007). Traditional Vault Construction Without Formwork: Masonry Pattern and Vault Shape in the Historical Technical Literature and in Experimental Studies. *International Journal of Architectural Heritage, 1*(4): 311-365. https://doi.org/10.1080/15583050701373803

Bóveda del tramo rectangular de la iglesia de Calatrava la Nueva

Bóvedas de ladrillo sin cimbra en las fortalezas de las órdenes militares en el Campo de Montiel y el Campo de Calatrava (Ciudad Real)

Jesús Manuel Molero García[a], Ignacio Javier Gil Crespo[b], David Gallego Valle[c]
[a] Universidad de Castilla-La Mancha
[b] Sociedad Esp. de Historia de la Construcción
[c] Universidad de Castilla-La Mancha

Abstract

A significant number of brick vaults built without centering have been found in a group of castles belonging to the military orders of Santiago and Calatrava, built at the end of the 13th century and the beginning of the 14th century. The vaults have the form of barrel vaults or groin vaults and were built by slices. They reveal a constructive knowledge with a clear intentionality previous to the construction. The article explains the tradition of the construction of brick vaults without centering. It also explains the context of the construction of the castles of the military orders with the aim of discussing the hypotheses of this "Byzantine" construction. Three representative examples are presented in this article: the vaults of the castles of Calatrava la Nueva, Montizón and Montiel. Finally, future objectives of research are outlined.

Keywords: *Castles, Calatrava la Nueva, Salvatierra, Montizón, Montiel, archaeology, construction history.*

Resumen

Se han localizado un número significativo de bóvedas de ladrillo construidas sin cimbra en un conjunto de castillos pertenecientes a las órdenes militares de Santiago y de Calatrava, construidos a finales del siglo XIII y principios del siglo XIV. Estas bóvedas son de cañón o de arista por hojas inclinadas y revelan un conocimiento constructivo con una intencionalidad clara y previa al hecho de la construcción. En el artículo se expone la tradición de la construcción de bóvedas de ladrillo sin cimbra. También se explica el contexto de la construcción de los castillos de las órdenes militares para discutir las hipótesis de esta construcción "a la bizantina". En este artículo se presentan tres ejemplos representativos: las bóvedas de los castillos de Calatrava la Nueva, Montizón y Montiel. Por último, se enuncian unas futuras vías de investigación.

Palabras clave: *Castillos, Calatrava la Nueva, Salvatierra, Montizón, Montiel, arqueología, historia de la construcción.*

Las excavaciones arqueológicas que los autores están desarrollando en el Conjunto Arqueológico del Castillo de La Estrella de Montiel (Ciudad Real) han desvelado que gran parte de las estancias interiores de la fortaleza estaban cubiertas con bóvedas de ladrillo.[1] En las últimas campañas se han documentado restos de estas cubiertas arruinadas en grandes bloques en la torre del homenaje, en la del Cubo Hondo y en la torre del Miradero, destacando la que se conserva en el aljibe del patio. Se trata de cubiertas de ladrillo dispuestas por hojas y colocadas sin cimbra, en las que se ha observado una sistematización constructiva en la técnica empleada, muy racional y económica, habiendo sido fechadas a partir del registro arqueológico entre finales del siglo XIII y principios del XIV.

Figura 1. *Bóveda del zaguán de Montizón.*

En el transcurso del trabajo de campo que se ha llevado a cabo en este y otros recintos fortificados de las órdenes militares (Santiago, San Juan y Calatrava) en el entorno próximo y en el ámbito geográfico de la submeseta meridional, se ha constatado que el empleo de este tipo de bóvedas fue sistemático en los siglos XIII y XIV. Así, se encuentran bóvedas (o restos o improntas) de ladrillo construidas por hojas paralelas y sin empleo de cimbras en la iglesia y otras dependencias del castillo de Calatrava la Nueva, en el aljibe central del castillo de Salvatierra, en el referido castillo de Montiel, en el de Montizón o en Albaladejo, además de otros ejemplos que actualmente se están estudiando.

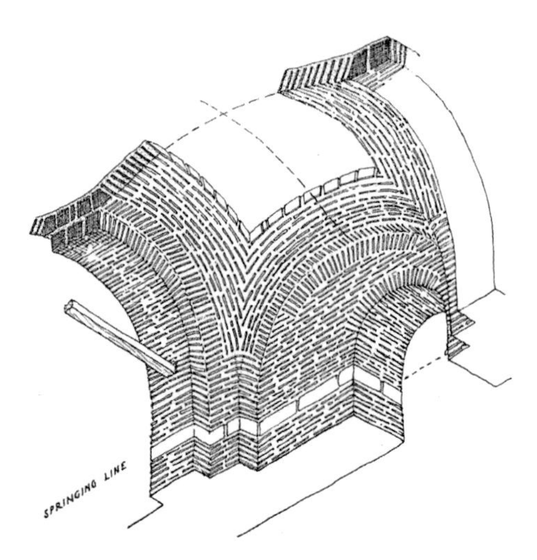

Figura 2. *Proceso de construcción de la bóveda por hojas de Hagia Irene (Dibujo de George, 1912, en Ward-Perkins, 1958:60).*

Esta primera publicación tiene por objeto exponer las características históricas y constructivas de esta técnica de construcción de bóvedas de ladrillo sin cimbra, de clara ascendencia bizantina, y que se emplea con frecuencia en los castillos de las órdenes militares del territorio administrado por ellas al sur del río Tajo.[2]

La tradición de la construcción de bóvedas de ladrillo sin cimbra

Este tipo de bóvedas sin cimbra construida por hojas se remonta a la Antigüedad mesopotámica. La técnica fue empleada en la construcción griega y romana, pero fue en la arquitectura bizantina donde adquiere su esplendor.

La tradición arquitectónica ha mantenido la técnica de construir bóvedas sin cimbra con ladrillos dispuestos por hojas en Extremadura, Salamanca y parte de Portugal hasta la actualidad. No obstante, la forma de disponer los ladrillos en la arquitectura tradicional (y también culta) de estas regiones difiere de la manera "bizantina", siendo ambos tipos bóvedas autoportantes que no necesitan cimbras ni apoyos auxiliares durante su construcción.

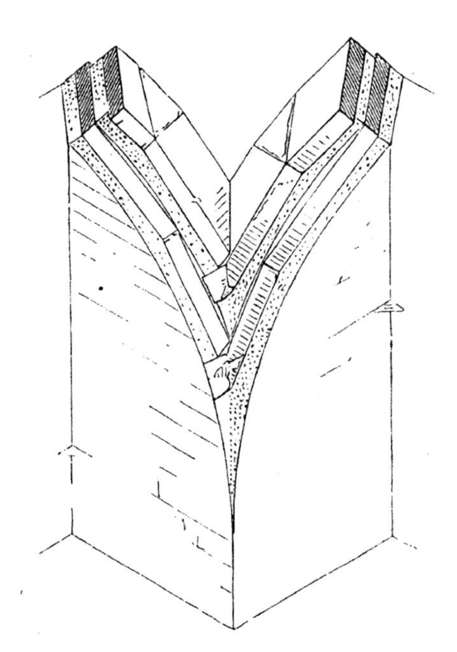

Figura 3. Detalle del arranque de una bóveda bizantina de ladrillo por hojas, según Choisy (1883, fig. 55).

Figura 4. Arranques de la bóveda de la torre Mocha del castillo de Montiel.

El modo "bizantino" consiste en hacer una roza o preparar un lecho inclinado en la fábrica (muro, arco...) sobre la que arranca la bóveda. Sobre este lecho inclinado se apoyan los ladrillos con mortero en su tabla, pero siempre de manera paralela a los muros perimetrales, de manera que la proyección en planta de cada hoja es una línea recta paralela al muro correspondiente. Las hojas se van cerrando formando anillos concéntricos, totalmente estables una vez completados. La sujeción de cada ladrillo durante la construcción se garantiza por la adherencia del mortero, pudiendo hacer uso, en caso de necesidad, de sistemas provisionales como el conocido de atar un peso con una cuerda que rodea y retiene al ladrillo recién puesto. Una vez cerrado cada uno de los arcos, estos son estables, así como el anillo interior que se va cerrando progresivamente. La geometría de estas bóvedas se controla mediante un cintrel o cuerda que puede estar atado a la plataforma sobre la que los operarios trabajan.

Las bóvedas extremeñas, por su parte, tienen una manera parecida de construcción, pero la disposición de los ladrillos suele ser distinta. A diferencia de las bizantinas, la proyección de las hojas en planta dibuja anillos curvos. Se aprecia en muchas ocasiones un cambio de aparejo en las aristas con el fin de definirlas bien y reforzarlas. En este mismo libro se publica la aportación de Enrique Rabasa, quien reflexiona sobre la geometría de las bóvedas por hojas bizantinas, extremeñas y mexicanas.

La tradición de construir bóvedas sin cimbra, como se mencionaba, se remonta a la Antigüedad en el Oriente Medio. Fueron empleadas en la arquitectura de Mesopotamia, en la del imperio sasánida y, conservadas por la tradición en las llamadas "bóvedas nubias", en Egipto, hasta épocas recientes (Creswell, 1969; Besenval, 1984; Fathy, 2009; Thunnissen, 2012:71).

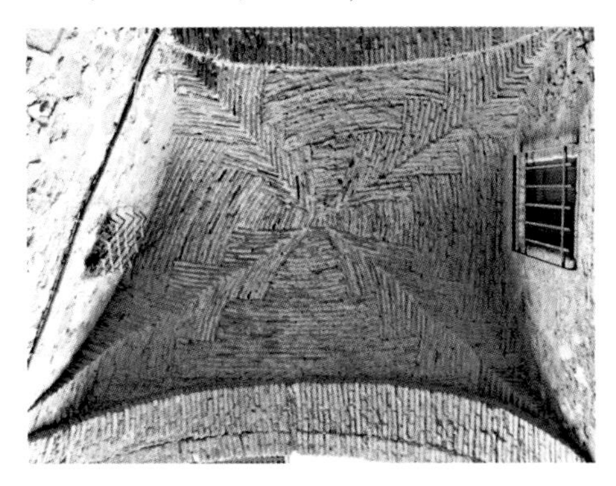

Figura 5. Bóveda del Arco de Santa Ana en Cáceres.

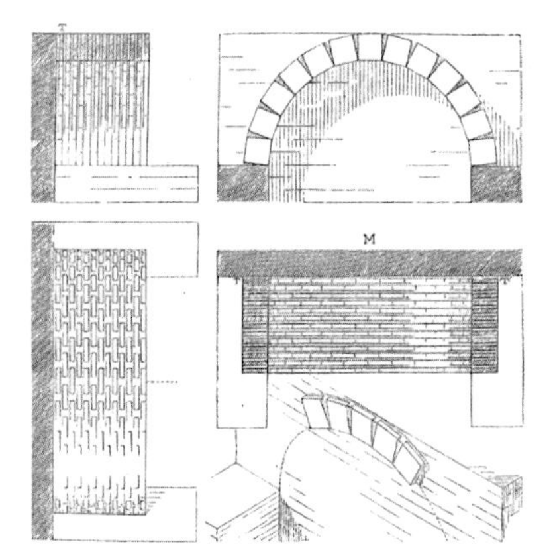

***Fig.** 6a*

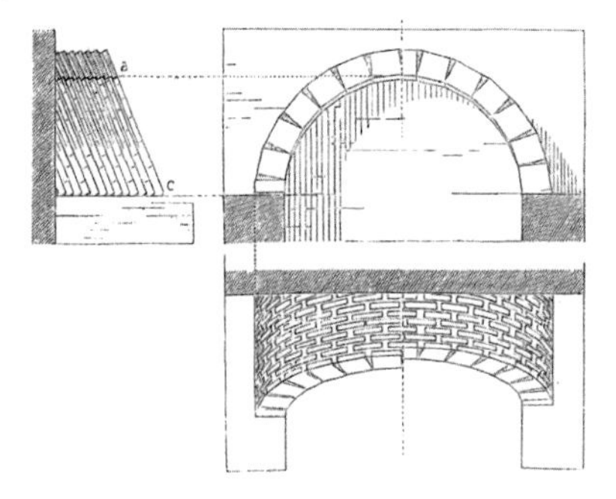

***Fig.** 6b*

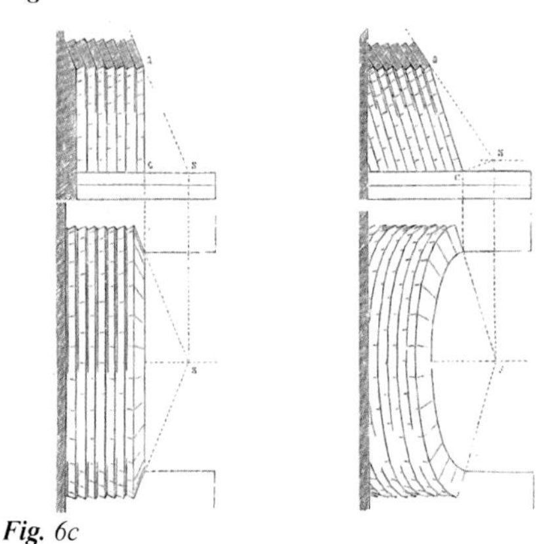

***Fig.** 6c*

***Figura 6.** Principios de construcción de bóvedas de cañón según Choisy (1883, figs. 30-31-34 y 35): a) hojas verticales paralelas entre sí (confianza en la adherencia del mortero). b) hojas inclinadas paralelas entre sí (los ladrillos se apoyan en el muro y unos en otros). c) hojas verticales con lechos inclinados (hojas cónicas). d) hojas inclinadas en el arranque con lechos inclinados (hojas cónicas)*

Los constructores grecorromanos aprendieron y usaron la técnica desde los siglos II-III d.C. (Lancaster, 2006; Lancaster y Bachmann, 2009; Vitti, 2010; Vitti y Vitti, 2010). Sin embargo, es la construcción bizantina la que sistematiza el uso de bóvedas sin cimbra adaptando la técnica a cualquier tipo de planta.

Para erigir una bóveda sin cimbra es necesario tener una base, un muro o unos arcos que formen un perímetro sobre el que apoyar. Para cubrir una estancia cuadrangular o rectangular, la bóveda puede apoyar en los muros perimetrales, pero si es un tramo de un espacio más amplio, una iglesia, por ejemplo, se debe construir los arcos que definan los tramos a abovedar.

Como indica Thunnissen (2012:106), "los bizantinos desarrollaron un método de abovedar mediante un buen uso del ladrillo como material base y en el que se podía prescindir de las cimbras casi en la totalidad. Los ladrillos se asentaban poniendo en contacto sus lados planos entre sí, de forma que la fuerza de adhesión del abundante mortero los mantenía en su posición".

Choisy (1883:31 y ss.) ha explicado los procesos y principios de la construcción sin cimbra en la arquitectura bizantina (Huerta, 2009). El proceso consiste en disponer los ladrillos por hojas. Se confía la estabilidad provisional de cada arco plano a la adherencia del mortero (en caso de que el ladrillo se coloque paralelo al muro, en vertical) o al apoyo sobre la hoja anterior (cuando las hojas tienen una inclinación). Las hojas se disponen apoyadas la primera en el muro y las demás sobre la respectiva anterior, formando planos paralelos. Además, se puede practicar una roza en el muro o un apoyo inclinado que sirve de apoyo a la primera hoja. Este es el principio que rige la construcción de las bóvedas en los castillos que se estudiarán más adelante. Ejemplos existen por toda la arquitectura bizantina, como la iglesia de Santa Irene de Constantinopla (George, 1912).

No se pretende explicar en este texto la construcción bizantina, sino recordar sus principios constructivos con el fin de analizar los paralelismos y semejanzas con las bóvedas de los castillos de las órdenes militares presentadas en esta investigación. Dentro de estas fortalezas se han encontrado, hasta el momento, tres tipos de bóvedas y plantas:

1. bóvedas de cañón sobre planta rectangular
2. bóvedas vaídas sobre planta cuadrangular o rectangular
3. bóvedas de arista sobre planta cuadrangular o rectangular

Los arranques de las bóvedas de cañón se realizan generalmente ensanchando el muro de piedra y con ladrillos en hiladas radiales autoportantes. Es en este punto donde comienzan a disponerse por hojas paralelas (Choisy, 1883:36, fig. 36).

La construcción de la bóveda ataca desde uno o desde los dos muros testeros, por lo que es necesario concertar el encuentro. Generalmente, cuando se aparejan con hojas inclinadas, el proceso constructivo acaba produciendo una suerte de "gajo" de planta romboidal cuando las sucesivas hojas que van construyendo la bóveda se encuentran a nivel de los arranques. Este intersticio, que es de un tamaño relativamente

Figura 8. *Bóveda de cañón de la torre del homenaje del castillo de Montizón.*

Figura 9. *Bóveda de las subestructuras de la antecámara con sala absidiada de los palacios de los emperadores en Constantinopla (Ward-Perkins, 1958, pl. 5). Esta bóveda fue construida desde los arcos testeros y el encuentro entre los dos cañones de hojas inclinadas se resolvió alternando hiladas radiales.*

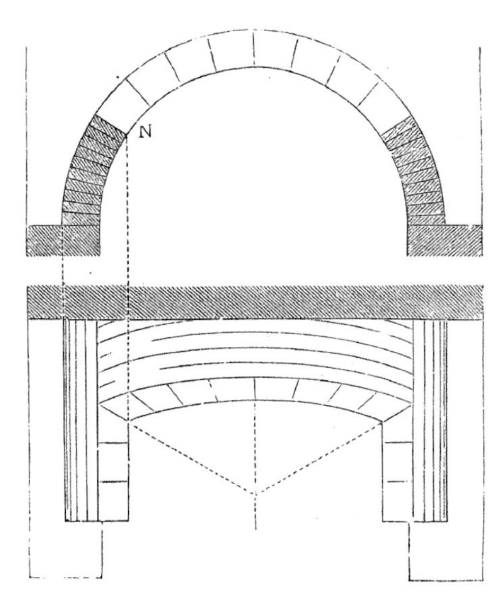

Figura 7. *Sección típica de una bóveda de cañón, donde los arranques están construidos con hiladas radiales autoportantes (Choisy 1883, 36, fig. 36).*

reducido, finalmente se rellena cambiando el aparejo, bien con roscas con lechos radiales paralelas al eje de la bóveda, bien con un aparejo en espina de pez o bien alternando hojas de lecho radial con lecho paralelo (o inclinado) al muro (Choisy,1883:38-39).

Estos principios se aplican tanto a las bóvedas vaídas como a las de arista sobre planta rectangular o cuadrangular. Hay casos, como ocurre con las bóvedas previas al ábside de Calatrava la Nueva, en que la planta rectangular es muy alargada, por lo que la forma de la bóveda no es una esfera cortada por cuatro planos,

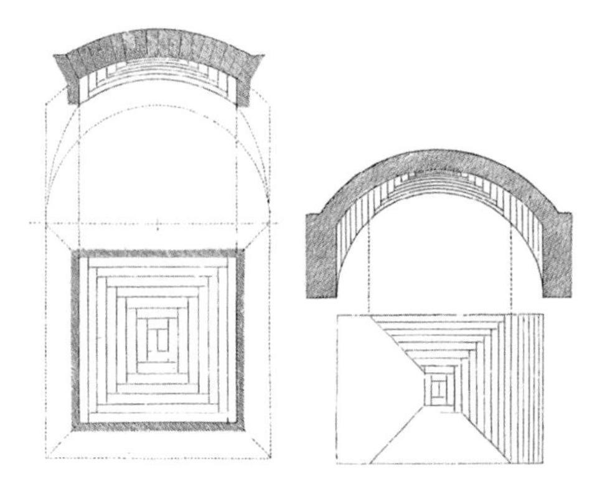

Figura 10. *Bóvedas esféricas construidas por hojas sobre plantas cuadrangular y rectangular (Choisy, 1883, figs. 118 y 119).*

Figura 11. *Bóvedas de la iglesia de Salah, Mar Yakub (Deichmann 1979).*

sino que es una bóveda de cuatro puntos; esto es, la bóveda forma una suerte de porción de toroide donde se traslada el arco del lado menor a lo largo del arco del lado mayor. Se comienza por ambos lados menores hasta que queda un espacio cuadrangular, que se va cerrando con hojas e hiladas apoyadas unas en otras cada vez más pequeñas, formando anillos concéntricos autoestables de planta cuadrangular.

¿Cómo se propagaron estas técnicas hasta la Península Ibérica? La respuesta de esta trascendental pregunta pasa por plantear varias hipótesis plausibles, y probablemente éstas constituyan el mayor acercamiento al que se pueda llegar. En la investigación en curso se plantea una triple vía de propagación, con posibilidades no solo no excluyentes, sino compatibles.

En un primer momento, el sureste peninsular fue territorio bizantino durante parte de los siglos VI y VII, época de esplendor del Imperio Bizantino y de su arquitectura abovedada, lo que pudo haber marcado un modelo constructivo que perviviera en el tiempo, quizá mantenido por tradiciones populares o vernáculas cuyos ejemplos construidos se han perdido.

Segundo, y naciendo de esta tradición bizantina del Mediterráneo oriental más que en el sureste ibérico, las técnicas se pudieron trasmitir a través de sus artífices dentro del marco cultural islámico presente en al-Ándalus a partir del siglo VIII.

En tercer lugar, no se debe olvidar el trasvase de conocimientos, tanto referidos al mundo de la edificación como en otros aspectos, que comenzaron a llegar de Tierra Santa desde el siglo XII y que, por ejemplo, aplicó la orden del Hospital en la construcción del castillo de Consuegra (Molero García, 2005), algo que se podría extrapolar al resto de milicias que a lo largo del siglo XIII vivieron un gran momento de edificación de recintos militares.

No obstante, no se debe olvidar que en la primera arquitectura omeya, ya existen ejemplos de bóvedas de cañón construidas con ladrillo cuyas roscas son hojas paralelas apoyadas contra un muro testero en Qasr al-Tüba (Jordania) (Almagro, 2001). En la edificación andalusí se conservan ejemplos de bóvedas de ladrillo por hojas inclinadas desde el siglo X en la escalera del alminar de San Juan de los Caballeros de Córdoba y del XII en la casa de las Veletas de Cáceres (Hernández Giménez, 1975; Torres Balbás, 1948; citados por Almagro, 2001). Es más, en los siglos XIII y XIV se construyeron en la Granada nazarí un gran número de estructuras abovedadas siguiendo estas técnicas, como la torre de Romilla o la torre de la Vela de la Alhambra (Almagro, 2013).

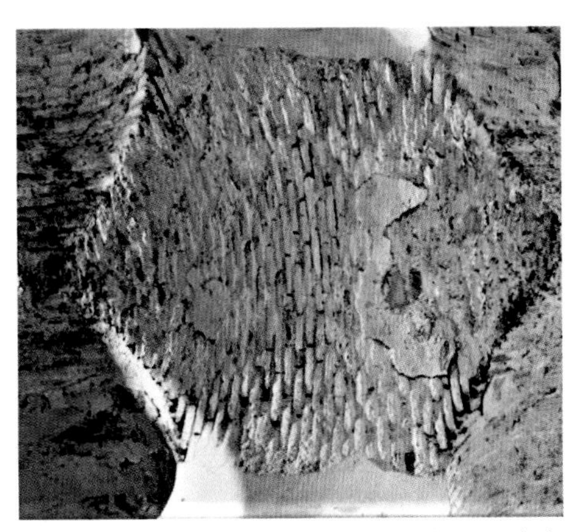

Figura 12. *Bóveda en las escaleras de la torre de la Vela en la Alhambra de Granada.*

En el ámbito cristiano de la plena Edad Media, los autores han podido documentar este tipo de cubiertas en un amplio número de construcciones de fortalezas en el territorio del antiguo reino de Toledo, en especial vinculadas a las órdenes militares y donde se estima que fue la mano de alarifes mudéjares, ampliamente asentados en este espacio, los que las llevaron a cabo (Zapata Alarcón, 2015:58; Gallego Valle, 2016:79). Existe la posibilidad de que estos constructores adquiriesen el conocimiento y la maestría en levantar bóvedas de ladrillo siguiendo la tradición de la construcción islámica, a juzgar por el empleo sistemático de la técnica en una zona y un periodo concretos: territorios de las milicias de Santiago, Calatrava y San Juan en La Mancha a finales del siglo XIII. Si esa técnica ya existía en el conocimiento vernáculo desde la dominación de la provincia bizantina de Spania o si se perdió –o no existió– y se difundió mediante el movimiento de constructores desde Oriente Medio hacia al-Ándalus o fue traído al calor de las Cruzadas, o una confluencia común de todas estas vías, es algo que sobre lo que aún se está trabajando, ya que no hay documentados restos suficientes y ni siquiera existe un catálogo razonado de estas técnicas.

Las órdenes militares: organización del territorio y construcción de fortificaciones al sur del Tajo en el siglo XIII

Las órdenes militares surgieron en el marco de Tierra Santa a lo largo del siglo XII, relacionadas claramente con la defensa de los Santos Lugares y los peregrinos, en primer lugar con la orden del Temple y posteriormente con la militarización de la orden del Hospital, entre otras.

La presencia de estas instituciones en Europa occidental se deja sentir desde la primera mitad del siglo XII, al principio sólo para recaudar limosnas y buscar apoyos para sus fines en Tierra Santa, pero pronto encontraron nuevos frentes y posibilidades en tierras fronterizas como era el caso de la Península Ibérica. No obstante, los reyes hispanos vieron la necesidad de la creación de órdenes "propias" o territoriales, mucho más afines a sus monarquías y que se convertirían en instrumentos fundamentales en la conquista y repoblación de las tierras de al-Ándalus, especialmente entre los siglos XII y XIV (Ruiz Gómez, 2002:14).

La dos principales órdenes de origen hispánico fueron Calatrava (1158) y Santiago (1171), que surgen bajo iniciativa del reino de Castilla, la primera ellas, y de León la segunda, aunque en este último caso rápidamente pasó a Castilla de la mano de Alfonso VIII. Los monarcas confiaron en estas milicias para la defensa de la frontera, dándoles posiciones fortificadas en un amplio territorio limítrofe con los musulmanes, aunque la debilidad institucional de las órdenes en los primeros tiempos hizo que su asentamiento fuese efímero hasta después de la batalla de Las Navas de Tolosa de 1212 (Ayala Martínez, 1996:62).

A partir de esta fecha y especialmente desde 1224, se produce la gran expansión llevada a cabo por Fernando III hacia el sur y que culminó con la toma de Sevilla en 1248. En este marco, como bien ha estudiado Carlos de Ayala (2007:332-333), las órdenes se encontraron con un gran territorio que les había sido donado paulatinamente por su participación en las campañas militares o por sus servicios a la corona. Una vez completadas las conquistas del Guadalquivir, hubieron de gestionar de una forma efectiva estas zonas que por lo demás, contaban todavía con una importante población musulmana. El sistema de organización interno de estos vastos dominios fue el comendatario, con una red tupida de estas instituciones que han sido definidas como las células base de encasillamiento socioeconómico de la población dependiente y de gestión y explotación de los dominios de órdenes militares. La presencia de las fortalezas como cabezas de encomienda, fue el aparato gestor desde el que se organizaron los nuevos espacios en los que poco a poco se comenzó a imponer un nuevo modelo social basando en el feudalismo.

Las órdenes militares acumularon un extenso patrimonio mediante donaciones reales, pero también de nobles y particulares, sin olvidar las adquisiciones y las cesiones pro anima de tierras y bienes del más diverso tipo. Más tarde, cuando decae el ritmo de las donaciones, estas milicias fueron comprando y permutando diversos territorios con el fin de organizar y agrupar los que se encontraban ya bajo su jurisdicción (Rodríguez-Picavea Matilla, 2005:109-110). Dentro de estos amplios territorios, la presencia de fortalezas será una constante, tanto aquellas obtenidas durante el proceso de conquista, como otras que poco a poco se fueron levantando durante la repoblación.

Las fortalezas de las órdenes militares ubicadas en las tierras de La Mancha, así como en otros territorios como Andalucía y Murcia, evolucionaron adaptándose a las necesidades cambiantes de estas instituciones. En un primer momento (siglos XII-XIII), estas milicias asumieron las fortalezas ganadas al Islam introduciendo diversas modificaciones, especialmente la transformación de espacios para la torre del homenaje o la presencia de capilla (Molero García, 2016). Sin embargo, conforme avanzaba el siglo XIII, se acometieron nuevas obras de diverso tamaño o funcionalidad, especialmente en aquellos lugares asociados a encomiendas o en zonas de especial interés para los freires. En el último tercio del siglo XIII y con la consolidación del sistema comendatario, se necesitó construir grandes castillos prácticamente ex novo: los denominados castillos-casa de la encomienda, fortalezas donde priman los espacios administrativos y residenciales de cara gestionar las rentas de los territorios donde se asientan los freires. Finalmente, a partir de fines del siglo XIV y a lo largo del siglo XV, la función militar de estos edificios deviene secundaria, coincidiendo con la aristocratización de las órdenes, lo que hace que surja la casa-palacio de la encomienda, destinada principalmente a la residencia de las dignidades y a la gestión de las rentas (Molero García, 2014).

En cuanto a la morfología de las fortificaciones tratadas en este texto, se debe apuntar que, a rasgos generales, no diferían mucho de otros recintos castrales de señoríos laicos o episcopales. Eran edificios especialmente funcionales en varios aspectos: militar (defensivo-ofensivo), núcleos de organización y colonización territorial, representación del poder y de la protección por parte la monarquía en las nuevas tierras y sobre los nuevos pobladores, estabilización, sostenimiento y preparación de la ampliación territorial por conquistas, núcleo de la red comendataria para el sostenimiento económico de cada orden y centros fiscales y jurisdiccionales (Ayala Martínez, 2001:549-569; Palacios Ontalva, 2009:177-179).

En lo que sí se observa una diferencia clara es en lo que respecta a los grandes recintos de órdenes, como son los conventos-fortaleza, en especial Calatrava La Nueva, para la orden homónima, y Uclés, para la de Santiago. Estos edificios tienen dos áreas diferenciadas: por un lado, un espacio conventual con la presencia de la iglesia, claustro, celdas, refectorio, etc.; y por otro, una zona de carácter militar vinculada a la fortaleza.

Este mismo patrón, aunque a una escala mucho menor, se encuentra en algunas fortalezas al frente de las grandes encomiendas, donde se advierte la presencia de iglesias/capillas ocupando una parte sustancial de los recintos militares donde se asientan. Ésta es la situación de Montiel, Montizón o Segura de la Sierra para la orden de Santiago.

Bóvedas de ladrillo en castillos de órdenes militares

En el territorio al sur del río Tajo, en el valle del Guadiana y afluentes y al norte de Sierra Morena, que podría corresponderse con la actual provincia de Ciudad Real y la Sierra de Segura de Jaén, operaron fundamentalmente las órdenes de Calatrava y de Santiago, aunque no se debe olvidar el territorio ocupado por los freires del Hospital en el Campo de San Juan, entre las provincias de Toledo y Ciudad Real, con centro en el castillo de Consuegra. En muchos de los recintos fortificados que mandaron levantar estas milicias se conservan bóvedas autoportantes de ladrillo con aparejos similares. Las más singulares y, hasta ahora, las únicas estudiadas de forma monográfica (Zapata 2005, 2015) son las de la iglesia del castillo-convento de Calatrava la Nueva que, además, están restauradas en gran medida. No obstante, en el marco del proyecto de investigación del castillo de Montiel, al que se asocia las investigaciones sobre la arqueología y cultura material de las órdenes militares, los autores están documentando ejemplos de bóvedas autoportantes de ladrillo en un buen número de estas fortalezas, principalmente de Calatrava y Santiago, aunque sin olvidar algunos casos de los sanjuanistas.

Concretamente, se ha localizado la presencia de este tipo de bóvedas en los siguientes edificios de señorío de órdenes militares y de otras zonas limítrofes:

ORDEN DE SANTIAGO

- Castillo de Montiel.
- Castillo de Montizón.
- Castillo de Segura de la Sierra.
- Castillo de Albaladejo.
- Castillo de Alhambra.
- Torre de la Higuera.
- Torreón de Puebla del Príncipe.

ORDEN DE CALATRAVA

- Castillo-convento de Calatrava la Nueva.
- Castillo de Salvatierra.

ORDEN DE SAN JUAN

- Torreón del Gran Prior de Alcázar de San Juan.

OTROS

- Castillo de Aledo (Murcia).
- Castillo de Santa Catalina de Jaén.
- Torre Alfonsina de Lorca (Murcia).
- Castillo de Montalbán (Toledo).
- Puerta del Vado (Toledo).

Se sabe, según lo explicado en el epígrafe anterior, que el siglo XIII es un momento de gran actividad constructiva. Se están levantando varios recintos militares por los mismos promotores y quizás también por las mismas cuadrillas de operarios, y eso se aprecia en la repetición de soluciones arquitectónicas y constructivas. En esta primera publicación, los autores desean dar a conocer algunas de estas bóvedas, como son las pertenecientes a las de los castillos de Calatrava la Nueva, Montizón y Montiel. A continuación, con el fin de encuadrarlos cronológicamente, se recuerdan las principales fechas de los siglos XII-XIII relacionadas con el tema de estudio:

1158. Creación de la orden de Calatrava.

1171. Fundación de la orden de Santiago.

1183. Donación del castillo de Consuegra a la orden de San Juan.

1195. Batalla de Alarcos. Pérdida de los dominios cristianos en el valle del Guadiana.

1198. Toma del castillo de Salvatierra por la orden de Calatrava.

1212. Batalla de las Navas de Tolosa.

Figura 13. *Restos de la bóveda del castillo de Albaladejo (fuente: Amador Ruibal, archivo fotográfico de la Asociación Española de Amigos de los Castillos).*

1213. Inicio de la construcción del castillo-convento de Calatrava la Nueva sobre el castillo de Dueñas, ya existente.

1217. Traslado del convento principal de la orden de Calatrava al castillo de Calatrava la Nueva con las obras sin concluir.

1226. Toma del castillo de Salvatierra y progresos en la conquista del Campo de Montiel en tiempos de Fernando III.

1228-ca.1250. Conquista del castillo de La Estrella de Montiel. Edificación de la villa cristiana y de la torre Mocha.

1268. Revuelta mudéjar.

1280-1287. Construcción del torreón del Gran Prior en Alcázar de San Juan.

ca. 1275-1325. Se amplían y refuerzan los castillos de Montiel, Montizón y Segura de la Sierra.

Iglesia del castillo-convento de Calatrava la Nueva

El castillo-convento de Calatrava la Nueva (Aldea del Rey, Ciudad Real), se comenzó a construir prácticamente tras la batalla de las Navas de Tolosa, sobre la fortaleza preexistente de Dueñas, trasladándose la casa madre de la orden de Calatrava de la antigua ciudad andalusí de Qalat-Rabat (Calatrava la Vieja, Carrión de Calatrava) a esta nueva sede, posiblemente entre 1217 y 1221 (Zapata Alarcón, 2015). A partir de este momento se levantó un gran recinto militar y religioso, del cual se conoce que a lo largo del siglo XIII los calatravos fueron erigiendo tanto las áreas conventuales, entre la que destaca la iglesia, así como una amplia zona militar y una posible área de poblamiento que no llegó a prosperar y que se conoce como la "villa vieja".

La iglesia mencionada es un edificio de gran envergadura con planta de tres naves con cuatro tramos y tres ábsides. El ábside central se cierra con una bóveda gallonada de ladrillo de siete gajos, mientras que las laterales son bóvedas de cuarto de esfera. Las naves se cierran con bóvedas de ladrillo sobre arcos cruceros de piedra. La nave central es más ancha y sus tramos son rectangulares. Las laterales, más estrechas, también tienen tramos rectangulares pero con el lado largo en paralelo al eje de la nave. El primer tramo es más amplio y funciona a modo de crucero. Los ábsides son semicirculares, teniendo los laterales una suerte de bema o espacio preabsidial a sus pies, de planta rectangular, con el fin de darles mayor profundidad. Las bóvedas

Figura 14. *Conjunto monástico-castrense de Calatrava la Nueva y, enfrentado (a la izquierda de la imagen), el castillo de Salvatierra.*

Figura 15. *Bóvedas de la nave central de la iglesia de Calatrava la Nueva.*

de los tramos son quizá las más singulares de todas, por su prominente perfil. Se han denominado tradicionalmente como "bóvedas en nido de golondrina" (Zapata Alarcón, 2015) y se han querido emparejar con las bóvedas angevinas o aquitanas (Vega, 2011; Zapata, 2015). Estas bóvedas son todas similares. Los arcos formeros y fajones, con perfil algo apuntado, se apoyan sobre pilares circulares con pilastras semicirculares adosadas. A media altura, una ménsula sirve de apoyo a los arcos cruceros, que son semicircunferencias. Todos los arcos son de cantería, y el arranque de cada uno de ellos está a distinta altura. Los plementos son de ladrillo.

Figura 16. *Bóveda del tramo rectangular de la iglesia de Calatrava la Nueva.*

Su singular geometría y forma de construcción sin cimbra genera un perfil muy prominente. La disposición del ladrillo dibuja líneas curvas en su proyección en planta.

A pesar de la singularidad de estas bóvedas, a las que ya se han dedicado estudios monográficos (Zapata Alarcón, 2015), a efectos de la presente investigación se analizarán las bóvedas de los espacios previos a los ábsides laterales. Estas bóvedas tienen una planta rectangular muy estrecha. Se apoyan sobre los muros perimetrales de la iglesia (donde hay unas ventanas con arcos túmidos o de herradura apuntados, con tres arquivoltas de ladrillo) y los muros entre las naves a la altura de los ábsides.

La bóveda de ladrillo que cierra este espacio se levanta sobre cuatro arcos semicirculares de diferente radio, pero con los centros a la misma altura. Se trata de una suerte de bóveda vaída o de geometría toroidal de planta rectangular con hojas de ladrillo paralelas. En el tramo central estas hojas se alternan con hiladas para dibujar en el aparejo unos anillos cuadrangulares, de clara ascendencia bizantina según lo explicado antes (Choisy, 1997).

Castillo de Santiago de Montizón

La fortaleza de Montizón se ubica en el término de Villamanrique, en el extremo sur de la provincia de Ciudad Real, en las estribaciones de Sierra Morena, sobre un cortado del río Guadalén.

Este recinto, plenamente cristiano (Gallego Valle, 2016) se comenzó a levantar en la segunda mitad del siglo XIII, aunque los momentos de mayor actividad edilicia tuvieron lugar entre el final del doscientos y el inicio del trescientos.

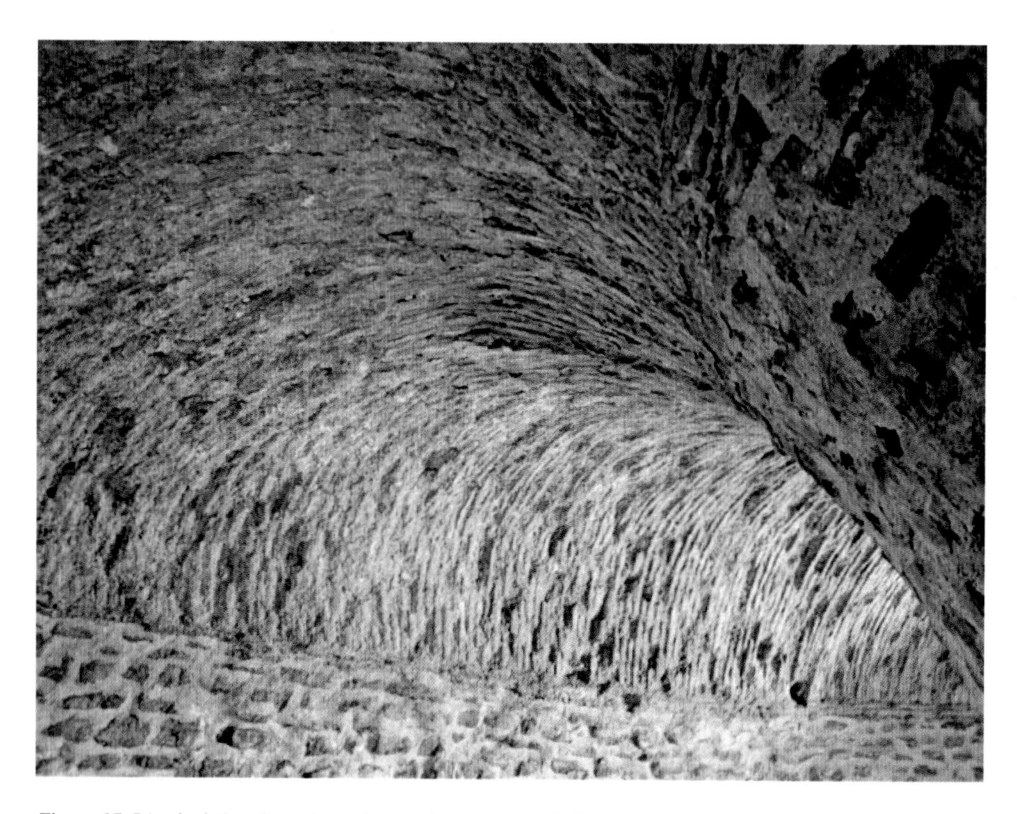

Figura 17. *Bóveda de la sala perimetral de la planta primera de la torre del homenaje del castillo de Montizón.*

Figura 18. *Castillo de Montizón.*

Este lugar fue sede de una extensa encomienda de la orden de Santiago, con posesiones que se extendían en ambas vertientes de Sierra Morena. El castillo, sobre el que se está trabajando hace tiempo, está formado por tres recintos principales: un importante albacar, un gran antemural o "albaicín" (así lo denominan las fuentes del siglo XV) y el cuerpo principal de la fortaleza donde destaca la torre del homenaje, así como todo un conjunto de estancias en un relativo buen estado de conservación.

Dentro del recinto fortificado, en especial en el cuerpo del castillo, se conservan varias bóvedas de ladrillo. Hay bóvedas de cañón en las estancias de la torre del homenaje, las caballerizas, el aljibe y otras zonas de la fortaleza. La entrada al recinto del castillo se cubre con una bóveda vaída sobre planta rectangular. El cubo de la esquina de la torre del homenaje tiene una cúpula de media naranja construida por anillos, pero el revestimiento que conserva no permite ver completamente su aparejo.

Las bóvedas de cañón arrancan con la inclinación del muro a modo de enjarjes y con unas hiladas de lechos radiales hasta aproximadamente 2/3 de la altura (en las bóvedas levantadas, esta altura varía entre 0,57 y 0,71 m del radio de cada bóveda). Esta franja alberga, en las bóvedas de la torre del homenaje, los lunetos de los arcos de los pasos entre estancias. A partir de ese punto se construye la bóveda por hojas inclinadas. Las hojas arrancan desde uno de los testeros hasta acometer contra el opuesto. Cuando el último arco o última hoja alcanza el muro contrario, se va cerrando también con hojas inclinadas hasta cubrir todo el espacio. Estas bóvedas se adaptan a la planta irregular de cada estancia deformando la geometría, pero manteniendo horizontal el rampante del cañón.

La bóveda de la entrada al recinto del castillo dibuja una planta sensiblemente rectangular y se construye con hojas paralelas de lechos inclinados. A pesar de las irregularidades o correcciones que presenta, se trata de una bóveda aproximadamente vaída. La diferencia entre el

Figura 19. *Detalle de las hojas inclinadas y del encuentro con el muro testero donde muere la construcción en la torre del homenaje de Montizón.*

Figura 20. *Bóveda del tramo central del aljibe de Montizón.*

lado largo y el corto se cubre con un primer tramo de varias hojas hasta regularizar la planta en un cuadrado. A partir de ese punto se alternan hojas paralelas a los muros perimetrales, de la misma manera que lo describía Choisy como se ha referido anteriormente. Se observa una corrección precisamente en el encuentro entre el tramo rectangular y el casquete cuadrangular.

Castillo de La Estrella de Montiel

En las sucesivas campañas arqueológicas desarrolladas en el interior del castillo de Montiel, han ido apareciendo restos de los derrumbes de las bóvedas que cubrían sus estancias. La característica común es que se trata de bóvedas de ladrillo colocado a bofetón, esto es, con el mortero en la tabla formando roscas u hojas paralelas entre un pie y pie y medio de espesor. Tan sólo una bóveda, la del aljibe, se conserva en pie; del resto sólo quedan improntas y cascotes.

La fortaleza de Montiel contiene restos de varias fases de construcción. Durante la época islámica fue un hisn de más de una hectárea de extensión, con obras tanto en piedra como en tapia que se pueden fechar entre los siglos IX al XIII. A partir de la conquista cristiana de la fortaleza, pero especialmente a fines del siglo XIII (Gallego Valle y Molero García, 2017), se comenzó a erigir una gran fortaleza para albergar la encomienda de Montiel, fase en la que se encuadra la construcción de las bóvedas que se tratan en este texto. En este recinto, al igual que sucedía en Montizón, destaca la imponente torre del homenaje, así como los vestigios de una iglesia que los autores están comenzando a excavar. Además, se conservan un importante conjunto de torres huecas y cámaras, todas ellas cubiertas con la misma solución constructiva. En la ladera donde se asienta el castillo existió, además, la villa cristiana, en la que destaca el edificio de la parroquia de Nuestra Señora de La Estrella, templo que se ha podido excavar por completo en diversas actuaciones y que también estuvo abovedado con la misma técnica (Molero García y Gallego Valle, 2018).

Las bóvedas que cubrían la torre del homenaje aparentan ser bóvedas de arista, según se ha podido deducir a partir de los bloques encontrados en la excavación arqueológica. En otras partes del castillo se conservan los arranques o alguna impronta, como en la torre Mocha (arranques), el Cubo Hondo (arranques, rozas en los muros y negativo del relleno al caer o ser sustraídos los ladrillos), la torre del Miradero (un ladrillo del arranque e improntas), las naves adosadas a las cortinas septentrionales (arranques) o la iglesia-convento (arranques y restos de los rellenos de los riñones; cascotes del derrumbe localizados en cata arqueológica). Estos restos se están estudiando en la actualidad y serán objeto de publicaciones específicas más adelante, cuando los resultados de la investigación sean más concluyentes.

Figura 21. *Castillo de la Estrella de Montiel.*

Figura 22. *Vista desde el dron del área de excavación de la torre del homenaje con el derrumbe de las bóvedas en su interior. En primer término, a la izquierda, se aprecia el aljibe.*

Figura 23. *Cascotes del derrumbe de la bóveda de la torre del homenaje del castillo de La Estrella.*

Figura 24. *Torre del Cubo Hondo. Huellas constructivas de la bóveda desaparecida.*

Figura 25. *Bóveda del aljibe de la torre del homenaje del castillo de La Estrella.*

Las bóvedas de la torre del homenaje tenían un pie y medio de espesor y, a juzgar por los restos aparecidos, eran de arista. Se ha constatado el uso de piezas especiales para las claves. Se han localizado dos piezas prismáticas de unos 8x8 cm y 24 de largo que cerraban la bóveda.

Respecto al tamaño de los ladrillos, se ha detectado una apreciable homogeneidad en sus dimensiones, no solo en el castillo de Montiel, sino también entre los de otros castillos de la orden de Santiago como Montizón o Albaladejo: los ladrillos rondan los 26-28 cm de soga, 17-18 cm de tizón y 3-4 cm de espesor, lo que indica el uso de gradinas o moldes similares en las obras de estas fortalezas.

En las bóvedas sobre plantas cuadrangulares o rectangulares se aprecia a través de los arranques conservados (bóvedas de la torre Mocha, Cubo Hondo, iglesia y torre del Miradero) que se construyen por hojas apoyadas en una roza practicada al efecto con lecho inclinado.

También, gracias al estudio de la ruina, se aprecian los rellenos sobre las bóvedas, realizados con hormigón de cal y canto y que han quedado anclados a los muros y permiten aventurar en cierto modo el volumen de la bóveda. Este relleno, vertido para formar la planta superior sobre la bóveda, arranca (según se aprecia en la torre del Cubo Hondo) a partir de los dos tercios aproximadamente de la altura de la bóveda. Hasta este punto, como ocurre con las bóvedas de cañón explicadas en el castillo de Montizón, se construyen unos enjarjes con lechos horizontales. Desde el estudio de las improntas constructivas, parece que las bóvedas de la torre del Cubo Hondo formaban una suerte de bóveda vaída o de arista-gallonada, similar a la del castillo de Montalbán (Araguás, 2003:87) o la torre del Vado de Toledo.

La única bóveda que se ha conservado prácticamente completa en Montiel es la del aljibe de la torre del homenaje del castillo. Se trata de una bóveda muy tendida con un espesor que varía entre medio y un pie. La bóveda está muy deformada por efectos del derrumbe de la torre del homenaje y la acumulación de escombros durante siglos. Los arranques en las esquinas comienzan con ladrillos colocados horizontalmente y a partir de cierto punto, los ladrillos se inclinan y se va construyendo mediante anillos. Estos anillos, que no siguen una regularidad marcada, van buscando progresivamente un trazado circular concéntrico, partiendo de una planta rectangular.

El derrumbe del tramo central, donde probablemente se situaba el brocal, permite ver la disposición de los ladrillos en anillos concéntricos. Lo que difiere esta bóveda del resto es que las hojas son paralelas a los muros, pero sólo en los tramos centrales, ya que cuando se acercan a las esquinas se van acomodando para buscar el trazado de un anillo continuo, como se acaba observando en el óculo central.

Conclusiones y futuras líneas de investigación

Esta primera aproximación al conjunto de bóvedas de ladrillo de las fortificaciones de las órdenes militares construidas en el siglo XIII y principios del XIV aún no aporta resultados concluyentes, sino que abre una serie de interrogantes que el desarrollo de la investigación que está en curso tratará de resolver.

Lo que sí se aprecia es que, en un momento muy concreto, en un área geográfica definida por un pasado histórico común como fue la presencia de las órdenes militares, por unos promotores muy determinados y en unos edificios específicos (castillos y torres), se desarrolla una técnica de construcción de bóvedas autoportantes de ladrillo que se repite en todos de manera sistemática. La coincidencia llega incluso a las dimensiones de los ladrillos que en Montiel, Montizón y Albaladejo, por ejemplo, son exactamente iguales. Esto parece indicar la existencia de talleres profesionales que prestan servicio levantando estas bóvedas bajo unas directrices claras. Los invariantes constructivos son significativos y su calidad manifiesta que no se trata de pruebas o de una evolución: la técnica está aprendida y desarrollada por alguien que conoce bien su oficio.

A partir de aquí se abren las preguntas: ¿esta sistematización constructiva tiene una raíz vernácula o foránea?, ¿en qué medida fue determinante la presencia de alarifes mudéjares en estos territorios de órdenes y en la elección de esta técnica de abovedar?, ¿hasta qué punto es relevante o directa la posible influencia bizantina?, ¿qué contactos tuvieron los constructores ligados a los freires con la arquitectura bizantina y oriental?, etc.

Con más preguntas que respuestas, se abren diversas vías de investigación que se están recorriendo y que en próximas publicaciones confiamos en presentar. En primer lugar, se está llevando a cabo un inventario de las bóvedas de ladrillo de los castillos y las iglesias de los siglos XIII-XIV ligadas a estas milicias. Se está estudiando también su geometría y aspectos constructivos, como puede ser las dimensiones de los ladrillos, la puesta en obra, los posibles medios auxiliares, así como las características de sus morteros. Además, se está realizando una búsqueda documental sobre los alarifes y maestros ligados a la construcción de castillos de las órdenes militares. Con todo, se espera dar respuesta a alguno de los interrogantes planteados y, en cualquier caso, presentar una técnica constructiva plenamente desarrollada y sistematizada en la arquitectura fortificada de las órdenes militares.

Notas

1 Estos trabajos se realizan gracias a la colaboración entre la Fundación Castillo de La Estrella de Montiel, que tiene cedida la gestión del yacimiento, el Ayuntamiento de Montiel y la Universidad de Castilla-La Mancha.

2 Esta publicación se desarrolla en el marco del proyecto de investigación "Órdenes militares y religiosidad en el Occidente medieval y el Oriente latino (siglos XII-1/2 XVI). Ideología, memoria y cultura material" (PGC2018-096531-B-I00) de la convocatoria 2018 de Proyectos de I+D de Generación de Conocimiento del Ministerio de Ciencia, Innovación y Universidades, y del proyecto "Arqueología de la batalla de Montiel: excavación, prospección y estudio poliorcético" (SBPLY/18/180801/000027) 2018, subvencionado por la Consejería de Cultura de la Junta de Comunidades de Castilla-La Mancha en convocatoria pública competitiva según resolución de 18 de mayo de 2018. Jesús Molero García es el investigador principal del proyecto, doctor en Historia, arqueólogo, co-director del yacimiento arqueológico y ha estudiado histórica y arqueológi-

camente todos los castillos de órdenes militares que se citan en este artículo. Ignacio Javier Gil Crespo es doctor arquitecto y desarrolla el estudio constructivo, geométrico y mecánico de las bóvedas de ladrillo y el análisis poliorcético del castillo. David Gallego Valle es doctor en Historia, arqueólogo y co-director del yacimiento arqueológico, donde realiza los trabajos de excavación y los estudios estratigráficos murarios. Los autores agradecen a Santiago Huerta la información, documentación y bibliografía facilitadas.

Nota: Salvo indicación contraria, las imágenes de este artículo pertenecen a los autores.

Referencias

ALMAGRO GORBEA, A. (2001). "Un aspecto constructivo de las bóvedas en al-Andalus". *Al-Qantara. Revista de Estudios Árabes, 22*: 147-70. https://doi.org/10.3989/alqantara.2001.v22.i1.229

ALMAGRO GORBEA, A y ORIHUELA, A (2013). "Bóvedas nazaríes construidas sin cimbra: un ejemplo en el cuarto real de Santo Domingo (Granada)". En *Actas del Octavo Congreso Nacional de Historia de la Construcción*, 25-34. Madrid: Instituto Juan de Herrera.

ARAGUAS, M. P. (2003). *Brique et architecture dans l'Espagne médiévale (XIIe-XVe siècle)*. Madrid: Casa de Velázquez.

AYALA MARTÍNEZ, C. de. (1996). "Las Órdenes Militares y la ocupación del territorio manchego: siglos XII-XIII". En *Alarcos, 1195: actas del Congreso Internacional Conmemorativo del VII Centenario de la Batalla de Alarcos,* 47-104. Ediciones de la Universidad de Castilla-La Mancha.

AYALA MARTÍNEZ, C. de. (2007). *Las órdenes militares hispánicas en la Edad Media (siglos XII-XV).* Marcial Pons Historia.

BESENVAL, R. (1984). *Technologie de la voûte dans l'Orient ancien.* París: Editions Recherche sur les civilisations.

CHOISY, A. (1883). *El arte de construir en Bizancio*. Madrid: Instituto Juan de Herrera.

CRESWELL, K.A.C. (1969). *Early Muslim Architecture*. Oxford: Oxford University Press.

DEICHMANN, F.W. (1979). "Westliche Bautechnik im römischen und rhomäischen Osten". *Mitteilungen des Deutschen archäologischen Instituts,* Römische Abteilung, *86*: 473-527.

FATHY, H. (2009). *Arquitectura para os pobres. Uma experiencia no Egipto rural.* Lisboa: Argumentum.

GALLEGO VALLE, D. (2016). "La Orden de Santiago y la construcción de sus fortalezas en Castilla. El caso del Campo de Montiel en la segunda mitad del siglo XIII e inicios del siglo XIV". *En Ordenes militares y construcción de la sociedad occidental. Cultura, religiosidad y desarrollo social de los espacios de frontera (siglos XII-XV),* 167-94. Raquel Torres Jiménez y Francisco Ruiz Gómez (coordinadores). Madrid: Silex Universidad.

GALLEGO VALLE, D. y MOLERO GARCÍA, J. (2017). "El proceso constructivo de una fortaleza medieval: el Castillo de la Estrella de Montiel (Ciudad Real)". En *Actas del Décimo Congreso Nacional y Segundo Congreso Internacional Hispanoamericano de Historia de la Construcción. Donostia-San Sebastián*, 3 - 7 octubre 2017, editado por Santiago Huerta, Paula Fuentes, y Ignacio Javier Gil Crespo. Madrid: Instituto Juan de Herrera, 657-668. Madrid: Instituto Juan de Herrera.

GEORGE, W.S. (1912). *The Church of Saint Eirene at Constantinople.* Oxford: Oxford UniversityPress.

GÓMEZ, F. R. (2002). "Los hijos de Marta, las Órdenes Militares y las tierras de La Mancha en el siglo XII". *Hispania, 62*(210). https://doi.org/10.3989/hispania.2002.v62.i210.265

HERNÁNDEZ GIMÉNEZ, F. (1975). *El alminar de 'Abd al-Rahman III en la mezquita de Córdoba. Génesis y repercusiones*. Granada: Patronato de la Alhambra.

HUERTA, S. (2009). "The geometry and construction of Byzantine vaults: the fundamental contribution of AugusteChoisy". En *Auguste Choisy (1841-1909): l'architecture et l'art de batir*, editado por Santiago Huerta y Francisco Javier Girón Sierra, 289-305. Madrid: Instituto Juan de Herrera.

LANCASTER, L. (2006). "Large freestanding Barrel Vaults in the Roman Empire: a Comparison of Structural Techniques"". En *Proceedings Second International Congress on Construction History* (Cambridge 29th March-2nd April 2006), 1829-44. Newcastle upon Tyne.

LANCASTER, L. y BACHMANN, M. (2009). "Early Examples of So–Called Pitched Brick Barrel Vaulting in Roman Greece and Asia Minor: A Question of Origin and Intention". En *Bautechnikimantiken und vorantiken Kleinasien*. BYZAS 9, 371-91. Estambul: Zero Prod. Ltd.

MOLERO GARCÍA, J. M. (2005). "Del hisn al castillo. Fortificaciones medievales en la Mancha toledana". En *Espacios fortificados en la provincia de Toledo,* 331-376. Toledo: Diputación provincial.

MOLERO GARCÍA, J. M. (2014). "El binomio castillo-casa de la encomienda en la administración señorial de la Orden de Calatrava (siglos XII-XV)". En *Castelos das Ordens Militares, edición a cargo de Isabel Cristina Ferreira*, 229-249. Lisboa:Direção-Geral do Património Cultural (DGPC).

MOLERO GARCÍA, J. M. (2016). "Los primeros castillos de órdenes militares. Actividad edilicia y funcionalidad en la frontera castellana (1150-1195)". En *Ordenes militares y construcción de la sociedad occidental. Cultura, religiosidad y desarrollo social de los espacios de frontera (siglos XII-XV),* 95-126. Raquel Torres Jiménez y Francisco Ruiz Gómez (coordinadores). Madrid: Silex Universidad.

MOLERO GARCÍA, J. M. y GALLEGO VALLE, D. (2018). "Arqueología de las Órdenes Militares: la iglesia parroquial de Nuestra Señora de La Estrella en Montiel (Ciudad Real, España) Siglos XIII-XV". En *Entre Deus e o Rei. O mundo das Ordens Militares*. Vol. 2. 975-1002. Edición a cargo de Isabel Cristina F. Fernandes. Palmela: Gabinete de Estudos sobre a Ordem de Santiago GEsOS / Município de Palmela.

THUNNISSEN, H. J. W. (2012). *Bóvedas. Su construcción y empleo en la arquitectura.* Madrid: Instituto Juan de Herrera.

TORRES BALBÁS, L. (1948). "Cáceres y su cerca almohade". *Crónica Arqueológica de la España Musulmana*, XXIII, Al-Andalus 13: 473-82.

VEGA GARCÍA, E. de. (2011). "¿Angevinas o aquitanas? Bóvedas cupuladas protogóticas en Castilla-León". En *Actas del Séptimo Congreso Nacional de Historia de la Construcción,* Santiago 26-29 octubre 2011, editado por Santiago Huerta, Ignacio Javier Gil Crespo, Santiago García, y Miguel Taín, 1437-46. Madrid: Instituto Juan de Herrera.

VITTI, M. y VITTI, P. (2010). "Trasmissione ed adattamento delle tecniche romane in Peloponneso: il caso di Trezene". En *Roman Peolopnnese III. Society, economy and culture under the Roman Empire: continuity and innovation*, 267-89. Athens: The Nationale Hellenic Research Foundation, Institute for Greek and Roman Antiquity.

VITTI, P. (2010). "Argo, la copertura ad intercapedine della grande aula: osservazioni sul sistema costruttivo della volta". *Annuario della Scuola Archeologica di Atene e delle misioni italiane in oriente,* III, *8*, 86: 215-51.

WARD-PERKINS, J. B. (1958). "Notes on the structure and building methods of early Byzantine architecture". En *The Great Palace of the Byzantine Emperors.* Second Report, de David Talbot Rice, 52-104. Edinbourgh: The University Press.

ZAPATA ALARCÓN, J. (2005). "Planificación y construcción de Calatrava la Nueva (siglos XII-XIII)". En *Actas del III Congreso de Castellología Ibérica, 1273-1300.* Diputación de Guadalajara, Asociación Española de Amigos de los Castillos.

ZAPATA ALARCÓN, J. (2015). "Calatrava la Nueva y los inicios del gótico en Ciudad Real". En *I Congreso Nacional Ciudad Real y su provincia.* Ciudad Real: Instituto de Estudios Manchegos.

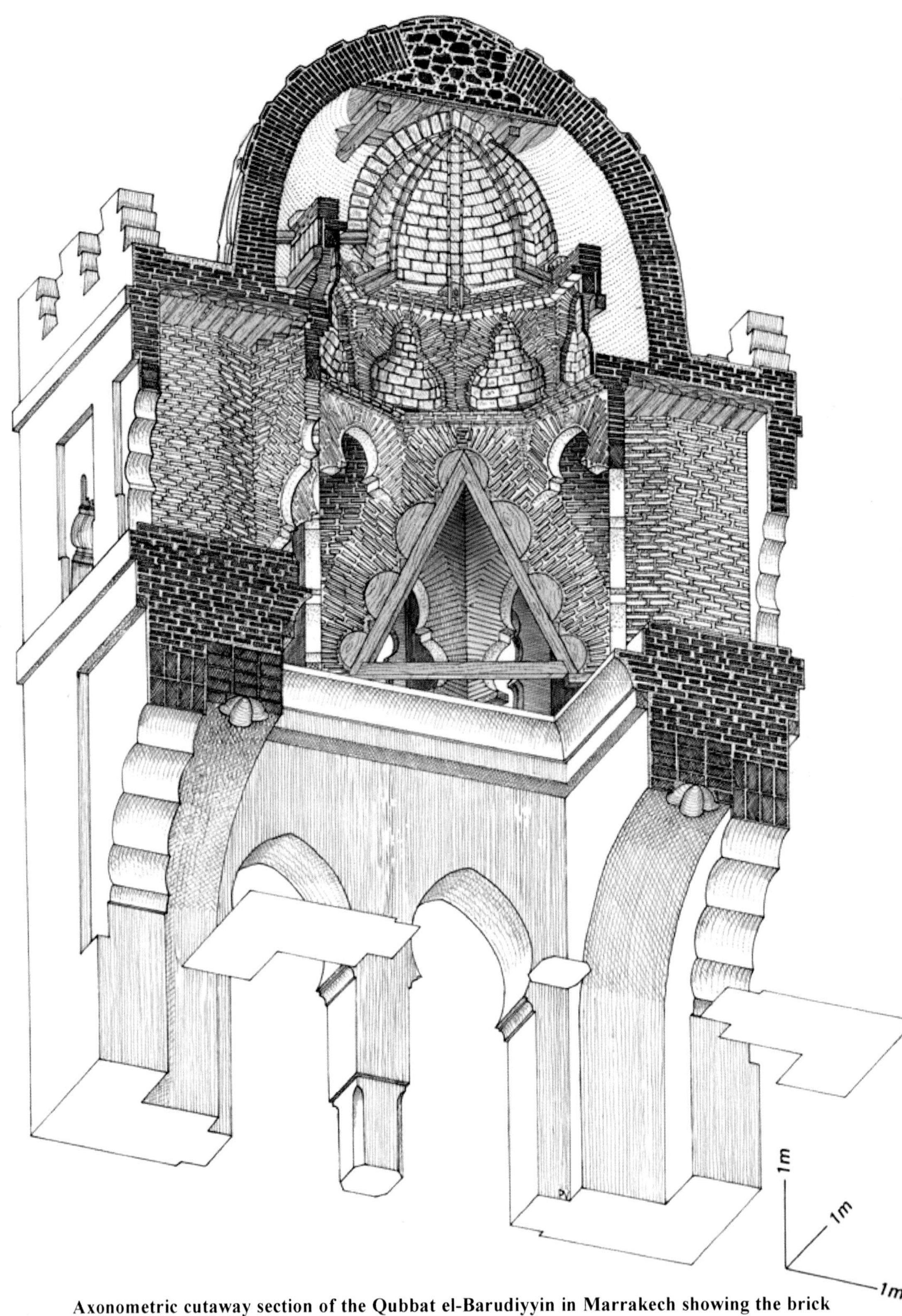

Axonometric cutaway section of the Qubbat el-Barudiyyin in Marrakech showing the brick work of the upper structure and the centering that might have been used for the construction of the polylobate arches (P. Vitti rest & del. 2020)

ISBN. 978-84-9048-827-0

Tile vaulting and its oriental pedigree

Paolo Vitti
Notre Dame University

Abstract

Fired-brick vaulting can be traced in the West as early as the Late Bronze Age Cypriot site of Enkomi. However, there is a general lack of understanding of the way it spread across the Mediterranean. The earliest examples are from the 4th century BC, when dry-brick vaulting is found in furnaces and tombs (Great Greece and Sicily). Mortared brick vaulting became common only in Roman times. The use of lime mortar was extensively exploited by the Romans, who developed multiple solutions for solid-brick vaulting. However, tile vaulting was unknown. In this article I argue that the earliest evidence for tile vaulting is in Marrakech, and that this technique was inspired by vaulting techniques from Mesopotamia and Persia. Starting with the Roman examples, differences from tile-vaulting are highlighted. The discussion of examples of gypsum-mortared vaults in the East make it possible to propose that Almoravid builders developed this new vaulting technique by introducing brick and gypsum as a bonding agent to their territories on a massive scale.

Keywords: *Fired-brick vaulting, tile-vaulting, historical evolution.*

Resumen

La existencia de bóvedas de ladrillo se puede trazar en Occidente desde al menos el Bronce tardío, en el yacimiento de Enkomi (Chipre). En cualquier caso, hay una falta de acuerdo generalizada sobre la manera en que se extendieron en el Mediterráneo en los siglos posteriores. Los primeros documentos aparecen en el siglo IV a.C., en un momento en el que se encuentran bóvedas de ladrillo en seco en hornos y tumbas (Gran Grecia y Sicilia). La bóveda de ladrillo recibida con mortero se convirtió en una técnica muy común solo en la Antigüedad romana. De hecho, el empleo de mortero de cal fue generalizado en esta época, que fue testigo del desarrollo de múltiples soluciones de sólidas bóvedas de ladrillo. Sin embargo, la bóveda tabicada fue una técnica desconocida para los romanos. En este artículo, se defiende que la primera evidencia conocida hasta la fecha de bóveda tabicada yace en Marrakech, y que esta técnica se inspiró en técnicas de abovedamiento de Mesopotamia y Persia. La exposición parte de los ejemplos romanos para destacar sus diferencias con la bóveda tabicada. Acto seguido, mostraré ejemplos de bóvedas recibidas con yeso en Oriente para proponer que fueron los almorávides los que desarrollaron esta nueva técnica de abovedamiento introduciendo en su territorio el empleo habitual de ladrillo y yeso como aglomerante.

Palabras clave: *Bóvedas de ladrillo, bóvedas tabicadas, evolución histórica.*

Roman brick-vaulting

First evidence of fired-brick vaulting is a domed-tomb at Enkomi, formed with trapezoidal bricks placed without mortar (Vitti, 2019:165-166). Dry-brick vaults appear in Hellenistic and Roman buildings in Italy (Bonetto, Bukowiecki, Volpe, 2019). However, the Romans used predominantly lime mortar to bond bricks. Brick arches and vaults appear in the Late Republic period, particularly in Northern Italy and, at least by the end of the 1st century BC,[1] are to be found also in the Peloponnese. This region played a fundamental role in the development of brick vaulting (Vitti, 2016). Starting from simple radially placed bricks (Figure 1-A), builders developed different solutions, motivated by the need to reduce as much as possible the centering supporting the vault during construction. Builders learned from experience that bricks could be placed without centering up to the level of the haunches (Figure 1-B), either horizontally -according to the principle of cantilevered vaults (false vaults)- or radially. In this way, centering was restricted to the upper sector of the vault.

This requirement may have made another building technique, known as "vertical-brick vaulting" (Lancaster, 2015:50), increasingly popular. This vaulting technique was discussed by Auguste Choisy in his book on Byzantine construction (Choisy, 1883).[2] The novelty of this technique results from having the bricks laid on their thin side. The brick vault was formed by adding arches as thin as a brick, one against the other, starting from the end wall (Figure 2-A). Lime mortar facilitated the maintenance of the bricks in position and adherence of one thin arch to the other. Frequently the bricks in these thin arches were placed on an inclined plane in order to make construction easier. Choisy thought that this building technique was first introduced to Asia Minor directly from Parthia (Choisy, 1997:160-163). However, recent research has revealed that vertical-brick vaulting was first employed in the Great Hall at Argos, Peloponnese, at the end of the 1st century AD. It is likely that this building was designed by an architect expert in the use of Parthian vaulting - where pitched fired-brick vaulting is documented in the 1st century AD (Lancaster, 2010:459-464) -as well as in Roman concrete construction (Vitti, 2010:244-245). The most significant aspect of pitched-brick vaulting is the fact that these vaults could be built without the use of centering. Choisy noted that the employment and popularity of this vaulting technique is probably related to the lack of wood in Persia, Assyria and Egypt (Choisy, 1997:160). However, when it was exported to Greece, the main reasons for being extensively employed was that it saved time, since it avoided the use of traditional centering. Expeditious construction was a crucial component of Roman building programs (Vitti, 2016:352).

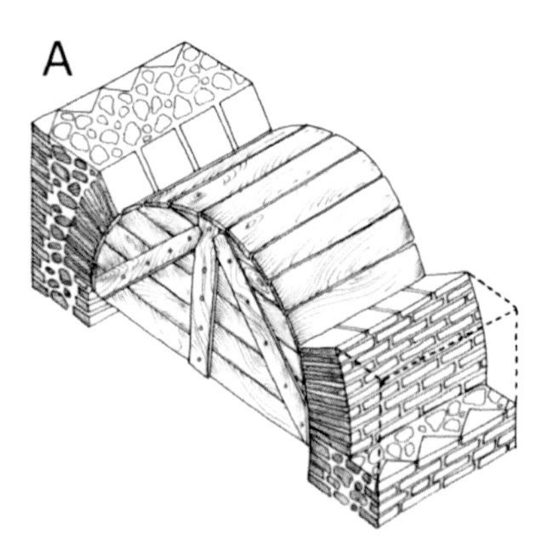

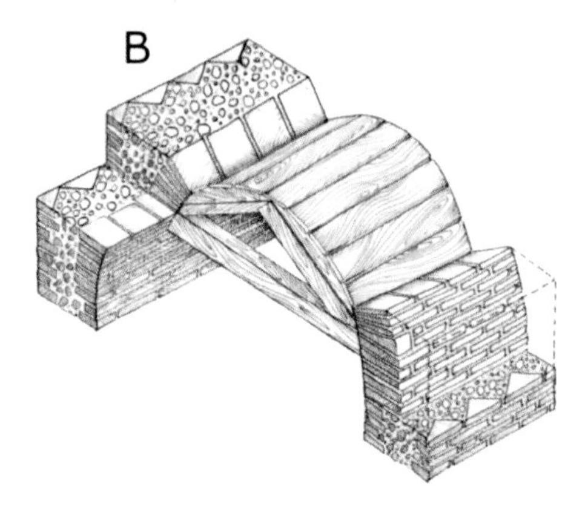

Figure 1. *Lime-mortared vaults with radially-placed bricks: A) vault built entirely on a centering; B) vault built with a centering only in the sector above the haunches.*

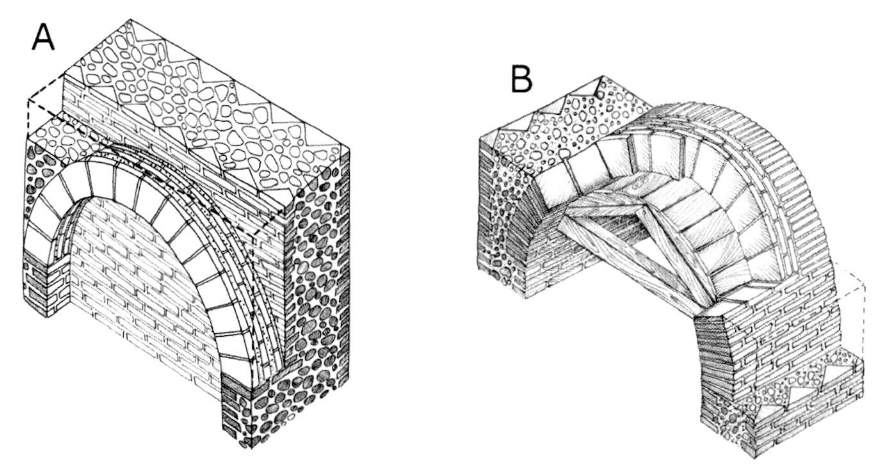

Figure 2. *Lime-mortared vaults with vertically-placed bricks: A) vault built against an end wall without centering; B) vault built with radially- and vertically-placed bricks and centering. The vertical bricks are laid against a brick arch made with radially placed bricks.*

Examples in the Peloponnese show a wide range of technical solutions, such as mixed radial- and pitched-brick vaults (Figure 2-B) or the solution for niches, which spread in the Byzantine Period in the wider Mediterranean region. Particularly interesting is the use of pitched-brick vaulting for sail vaults (Figure 3-A). This construction is a variant of the radially placed brickvaults (Figure 3-B). It enables medium- and small-size vaults to be built without the use of centering. Such vaults, still in use nowadays (Ward-Perkins, 1994, Figure 140), are also to be found in 10th-century Spain, for example in the tower of San Andrés de Sépulveda (Daza Pardo, 2018:11-14). Here, the influence of a technical language developed during the Byzantine period is evident also in a niche (mihrab?). The prototype of the herringbone arrangement of the bricks is to be found in Roman Greece, where the earliest dated example is located in a mid 2nd century AD bath complex in Sanctuary of Epidaurus (Vitti, 2016, 186-192) (Figure 4).

To complete this overview of ancient brick vaulting, we need to refer to the use of the so-called brick lining, that is to say the placing of

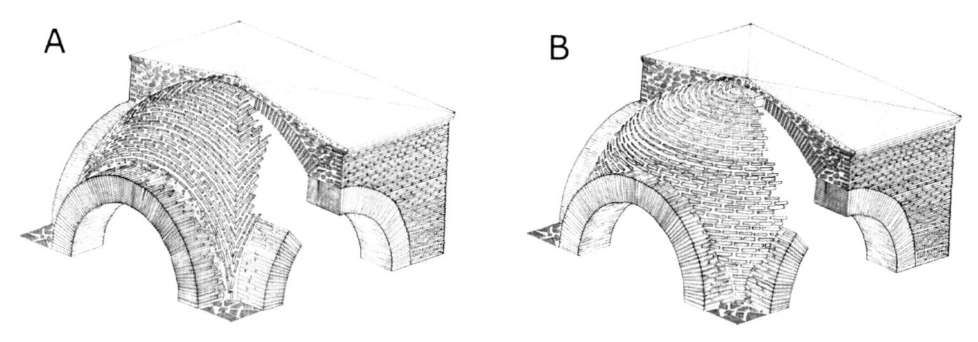

Figure 3. *Lime-mortared sail-vaults: A) pitched-brick disposition (the construction does not need centering and the pitched arches meet on the diagonals); B) radial disposition of bricks (the vault needs a centering to lay the rings of bricks).*

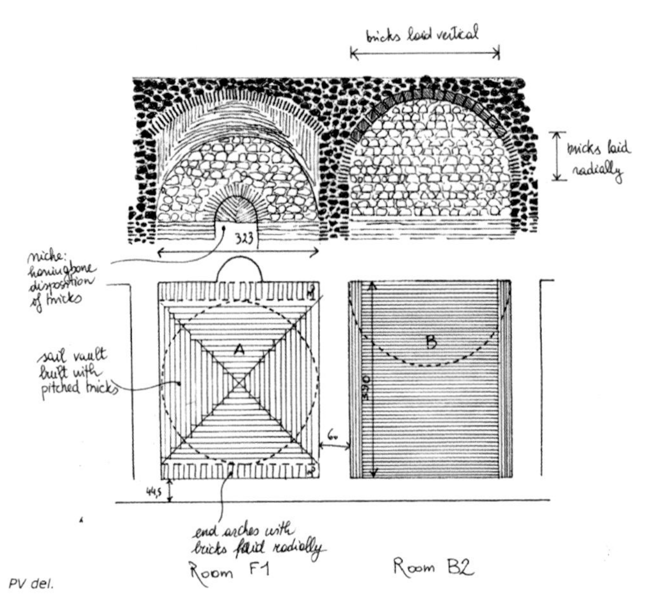

PV del.

Figure 4. *Sanctuary of Asclepius at Epidaurus. Northeast bath (mid 2nd century AD), rooms F1 and B2. A) sail vault and niche built with pitched-brick technique. The building process generates a zip joint where the disposition of the bricks changes direction. B) barrel vault made with mixed brick vaulting: up to the haunches the bricks are placed radially; above are placed vertically.*

bricks side-by-side, without mortar, to create a shell visible on the intrados of Roman vaults (Lancaster, 2005:29-30). Since Romans had developed and exported vault construction in the Mediterranean region and beyond, some 19th-century scholars considered plausible that tile vaults originated from Roman vaulting techniques.[3] However, tile lining visible in ancient Rome and Ostia was used only as a permanent centering for concrete vaults, never as an independent vaulting technique. Bricks were employed in a similar way to a timber formwork, with few bricks placed at right angles to the formwork to bond the brick lining to the concrete.

Roman vaults were massively heavy and made with lime mortar, lacking thus the two major components of tile vaults: lightness and the use of a quick setting binding agent.

Moreover, in the *Shark-al-Andalus*[4] where the first documented examples of tile vaulting are found (Zaragozá, 2012), the use of brick was very rare before the 12th century AD, thus making it unlikely that knowledge from the Roman times came down to Medieval builders.[5]

Gypsum-mortared vertical-brick vaulting

Tile-vaulting has two principal constituents: fired bricks and gypsum mortar. Roman mortars were predominantly lime based. Significantly, when vertical-brick vaulting was exported to Greece, only lime mortar was used, while in the Mesopotamian region gypsum was the dominant binding material for brick vaults. Unfortunately, discussion is usually based on few first hand examination. Most of the literature repetitively offers information which is based on studies lacking direct and in-depth analysis of construction matters. However, in Mesopotamia the tradition of fired-brick vaulting is unambiguous. It included both lime and gypsum-based mortars. Although in neo-Assyrian architecture there is evidence for the use of gypsum mortar (Sauvage,

1998:64),[6] it is to the 1st-century AD Parthia that we should look to understand the potential of these vaulting techniques. In Parthia, 10 cm-thick fired bricks were laid with gypsum mortar to facilitate and speeding the construction of vertical-brick vaults (Kawami, 1982:61-62).

In Assur, vertical bricks were unequivocally used to build vaults (Figure 5). The pillared hall in the Assur Palace is particularly significant. The need to vault a hall which was not only greater in length but also wider from the simple barrel-vaulted corridors and rooms[7] was solved with arched openings into the walls, thus reduced to simple pillars. According to the reconstruction that has been proposed, based on the fragments found collapsed in the hall (Andrae, Lenzen, 1933:43-44; Reuter, 1938:423-24; Benseval, 1984:134), the arches were made with vertical bricks - i.e. not radially placed bricks- abutting on the pillars. This building is important for understanding the process that freed the builders from the principle that a vertical-brick vault should be laid against an end wall. The pillared room was a massive construction, built with fired brick solid masonry, with walls 180-200 cm thick, 9.40 m high, while other parts of the palace were built with mud-brick masonry. The choice of a more resistant masonry was made because the 14.60 m wide hall was roofed with three barrel vaults, each about 4 m wide, springing from walls supported by the pilasters. These vaults were built with pitched bricks laid against the end wall, becoming progressively more vertical (Lenzen, 1955:123) (Figure 5-A). The arches that connected the pilasters, instead of being built with bricks placed radially (as one would expect) were built with vertical-brick vaulting. The central vault was 5 m wide and was flanked by two smaller arches (approx. 1.60 m span) (Figure 5-B). To counter the thrust generated by the arches, buttresses were added on the exterior walls.

The builders thus recognized that vertical-brick construction could be freed from the requirement of being laid against a wall, to become a freestanding element. The use of square bricks (rather than trapezoidal ones) permitted use of generous amount of gypsum, which ultimately made the structure stronger.

The building procedure to achieve such freestanding vertical brick arches may have needed a temporary support. In Islamic times the use of specially moulded gypsum ribs made easier the construction of similar freestanding arches (Arce, 2003:230). As discussed by Heinrich Lenzen (Lenzen, 1955:122-123) radially- and vertically-placed bricks interlocked to form a solid impost to these arches, forming a V shape joint. This reinforcement at the base of the arch might have resulted from the building process. According to a diagram published in the 1933 monography on Assur (Andrae, Lenzen, 1933, Figure 22, p. 44) the first sector of the arches from the spring was made with bricks placed radially. If so, the V shape cavity served to dovetail the vertical-brick arch to the lower sector of the arch, as shown in the building sequence in Figure 6.

Figure 5. *Axonometric restored view of the Pillared hall of the Palace of Assur (1st century AD). A) one-brick thick barrel vault; at both ends the brick-arches were inclined towards the wall (pitched disposition), and at the center they were vertical. B) freestanding vertical-brick arches.*

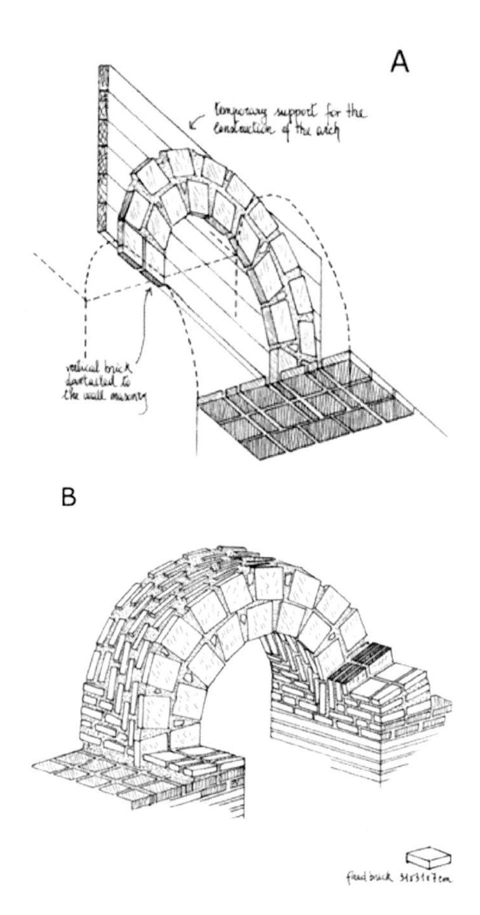

Figure 6. Hypothetical building process of free-standing arches with V-joint dovetailing. A) construction of the middle arch with a provisional support. B) construction of subsequent arches against the middle one. These vertical arches dovetail with radial arches forming a V shape joint.

The construction of the vertical-brick arch started from the centre and progressed adding other vertical-brick arches on both sides of the central one.

The central arch thus was a support for the construction of the vertical arch. With the possible aid of a timber support for the central arch, the construction must have been easy to achieve, with minimal temporary support, as is confirmed by later Islamic rib construction (Figure 7).

Later, the Sasanians succeeded in further developing vertical-brick vaulting and overcoming the restrictions on the dimensions of the pillared hall of Assur[8], leading the way to further innovations.

The availability and quality of gypsum, the dry-climate conditions, as well as the benefit of working with a bonding agent that could be obtained from a firing process at low temperatures, made this technique attractive in the Eastern regions. It is thus no accident that all the technical know-how obtained in the previous centuries was absorbed into Early Islamic architecture (Arce, 2008). In the late 8th century AD Abassid palace at Ukhaydir (Grabar, 1987:79), south of Baghdad, the use of gypsum is extensive, and shortages of wood as well as time limitations encouraged the use of vertical vaulting, with solutions similar to the pillared hall in Assur. A link between the two examples is offered by the early 8th-century Qasr Al-Kharanah, where diaphragmatic arches were built in similar way with vertical vaulting made up of thin limestones slabs (Arce, 2003:229-230).

The reduction of vertical-brick arches to form thin interlaced ribs supporting a filling above dramatically enhanced the formal potentials of this construction technique, making it possible to form light-weight vaults.

It has been proposed that brick ribs resulted from the understanding that they avoided the systemic use of temporary timber supports (Grabar, 1987:283). The area between the ribs could be easily filled during or after construction by means of gypsum mortar. It is also suggested that ribs actually replaced the timber elements used as guidance for vaulting (Figure 6). It is worth to notice that without a gypsum mortar it would not have been possible to reduce to form these freestanding ribs.

In-depth analysis is still lacking. However, significant construction details are offered from some extremely accurate conservation works, as for instance the restorations carried out in the 1970s by E. Galdieri on the Mosque of Naiyn and in the

Figure 7. *Construction of rib vaults in Iran (after Godar, 1949): A) Timber centering for the construction of the ribs; B) brick ribs made with vertical-brick vaulting. The wedges are filled after the construction of the ribs and contribute to the overall stability.*

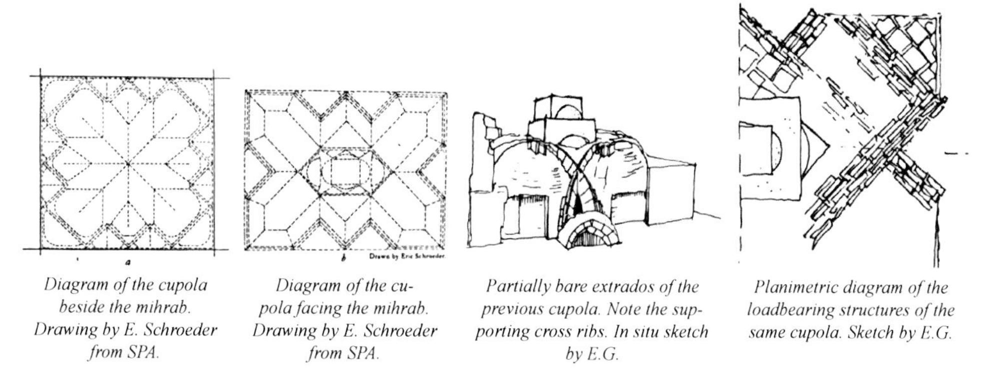

Diagram of the cupola beside the mihrab. Drawing by E. Schroeder from SPA.

Diagram of the cupola facing the mihrab. Drawing by E. Schroeder from SPA.

Partially bare extrados of the previous cupola. Note the supporting cross ribs. In situ sketch by E.G.

Planimetric diagram of the loadbearing structures of the same cupola. Sketch by E.G.

Figure 8. *Rib vault in Naiyn (after Galdieri, 1983, plate II).*

Great Mosque of Isfahan. On that occasion structural ribs were observed (Galdieri, 1983; Fuentes, Huerta, 2010). In the vault in front of the mihrab of the mosque of Nayin (second half of 10th century) interlaced arches were made of "*sottili lame di mattoni posti a coltello*"[9] (Figure 8).

In dome n. 60 of the congregational Jameh Mosque of Isfahan, dated between 1090 and 1150, once the plaster was removed from the extrados of the vault, similar ribs were discovered. They were composed of 4 layers of bricks set on edge (soldier position, i.e. with the brick laid vertically exposing its long narrow side) built according to the principle of vertical-brick vaulting (Figure 9-A). The abundant gypsum mortar allowed for a very rough execution, showing the advantage of this technique. These examples show that masons were acquainted with the technique, and suggest that these vaults resulted from extensive experience and knowledge of the properties of materials and of building procedures.

The use of bricks in al-Andalus and the impact of Almoravid Dynasty

The use of bricks and particularly brick-vaulting in Spain decreased in the Early Middle Ages hand in hand with the decline of the building industry (Utrero, 2006:182-183). During the 9th century sporadic use of brick arches and vaults is documented in the area of Oviedo. It seems that the only exception remained the area of Toledo, where the production of bricks continued in late

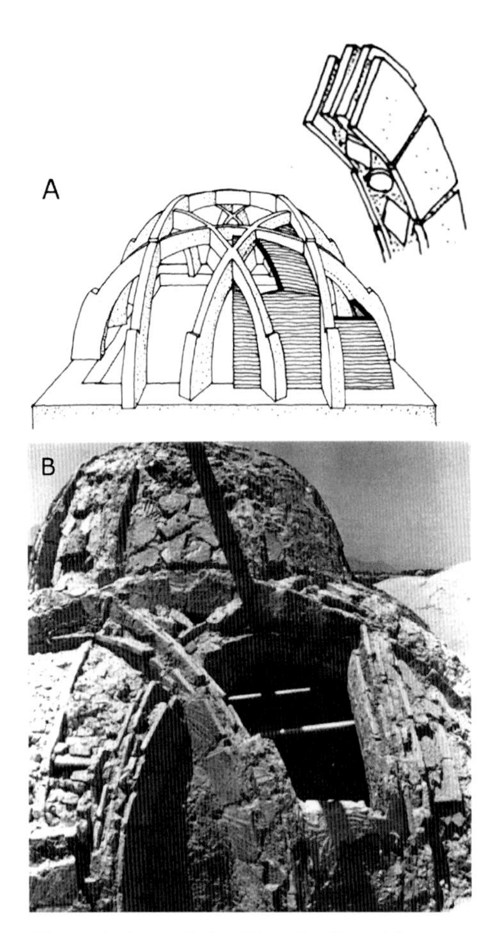

Figure 9. Rib vault (n. 60) in the Great Mosque in Isfahan: A) the diagram shows the web of ribs. Each rib is formed with four brick layers placed on edge (soldier position). The detail of the rib shows that the central ribs were recessed, in order to have a decorative pattern inserted in the recess (after Galdieri, 1983, Figure 12 and 13). B) View of the extrados of the vault after the removal of the plaster and later interventions (after Galdieri, 1983, Figure 17).

antiquity and beyond (Daza Pardo, 2018:16-17). However, in the mosque of Bab al-Mardum (Cristo de la Luz Hermit, ca. 1000 AD) brick masonry is documented only in walls, while the vaults were made out of stone masonry.

More specifically, in al-Andalus brick-masonry is quite limited. In the most renown masterpiece of the period, the Great Mosque of Cordova, the arches were built with bricks alternating with stone voussoirs. The magnificent domes built on the occasion of the expansion of al-Hakam II (961-76) were significantly made of stone (Figure 10),[10] confirming the lack of confidence of the builders with brick vaulting, as demonstrated also in the above-mentioned example Bab al-Mardum. It is thus clear that Cordovan dynasties skilfully developed the building tradition found in the region, adapting it to their needs (León-Muñoz, 2018).[11]

The ì rise of Berber dynasties nourished new ideas. Starting with the Almoravids (1056-1147) and then the Almohads (1130-1269), Morocco developed from a marginal political entity to a major Muslim centre with substantial influence on the region. The two dynasties were both focused on a renewal of architecture, used to symbolize the power of the new rulers. The new Almohad minarets, of gigantic size, demonstrate both their interest in creating unprecedented architecture as well as the influence of models imported from afar.[12] It is even more interesting that the Giralda in Seville, completed in 1198, was entirely built with bricks, showing that by then the brick industry was active again, as it had been in Roman times. This change occurred under the Almoravids, when new building programs were implemented for their newly-founded capital, Marrakech. Unfortunately, surviving evidence is scarce. Their buildings were all demolished by the Almohads. All except one, which offers an excellent opportunity for an in-depth analysis: the Qubbat al-Barudiyyin (Meunié Terrasse, 1957; Tabbaa, 2008; Vitti forthcoming).

The Almoravid Qubba in Marrakech

The Qubbat al-Barudiyyin is an unsurpassed example of domed architecture in North Africa. A relatively small building (7.30 x 5.40 m, 11.75 m high) its architecture is elaborate and refined, and particularly impressive in its interior. Y. Tabbaa has proposed identification of this building as a ceremonial fountain, celebrating the water supply from the Atlas Mountains to the new capital (Tabbaa, 2008:143; Gabar, 1963:196). Although

Figure 10. *Detail of the intrados of the 10th-century domes of the Great Mosque of Cordova showing the stone construction of the ribs.*

not all the scholars agree on this interpretation (Solmon, 2019; Bloom, 2020), many elements seem to confirm this interpretation, including the architecture of the dome, which was visible also from outside, since the building was free-standing. The covering consists of two vaults.

The exterior one (4 m span) was dominated by a most particular decoration with interlaced arches and seven-pointed star motive (Tabbaa, 2008:141; Meunié, Terrasse, 1957:30); the interior one (2 m span), raised upon an elaborate pattern of interlaced polylobate arches, seems suspended at the centre of the space (Figure 11). The symbolism of the decorated interior vault, combined with the complex proportional and mathematical concept (Tabbaa, 2008:138), was meant to depict Paradise, as in other contemporary Islamic architecture (Grabar, 1987:284).

The detailed accounts of the work conducted by J. Meunié and H. Terrasse (Meunié, Terrasse, 1957) make it possible to analyse the construction in great detail. I had the opportunity to supplement the information of the two French scholars with personal observation.[13] First it should be noted that the qubba was built predominantly with bricks, with the possible exception of the lower piers, made with local Guéliz stone, roughly hewn and squared, alternating with brick courses.[14] The exterior dome is a massive brick construction, 50 cm thick, made with radially-placed bricks (Figure initial). The interior lobed dome was built in a completely different, unique and unprecedented manner. Its structure is composed of brick ribs supported by timber beams, bracketing from an octagonal drum. These beams were inserted into the masonry of the exterior dome and laid on the octagonal drum in order to protrude a further 50 cm beyond the drum. Stone blocks were placed on the masonry of the octagon to stabilise the beams against the eccentric position of the ribs. The 4 cm-thick ribs consist of rectangular bricks[15] placed on their thin side in "soldier

Figure 11. *View of the interior of the Qubbat el_Barudiyyin in Marrakech.*

position", and resemble the brick ribs in Isfahan and Naiyn, with the difference that here they are formed of a single row of bricks. The spring of the ribs was reinforced by a few bricks placed on their extrados, so as to strengthen the impost and prevent any deformation.[16]

The ribs were built in pairs, to correspond to the groins which separate the lobes of the stucco decoration of the intrados. The wedges between the ribs were made of bricks laid side by side, thus forming shells as thick as the bricks (4 cm). The brick shells were placed against the brick ribs, and not laid on them. The structure thus generated was formed by two elements (the ribs and the wedges) which depended one on the other. The ribs transferred the weight of the dome on the timber brackets, and the wedges gave stability to the ribs. This lightweight solution offers the earliest example of vaulting with bricks set side by side, as in a tile vault. A similar tile vault must have been used for the muqarnas of the drum, which were built within the arches with bricks placed radially.

While lime mortar was employed for the brick masonry of the building, the lightweight structure of the interior dome was built with gypsum mortar. During construction, gypsum was used to fill rapidly the gaps formed by the triangular joints between one radiating brick and another, making it possible to form the vault without centering. Then a layer of gypsum was employed to cover and reinforce the ribs and the wedges in between (Figure 13).

As recognised by many scholars, Cordovan architecture was influential on the ideas developed by the architect of the qubba. However, while the domes in the Great Mosque of Cordova had a simple pitched timber roof to protect the interior stone dome, here the double vault shows a distinct approach, based on a double-shell vaulted

Figure 12. *Cut-away axonometric diagram of the interior and exterior dome of the Qubbat el-Barudiyyin in Marrakech (P. Vitti rest & del. 2020).*

construction in brick. The two structures were independent and built with different techniques, the exterior a thick massive brick vault and the interior a light weight structure. Beyond the symbolic significance of the two vaults (Tabbaa, 2008:141-143), it must be acknowledged that their construction was influenced by the technical know-how developed in 11th and 12th century Iran and central Asia. This is not only evident in the use of bricks and binding agents, but also in the way the interior brick-ribs were formed. The experience gained by western Iranian builders in ribbed vaulting perfectly fitted to the needs for the construction of the interior dome. The vaulting technology documented in Barsian, Sin, Isfahan and other sites, although not using timber, offered solutions for lightweight vaults based on a network of ribs mortared with gypsum, and filled with bricks laid in different directions (Godard, 1949). The daring solution of the Almoravid qubba, where timber beams bracketing from the drum support the brick-ribs, was probably inspired by this eastern technique. The fact that in

Figure 13. *Ribs made with bricks in soldier position forming the structural support of the interior dome. On the left, is visible the gypsum that covers the extrados of the ribs and the dome. On the right the gypsum was removed, showing the bricks in soldier position. (Meunié, Terrace, 1957, figs. 56 and 57).*

Figure 14. *Cut-away perspective of the Qubbat el-Barudiyyin or Almoravid Qubbat in Marrakech.*

Marrakech the ribs did not have an aesthetical relevance and served only as support for the wedged portions of the brick vault, suggests that builders were adopting a technical solution used in the East to adapt it to the forms developed in the al-Andalus. A few years later, in 1136, at Tlemcen, the potential of this technique was fully expressed in a vault that was entirely innovative (Marçais, 1909, 2: 45; Almagro, 2015). In the maqsura of the Great Mosque of Tlemcen single-brick ribs were similarly placed in soldier position, but the spandrels between the ribs were filled with richly-carved, lace-like gypsum plasterwork, letting the light pass through the vegetal ornaments.

Conclusions

It is thus possible to suggest that the relationship with the East established by the Almoravid dynasty was not only meant to show their allegiance to Abbasids (Tabbaa, 2008:142), who were still ruling on many regions in the East (Grabar, Ettinghausen, 1987:253-256), but also a harbinger of new architectural ideas and building techniques. I believe that it is within this context that builders started to experiment with the potentials of brick vaulting with gypsum mortar. The building technique proved advantageous in terms of resistance, lightness, rapidity and facilitated the adoption of multiple shapes.

The dating of the Qubbat el-Barudiyyin to 1117 AD (Tabbaa, 2015:136, 140; Deverdun, 1957:51, Salmon, 2019) makes it the oldest example so far documented of a tile vault (with ribs) in the West and sheds new light on the influence of eastern architecture in the Mediterranean.

Tile-vaulted construction was a novelty, at least since the times when the first vertical-brick vault was used at Argos. The innovation resulted from the availability of the materials (brick and gypsum), the evident need (lightweight vaults) and gained know-how imported from the East. They offered advantages that were a most needed alternative to the massive vaults so far used in the region.

Notes

1 Notable examples are offered in Verona, where brick arches are well documented in the foundations of the Capitolium.

2 See also Spanish translation of chapter 3: "Construcción sin cimbra: principios, bóvedas de cañón" (Choisy, 1997:31-48). The term is translated as "bóveda de cañón por hojas verticales o inclinadas" (Choisy, 1997:32-33).

3 Starting from J-B. Rondelet (Rondelet, 1840:II, 42 and 47-48).

4 The Eastern region, adjacent to the Mediterranean, of Muslim Spain.

5 The use of brick in construction is well documented in Spain in the Imperial times (Roldán, Bustamante, 2016) but decreases dramatically in Late Antiquity. Its massive use is reintroduced only in the 12th century AD. See *infra*.

6 Benseval, who gives a quite extensive account on vaulted construction in Ancient East, offers few insights on the binding material (Benseval, 1984). See also Arce, 2008:499.

7 The room measured 11.6 x 14.6, height 11.5 m.

8 See vaults of the royal palace at Ctesiphon. The central vault of the iwan spans 25.65 m (Benseval, 1984:146-147).

9 "Thin brick ribs in sailor or soldier position".

10 I express my gratitude to Gabriel Ruiz Cabrero, for the detailed information and the on-site visit to the building, and particularly to the vaults.

11 For the early phase of Islamic architecture in the al-Andalus see Azuar Ruiz (2005).

12 The minarets were inspired by the lighthouse of Alexandria, at the time still standing. See Vitti (2018).

13 I visited the qubba and took measurements in March 2018 and March 2019, while restoration works were being conducted. I would like to express my gratitude to Hasna Haddaoui, *Conservatrice régionale du patrimoine culturel de Marrakech-Safi*, for granting permission and support for my research.

14 See Vitti (forthcoming) for a detailed analysis of the construction.

15 The bricks are mainly of two sizes: 25 x 12.5 x 4 cm and 21 x 10 x 3.5 cm, the latter being used in the upper part of the structure.

16 A similar solution is adopted in the Great Mosque at Tlemcen. See Almagro (2015), Figure 20, p. 230. According to Galdieri (1983, fig.12) similar reinforcement was also used in the dome 60 of the Great Mosque of Isfahan (see fig.8 in this text).

Note: Unless otherwise indicated, the images of this article belong to its author.

References

ALMAGRO, A. (2015). The Great Mosque of Tlemcen and the Dome of its Maqsura. *Al-Qantara*, *36*(1): 199-257. https://doi.org/10.3989/alqantara.2015.007

ANDRAE, W. & LENZEN, H.J. (1933). Der Parthenstadt Assur. Ausgrabungen der Deutchen Orient-Gesellschaft in *Assur* 7. Leipzig: J.C. Hinrichs Buchhandlung.

ARCE, I. (2003). From the Diaphragm Arches to the Ribbed Vaults. An hypothesis for the birth and development of a building technique. in *First International Congress on Construction History*, Madrid, 20-24.01.2003, Proceedings edited by S. Huerta, 225-42. Madrid: Insituto Herrera, escuela Técnica Superior del Arquitectura.

ARCE, I. (2008). Umayyad Building Techniques and the Merging of Roman-Byzantine and Partho-Sassanian Traditions: Continuity and Change. In *Technology in Transition A.D. 300–650,* edited by L. Lavan, E. Zanini, A. Sarantis, Late Antique Archaeology 4 – 2006, 491-537. Leiden: Brill. https://doi.org/10.1163/22134522-90000099

AZUAR RUIZ, R. (2005). Las técnicas constructivas en la formatión de al-Andalus. *Arqueología de la arquitectura, 4*: 149-160. https://doi.org/10.3989/arq.arqt.2005.80

BENSEVAL, R. (1984). *Technologie de la voûte dans l'Orient, des origines à l'èpoque sassanide*. Paris: Èditions Recherche sur les Civilisations.

BLOOM, J. M. (2020). *Architecture of the Islamic West. North Africa and Iberian Peninsula*, 700-1800. New Haven-London: Yale University Press.

BONETTO, J., BUKOWIECKI, E., & VOLPE, R. (2019). Alle origini del laterizio romano. Nascita e diffusione del mattone cotto nel Mediterraneo tra IV e I secolo a.C., *Proceedings of the II Workshop Internazionale* Padova 26-28.04. 2016, Roma: Edizioni Quasar.

CHOISY, A. (1883). *L'Art de Bâtir chez les Byzantines*. Paris.

CHOISY, A. [1883] (1997). *El arte de construir en Bizancio*. Edited by S. Huerta y J. Girón. Madrid: Instituto Juan de Herrera, CEHOPU.

DAZA PARDO, E. (2018). Construir con ladrillo en la periferia de al-Ándalus hacia el año 1000. La actividad fronteriza califal y la "mampostería encintada cajeada". *Arqueología de la Arquitectura,* [S.l.], n. 15, p. e077, dec. 2018. ISSN 1989-5313. https://doi.org/10.3989/arq.arqt.2018.021

DEVERDUN, G. (1957). Étude épigraphique, in *Meunié*, Terrasse (1957, 49-53). https://doi.org/10.1021/ie51392a903

DIEULAFOY, M. (1885). *L'Art antique de la Perse: Achéménides, Parthes, Sassanides: Cinquième partie: Monuments parthes et sassanides*. Paris: Librairie des imprimeries réunies.

FORTE LUNA, M. (2009). Origen de la bóveda tabicada, *Actas del Sexto Congreso Nacional de Historia de la Construcción*: Valencia, 21-24 de octubre de 2009, S. Huerta, R. Marín, R. Soler, A. Zaragozá eds. Madrid: Instituto Juan de Herrera. I, 491-500

FUENTES P., & HUERTA, S. (2010). Islamic domes of crossed-arches: Origin, geometry and structural behavior, in *Arch' 10, Proceedings of the 6th International Conference on Arch Bridges* (Fuzhou, China, October 11-13, 2010), 346-353. Fuzhou: SECOND-HDGK.

GALDIERI, E. (1983). Contributi alla conoscenza delle strutture a nervature incrociate. *Rivista degli studi orientali, 57*: 61-75.

GODARD, A. (1949). Voûtes iraniennes. *Arthar-e Iran, 4*: 187-360.

GRABAR, O. (1963). The Islamic Dome, Some Considerations. *Journal of the Society of Architectural Historians, 22*(4): 191-198. https://doi.org/10.2307/988190

GRABAR, O., & ETTINGHAUSEN, R. (1987). *The art and architecture of Islam: 650-1250.* The Pelican History of Art.

KAWAMI, T. S. (1982). Parthian Brick Vaults in Mesopotamia, their Antecedents and Decendants. *JANES*, 14: 61-67.

LANCASTER, C. L. (2005). *Concrete Vaulted Construction in Imperial Rome: innovations in context*. New York: Cambridge University Press. https://doi.org/10.1017/CBO9780511610516

LANCASTER, C. L. (2010). Parthian influence on Vaulting in Roman Greece? An Inquiry into Technological Exchange under Hadrian. *AJA*, 114, 3: 447-472. https://doi.org/10.3764/aja.114.3.447

LANCASTER, C. L. (2015). *Innovative Vaulting in the Architecture of the Roman Empire, 1st to 4th Centuries CE*. New York: Cambridge University Press. https://doi.org/10.1017/CBO9781107444935

LENZEN, H. J., *Architektur der Partherzeit in Mesopotamien und ihre Brückenstellung zwichen der Architekur der Westens und des Ostens, Festschrift für Carl Weickert*, edited by G. Burns, 121-36. Berlin: Gebr. Mann.

LEÓN-MUÑOZ, A. (2018). Técnicas constructivas mixtas en piedra en la Córdoba oneya. *Arquelogía de la arquitectura, 15*. https://doi.org/10.3989/arq.arqt.2018.022

MARÇAIS, G. (1909). *Album de pierre, plâtre et bois sculptés*, fasc. 2, 45, Alger: Adolph Jourdan.

MEUNIÉ, J. & TERRASSE, H. (1957). *Nouvelles recherches archéologiques à Marrakech,* Paris: Arts et métiers graphiques.

REUTER, O. (1938). *Parthian Architecture. History. A Survey of Persian Art from Prehistoric Times to the Present,* vol. I, edited by A. U. Pope, 411-444. Oxford: University Press.

ROLDÁN GÓMEZ, L. & M. BUSTAMANTE ÁLVAREZ (2016). The production, dispersion and use of bricks in Hispania. *Archeologia dell'architettura, 20*: 135-144.

RONDELET, J-B [1802] (1840). *Trattato e pratico dell'arte di edificare.* Edited by B. Soresina. Napoli: Stabilimento tipografico di Francesco del Vecchio.

SAUVAGE, M. (1998). *La brique et sa mise en oeuvre en Mésopotamie des origines à l'époque achéménide*. Paris: Èditions Recherche sur les Civilisations.

SALMON, X. (2019). La Qubbat al-Bârûdiyyîn (1125-1126/518-529 de l'Hégire). *Trésor almoravide de Marrakech*. Marrakech: Maison de la Photographie de Marrakech.

UTRERO AGUDO, M. Á. (2006). *Iglesias tardoantiguas y altomedievales en la Península iberica. Análisis arqueológico y sistemas de Abovedamiento.* Anejos de AEspA, XL. Madrid.

TABBAA, Y. (2008). *Andalusian roots and Abbasid homage in the Qubbat al-Barudiyyin in Marrakech.* Muqarnas, 25: 133-146.

VITTI, P. (2010). Argo, la copertura ad intercapedine della grande aula: osservazioni sul sistema costruttivo della volta. *Annuario della Scuola Archeologica Italiana di Atene,* LXXXVI, serie III, 8: 215-251.

VITTI, P. (2015). Tradizione romana e tradizione bizantina nelle tecniche costruttive delle volte fra V e VI secolo: il caso delle mura aureliane. *Archeologia dell'architettura*, 18: 88-113.

VITTI, P. (2016). *Building Roman Greece. Innovation in Vaulted Construction in the Peloponnese*. Rome: L'Erma di Bretschneider.

VITTI, P. (2018). Gigantic and structurally sound: the lighthouse on the island of Pharos and the minarets of Western Islam. In Hellenistic Alexandria. Celebrating 24 centuries. *Proceedings of the International Conference*, Atene 13-15 December 2017, edited by V. Vardoyannis; C.S. Zerefos. 222-232. Archeopress.

VITTI, P. (2019). An Archaic Vault in Tomb 3 of Salamis: Architecture, Function and Symbolism. *Salamis of Cyprus, History and Archaeology from the Earliest Times to Late Antiquity* edited by S. Regge, C. Ioannou, T. Mavrojannis. 143-176. Münster: Waxmann.

VITTI, P. (2019). Forthcoming. Brick construction in Almoravid Marrakech: the Qubbat al-Barudiyyin. In *Demolire, Riciclare, Reinventare. La lunga vita e l'eredità del laterizio romano nella storia dell'architettura.* Proceedings from the international conference (Rome 6-8 March 2019).

WARD PERKINS, J. B. (1994). *Studies in Roman and Early Christian Architecture.* London: The Pindar Press.

ZARAGOZÁ CATALÁN, A. (2012). Hacia una historia de las bóvedas tabicadas. in *Construyendo bóvedas tabicadas. Actas del simposio internacional sobre bóvedas tabicadas*, edited by A. Zaragozá, R. Soler, R. Marín. 11-46. Valencia: Editorial Universitat Politècnica de València.

Bóvedas tabicadas junto a arcos de ladrillos enfilados en la mezquita del viernes de Isfahan

ISBN. 978-84-9048-827-0

Bóvedas tabicadas en Al-Ándalus y el Magreb

Antonio Almagro
Real Academia de Bellas Artes de San Fernando

Abstract

Some years ago, we gave notice of a flat tile vault dating back to the end of the 12th century, that is, until now, the oldest known in the Iberian Peninsula. In search of new examples of vaults built with bricks placed in flat position, a new case from the Almohad period discovered in the Kasbah Mosque of Marrakech confirms the use of this technique at least since that time. This discovery gives us indications on the origin of this type of construction that in our opinion is a technique that came from the East with the Muslim expansion. In addition, it allows proposing a theory about its evolution in their use and building until reaching the examples of modern times. Our hypothesis assumes that this type of vaults was used at the beginning as auxiliary means for the construction of traditional vaults, thus avoiding the need of large formwork. Awareness of its resistant capacity and its possibilities as autonomous structures would be taken over time. We analyze these aspects through cases on the Western Territories with Islamic cultural tradition.

Keywords: *Tile vault, Islamic cultural tradition.*

Resumen

Hace algunos años el autor dio a conocer una bóveda tabicada datada a finales del siglo XII que es, hasta ahora, la más antigua que se conoce en la Península Ibérica. En la búsqueda de nuevos ejemplos de bóvedas construidas con ladrillos puestos de plano un nuevo caso de época almohade descubierto en la mezquita de la casba de Marrakech no sólo viene a confirmar el uso de esta técnica al menos desde esa época, sino que brinda indicios sobre el origen de este tipo de construcciones, que en nuestra opinión es una técnica que vino de Oriente con los musulmanes. Las particularidades de estos dos ejemplos también aportan ideas sobre cuál pudo ser la evolución en la forma de usarlas y construirlas, hasta llegar a los ejemplos de época moderna. La hipótesis consiste en suponer que este tipo de bóvedas se empezaron a utilizar como meros medios auxiliares para la construcción de bóvedas tradicionales, evitando con ello la necesidad de grandes cimbras. Con el tiempo se iría tomando conciencia de su capacidad resistente y de sus posibilidades como estructuras autónomas. Se analizan estos aspectos a través de casos en los territorios occidentales con tradición cultural islámica.

Palabras clave: *Bóveda tabicada, tradición cultural islámica.*

Hace algunos años el autor de este texto publicó un artículo (Almagro, 2001:157-158) sobre ciertas particularidades que se dan en la construcción de las bóvedas en el mundo andalusí, que pueden extenderse a lo islámico occidental y que, en realidad, muestra una clara influencia de las técnicas usadas en Oriente, tanto por musulmanes como por las culturas que les precedieron. En ese artículo se da a conocer la que creo es la más antigua bóveda tabicada conocida hasta ahora en la Península Ibérica.

La casa conocida como la nº 10 del barrio excavado en la zona oriental del despoblado de Siyasa, la población hoy arruinada que precedió a la actual Cieza (Murcia), posee dentro de su pórtico meridional una escalera para subir a la planta alta, ubicada en la parte izquierda dentro del vano menor de dicho pórtico (Navarro y Jiménez, 1995, figuras 69-70). De dicha escalera sólo se conserva su arranque con los cuatro peldaños que se asentaban en la parte maciza del inicio. Esta escalera continuaba luego sostenida por una bóveda para dejar libre la zona del pórtico en donde se sitúa el acceso a la vivienda (Figura 1). Cuando se excavó mostraba hasta cuatro hiladas no completas de ladrillos puestos de plano, por lo que puede deducirse que se construyó como bóveda tabicada, según puede verse por la disposición de dichos ladrillos que constituían su intradós (Figura 2). Por la rica decoración de yesería del pórtico, la casa ha sido datada entre finales del siglo XII y comienzos del XIII (Navarro y Jiménez, 1995:117), por lo que la estructura sigue siendo por ahora la más antigua bóveda tabicada hasta ahora conocida en la Península.

Se debe resaltar en este primer ejemplo conocido de bóveda tabicada que se utilice en una de las aplicaciones más extendidas, aunque hoy esté en desuso, de este tipo de estructuras, como es servir de soporte a una escalera (Casinello, 1969:121). La bóveda se inicia desde un macizo de fábrica de mampostería y yeso, de unos 50 cm de altura, que forman los tres primeros peldaños. Partiendo de este macizo, la escalera continuaba sostenida por una pequeña bóveda de cuyo intradós apenas quedan algunos ladrillos de las

Figura 1. *Vista de la anastilosis y reconstrucción del pórtico meridional de la casa nº 10 de Siyasa en el museo de Cieza, con la escalera en su parte izquierda.*

Figura 2. *Restos del arranque de la bóveda tabicada que sostenía la escalera de la casa nº 10 de Siyasa.*

primeras hiladas. Los ladrillos se disponen en bandas regulares, con la dimensión mayor paralela a la línea de arranque y adhiriéndose a la pared lateral. Sólo se conservaban dos ladrillos enteros de la primera hilada (faltaban uno y medio para completarla), otro casi entero de la segunda y un trozo de otro de la tercera, que se mantenían *in situ* gracias a estar adheridos al muro lateral en donde resultaba visible la curvatura de la bóveda rampante de mucha pendiente. La disposición de los ladrillos no es la que suele ser habitual, pues se acostumbra a disponerlos con las juntas continuas según la directriz de la bóveda, aprovechando el lado más largo de los ladrillos para adherirlos a la pared lateral (Casinello, 1969:104). En la bóveda de Siyasa se dispusieron según el modo tradicional de una bóveda de sillares. En el muro lateral no se apreciaba roza ni marcas de replanteo para facilitar la construcción. La bóveda apenas tenía 1,30 m de luz. La bóveda es de una sola hoja y sirvió para sostener la masa de yeso y piedra menuda con que se formaron los peldaños, siendo esta esta parte de la fábrica la que constituyó en la práctica el verdadero elemento resistente.

El carácter de elemento singular que ha mantenido este resto durante todos estos años ha desaparecido en gran medida por causa de un nuevo descubrimiento un tanto fortuito. Observando recientemente unas fotografías tomadas por el autor en 2012 de las obras entonces en curso en la mezquita de la casba de Marrakech (Figura 3), permitió apreciar interesantes detalles. La mezquita de la casba, también conocida como de al-Mansur, debe su primera construcción al califa almohade Abu Yusuf Yakub al-Mansur (Deverdun, 1959:232), quien gobernó entre 1184 y 1199. A este califa se debe también la construcción de la mayor parte del alminar de la mezquita aljama de Sevilla, actualmente conocida como La Giralda. Aunque la mezquita fue objeto de importantes obras de reparación en el siglo XVI, durante el gobierno de la dinastía saadí, las zonas a las que se

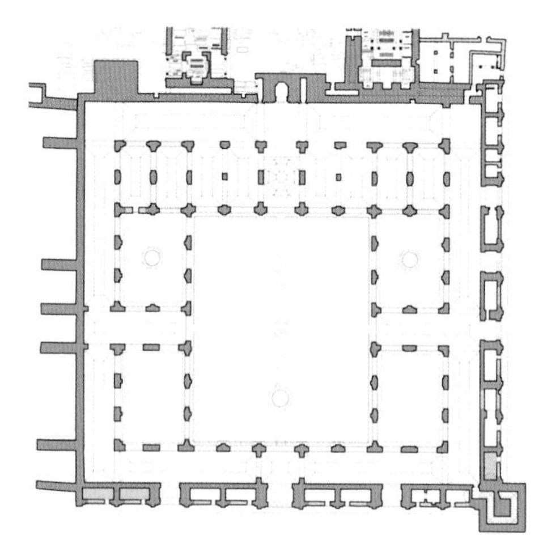

Figura 3. Planta de la mezquita de la casba de Marrakech con las habitaciones que conservan restos de bóvedas tabicadas.

refiere este texto son sin duda de época almohade y, por tanto, de la penúltima década del siglo XII.

La fachada externa de esta mezquita de Marrakech, en sus lados norte y este presenta una estructura formada por el muro exterior construido de tapia y unos contrafuertes que están hechos con mampostería de piedra local. Los extremos de los contrafuertes se unen entre sí con unos grandes arcos que dan aspecto de un gran pórtico, aunque en la realidad han sido cegados mediante muros de ladrillo que generan pequeñas habitaciones dispuestas a lo largo de las dos fachadas. Estas habitaciones, con dimensiones de 2,30 x 5,85 m en el lado norte y 2,40 x 5,60 m en el oeste, se cubren con bóvedas de cañón de medio punto.

En el extremo occidental de la fachada norte, en el año 2012 se estaban reconstruyendo los dos últimos arcos y alveolos que la conforman (Figura 4). En las fotografías entonces tomadas que en aquel momento pasaron casi desapercibidas, se apreciaba que esos espacios que quedan entre los contrafuertes, el muro de cierre de la mezquita y los arcos que forman su frente habían estado cubiertos con bóvedas de las que se apreciaban sus arranques y los entronques contra los citados contrafuertes. Observando con detenimiento esas imágenes pude ver las improntas dejadas por ladrillos de la bóveda en la masa de tapia, así como algunas piezas aún *in situ* (Figura 5). Los pocos ladrillos visibles estaban colocados a tabla contra el muro de tapial pues correspondían al arranque de la bóveda, y aunque aparentaban ser un chapado del muro, podía apreciarse el comienzo de la curvatura de la bóveda. De todos modos, en los testeros se podía ver perfectamente que los ladrillos del extremo de las bóvedas penetraban en los muros de mampostería de los contrafuertes (Figura 6), que hacían de muros piñón. Estas piezas formaban una sola hoja que arranca desde una hilada de ladrillos horizontales empotrada en el muro de tapia y ligeramente volados que hace las veces de imposta.

En el testero que se conservaba se puede ver que por encima de la hoja de la bóveda tabicada existe una rosca de ladrillos dispuestos en abanico como suelen conformarse las bóvedas habitualmente. Tal disposición lleva a pensar que la bóveda tabicada sería sólo un forro o más bien, un elemento en el que se apoyaba la bóveda real durante su construcción. Como realmente carece de sentido que se aplicaran la hoja de ladrillo tabicada sobre la bóveda ya construida, lo que cabe deducir es que se hizo primero una bóveda tabicada muy ligera sobre la que se construyó la otra roscada con ladrillos en abanico. Es decir, que la bóveda tabicada funcionó como una cimbra o encofrado perdido de la bóveda real, evitando con ello la construcción de una cimbra de madera mucho más compleja y costosa.

Teniendo en cuenta que la bóveda tabicada se podía construir sin usar una cimbra, o a lo sumo usando una cercha ligera móvil, como la que dibuja Luis Moya en su libro sobre bóvedas tabicadas (Moya, 1947:20) (Figura 7), se puede pensar que el proceso constructivo sería similar, salvo que, tras ir construyendo la primera hoja de la bóveda como tabicada, en lugar de doblarla con otras hojas similares, se fue erigiendo la bóveda de ladrillo aparejada como suele ser habitual. De este modo, la bóveda se iría construyendo progresivamente con un sencillo andamio que se desplazaba y una cercha también móvil.

Figura 4. *Obras de reconstrucción del extremo oriental de la fachada norte de la mezquita de la Kasbah de Marrakech en 2012.*

Figura 5. *Vista del arranque de la bóveda tabicada en el último alveolo del pórtico septentrional.*

Figura 6. *Vista del testero del penúltimo alveolo mostrando el entronque de la única hoja de la bóveda y la rosca tradicional de la bóveda estructural construida sobre ella.*

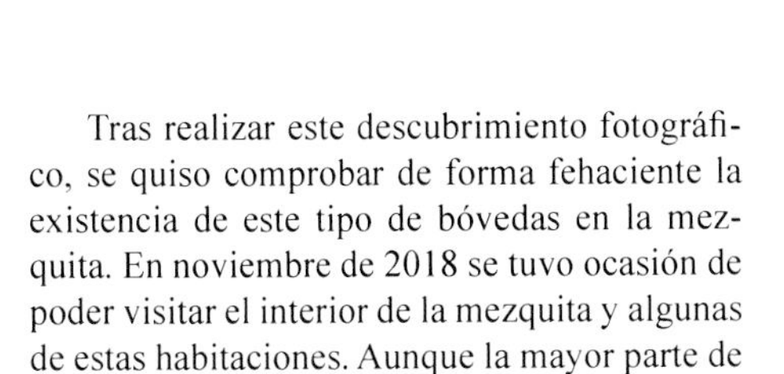

Tras realizar este descubrimiento fotográfico, se quiso comprobar de forma fehaciente la existencia de este tipo de bóvedas en la mezquita. En noviembre de 2018 se tuvo ocasión de poder visitar el interior de la mezquita y algunas de estas habitaciones. Aunque la mayor parte de ellas y, en especial las reconstruidas en 2012, estaban enteramente enlucidas, incluyendo sus bóvedas, se pudo ver con detenimiento la primera del lado occidental inmediata al alminar, que precisamente en esos momentos se estaba reparando y se estaban picando sus paramentos

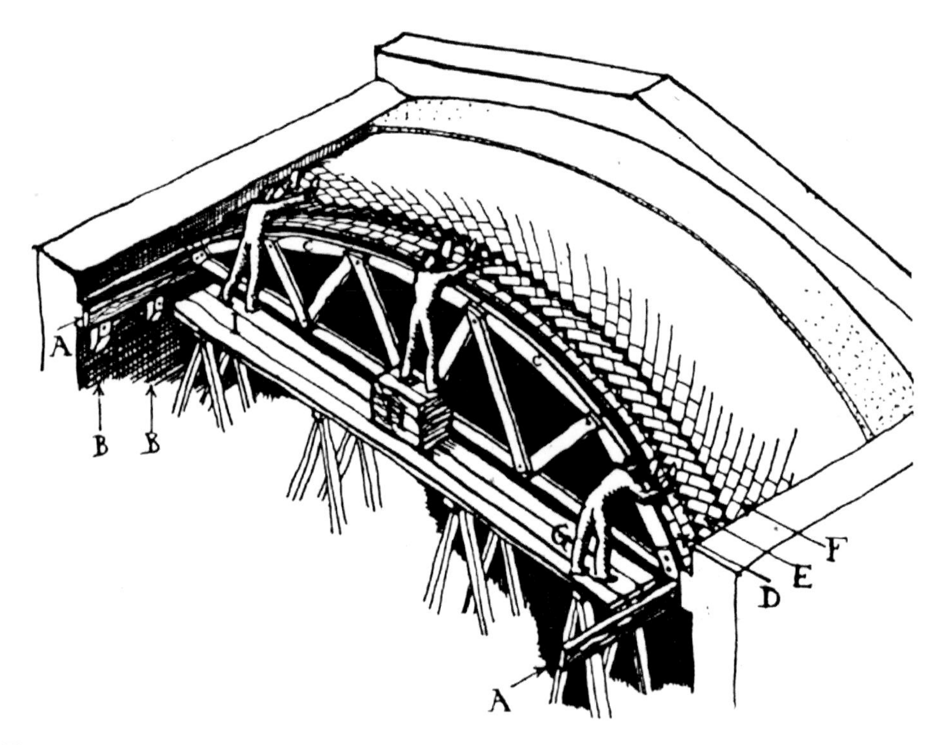

Figura 7. Dibujo de L. Moya mostrando el proceso constructivo de una bóveda tabicada (Moya, 1947: Figura 13).

interiores. En este lugar, se pudo confirmar todo lo visto en las fotos, así como la existencia de una bóveda intacta que por su intradós mostraba el aparejo típico de una bóveda tabicada (Figura 8).

Figura 8. Vista del intradós de la bóveda que cubre el primer cuarto de la fachada occidental, contiguo al alminar.

Aún quedaba la duda de si este sistema de contrafuertes unidos por arcos formaba parte de la primitiva mezquita almohade o si podía ser obra de la reforma saadí de la segunda mitad del siglo XVI. Esta disposición de fachada es la que presentaba la primera mezquita Kutubiyya, también aquí en Marrakech (Meunié et al. pl. 36 y 73) y estaba igualmente presente en la gran mezquita almohade de Rabat, conocida como mezquita de Hassan (Caillé, 1954, Figuras 44-50), pero también es cierto que se usó en otras mezquitas del periodo saadí, como las de Bab Dukkala y al-Muwassin de Marrakech (Almela, 2019, Figuras 3 y 9). La confirmación de una fecha almohade para la construcción de estas bóvedas puede basarse en la existencia de un elemento ornamental típicamente almohade en la ménsula que remata el primer contrafuerte del lado norte, adosado a la base del alminar (Figura 9). Tanto la decoración de la torre como la de este elemento son genuinamente almohades y no se cree que puedan atribuirse al siglo XVI. Pese a que el resto de contrafuertes hoy presenten ménsulas con decoración más tardía o simplemente sin ella, por haberlas perdido, esta pieza conservada indica que la estructura de las fachadas es sin duda del siglo XII y, por tanto, se pueden atribuir a esta misma fecha las bóvedas tabicadas que cubrían estos espacios.

La existencia de estos dos casos, el de Siyasa y el de la mezquita de la Kasbah de Marrakech viene a indicar varias cosas. La primera es que la construcción de bóvedas tabicadas no era algo insólito en la arquitectura almohade y que, por tanto, se puede presumir que a finales del siglo XII se usaba este procedimiento para construir bóvedas. En segundo lugar, parece confirmarse la hipótesis ya expresada en Almagro (2001), de que se debe buscar la razón de ser de este tipo de bóvedas en la tradición de construir tales estructuras con el mínimo de elementos auxiliares, especialmente de madera, y su probable origen en Oriente, ligada también al uso del yeso y expandida con la cultura musulmana en Occidente. Y finalmente se debe remarcar que en ambos casos se trata de bóvedas construidas con una sola hoja de ladrillos, que se usa para soportar una fábrica más contundente que finalmente es la que desempeña una función verdaderamente estructural.

Es decir, da la impresión de que estas primeras bóvedas tabicadas se utilizan como meros medios auxiliares para construir otras estructuras que serán las realmente portantes. En el caso de la escalera de Siyasa, la bóveda tabicada sirvió de soporte para ir formando la correa de la escalera constituida por una masa de yeso y piedras menudas que formaban los peldaños, pero también la verdadera bóveda de la escalera. En las bóvedas de Marrakech, está claro que también aquí las bóvedas tabicadas de una sola hoja se usaron como cimbras perdidas de las bóvedas reales construidas a base de rosca de ladrillo aparejada radialmente como es más habitual.

Esto incita a lanzar la hipótesis de que, en sus orígenes, las bóvedas tabicadas nacieron

Figura 9. *Detalle de la decoración almohade de la ménsula del primer contrafuerte del lado norte pegado al alminar.*

como meros medios auxiliares que facilitaban la construcción de otras estructuras. Sólo con el tiempo y con la experiencia acumulada se fueron volviendo más autónomas hasta acabar teniendo una capacidad y autonomía estructural plena y llegar a alcanzar el máximo protagonismo.

Hasta ahora se carece de otros ejemplos que puedan ser considerados anteriores tanto en la Península como en el Norte de África, lo que priva de pruebas directas que afirmen el origen oriental de esta forma de construcción. Sin embargo, se tienen indicios que sirven de soporte a la hipótesis de este texto. El primero es el que podría considerarse un precedente lejano e incipiente de estas bóvedas. En la parte posterior de la fachada del gran *iwan* construido por el rey sasánida Cosrroes I (531-579) en Ctesifonte, existe un hueco que dibujó Oscar Reuther para su capítulo sobre la arquitectura sasánida en la obra de Pope (Reuther, 1939) (Figura 10). En él puede verse una solución de cubrición del hueco a base de ladrillos puestos de plano formando tres hojas que conforman el frente del arco, mientras que en la parte interior hay una bóveda formada por ladrillos enfilados cuyas roscas se han ido pegando a bofetón sobre las anteriores.

Figura 10. *Hueco existente en la fachada del palacio de Cosroes en Ctesifonte (Reuther, 1939).*

Figura 11. *Bóvedas tabicadas junto a arcos de ladrillos enfilados en la mezquita del viernes de Isfahan.*

También aquí, lo que podría considerarse una pequeña bóveda tabicada de varias roscas sirvió en realidad para generar una superficie plana vertical sobre la que poder iniciar la construcción de la bóveda genuinamente sasánida. Es decir, parece que inicialmente la forma de aparejar arcos y bóvedas con hojas tabicadas aparentemente sólo se usaba como medio auxiliar que facilitaba o permitía la construcción de bóvedas de otro tipo.

Sin embargo, se debe anotar un nuevo dato que se ha tenido ocasión de conocer cuando una primera versión de este artículo estaba ya redactada. En una visita a la mezquita del viernes de Isfahan (Irán) se ha podido constatar la existencia de al menos dos bóvedas tabicadas cubriendo tramos de las crujías situadas al norte del patio, correspondientes a la fase más antigua del edificio actual que sería al menos de época selyuquí, y por tanto datables en el siglo XI, si no de época anterior (Ettinghausen y Grabar, 1987:231, 288) (Figura 11)[1]. Estas bóvedas con forma de rincón de claustro se apoyan sobre arcos formados por roscas de ladrillos enfilados y disponen de unos costillones construidos con este mismo aparejo, de modo que las zonas conformadas con ladrillos planos hacen las veces de plementos de relleno[2]. Los pilares circulares rematados con sencillos cimacios prismáticos y los arcos con el aparejo ya mencionado son de clara tradición sasánida, lo mismo que el arranque de arcos y bóvedas desde un pequeño saliente formado por un ladrillo en voladizo. La presencia de estas bóvedas iraníes en un mundo constructivo sin duda derivado de la tradición sasánida permite asegurar con bastante verosimilitud que este sistema de construcción pudo tener su origen en el Oriente Medio, quizás hacia el siglo VI dC si no antes.

Que este sistema pudo expandirse hacia Occidente con los musulmanes se confirmaría con el hecho de que las bóvedas sasánidas[3] formadas por ladrillos puestos en roscas pegadas a bofetón sobre las anteriores observadas en asociación con las tabicadas, sí se extendió con cierta profusión y se dispone de bastantes ejemplos. Bóvedas con esta disposición existen en los palacios omeyas del desierto de Jordania de Mušatta y Qasr al-Tuba (Cresswell,

1969:589), de la primera mitad del siglo VIII. Una bóveda de este tipo está presente en la Península en época califal o quizás emiral (siglos IX-X), cubriendo la escalera del alminar de San Juan de los Caballeros de Córdoba (Hernández, 1975:143-144) (Figura 12a). Pero también en el Norte de África se encuentra un caso en la puerta almohade de la casba de Túnez que quedó amortizada dentro de los baluartes construido en el siglo XVI (Figura 12b). Posteriormente, estas bóvedas se usaron con cierta profusión en época nazarí, a finales del siglo XIII, en la Alhambra y en otras construcciones de Granada y su entorno (Almagro, 1991:232; Almagro y Orihuela, 2013). Si estas bóvedas pudieron diseminarse a lo largo del mundo islámico, también debieron serlo las construidas con ladrillos dispuestos de plano. Y ambas responden a la misma razón de poder construirlas sin empleo de cimbras, gracias al uso del yeso como material de agarre. Quizás en el futuro nuevos descubrimientos permitan afianzar estas hipótesis.

Fue en España donde las bóvedas tabicadas tuvieron un desarrollo posterior más extenso y exitoso. Inicialmente, fueron empleadas aún como elementos auxiliares formando los plementos de las bóvedas góticas de ojivas en territorios del Levante peninsular y también como encofrados o cimbras perdidas para la construcción de otras bóvedas como ocurre en la Torre de Ambeles de Teruel (Almagro, 1981a, 253). A partir del siglo XVI y sobre todo en el XVII y XVIII, se fue tomando conciencia de la capacidad resistente de estas construcciones que se incluyen en los tratados de Arquitectura como el de Fray Lorenzo de San Nicolás (Fray Lorenzo, 1796:124-140), pasando a ser la forma más habitual de construcción de bóvedas para iglesias, aunque en el caso de grandes luces solo se confiaba a las bóvedas el sustentarse a sí mismas sin someterlas a sobrecargas. A partir del siglo XIX y sobre todo en el XX, merced a la experiencia y a los incipientes sistemas de cálculo se les confía ya una función estructural más importante, incluso con grandes luces, como muestran las obras de Guastavino (Ochsendorf, 2005) o Luis Moya (Moya, 1947).

Figura 12. *Bóveda de ladrillos enfilados en el alminar de San Juan de Córdoba y restos de una bóveda semejante de la casba almohade de Túnez.*

Figura 13. *Bóvedas tabicadas de Dar Haddad en la medina de Túnez.*

Figura 14. *Bóvedas tabicadas en una de las dependencias de la Zawiya de Sidi Qasim al-Zalijii de la medina de Túnez y en un cobertizo en una calle de Zaghouan.*

Resulta un tanto sorprendente que las bóvedas que se encuentran en el Norte de África, fuera de las que ya se ha mencionado de época almohade, sean el resultado de un reflujo que se produce a través de la emigración forzosa de los moriscos desde tierras españolas a otras del área mediterránea. Así, se hallan bóvedas tabicadas en las áreas en que tiene lugar un importante reasentamiento de población morisca y de una forma muy intensa en Túnez. Tanto en la capital como en poblaciones en las que se asentaron de forma mayoritaria pobladores procedentes de España, se vuelven a encontrar numerosas obras realizadas con bóvedas tabicadas, generalmente en edificios ligados a personas o actividades relacionadas con ellos.

En Túnez capital, por ejemplo, está el caso de Dar Haddad, palacio situado en el barrio andalusí y perteneciente a una familia de este origen, en el que existe un espacio en planta baja cubierto mediante bóvedas tabicadas de arista (Revault, 1983, 1:169-196) (Figura 13). También en la capital se encuentran bóvedas tabicadas en la Zawiya de Sidi Qasim al-Zaliji, conjunto arquitectónico que desempeñó un papel importante en la acogida y primer acomodo de los moriscos llegados a comienzos del siglo XVII (Almagro, 1981b, 97) (Figura 14a).

Las poblaciones de Testur y Zaghouan, que acogieron importantes contingentes de moriscos expulsados de España, son magníficos ejemplos de cómo las tradiciones arquitectónicas también viajaron con ellos. De esta última población se conserva un ejemplo de cubrición de un cobertizo sobre una calle sostenido por unas bóvedas de arista tabicadas (Figura 14b). Tanto la mezquita mayor de Zaghouan como varias de Testur muestran claras influencias constructivas procedentes de la arquitectura que se construía en el siglo XVII en España.

En este caso, como en las iglesias, las bóvedas no soportan sobrecargas y sirven sólo para configurar el espacio interior del edificio religioso. Otro caso también llamativo de la influencia de la arquitectura española del siglo XVII en la norteafricana es la llamada Ŷama al-Ŷadid o Mezquita Nueva, también conocida como de la Pescadería, en la medina de

Figura 15. *Interior de la mezquita hanifí de Testur cubierto con bóvedas tabicadas y camaranchón existente entre las bóvedas y el tejado.*

Argel (Chergui, 2011:58-80). Esta construcción promovida por la élite otomana de los jenízaros y levantada entre 1656 y 1666 en las inmediaciones de la aljama almorávide, junto al puerto, posee una forma nada habitual para una mezquita que ni se asemeja a los modelos andalusíes y magrebíes ni a los otomanos de ese momento. En realidad, su planta y alzados e incluso la ubicación y forma del alminar (Figura 16) recuerdan a una iglesia. Su estructura espacial de tres naves, de mayor anchura y altura la central, con crucero y cúpula

Figura 16a. *Mezquita Nueva o de la Pescadería en la medina de Argel.*

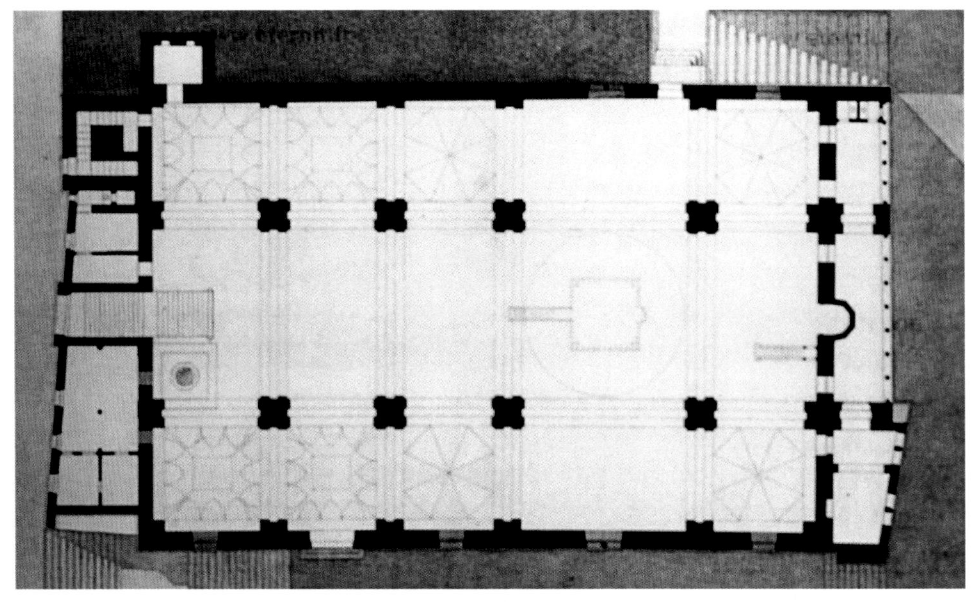

Figura 16b. *Planta de la Mezquita Nueva o de la Pescadería en la medina de Argel.*

es la habitual en tantas iglesias construidas en España en el siglo XVII. Se sabe que al frente de su construcción estuvo Ramdan al-'Uldj, un personaje al que se cita como cautivo cristiano pero que a juzgar por la remuneración que percibía debió ser un renegado o quizás un morisco (Chergui, 2011:68). Aunque no es posible conocer cómo están construidas sus bóvedas, las características antes mencionadas incitan a pensar que muy probablemente puede tratarse de estructuras tabicadas.

Todos estos casos que se han presentado no son fruto de una investigación sistemática sino sólo de la observación durante diversos viajes por los países del Norte de África. Pero parecen suficientemente representativos de una realidad que bien merecería una investigación más profunda. Investigación que debiera dirigirse en dos sentidos, la búsqueda de casos de bóvedas tabicadas anteriores al siglo XII tratando de encontrar los posibles nexos con el mundo oriental, y el análisis del rico e interesante patrimonio dejado por los moriscos de origen peninsular en esas tierras, de las formas y procedimientos constructivos que trasladaron a estos países desde España y que no son sólo de raigambre andalusí, sino también de la cultura cristiana de ese momento.

Notas

El presente trabajo se ha realizado en el marco del proyecto de investigación "Atlas de Arquitectura Almohade" (PID2019-111644GB-I00) del Programa Estatal de Generación de Conocimiento y Fortalecimiento Científico y Tecnológico del Sistema de I+D+I.

[1] Estas bóvedas están recogidas en el exhaustivo inventario fotográfico realizado por Galdieri (1971, fotos 168 y 170) aunque sin ninguna referencia ni comentario a su disposición constructiva.

[2] En otro lugar, en los edificios del complejo funerario de las "torres del silencio" de Yazd, también en Irán, usados por la comunidad mazdeísta, religión cuyo origen se remonta al periodo aqueménida, aunque estos edificios siguen esquemas sasánidas, existen también bóvedas tabicadas de ladrillos trasdosadas con adobes. Este complejo estuvo en

uso hasta comienzos del siglo XX por lo que no es posible asignarles una datación segura a esas bóvedas.

[3] En realidad, este tipo de bóvedas existió desde época faraónica realizadas con adobes (Basenval), aunque con las roscas inclinadas para evitar el corrimiento de las piezas al usarse barro como mortero. En Irak e Irán, al usarse yeso como material de agarre se pudieron construir con las roscas verticales, atestiguadas desde época parta, aunque siguieron usándose las de adobe.

Nota: Salvo indicación contraria, las imágenes de este artículo pertenecen al autor.

Referencias

ALMAGRO, A. (1981a). "La Torre de Ambeles", *Teruel, 66*: 239-265.

ALMAGRO, A. (1981b). Tres monumentos islámicos restaurados por España en el Mundo Árabe, Madrid: Instituto de España.

ALMAGRO, A. (1991). "La torre de Romilla. Una torre nazarí en la vega de Granada", *Al-Qantara XII*, p. 225-250.

ALMAGRO, A. (2001). "Un aspecto constructivo de las bóvedas en al-Andalus", *Al-Qantara XXII*, p. 147-170. https://doi.org/10.3989/alqantara.2001.v22.i1.229

ALMAGRO, A. & ORIHUELA, A. (2013). "Bóvedas nazaríes construidas sin cimbra: Un ejemplo en el Cuarto Real de Santo Domingo (Granada)", Huerta, S., López Ulloa, F. (Eds.) *Actas del Octavo Congreso Nacional de Historia de la Construcción.* Madrid, 9-12 de octubre de 2013. Madrid: Instituto Juan de Herrera, p. 25-34.

ALMELA, I. (2019). "Religious architecture as an instrument for urban renewal. Two religious complexes from the saadian period in Marrakesh", *al-Masaq, 31*. https://doi.org/10.1080/09503110.2019.1589973.

CAILLÉ, I., J. (1954). *La mosquée de Hassan à Rabat*, Paris.

CASINELLO, F. (1969). *Bóvedas y cúpulas de ladrillo, Manuales y normas del Instituto Eduardo Torroja de la construcción y del cemento.* Madrid.

CHERGUI, S. (2011). *Les Mosquées d'Alger: Construire, gérer et conserver (XVIe-XIXe siècles)*, Paris: PUPS.

DEVERDUN, G. (1959) *Marrakech, des origines à 1912*, 2 vols. Rabat.

ETTINGHAUSEN, R. & GRABAR, O. (1987). *The Art and Architecture of Islam 650-1250,* Harmondsworth and New York: Penguin Book, version española de Ediciones Cátedra, Madrid 2000.

FRAY LORENZO DE SAN NICOLÁS, *Arte y uso de Arquitectura,* (edición original 1633-1665), Madrid 1796, (reproducción facsímil, Zaragoza 1989).

GALDIERI, E., (1972). *Isfahān: Masǧid-i Ǧum'a, 1: documentazione fotografica e rapporto preliminare = photographs and preliminary Report*. Roma: IsMEO.

HERNÁNDEZ GIMÉNEZ, F., (1975). *El alminar de 'Abd al-Rahman III en la mezquita de Córdoba,* Granada.

MEUNIER, J., TERRASSE, H. & DEVERDUN, G., (1952). *Recherches archéologiques à Marrakech*, Paris.

MOYA BLANCO, L. (1947). *Bóvedas tabicadas*, Madrid

OCHSENDORF, J., (2005). "Los Guastavino y la bóveda tabicada en Norteamérica", *Informes de la Construcción*. vol. 56, nº 496, p.57-65. https://doi.org/10.3989/ic.2005.v57.i496.494

REUTHER, O., (1938-39). "Sasanian Architecture", Pope, A.U., *Survey of Persian Art*. Vol II, London.

REVAULT, J., (1980-1983). *Palais et demeures de Tunis (XVIe et XVIIe siècles)*, Paris: CNRS.

Tabiquillos sobre el trasdós de la bóveda de la capilla de la Lonja de Valencia

ISBN. 978-84-9048-827-0

Tabiques, enjutas, costillas y callejones: otra forma de ver las bóvedas tabicadas

Arturo Zaragozá Catalán[a], Rafael Marín Sánchez[b]
[a] Real Academia de Bellas Artes de San Carlos
[b] Universitat Politècnica de València

Abstract

Nowadays, tile vaults arouse renewed interest which can be attributed to their technical, economic and aesthetic advantages. But in recent times the focus has been on the suggestive aesthetic possibilities of the thin partitioned sections that define the hulls or severy, ignoring that these were used to be integrated into a construction system. In this construction system there were no less relevant components such as fillings, partitions or the structural coexistence of several vaults. This set of elements not only had to achieve a satisfactory visual result, it also had to assume other functions: facilitate the control of the shape during its construction; reduce costs in falsework and ensure the structural stability of the system. The current possibility of designing and building self-supporting warped shapes, mechanically stable, has largely overshadowed age-old experimentation. For this reason, we believe that it is appropriate to recall the evolution of the complete system of tile vaults after hundreds of years of experience.

Keywords: *Construction History, Tile vaults, filled with pots, partitions, spandrels, tabs, ribs and alleys.*

Resumen

Las bóvedas tabicadas despiertan hoy un renovado interés que cabe atribuir a sus incontables ventajas de carácter técnico, económico y plástico. Pero en los últimos tiempos se ha puesto el foco en las sugerentes posibilidades estéticas de las delgadas secciones tabicadas que definen los cascos o plementos obviando que, por lo general, estas solían quedar integradas en un sistema constructivo en el que participaban otros componentes no menos relevantes como los rellenos, los tabiquillos o la convivencia estructural de varias bóvedas. Tal conjunto de elementos no solo debía alcanzar un resultado visual satisfactorio, también debía asumir otras funciones: facilitar el control de la forma durante su construcción; reducir el gasto en cimbras y asegurar la estabilidad estructural del sistema. La posibilidad actual de diseñar y construir formas alabeadas autoportantes y mecánicamente estables ha eclipsado, en gran medida, una experimentación milenaria. Por ello, creemos que es oportuno recordar la evolución del sistema completo de las bóvedas tabicadas legado tras cientos de años de experiencias.

Palabras clave: *Historia de la Construcción, bóvedas tabicadas, rellenos con ollas, tabiques, enjutas, lengüetas, costillas y callejones.*

Introducción

El brillante episodio de las bóvedas tabicadas despierta hoy una renovada atención que, lejos de parecer casual o fruto de una moda momentánea, cabe atribuir a sus incontables ventajas de carácter técnico, económico y plástico. Pero este renovado interés ha puesto el foco en las sugerentes posibilidades estéticas de las delgadas secciones tabicadas formadas por una o dos hojas de ladrillos dispuestos de plano que definen los cascos o plementos obviando que, por lo general, estas solían quedar integradas en un sistema constructivo en el que participaban otros componentes no menos relevantes. Dicho conjunto de elementos debía satisfacer, bien de manera solidaria o diferenciada, varias funciones: facilitar el control de la forma durante su construcción; reducir el gasto en cimbras y asegurar la estabilidad estructural del sistema, no sólo frente a cargas gravitatorias sino también de viento y de sismo. Y, además, debía alcanzar un resultado visual satisfactorio.

Las bóvedas tabicadas se distinguen por su versatilidad. Esta virtud ha favorecido la recurrente adaptación de dicha elemental cáscara de cierre a sucesivas variantes técnicas mediante su combinación con otras soluciones constructivas, unas veces preexistentes y otras surgidas, adaptadas o mejoradas durante el proceso.

Así, desde hace mil años, han dado lugar a formas alabeadas, regladas, aristadas, de revolución o formando maclas. Para ello, han sido tendidas entre nervios o apoyadas sobre los muros; como cimbra perdida de una bóveda dispuesta a rosca o de un vertido de argamasa que a veces se aligeraba con vasijas cerámicas; o trasdosadas con tabiques, enjutas, fajas, lengüetas, costillas y callejones. Y su decoración ha acogido igualmente una enorme variedad de soluciones: nervios añadidos sin función estructural, revestimientos con estarcidos u otra capa cerámica adherida por su intradós formando la piel visible. La posibilidad actual de diseñar y construir formas alabeadas autoportantes y mecánicamente estables ha eclipsado, en gran medida, una experimentación milenaria. En este sentido creemos que es oportuno recordar el sistema completo de bóvedas tabicadas legado tras cientos de años de experiencias.

El Diccionario de la Real Academia Española llama tabique a la pared delgada que sirve para separar las piezas de la casa o a la división plana y delgada que separa dos huecos. Asimismo, llama tabique a panderete a aquel que está hecho con ladrillos puestos de canto. Es evidente que un tabique y una bóveda tabicada parten de un mismo concepto y sólo se diferencian por su forma y posición en la obra. El uso conjunto de bóvedas tabicadas y de tabiques es tan antiguo como su común denominación. También es oportuno recordar antes de entrar en materia la etimología de la voz. Según Corominas (1987:552) la voz castellana *tabique* proviene del árabe hispano *tašbík*, "pared de ladrillos", propiamente "labor de trenzado o entretejedura" y aparece a comienzos del siglo XV como *taxbique*.

El equivalente valenciano *barandat* es una voz más antigua, de origen incierto, probablemente prerromano indoeuropeo y está documentada desde 1398 (Gómez-Ferrer, 2002:52-53). Pero la otra forma antigua de nombrar allí a las bóvedas tabicadas, *volta de rajola i algeps*, bóveda de ladrillo y yeso, vuelve a referirse a dos arabismos.

Ladrillos con aparejo vertical tomados por la tabla y/o por la testa

Actualmente está en desuso construir disponiendo los ladrillos por hojas verticales, esto es, con su aparejo vertical tomados por la tabla y/o por la testa. Pero no fue así en la antigüedad. Numerosos monumentos antiguos nos recuerdan que en Egipto y en Mesopotamia, desde comienzos del tercer milenio antes de Cristo, se construían bóvedas con arcos sucesivos de ladrillos secados al sol y tomados con barro o con yeso disponiéndolos ligeramente inclinados. Este aparejo permitía construir las bóvedas sin cimbra. La solución era particularmente oportuna en estos lugares donde escaseaba la madera (Choisy, 1997:33-34).

Más tarde, en el siglo segundo de nuestra era, aparece en el mundo romano, procedente de su relación con el imperio parto, una solución de aspecto similar, pero con los ladrillos cocidos y dispuestos verticalmente. En estas fábricas se ven huellas de cimbras. Esta disposición podía permitir más adecuadamente el trabajo mecánico de los arcos que forman la bóveda (Lancaster, 2007 y, 2009). El imperio sasánida, el bizantino y más tarde el árabe, que sucedieron a ambos, heredaron estos sistemas, los renovaron y los diversificaron hasta llevarlos a su perfección.

Recientemente, Paula Fuentes (2013) ha llamado la atención sobre la singularidad del tipo de bóvedas construidas a partir de arcos cruzados. Según recuerda esta investigadora los primeros ejemplos aparecen en el siglo X tanto en España y el norte de África, como en Armenia y Persia. Frente a los arcos de piedra utilizados en España y en Armenia, la arquitectura persa y la del norte de África, ligadas a la albañilería, utilizan una red de nervios delgados, que están formados por arcos de ladrillo dispuestos por hojas verticales. En estas bóvedas se multiplican los entrecruzamientos entre los arcos, dibujando polígonos o estrellas y dejando un espacio central vacío o cubierto con un elemento especial. La aparición de estos dos focos con soluciones similares a notable distancia podría explicarse, acaso, por el carácter itinerante de los talleres de construcción armenios.

En estas cúpulas la geometría adquiere un papel fundamental (Galdieri, 1984). Un ejemplo persa notable es el de la mezquita mayor de Isfahán. Entre las 484 cúpulas de la mezquita aparecen varias nervadas. Los nervios de la mayor parte de estas bóvedas, especialmente las del periodo selyúcida, son una serie de arcos de entre tres y siete hojas de ladrillo sentados de plano en vertical, a la manera de las bóvedas de la antigüedad (Fuentes, 2013; Fuentes y Huerta, 2012 y 2015).

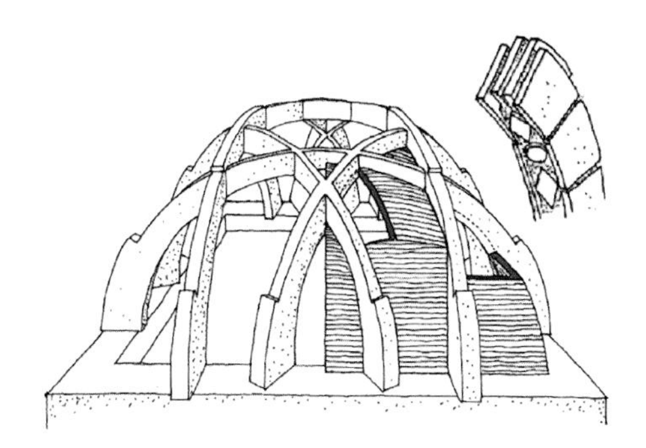

Figura 1. *Bóveda nº 60 de la mezquita de Isfahán, Persia, según E. Galdieri.*

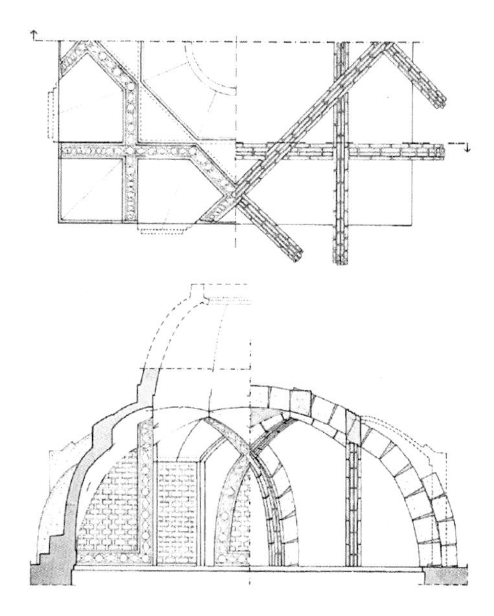

Figura 2. *Detalle constructivo de la bóveda nº 60 de la mezquita de Isfahán, Persia, según E. Galdieri.*

Figura 3. *Trasdós de la cúpula de la mezquita mayor de Tremecén en Argelia (1136). Dibujo de Georges Marçais.*

En África los arcos a panderete fueron usados durante el periodo almorávide para rigidizar por su trasdós algunas bóvedas de plementería calada. Es el caso de la cúpula del mihrab de la mezquita de Tremecén, erigida antes de 1136 (Marçais, 1954:197). Esta cúpula es una interesante variante de un tipo estrechamente relacionado con los ejemplos de piedra hispanos, constituida por doce arcos de herradura de perfil circular que se entrecruzan dejando en el centro un cupulín de mocárabes. Como evidencia el conocido dibujo de Marçais y ha podido confirmar recientemente Antonio Almagro (2013), los nervios están formados por una delgada hoja de ladrillos dispuestos a panderete que emergen por el trasdós. No obstante, la mirada sobre la bóveda recae sobre sus plementos ya que éstos quedan constituidos por placas de yeso caladas, probablemente prefabricadas con anterioridad a su puesta en obra. Estas placas permiten el paso de la luz que entra a través de las ventanas del torreón que cubre a la cúpula (Almagro, 2011:46).

Leopoldo Torres Balbás (1952) aporta también otros dos ejemplos algo posteriores inspirados en la anterior: la bóveda que antecede al mihrab de la mezquita mayor de Taza (Marruecos), construida en 1291; y la situada en el primer tramo de la nave central de la mezquita aljama de Fez (Marruecos), edificada en 1395. Aunque con algunas leves diferencias formales, ambas coinciden en lo esencial: la naturaleza de sus nervios y de sus plementerías, unas cualidades muy particulares de estas pro-puestas del norte de África que gozaron de un cierto eco en la arquitectura hispanomusulmana.

También debe considerarse en este grupo la bóveda conservada en la alcoba lateral de una de las casas del patio de Banderas del Alcázar de Sevilla, la conocida como "Toro-Buiza" (Manzano, 1995:346) cuyo sistema constructivo permanece inédito. Sobre este elemento, edificado posiblemente entre finales del siglo XII y principios del XIII (Fernández-Puertas, 2009), Manzano señala que sus arcos están constituidos por ladrillos a panderete. Aunque Almagro (2011) señala que, por su complejidad, pudieron ser prefabricados, quizás con yeso, sobre una superficie horizontal con anterioridad a su puesta en obra.

Todo este conjunto de bóvedas, construidas al comienzo del segundo milenio, tanto en Persia como en el norte de África, se caracterizan en que su parte sustentante esta formada por arcos construidos a modo de tabiques, la mayoría dispuestos por el trasdós de la superficie aparente. La peculiaridad de la organización constructiva de estos sistemas de cubierta permitiría llamarlos bóvedas de tabiques.

El sistema medieval de cajas y enjutas

La arquitectura gótica centroeuropea tuvo entre sus intenciones alcanzar la máxima altura posible de las bóvedas y la apertura de grandes ventanales cerrados con vidrieras. Como es sabido, con estos grandes ventanales el muro desaparecía. El esquema estructural se basa en derivar el empuje de las bóvedas a un articulado sistema de contrafuertes, arbotantes y pináculos. Por el contrario, en la arquitectura gótica mediterránea el muro permanece, las ventanas son escasas y los arcos transversales se disponen a modo de grandes diafragmas. Con todo ello en el Mediterráneo el esquema estructural es, en realidad, la sucesión de un sistema de arcos de diafragma o de cajas murarias en las que se abren arcos (Cassinello, 2005). Este sistema es particularmente adecuado para la defensa contra los periódicos y temibles sismos y permite un fácil atado de los muros. Otra de sus consecuencias es que obliga a un proceso constructivo alternativo al llevado a cabo en Europa central (Zaragozá, 2003).

El método de construcción de bóvedas medievales en Francia fue expuesto de forma convincente por John Fitchen y divulgado mediante expresivos dibujos de John H. Acland y David Macaulay. En este territorio una vez levantados los muros se construían las cubiertas, donde se situaban las grúas. Después, ya a cubierto y con ayuda de las grúas instaladas bajo el tejado, se construían las bóvedas. En el caso del Mediterráneo, al no existir las grandes cubiertas de madera, el proceso constructivo es diverso. Una vez erigidas las cajas murarias se levantaba en el centro de la crujía un castillete de madera o matraz que permitía elevar los materiales y sobre el que se apoyaban las cimbras. Los nervios en ocasiones podían volver a enjutarse, lo que mejoraba el rendimiento mecánico de las fabricas y facilitaba el relleno de las bóvedas para construir las terrazas, ya que la cubierta de madera no existía. El macizado de las bóvedas seguía la antigua tradición imperial romana de la argamasa aligerada con vasijas de barro. La fortaleza de este material llegó a convertir, en ocasiones, a los nervios y plementerías de piedra en simples encofrados perdidos sin utilidad mecánica. Pero la tendencia en la Edad Media tardía fue el aligeramiento de las bóvedas, disminuyendo los macizos de argamasa y quedando únicamente los rellenos de vasijas (Zaragoza, 2016). Esta solución no estaba exenta de inconvenientes derivados del poco satisfactorio comportamiento del relleno frente a los problemas mecánicos o de humedades.

La solución ultima llegaría de la mano de la albañilería. Desde mediados del siglo XIV, en Valencia y su entorno, las plementerías de las bóvedas de crucería comenzaron a construirse con bóvedas tabicadas. En el último tercio del siglo XIV era ya el sistema constructivo para abovedar más utilizado en el área permitiéndose sus artífices el atrevimiento de salvar luces próximas a los quince metros. Gracias al impulso personal de los reyes de Aragón, al poco tiempo era una solución habitual en todos los territorios de la Corona (Zaragozá, 2012:17).

El relleno del trasdós sujetando los riñones de la bóveda y sirviendo de base para el piso de las terrazas fue reemplazado por una formula más profesional y de mayor eficacia constructiva: los enjutados y tabiques de albañilería. Es el caso del enjutado de las nervaduras mediante cítaras de ladrillo. La presencia de estos muros sobre los hombros de los arcos ha sido identificada en el trasdós de la bóveda de crucería de nueve claves de la capilla de la Lonja de Comerciantes (1484), y en las bóvedas de cinco claves de la sala de contratación del mismo edificio, cerradas por Pere Compte en 1498. En estos dos últimos ejemplos, los más tempranos hasta la fecha, además de las referidas cítaras sobre los arcos principales, se intercalaron unos tabiquillos de ladrillo para sostener un pavimento cerámico que aún se conserva en el caso de la bóveda de la torre y también, aunque incompleto, sobre la sala columnaria.

Dicha solución estructural fue incorporada asimismo a las bóvedas modernas proyectadas a partir del siglo XVI, tanto en piedra como en ladrillo, en los territorios de la Corona de Aragón. Durante la restauración de la sala capitular de la iglesia de Santa María de Alicante (ca. 1520) quedaron al descubierto unos esbeltos y precarios tabiques, con un reducido espesor y separados unos 30 cm, que acodalan en todo el perímetro su bóveda pétrea contra los muros perimetrales. Estos no sostienen un tablero de cubierta, por tanto, habrían sido dispuestos con el único objeto de rigidizar las bóvedas que apenas cuentan con una costra

Figura 4. *Tabiquillos sobre el trasdós de la bóveda de la capilla de la Lonja de Valencia.*

Figura 5. *Enjutas de la bóveda de la iglesia de Santiago de Orihuela (Alicante).*

de 8-10 cm de mortero por encima de las placas de piedra de 15 cm de espesor que cierran sus campos.

Asimismo, durante la intervención de las cubiertas de la iglesia de Santiago de Orihuela (Alicante) se destaparon unas poderosas enjutas de sillería que reforzaban la bóveda de la nave, datada en los últimos años del siglo XV. Por último, una interesante capitulación de 1587, publicada por la profesora María José Tarifa (2005) recoge con detalle cómo debía ser el proceso de ejecución de estos "contra arcos" en la bóveda del coro alto de la parroquial de la Asunción en Cascante (Navarra), proyectado en 1587.[1] Anteriormente, hacia 1535, fue usada también en las bóvedas de esta misma iglesia, que resultaron muy dañadas durante la última guerra civil.

Figura 6. *Tabiquillos sobre las bóvedas del claustro bajo de la catedral de Segorbe (Castellón). Archivo de Regiones Devastadas (1947-1949).*

El sistema de bóvedas clásicas rigidizadas con trasdosados de tabiques y costillas

A partir del siglo XV el clasicismo conllevó la introducción de nuevas formas abovedadas. Los nervios aparentes y las bóvedas alabeadas cayeron en desuso a favor de las superficies derivadas del cilindro y de la esfera (Marín, 2018). La primera noticia documental conocida sobre los tabiques asociados a una bóveda de perfil clásico es tardía pero interesante, de mediados del siglo XVI, cuando era ya una solución habitual. En 1546 se usaron bóvedas baídas, desprovistas de nervios, en la reconstrucción del Hospital General de Valencia. Los contratos firmados un año antes indican que "*en la quadra de dalt se han de igualar tots los carcanyols y racons de les voltes de la primera cuberta fent uns carrerons de algeps i rajola*", es decir, señalan de manera explícita el uso de los tabiquillos tanto para rellenar los senos como para alcanzar el nivel del pavimento (Gómez-Ferrer, 2012).

Por otra parte, en la Corona de Aragón, las cubiertas aterrazadas comienzan a desaparecer separando el sistema estructural de las bóvedas del correspondiente a las cubiertas que protegían de las inclemencias del tiempo. La escasa pendiente necesaria en las cubiertas del Mediterráneo permitió asociar las bóvedas tabicadas con series de tabiques y con los tableros de las cubiertas formando un sistema conjunto. Este conjunto de bóvedas, tableros y tabiques era accesible para el mantenimiento por estrechos corredores. Pero dicha solución implicaba un elevado consumo de ladrillos y aumentaba el peso propio porque debían disponerse muy próximos, generalmente cada 30 cm, para dar sostén al tablero de la teja (o formar bovedillas sobre los tabiques). Por eso, cuando resultaba posible, se optaba por ajustar al máximo la altura de dichos tabiques como ocurre en la iglesia parroquial de Tuéjar (Valencia), cuyo plano de cubierta resulta casi tangente a los riñones del medio cañón. Este edificio y, en general, la obra del arquitecto Juan Pérez Castiel (1650-1707), muestran que la solución citada se había generalizado en el ámbito valenciano, a fines del siglo XVII, para la construcción de iglesias. Años antes, las "Advertencias para los edificios y fábricas de los templos", promovidas en 1631 por el arzobispo de Valencia Isidoro Aliaga y probablemente inspiradas en estas primeras actuaciones, animaban incluso a evitar las estructuras de madera formando las pendientes "*sobre tabiques de ladrillo que formen callejones, como se platica en muchas partes*" (Benlloch, 1995:45). Dicha solución pasaría, mas tarde, a la tratadística de la mano del Conde de Espie (1754) y de Manuel Fornés y Gurrea (1841:lám. VIII).

Figura 7. *Tabiquillos o lengüetas en el trasdós de la sala capitular de la iglesia de Santa María de Alicante.*

Figura 8. *Tabiquillos entre la bóveda y la cubierta de la iglesia de Tuéjar (Valencia). Fotografía tomada durante su restauración en 1982.*

Figura 9. *Sección y planta de una bóveda tabicada. Observaciones sobre El Arte de Edificar. Manuel Fornés y Gurrea, Valencia, 1841.*

La referencia al Conde de Espie conviene detallarla. El popular episodio de las bóvedas tabicadas en Francia nace a partir de la incorporación del Rosellón a Francia (1659). Perouse de Montclós (1982) ha señalado cómo fueron difundiéndose por Francia las bóvedas tabicadas. En 1754 el Conde de Espie publica una memoria sobre el modo de hacer incombustibles los edificios. Este argumento retoma el mismo utilizado para cubrir con bóvedas tabicadas el Hospital General de Valencia en el siglo XVI y avanza el propuesto por Guastavino para difundir el sistema en los Estados Unidos. Aunque una primera presentación realizada en la Academia Real de Arquitectura de París no tuvo éxito, la memoria acabaría teniendo su traducción al inglés, al alemán y al español (Philippe Araguas, 2003). El método sería recogido por Laugier (1755) en su "Essai sur l'Architecture" y por Jacques-François Blondel (1777) quien le dedicaría en su "Cours d'Architecture" cuarenta y una páginas y seis láminas. No obstante, carecemos de noticias sobre la auténtica fortuna del sistema constructivo en Francia (Mochi, 1994; Araguas, 2003).

Acaso el lugar donde acabaría teniendo más influencia la obra del conde de Espie sería sorprendentemente en España (1786). El capítulo en el que Blondel recoge les *voutes plates* fue traducido e incorporado a su tratado por Benito Bails, quien indicó que "*esta casta de fábrica es muy antigua en España, y muy usada en la Corona de Aragón, de donde pasó a Francia*". Bails recoge a su vez muchas indicaciones de Fray Lorenzo de San Nicolás.

La traducción española de la memoria del Conde de Espie fue prologada con una censura de Ventura Rodríguez (1786). En esta el prologuista discrepa sobre el argumento del autor de que estas bóvedas no producen empujes. Dicha cuestión ha sido un debate recurrente en la historia de las bóvedas tabicadas, seguramente desde su inicio. En cualquier caso, a efectos de tabiques y callejones, las ilustraciones del Conde de Espie recogen puntualmente el sistema conjunto de bóveda tabicada, tabiques y tablero de cubierta con acceso para mantenimiento que hemos visto en la iglesia de Tuéjar en Valencia y que en esta zona era muy popular a finales del siglo XVII.

Todas estas propuestas a base de tabiques, a diferencia de los vertidos de argamasa, crean un sistema de cámaras de aire y reducen la transmisión de humedades a los cascos tabicados. Por este motivo, también Fray Lorenzo de San Nicolás prefería su empleo en vez de rellenos en los riñones de las bóvedas, como queda patente en la siguiente cita de dicho autor en *Arte y uso de Arquitectura*: "(...) *y así como*

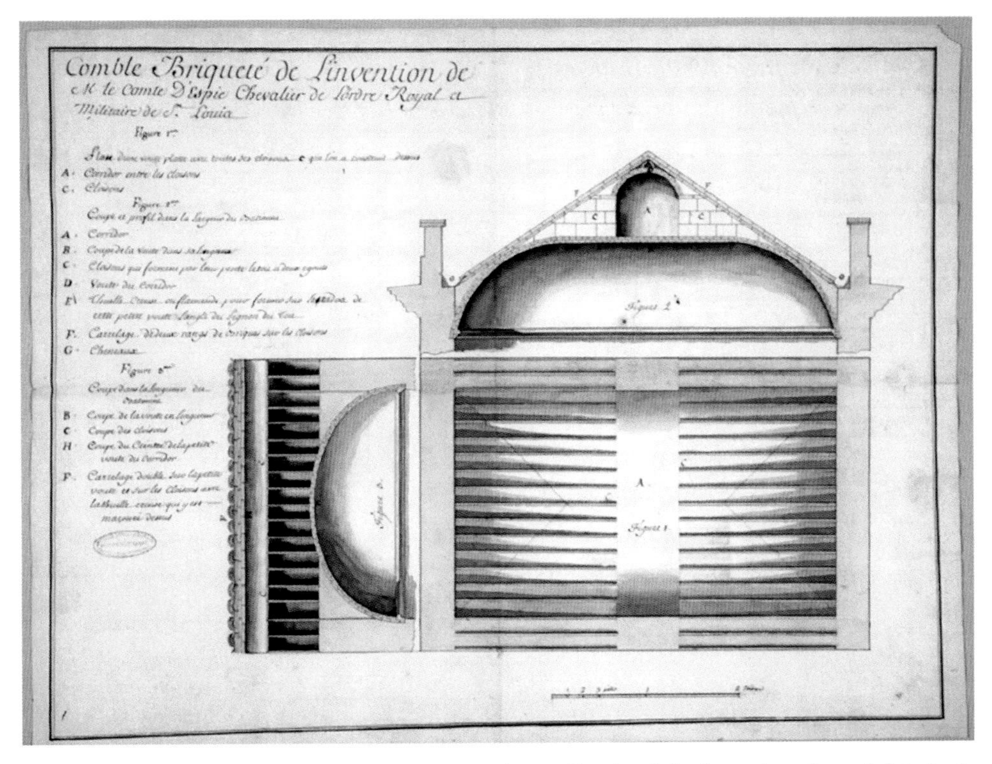

Figura 10. Comble briqueté de l'invention de M. le Compte d'Espie Chevalier de l'ordre royal et militaire de Saint Louis.

vayas tabicando, la irás doblando y macizando las embecaduras hasta el primer tercio, y esto ha de ser en todas las bóvedas, echando sus lengüetas à trechos, que levantan el otro tercio, para que así reciban todo el empujo ò peso de la bóveda" (San Nicolás, 1639:91v).

El virtuosismo en la construcción de tabiques en el trasdós de bóvedas en este periodo hace pensar que, en ocasiones, se emplearon para la construcción de andamios, en los que una vez desmontados se reutilizarían los ladrillos. La destreza en el uso de finos tabiques a panderete tomados con yeso llega a la máxima expresión y puede ilustrarse con el ejemplo de la iglesia de San Vicente de Piedrahíta, en Cortes de Arenoso (Castellón).

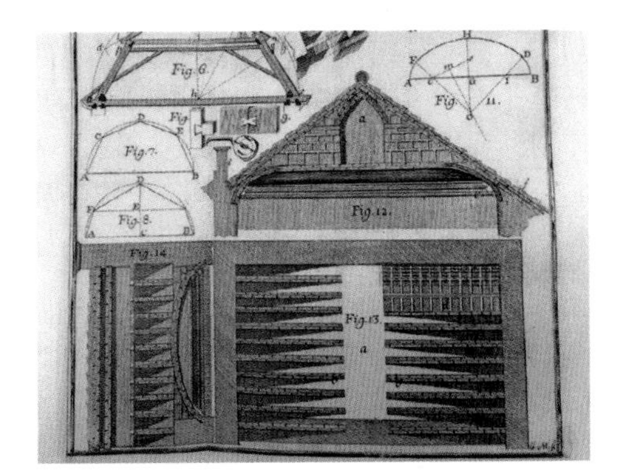

Figura 11. Christiano Rieger, Elementos de toda la Arquitectura Civil, Madrid, 1763. Lámina XVI.

La iglesia de San Vicente de Piedrahíta es de planta de salón de 18 metros de anchura y 25 de longitud, aparentando una gran caja de mampostería que se cubre con una cubierta dispuesta a cuatro aguas. En el interior las bóvedas son de cañón con lunetos en la nave central, de arista en las laterales y una cúpula sobre el crucero. Todas las bóvedas son tabicadas de una sola

Figura 12. *Juan Joseph Nadal. Sección de la iglesia de Vila-real, detalle.*

Figura 13. *Tabiquillos de la iglesia parroquial de Soneja (segunda mitad del siglo XVIII). Foto Jaime Sirera.*

capa, el ornato lo forma una elegante decoración clasicista de raíz académica. En la construcción de la cubierta se desechó el uso de la madera. En primer lugar, los elementos que sustentan la cubierta son tabiquillos formados por ladrillos macizos dispuestos a panderete. Para permitir el paso entre los tabiquillos, estos se separan unos 55 cm entre sí y se aligeran mediante la formación de arcos en su base, dejando libre la zona central de las bóvedas de las tres naves, según el eje del templo. Para evitar el pandeo de estos elementos tan esbeltos, se alternan unos ladrillos macizos colocados transversalmente a dichos tabiques. Finalmente, el tablero de la cubierta se configura mediante revoltones de ladrillo. La solución, que impresiona al verla por su ligero y aparentemente frágil aspecto, recuerda y precede al mejor Gaudí.

Aunque se carece de los libros de fábrica y de noticias directas es sabido que la iglesia de san Vicente de Piedrahíta fue construida entre 1770 y 1781. En 1813 fue incendiada por las tropas francesas durante la guerra de Independencia. Es posible que, como consecuencia de lo anterior, desapareciera la cubierta y ante la dificultad de reconstruir su entramado original se optara por la atrevida solución de los tabiques. Pero considerando el entorno y la datación también es razonable pensar que la intención inicial ya fuera esta y que siguiera, con una solución alternativa, la estela de cercana iglesia de Vila-real. Acaso pudieron también compartir autoría.

La citada iglesia de San Jaime de Vila-real es de generosas dimensiones hasta el punto de que se ha considerado la de mayor tamaño entre las iglesias parroquiales de España. Construida siguiendo el tipo de iglesia columnaria de tres naves similar, aunque en mayor tamaño, a la de Piedrahíta, se cubre con un tejado a dos aguas. Para alcanzar las cubiertas se disponen unas bóvedas tabicadas, con sus tabiquillos para formar

Figura 14. *Sección de la iglesia de San Vicente de Piedrahita (Castellón) según Enric Peña.*

Figura 15. *Trasdós de la bóveda de la iglesia de San Vicente de Piedrahita (Castellón). Segunda mitad del siglo XVIII. Foto Arturo Zaragozá.*

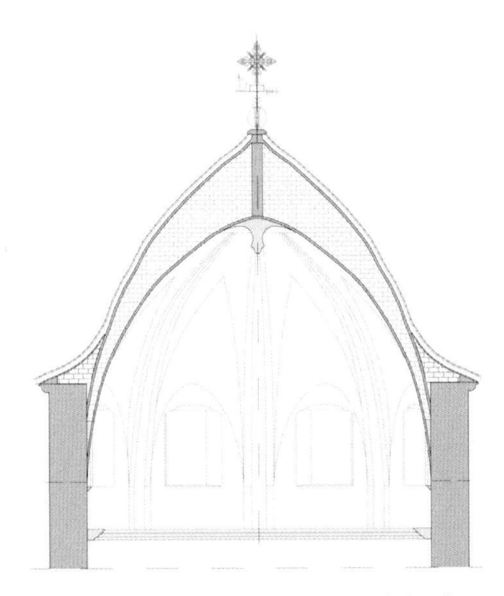

Figura 16. *Cúpula con lunetos. Crucero de la iglesia de Vila-real (Castellón), según Rafael Soler.*

la cubierta y otras, separadas bajo esta, para el techo visible desde el interior. La cúpula del crucero con lunetos, o las numerosas lengüetas de gran dimensión perforadas a modo de arbotantes, añaden un virtuosismo escondido e impensable para el espectador. La iglesia fue construida a partir de 1753 por el arquitecto Juan Joseph Nadal. Este arquitecto presentó los planos del edificio en 1756 a la Academia de San Fernando de Madrid para optar a la plaza de Académico de Mérito. El proyecto enviado a la Academia mostraba en la sección que la cubierta se formaba con armadura de madera. Curiosamente el proyecto, contratado tres años antes, mostraba el doble juego de bóvedas y tabiquillos para formar las cubiertas. Como ha señalado Yolanda Gil, Nadal indica en la memoria que "en este país se quitan las aguas sin madera" (Gil, 2004). En realidad, lo único que hay de madera en este templo, al igual que en el de Piedrahíta, son las puertas de las entradas, las cajoneras de las sacristías y los confesionarios. Pero la memoria de Nadal advirtiendo la singularidad del caso valenciano muestra que los juegos de tabiques no son comunes en todos los territorios.

Las bóvedas y cúpulas de doble hoja con costillas y tabiques interiores

Las numerosas renovaciones decorativas acometidas en los interiores de los templos góticos valencianos alentaron interesantes innovaciones que desembocaron en un novedoso y audaz empleo de las bóvedas tabicadas para lograr cerrar los grandes buques de los templos con grandes cámaras ventiladas sin la participación de la madera.

La idea tomó forma en la iglesia de los Santos Juanes de Valencia, reformada entre 1693 y 1700 a partir de las experiencias previas de Juan Pérez Castiel en la catedral de Valencia (1674-1682) y de Francisco Padilla en la iglesia de San Nicolás (1690-1693) de la misma ciudad (Marín, 2012). Frente a la solución de demolición de las crucerías originales para acomodar sus proporciones a los nuevos gustos artísticos y dar soporte a los frescos de Antonio Palomino, se optó por construir una nueva bóveda tabicada de cañón con lunetos por el intradós de la primitiva, usando los fajones góticos como soporte intermedio y creando una cámara de aire para proteger los futuros frescos. Esta propuesta, de más rápida ejecución y menor coste, fue repetida años más tarde en la basílica de los Desamparados (1701) evidenciando un envidiable manejo de los conceptos estructurales. El arquitecto de los Santos Juanes renunció a la pureza formal del cañón cilíndrico al disponer una superficie de doble curvatura que aprovecha el efecto membrana, apoyada en los arcos fajones, con unos tabiquillos que la apean a tercios de la luz contra los cruceros góticos para su estabilización (Marín, 2012).

La propuesta debió causar una fuerte impresión porque, a partir de 1753, sirvió también de base, a Juan José Nadal para la cubierta de la iglesia de San Jaime de Villareal (Castellón). Aquí, Nadal generó ex novo un sistema de abovedado de doble cáscara en el cual la bóveda inferior es la que define espacialmente el templo y la exterior la que soporta la cubierta.

La misma idea fue adaptada para la construcción de numerosas cúpulas de albañilería diseminadas por todo el ámbito del antiguo reino de Valencia. Aunque estos elementos no responden a un solo sistema constructivo, como han demostrado Soler (2012) e Iborra (2013), cabe citar aquí dos variantes con una relevante presencia de los tabiques. La más llamativa es la solución de las cúpulas con lunetos, ampliamente difundidas en Valencia durante el siglo XVIII, aunque ya se usaba en el XVII atendiendo a las alabanzas que le dedica el Padre Tosca (1712). Su factura presenta en bastantes ocasiones una clara semejanza con los cimborrios medievales y las bóvedas gallonadas, al estar formadas por esbeltas costillas radiales formadas por delgadísimos tabiques de una hoja entre las que se tienden unos gajos o lunetos también tabicados. La cúpula de la referida iglesia de Villareal, obra de Nadal, representa uno de sus ejemplos más llamativos, pero cabe reseñar algunas otras menos atrevidas en su factura como la que cierra la capilla de San Pedro en la Catedral de Valencia (1696-1700), ejecutada por Juan Pérez Castiel.

Algo más antiguas, y también más sencillas, son las calotas hemisféricas de dos hojas unidas por una densa serie de rastreles. Estos reducidos tabiques de medio pie de altura, que descansan sobre la hoja interior, parece que sólo tenían por objeto la formación de una cámara de aire que protegiese las pinturas interiores de la humedad. En la mayoría de las intervenciones restauradoras se observa la completa desaparición de las juntas de yeso tanto en el tablero superior como en los propios rastreles. Por ello no cabría contemplar la efectiva contribución estructural de estos a la sección resistente, que se limita al espesor del intradós cupuliforme. Responde a este patrón alguna de las cúpulas más antiguas del reino de Valencia, como es el caso de la capilla de la Comunión del ex convento de El Carmen de Valencia (1613). Y también otras mucho más tardías, como la capilla de la Comunión de la parroquial de San Roque de Oliva (s. XVIII), lo que denota la pervivencia del tipo, particularmente entre los ejemplos de tamaño moderado.

Los tabiques vistos: Antoni Gaudí, Luis Moya y Eladio Dieste

La Edad Contemporánea realiza una mirada muy diferente y hace un uso distinto de la versátil técnica de las bóvedas tabicadas. Hasta esa fecha, salvo excepciones, la solución se había empleado únicamente en la construcción de iglesias, de castillos y de palacios. Pero en esta nueva etapa se diversifican los usos. Se incorpora a edificios públicos, construcciones industriales, almacenes y colonias agrícolas, viviendas o incluso a depósitos de agua. Se desarrolla igualmente un interés ilustrado por el oficio de construir las bóvedas tabicadas por parte de los profesionales y surgen publicaciones que reflexionan sobre ésta milenaria técnica constructiva. Como ocurrió en el paso de la Edad Media a la Moderna se realizan auténticos alardes técnicos y se experimenta con nuevas formas. Entre las grandes figuras de este periodo, teniendo siempre en cuenta la presencia de los tabiques en los diseños, pueden señalarse, entre otros, a Antoni Gaudí, Luis Moya y Eladio Dieste. Con todo, la característica más inmediata de este periodo, tal como se señala en el epígrafe, consiste en dejar vista la fábrica de las bóvedas tabicadas por su intradós y en hacer visitables los tabiquillos. Debemos recordar aquí lo sucedido durante el antiguo régimen en la iglesia de Vila-real. Respecto a ella el arquitecto Juan Joseph Nadal envió a la Academia de San Fernando un proyecto distinto al que se realizaba, en el que no aparecían los juegos de tabiques y las dobles hojas abovedadas. Ahora, en cambio, los Guastavino, Antoni Gaudí, Le Corbusier o Luis Moya exhibirán estos elementos con voluntad artística.

La obra de Antoni Gaudí i Cornet (1852-1926) ha sido muy estudiada, alcanzando una amplísima difusión internacional. Su genio es admirado tanto por los profesionales como por el público en general y ello facilita la localización de aquellas obras donde este autor dotó de un singular protagonismo plástico a los tabiques de ladrillo con función estructural. Particularmente llamativas resultan las soluciones desplegadas en la torre Bellesguard o casa Figueras (1900-1909) y los arcos catenarios

Figura 17. *Cubiertas de casa Bellesguard de Barcelona de Antonio Gaudí.*

Figura 18. *Cubiertas de La Pedrera de Barcelona de Antonio Gaudí.*

Figura 19. *Detalle de las bóvedas del Museo de América de Luis Moya.*

que forman los desvanes de la casa Milá (1906-1910) y de la casa Batlló, edificada entre 1904 y 1906. Una propuesta que anteriormente ya había experimentado en la galería de arcos parabólicos del colegio de las Teresianas (1888-1890) y que aquí incorporó nuevamente como parte del proceso de investigación que desarrolló para mejorar sus soluciones estructurales inspirándose en los modelos tradicionales de equilibrio.

El arquitecto Luis Moya Blanco, Madrid (1904-1990) fue catedrático de las escuelas de arquitectura de Madrid y Navarra. Autor de una obra extraordinariamente original y diferente a la que correspondía a su contexto. Mas allá de

Figura 20. Detalle de las celosías de la iglesia de San Pedro en Durazno, Uruguay, de Eladio Dieste.

Figura 21. *Detalle de las celosías de la iglesia de Cristo obrero, Canelones, Uruguay, de Eladio Dieste.*

su posición antimoderna y de la ambición de detentar la ortodoxia clasicista, cabe aquí señalar su interés por el arte de construir en general y de las bóvedas tabicadas en particular.

Como ha señalado Javier García-Gutiérrez Mosteiro (1997) la recuperación del uso de bóvedas tabicadas que emprende Moya se entiende no sólo desde los condicionantes económicos de aquellos años sino también, y muy expresivamente, desde su declarada opción por una idea de arquitectura que —separadamente a los derroteros seguidos por el Movimiento Moderno— fuera capaz de reforzar el vínculo entre forma y construcción, tal y como se produce en el sistema abovedado.

La experimentación emprendida por Moya, ya avanzado el siglo XX, se desarrolla con espectaculares bóvedas de arcos cruzados de hormigón y cascos tabicados. Resulta sorprendente que las últimas construcciones con voluntad creativa del siglo XX que emplean bóvedas tabicadas vuelvan a su lejano origen andalusí del siglo XII (García-Gutiérrez, 1982).

Muy distinto es el caso de Eladio Dieste (1917-2000), el ingeniero civil uruguayo mundialmente reconocido por la introducción de lo que él mismo denominó la "cerámica armada". Dieste se ocupó de la producción de superficies abovedadas muy livianas realizadas con ladrillos revocados con una capa de 3-4 cm de mortero de cemento y reforzadas con armaduras de acero insertas en las juntas de los ladrillos, que se construían con la ayuda de encofrados móviles muy ligeros. En su afán de aprovechar las ventajas económicas y el saber acumulado durante milenios para la formación de abovedamientos de ladrillo logró definir soluciones de gran ligereza y belleza con un coste muy competitivo. La iglesia de Cristo Obrero, en Atlántida, y la de San Pedro de Durazno son tan solo dos ejemplos ilustrativos de las numerosas construcciones aún conservadas en Uruguay, en los que se aprovecha la forma abovedada para reducir el peso propio de la estructura y, de esta manera, ahorrar material. Curiosamente, en ocasiones utiliza los tabiquillos como originales celosías.

Notas

El presente trabajo se ha realizado en el marco del proyecto de investigación "Atlas de Arquitectura Almohade" (PID2019-111644GB-I00) del Programa Estatal de Generación de Conocimiento y Fortalecimiento Científico y Tecnológico del Sistema de I+D+I.

1 "Se a de hechar unos contra arcos, los quales ayan de traspassar de linea a linea, y seran de gordeça de medio ladrillo en alto y de uno en ancho, todas las piernas y ranpantes an de passar los contra arcos los quales en hechando la una falfa an de ser hechos, y despues la otra segunda falfa los a de tomar y encorporarllos, sobre la falfa se a de hechar un manto de yeso a plana gruesa que por la parte baxa a de ser hecho de la forma y manera de arriba". Transcrito por Tarifa (2005).

Nota: Salvo indicación contraria, las imágenes de este artículo pertenecen al autor.

Referencias

ALMAGRO GORBEA, A. (2011). "Sistemas constructivos almohades: estudio de dos bóvedas de arcos entrecruzados". En *Actas del séptimo congreso nacional de Historia de la Construcción*, ed. de S. HUERTA et al., 45-53. Madrid: Instituto Juan de Herrera.

ALMAGRO GORBEA, A. (2013). "Surveying World Heritage islamic monuments in North Africa: Experiences with simple photogrammetric tolos and no previous planning". En *ISPRS Annals of the Photogrammetry, Remote Sensing and Spatial Information Sciences*, Vol. II-5/W1, 13-18. Strasbourg: XXIV International CIPA Symposium. https://doi.org/10.5194/isprsannals-II-5-W1-13-2013

ARAGUAS, P. (2003). *Brique et architecture dans l'Espagne Mediévale (XIIe -XVe siècle)*. Madrid: Casa de Velázquez.

BAILS, B. (1796). *Elementos de Matemática. Tom. IX, parte I, que trata de la Arquitectura Civil*. Madrid: Imprenta de la Viuda de D. Joaquín Ibarra.

BENLLOCH POVEDA, A. (1995). *Manual de Constructores*. Valencia: Universitat Politècnica de València.

BLONDEL, J-F. y PATTE, M. (1777). *Cours d'Architecture. París*, vol. VI, chapitre II "de la Manière de construire les planchers en briques dite Voutes Plates", 84-125.

CASSINELLO PLAZA, M. J. (2005). "Influencia de los terremotos históricos en la construcción de las catedrales góticas españolas". *Annali di architettura, 17*, 2005, 9–20.

CAPITEL, A. (1982). *La arquitectura de Luis Moya Blanco*. Madrid: Colegio Oficial de Arquitectos de Madrid.

COMTE D' ESPIE, F-F. (1754). *Manière de rendre toutes sortes d'edifices incombustibles*. París: Duchesne.

COMTE D'ESPIE, F-F. (1786). *Modo de hacer incombustibles los edificios sin aumentar el coste de su construcción*. Madrid: en la oficina de Pantaleón Aznar.

COROMINAS, J. (1987). *Breve diccionario etimológico de la lengua castellana*. Madrid: Gredos.

CHOISY, A. (1997) [1873]. *El arte de construir en Roma*. Madrid: Instituto Juan de Herrera.

CHOISY, A. (1997) [1883]. *El arte de construir en Bizancio*. Madrid: Instituto Juan de Herrera.

FERNÁNDEZ-PUERTAS, A. (2009). *Mezquita de Córdoba. Su estudio arqueológico en el siglo XX*. Granada: Universidad de Granada.

FORNÉS y GURREA, M. (1841). *Observaciones sobre la Práctica del Arte de Edificar*. Valencia: Imp. de Cabrerizo.

FUENTES GONZÁLEZ, P. y HUERTA FERNÁNDEZ, S. (2013). "Las bóvedas de arcos entrecruzados en Armenia. En *Octavo Congreso Nacional de Historia de la Construcción*, 335-346. Madrid: Instituto Juan de Herrera.

FUENTES GONZÁLEZ, P. y HUERTA FERNÁNDEZ, S. (2015). "Crossed-arch vaults in late-gothic and early Renaissance vaulting: a problem in building technology transfer". En *Proceedings of the Fifth International Congress on Construction History*, vol. 2. Chicago: Palmer House Hilton.

GARCÍA-GUTIÉRREZ MOSTEIRO, J. (1997). "Los edificios abovedados de Luis Moya". En *Apuntes del curso las grandes bóvedas hispanas*. Madrid: Ministerio de Fomento.

GIL SAURA, Y. (2004). *Arquitectura Barroca en Castellón.* Castellón: Diputación de Castellón.

GÓMEZ-FERRER LOZANO, M. (2003). "Las bóvedas tabicadas en la arquitectura valenciana durante los siglos XIV, XV y XVI". En *Una arquitectura gótica mediterránea*, ed. de Eduard Mira y Arturo Zaragozá, 135-150. Valencia: Generalitat Valenciana.

GÓMEZ-FERRER LOZANO, M. (2012). *Vocabulario de Arquitectura Valenciana: siglos XV al XVII.* Valencia: Universitat de València.

IBORRA BERNAD, F. (2013). "¿Cúpulas o cimborrios? Las medias naranjas con nervios y lunetos en la arquitectura española del siglo XVIII". En *Actas del Octavo Congreso Nacional de Historia de la Construcción*, ed. de S. Huerta y F. López, 503-512. Madrid: Instituto Juan de Herrera.

LANCASTER, L. (2007). "Early Examples of So–Called Pitched Brick Barrel Vaulting in Roman Greece and Asia Minor: A Question of Origin and Intention". En *Bautechnik im antiken und vorantiken Kleinasien,* ed. de Martin Bachmann, 371-391. Internationale Konferenz in Istanbul, Estambul: Ege Yayinlari.

LANCASTER, L. (2009). "Roman Engineering and Construction". En *The Oxford Handbook of Engineering and Technology in the Classical World*, ed. de John Peter Oleson. Londres: Oxford University Press.

LAUGIER, M-A. (1755). *Essai sur l'Architecture*. París: Chez Duchesne, Libraire, rue S. Jacques.

MANZANO MARTOS, R. (1995). "Casas y palacios en la Sevilla almohade. Sus precedentes hispánicos". En *Casas y Palacios de Al-Andalus. S. XII y XIII.* Barcelona: Navarro.

MARÇAIS, G. (1954). *L'Architecture musulmane d'occident. Tunisie, Algérie, Maroc, Espagne et Sicilie*. Paris: Arts et Metiers Graphiques.

MARÍN SÁNCHEZ, R. (2012). "Abovedamientos tabicados en las transformaciones interiores de las iglesias valencianas de finales del siglo XVIII". En *Construyendo bóvedas tabicadas. Actas del Simposio Internacional sobre Bóvedas Tabicadas,* 205-223. Valencia: Universitat Politècnica de València.

MARÍN SÁNCHEZ, R. (2018). "Aspectos Constructivos de las Bóvedas Levantinas de Albañilería (s. XV-XVI) a la luz de las obras y los documentos". En *Ecos culturales, artísticos y arquitectónicos entre Valencia y el Mediterráneo en Época Moderna,* ed. de M. Gómez-Ferrer y Y. Gil, 71-90. Valencia: Universitat de València.

MOCHI, G. (1994). "Elementos para una historia de la construcción tabicada". En *Las bóvedas de Guastavino en América,* ed. de Santiago Huerta, 113-146. Madrid: Instituto Juan de Herrera.

MOYA BLANCO, L. (1957). *Bóvedas tabicadas.* Madrid: Dirección General de Arquitectura.

PEROUSE DE MONTCLOS, J-M. (1982). *L'Architecture a la Française.* París: Picard.

SAN NICOLÁS, F. L. (1639). *Arte y uso de Arquitectura.* Madrid.

SOLER VERDÚ, R. (2012). "Navegando por el trasdós de las cúpulas tabicadas: tipos constructivos y noticias de artefactos constructivos". En *Construyendo bóvedas tabicadas, Actas del Simposio Internacional sobre Bóvedas Tabicadas,* 177-204. Valencia: Universitat Politècnica de València.

TARIFA CASTILLA, M. J. (2005). *La arquitectura religiosa del siglo XVI en la merindad de Tudela.* Pamplona: Gobierno de Navarra.

TORRES BALBÁS, L. (1981) [1952]. "Bóvedas caladas hispano musulmanas". En *Crónica arqueológica de la España musulmana,* t. V, obra dispersa 1, vol. I, 98-120. Madrid: Instituto de España.

ZARAGOZÁ CATALÁN, A. (2003). "Arquitectura del Gótico Mediterráneo". En *Una Arquitectura Gótica Mediterránea*, ed. de Eduard Mira y Arturo Zaragozá. Valencia: Generalitat Valenciana.

ZARAGOZÁ CATALÁN, A. (2012). "Hacia una historia de las bóvedas tabicadas". En *Construyendo bóvedas tabicadas. Actas del Simposio Internacional sobre Bóvedas Tabicadas,* 205-223. Valencia: Universitat Politècnica de València.

ZARAGOZÁ CATALÁN, A. (2016). "Sans bois, sans toit. Las cubiertas con terra-zas en el Mediterráneo ibérico, ss. XV–XVI" en: M. Chatenet/ A. Gady (eds.): *Toits d'Europe. Formes, structures, décors et usages du toit à l'époque moderne (XVe–XVIIe siè-cle), Actes des huitièmes Rencontres d'architecture européenne,* Paris 12–14 June 2013 (Paris 2016) 77–90.

Painting of the double domed section of the Humayun's Tomb (1572). The sophistication in building reflects a sound understanding of structural principles and maturity in expression. (Himanish Das, courtesy AKTC)

ISBN. 978-84-9048-827-0

A brief history of masonry shells in India, 1786 to present

Aftab A. Jalia
University of Cambridge

Abstract

This essay presents a history of vaulting in India – from both a methodological and socio-political perspective. Owing to its long history and varied geography, India is home to a great variety of vaulting techniques and modules which have been developed indigenously as well as imported. This study observes that dome and vault building in India, arguably reinforced by the earliest Buddhist mounds, has been practiced across the country for many centuries, achieving its zenith under the Mughals and later the British in their monumental structures. Post-independence period, the use of masonry shells has been adapted at more modest scales in projects ranging from residences to institutions and continues to thrive today through a variety of techniques. Examples highlighted in the essay are the sophisticated double-domed structures constructed by the Mughals in brick and stone, the British architect Herbert Baker's initial reluctance and half-hearted use of tile vaulting for the Parliament buildings had undeniable repercussions, Laurie Baker's prototype with undulating brick vaults for low-cost housing, and Auroville-based Ray Meeker and Anupama Kundoo's bold experiments in firing an entire clay mortar-rich house to create monolithic vaulted structures.

Keywords: *History, vaults, domes, India, construction.*

Resumen

Este artículo propone una historia de las bóvedas en la India, tanto desde una perspectiva metodológica como sociopolítica. Por su dilatada historia y su variada geografía, la India alberga una gran variedad de técnicas de abovedamiento, unas procedentes de la tradición local y otras importadas. Este estudio muestra que la construcción de cúpulas y bóvedas en la India, posiblemente alentada por los primeros montículos budistas, se ha practicado en todo el país durante muchos siglos, logrando su cénit bajo los mogoles y más tarde con los británicos, en sus estructuras monumentales. El uso de bóvedas de albañilería después de la independencia se ha adaptado a escalas modestas y continúa evolucionando. Los ejemplos mostrados en el ensayo abarcan desde las sofisticadas cúpulas dobles de los mogoles de piedra y ladrillo; el rechazo inicial y posterior empleo dubitativo de la bóveda tabicada en el Parlamento indio por parte del arquitecto británico Herbert Baker que tuvo repercusiones innegables; el prototipo de Laurie Baker con bóvedas de ladrillo onduladas para viviendas económicas; y los atrevidos experimentos de Ray Meeker y Anupama Kundoo de cocer por entero una casa de barro para crear estructuras abovedadas monolíticas.

Palabras clave: *Historia, bóvedas, cúpulas, India, construcción.*

Introduction

India's long history of compression structures dates back several centuries. Made predominantly of bricks, the structural feat of some of these structures continues to draw technical and aesthetic interests even today. Through centuries, building craftsmen in India, while retaining systems of knowledge of their own traditions, were exposed to a variety of construction and building-related techniques which have over the course of time also been absorbed and indigenized to be viewed today as local or traditional. Invariably, a multitude of construction techniques also influenced vaulting in India. As a result, vaulting in India features a remarkable range of indigenous and imported building techniques. These include the three widespread techniques of Roman, Nubian and attempted tile vaulting but also a host of other innovative structures made of ceramic fuses which trace their origins to Roman North Africa as early as 5 BC (Lancaster 2009).

It is arguable that the earliest and most recurrent image of the dome in India is that of the Buddhist Stupas (fig.1). These Buddhist-era creations began as earth mounds shaped as domes later evolving into the subtractive vaulted caves of the Chaitya period at Karla, Maharashtra 5 AD (fig. 2). Today, vaulting is largely an additive form of construction perceived to be introduced in India by the Islamic rulers who came from Central Asian provinces in 1192 AD.

Rudimentary in expression and lacking in technical skill, the first structural attempts

Figure 1. *Sanchi Stupa on cover of an album released by the Archaeological Survey of India, 1920s.*

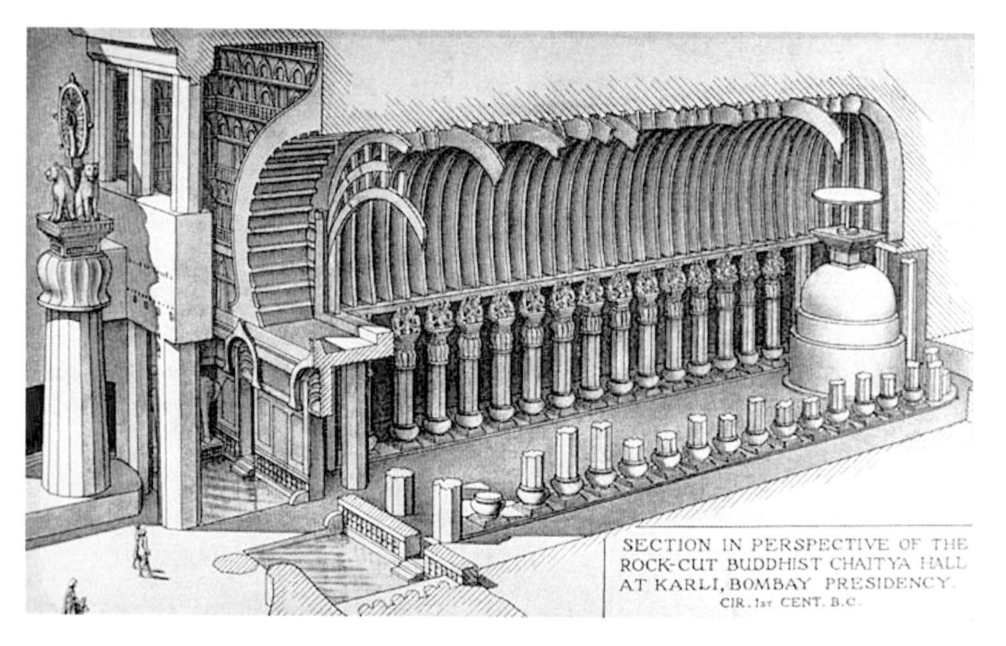

Figure 2. *The subtractive form of the rock-cut Buddhist caves at Karla (also Karli) have a distinctive ribbed vault section. Image: Percy Brown, 1956.*

for arcuate forms, largely inspired by the rich building traditions of Iran, Uzbekistan and Afghanistan, failed to produce more than clumsy shallow conical domes as seen first in the Quwwat ul-Islam complex in Delhi.

However, it was under the Mughals and the Deccan Sultanates that vaults and domes in India achieved remarkable structural and aesthetic accomplishment (Asher 1992). Notable examples of brick domes from this period are: Humayun's Tomb, Delhi (diameter 22.5 m) completed in 1572 which became the blueprint for the magnificent Taj Mahal, Agra (1653). Gol Gumbaz in Bijapur (diameter of 44 m) built in 1656 claims to be the largest corbelled dome in India. The influence of Mughal building styles and techniques largely had pan-Indian appeal. A modest-scale parallel to this achievement was the profusely decorative brick temple architecture of Bishnupur, West Bengal in the 15th and 17th centuries.

Architects of foreign lands were employed to design and oversee the construction of these buildings of unprecedented scale (Asher 1992). Sophisticated structural concepts of the double and triple dome also existed as much as a functional element as an aesthetic one such as the bulbous triple dome of Safdarjung's Tomb, Delhi built in 1753.

Domes were also vital compositional elements in an architecture that was wide and tall and sought high visibility from great distances. They were bold statements of wielding power.

The historian Ebba Koch has theorized that through the use of red and white colours of building materials, the Mughals wanted to convey the message to the common people that they associated themselves with the highest of the castes in Hindustan: with red sandstone of the Kshatriyas (soldiers) and white belonging to Brahmins (priests) – two of the highest castes of the Hindus (Koch 2005).

For the Mughals, as for the Deccan Sultanates, monumental structures declared their ambitions and domed structures allowed them to achieve the scale for these appropriately bold statements.

British Occupation of India, 1757 – 1947 AD

Undoubtedly, the grandeur of buildings built by the Mughals, Qutb Shahi and other dynasties in India appealed to the British as they gained control over Hindustan. Subsequent years of British buildings in India would see a spur of Indo-Saracenic architecture combining Gothic and Neo-Classical architectural elements with Indo-Islamic ones – most striking of which are the pointed arch and the dome.

In 1786, Survey of India's Major General John Garstin designed and built the rather quirky Golghar in Bankipur near Patna. Built as a granary, Golghar (fig. 3) is a large dome measuring 38 m in diameter at base and 28 m in height having two symmetrically mirrored spiraling staircases for workers to ascend and descend from respectively. Its proportions and free-standing form resemble the Stupa more than the bulbous Islamic domes.

Figure 3. *Top: Sanchi Stupa. Image: South Asian Studies Archive, Cambridge University. Bottom: Golghar, John Garstin, 1786. Image: Marshall Albums.*

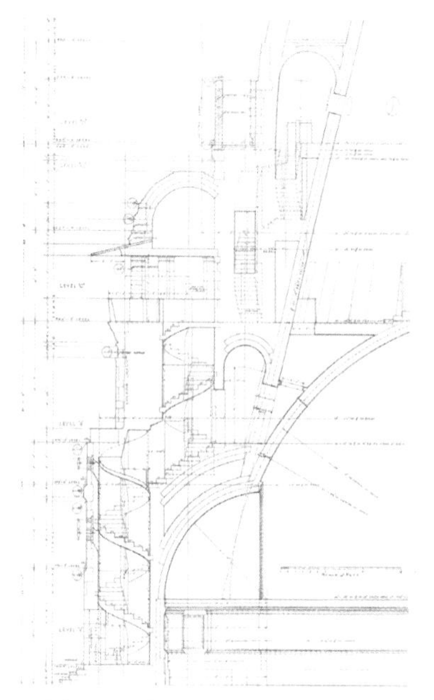

Figure 4. *Section of the Durbar Hall's triple dome designed by Edwin Lutyens, 1927. Image: South Asian Studies Archives, Cambridge.*

Figure 5. *Durbar Hall dome exterior, 1931. Image: South Asian Studies Archives, Cambridge.*

Although functionally driven, the reference of traditional imagery here is no coincidence and had been a longstanding debate among the British Empire in order to determine an appropriate language for representation. This preference for Indo-Saracenic architecture, which was politically driven and indulgently orientalist (Metcalf 1984), was seriously reassessed when Edwin Lutyens and Herbert Baker were appointed to design a new capital for the British Raj in Delhi.

Making New Delhi: Edwin Lutyens and Herbert Baker (1912-1930)

After touring India to familiarize themselves with the extent of the kingdom and its wide variety of visual culture, Baker and Lutyens both expressed their disdain for having a purely 'Indian' architectural language for Delhi (Baker 1944). They strongly associated their role in India with developing an architectural language that was not only lasting but also derived from classical building styles –particularly Roman. In a letter that Lutyens wrote to Baker to "On no account have parabolic vaults or domes! It would take us 2000 years to get the drift of it. The Greeks might have done it– but we all (in Western tradition) got switched off to the other lines." Baker agreed but as the older and more seasoned architect to the Empire suggested that they ought to pitch this notion to their patrons as: "Ungeometrical arches and vaults in conjunction do not express a scientific logical government which the Government of India is or should be." (Hussey 1989).

Governmental buildings in New Delhi by Lutyens and Baker both extensively feature load-bearing vaults as well as domes made of bricks. For instance, the dome of the Durbar Hall in Rashtrapati Bhavan is a triple dome of 22 m diameter and 22,8 m high (fig. 4). The dome's configuration is somewhat a reference to St. Paul's Cathedral by Christopher Wren – an architect greatly admired by Baker and Lutyens both. The Rashtrapati Bhavan's bottom-most shallow dome is made of brick, a second brick dome having a conical section with the topmost dome made of reinforced concrete (fig. 5-6).

Figure 6. *Construction of the Secretariat buildings by Baker showing Roman arch and supportwork, 1921. Image: South Asian Studies Archives, Cambridge.*

Herbert Baker and the almost coming of tile vaulting to India

Spanish researchers Camilla Mileto and Fernando Vegas Lopez-Manzanares (2012) uncovered revealing correspondences between Herbert Baker and the Guastavino Company among other consultants that considered building the domes of the Parliament Building with tile vaulting.

Additionally, charged with designing the Parliament Building on Raisina Hill, Herbert Baker developed a plan that featured a grand central hall surrounded by three houses of Parliament. Each of these structures would be capped by shell structures with the central hall having a large dome over it. Originally interested in cladding the soffit of the dome with Akoustolith, the revered acoustic tiles produced by the Guastavino Company, Baker initiated correspondence to discuss its details.

Upon seeing the drawings and prestige associated with the overseas project, the Guastavino Company offered to build the domes of the Parliament buildings using tile vaulting, with cladding the soffit layer with Akoustolith. But Baker remained unconvinced of the idea of constructing the Parliament's domes in 'two or three layers of tiles no thicker than English roofing tiles' (Vegas & Mileto 2012).

Through archival drawings we can determine that all the domes of the Indian Parliament building were most likely constructed as double domes: an outer concrete shell propped by trusses and the interior being a plastered metal lath suspended from the trusses. The role of the Guastavino Company was ultimately limited to supplying Akoustolith tiles for cladding the three chambers and the central hall (fig. 7).

Baker further modified some construction details provided by the Guastavino Company

Figure 7a.

Figure 7b.

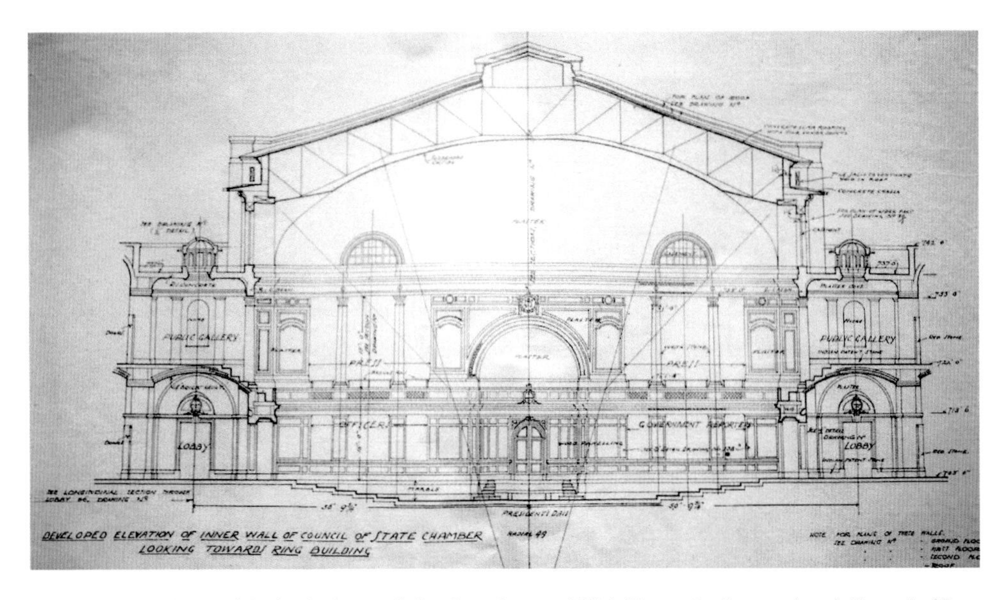

Figures 7a,7b. *Photos of the finished council chambers. Images: RIBA.* ***Figure 7c.*** *Section though Council of State Chamber clearly indicating the suspended roof with a truss in between. Image: RIBA.*

in order to achieve a smoother looking surface devoid of raised pointing. (Vegas, Mileto 2012) Combined with changes to the cladding mortar by local workmen, Baker's adjustment to the application of Akoustolith tiles turned out to have disastrous effects. Tiles started to fall off the ceiling within three months of the building's inauguration in January 1927 for which Baker and his team was criticized for in the press.

As a result, all four halls within the Indian Parliament building that are lined with Akoustolith tiles had a fine wire mesh applied all over them. The exact period when the meshes were applied remains unclear but they were found to still be in place during my visit in 2014.[1] Clearly visible even to the naked eye, it is a pity that no permanent solution has been found for the repair and preservation of an otherwise magnificent design. What could have been a showcase of unique building technology at the highest architectural scale was reduced to a pathological case study of ignorance and lack of trust in collaboration.

The rather unfortunate results from working with Guastavino's acoustic tiles in India must certainly have led to the lack of confidence in the material and the building technique with Baker passing on his soured experience onto those involved with the building process locally.

Baker's vision for the Parliament's central dome was rather grand evoking images of the Pantheon which he had visited before starting work in India. This and his admiration for Roman architecture may have further dissuaded him from exploring Guastavino's 'new' construction system. Baker's reticence to a building technique he was not familiar with would resurface in coming years with his demolition of the Bank of England's which featured domes made with hollow brick cones championed by Sir John Soane.

The Akoustolith episode in India qualifies as an interesting case study in speculating how Baker's decision may have introduced tile vaulting of the highest standards in India through the Guastavino Company (Liu 2014). No doubt the Indian contractors on the Legislative Assembly project would have learnt the system and tried to build other buildings in the same method – perhaps even making it easier for Le Corbusier to build Catalan vaults in Ahmedabad and Chandigarh three decades later and perhaps more importantly, have inspired a structurally superior version of Raj Rewal's rendition of the many domes in Parliament Library completed in 2002.

Baker and Lutyens had to their advantage years of tested brick building from England. Baker's insistence at times on materials being produced in Britain and shipped to India conveys the sense of assurance in homemade production and not risking a compromise on quality (Vegas Mileto 2012). However, turning a blind eye to the possibilities of architectural technology and local craftsmanship evidently did not serve the architects any better.

Post-Colonial Practices, 1947 to date

The evolution of modern architecture in India has been riddled with contradictions. With an impetus on redefining its identity after Independence in 1947, the vast architectural landscape of the country also faced the question of representation. The tension induced by this postcolonial condition personified itself through two prominent voices which although never publicly collided, were diametric opposites. The first was that of Mahatma Gandhi whose ideas on leading a modest life of frugality, self-reliance and empowering rural areas over urban can be extended to the kind of architectural expression it espoused.

His contemporary, political ally and close friend, Jawaharlal Nehru's views on progress and governance were different and as India's first prime minister, Nehru's capacity to impress them was far greater. As someone who admired modern civilization, for Nehru the decolonization of India was not just a political event but also one that mandated the necessary social, economic and technical changes without delay (Lang & Desai 1997).

Jawaharlal Nehru led a surge in the adoption of already established idioms representing progress and this is perhaps best embodied in the creation of Chandigarh. As a new city designed to be unfettered by tradition, Chandigarh became a metaphor for the barrage of modernist visuals, construction techniques and planning ideas being introduced to India. And even though India was no stranger to massive building efforts; the creation of New Delhi and its governmental buildings had been completed less than two decades ago, Chandigarh's inception sanctioned the full arrival of modernity in India. Through its heavy use of concrete, steel and brick the expressive new architecture had an overriding effect on the existing hand-dominant building culture of India.

Mostly western and technologically advanced, new building materials and associated building techniques gradually elbowed a formidable range of indigenous choices to the peripheries. Reinforced concrete's total dominance in delivering quick 'modern' results in not only buildings but also infrastructure adversely affected the choice of building techniques that architects, engineers, contractors and builders began to make. Indigenous craftsmanship in stone, wood, a wide range of terracotta products as well as a host of building techniques that had been internalized and developed for over centuries under various influences of cultural exchange such as trade, religious evangelism and colonization suffered during this period.

Cultural exchanges with the western world only widened in postcolonial times, as did the influx of not just foreign architects but also the return of foreign-trained Indian architects that saw themselves in prominent advisory positions. Further, the influence that leading modernist architects such as Le Corbusier, Louis Kahn and others brought to India through their direct engagement accelerated the process of cement concrete's incursion into the urban, modern India.

This perspective turned inwards only around the mid-70s when discourse on bridging tradition with modernism began to emerge led by Indian architects who articulated the problem of banality created by blind emulation of modernist aesthetics in the vibrant and diverse culture of India. Worldwide, architects, postcolonial theorists and academics rigorously questioned the benefits of globalisation against the resistance to resulting homogenization[2]. Culture is not immune to change and must after all remain questionable for its evolution with time is in essence healthy. With the emerging review of the postcolonial condition, there was a growing discourse on evaluating the merits and demerits of regional architectural as a product of cultural thought.

Therefore, while the surge in reinforced concrete as a building material was in tandem with that all over the world, the modest brick emerged as a dissenting voice and enjoyed a particularly important phase of employment and appreciation in India. Masonry vaulting in brick and specialized terracotta products such as ceramic fuses and Wardha tiles began to appear at more modest scales and vaulting in India witnessed a plethora of independent voices and renditions through both module and method.

Outliers of modern Indian architecture

Frank Lloyd Wright's student at Taliesin, Nari Gandhi (1934-1993) returned to India to become the country's foremost voice in organic architecture. Extending Wright's style with an Indian flavour, Gandhi's approach to architectural production was that of the anti-machine aesthetic laying emphasis on labour intensive, craft-based construction practice.

True to this ideology, Nari Gandhi's emancipated approach to building arches and vaulted structures was both precarious and inventive. For instance, the stone arches and fibre-reinforced plastic roof of the Malik House at Lonavla in Maharashtra state were determined to function as an interdependent structure with the weight of the trusses and roof laterally stabilizing the arches (Gore 1996). Gandhi further explored a highly individualized triangular arch made through excessive formwork which became a regular tectonic element in his work. Towards the end of his career, Gandhi was exploring more complex methods of designing and building arches – some of which resemble works by Cesar Martinell of Spain but these were unfortunately never realized (fig. 8).

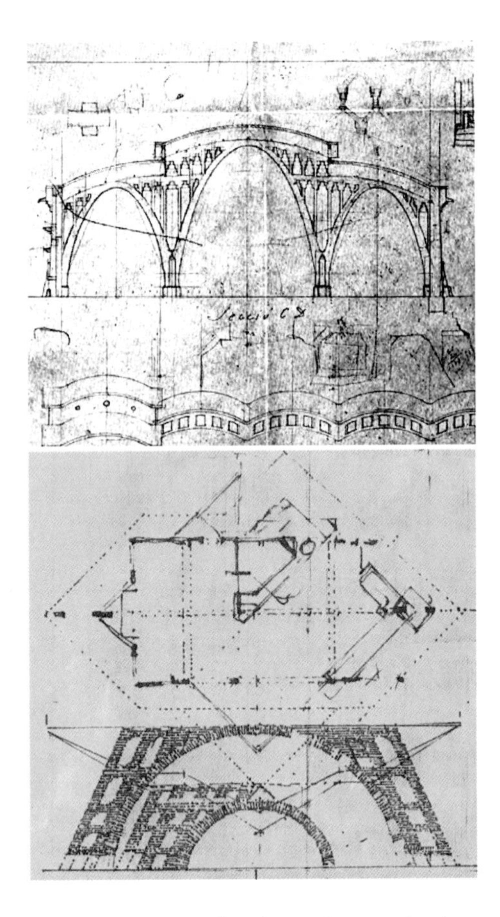

Figure 8. Nari Gandhi's daring but unrealised experiments in vaulting for the Heartland Clubs and Resorts (1980s) resemble some of Cesar Martinell's earlier works in Spain. Image: Aftab Jalia and Cesar Martinell.

The architect, Laurie Baker's (1917–2007) contribution to building with brick in India is of particular note. Even in his Experimental Houses, Delhi, 1980 Baker expressed concerns about the 'very highly intensive energy consumption of steel and concrete' and created two all brick prototypes with parabolic and inverted parabolic roofs using minimal steel (Bhatia 1991). Baker noted that although the formwork for creating the vaults was slightly expensive, having multiple units of the same kind would have greatly reduced the price of formwork and resulted in a better cost-benefit model (fig. 9).

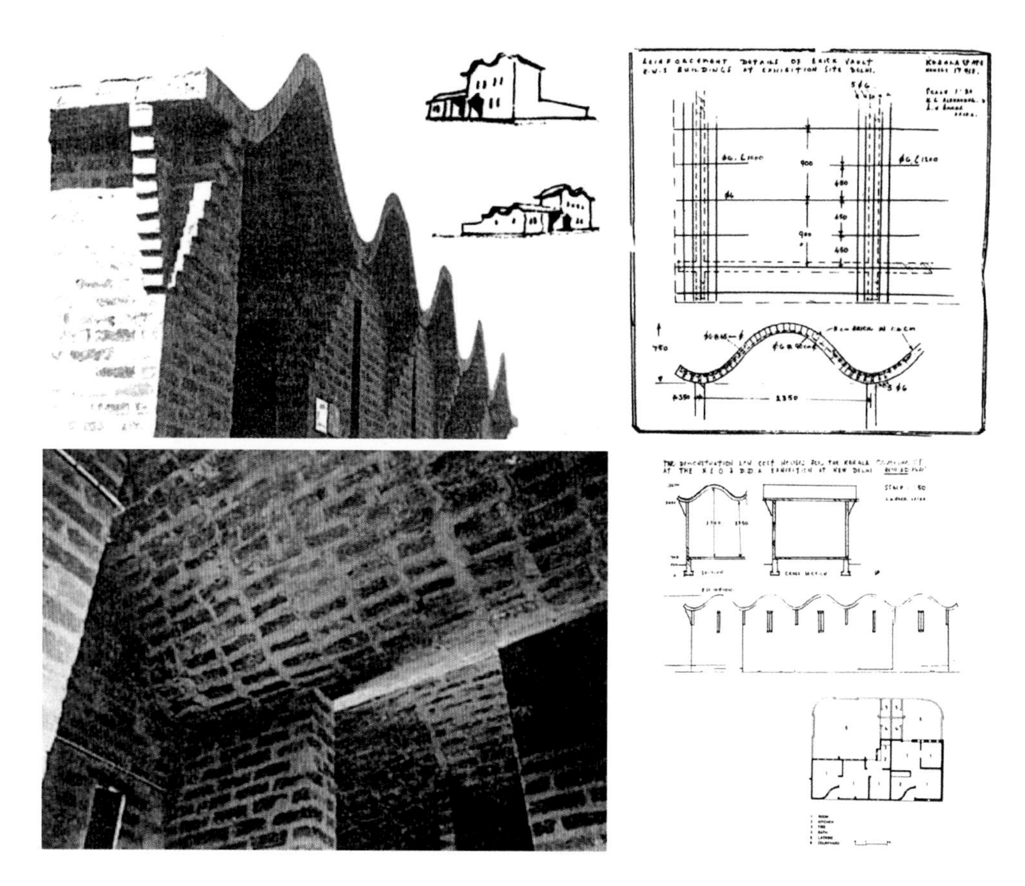

Figure 9. *Laurie Baker's Experimental Houses for the Government of Kerala built for an exhibition in Delhi, 1980. Images: Gautam Bhatia.*

Directly influenced by Mahatma Gandhi who convinced him to remain in India and work for the poor, Baker maintained an unparalleled voice of reason in his architecture. From the brick jaali to curved filler slabs made of Mangalore roofing tiles, Baker constantly sought to improve upon building methods and reduce costs all while keeping the materials and processes as simple as possible. Demonstrating the social disparity in architectural expression, Baker famously said: *What I've got left of a working life, I'd like to concentrate on mud. Not something rural and folksy, but a proper decent mud building. It's very difficult to get clients for mud building. When it comes to the poor who've already been living on mud, they know it only for its disadvantages. Their dream is a brick-and-cement building* (Bhatia 1991). His legacy is sustained through his Thrissur-based COSTFORD (Centre for Science and Technology for Rural Development) and continues to build on his philosophy and train masons from across India in a variety of building skills.

In the spirit of Lutyens' and Laurie Baker's *one material building*, the Aga Khan Award winning Lepers' Hospital by Per Christian Brynildsen and Jan Olav Jensen built in a remote village of Lasur in 1983-85 is of particular note[3]. Designed by Norwegian architects and engineers

Figure 10. *Leper's Hospital: An egalitarian design of modest scale, humble materials and modular form. Images: ArchNet.*

and built using locally available stone and brick by local masons, the hospital is a hallmark of responsibly executed non-iconic architecture that meets the urgency of need. Built with walls also in brick but predominantly random rubble masonry, brick vaults sit on reinforced concrete beams secured by tie rods. The segmental vaults spring from reinforced concrete beams, span about 4 metres and are secured by tie rods at regular intervals. The vaults are topped with cement and china mosaic made with discarded blue and white glazed tiles sourced from a factory nearby (Davidson 1998). The project demonstrates the possibility of creating built environments that empower people of a region. Being realistic to what was possible to achieve in a region devoid of high technology with the dearth of a variety of materials or honed skills, the creation of a durable '*one material*' building has created a sense of security and dignity among its users.

Auroville Earth Institute – Changing the rules of vaulting in India

Auroville is a community near Pondicherry, largely made up of expatriates and devotees of the spiritual gurus Sri Aurobindo and the Mother. Thriving on concepts that seek harmony with nature, Auroville's Earth Institute is today the most prominent voice of building with earth in India. Its director, Satprem Maini has been heading the institute since its founding in 1989 by HUDCO[4] AD has introduced concepts of funicular form finding and optimization of vaults to the Indian audience. Regularly attended by architects, engineers and environmentalists, Satprem's extensive workshops discuss and demonstrate the theory and building of vaults in India through primarily two methods: Roman and Nubian. Of these, the Nubian one is favoured and promoted for its omission of formwork, superior catenary form and cost-saving construction.

Over the years, the Earth Institute has created numerous vaults and domes using its principles of which a noteworthy example is the Dhyanalinga Dome near Coimbatore (1999) built in an astonishing 9 weeks by 200 workers without any formwork. The project report states that the dome used fired bricks instead of the preferred compressed stabilized mud blocks (CSEB) due to a tight deadline. Measuring 22.16 m in diameter, the dome rises 7.9 m and uses no concrete or steel reinforcement by behaving purely in compression. This was achieved by using granite stones as haunches to allow force lines to be accommodated within the middle third of the dome's tapering section is 530 mm thick at the springers and 210 mm thick at the oculus (Auroville AVEI).

Outcroppings of Auroville's training school are also independently creating some remarkable structures such as the vaulted exposed brick structure for the Coonan Cross Church in Mattancherry, Kerala by Wallmakers completed in 2015.[5] Auroville-based architect Anupama Kundoo has also successfully created vaulted structures such as her own residence in 2006 using burnt clay tubes and given the module fresh expression by showcasing them alongside other cost-saving terracotta-enhanced reinforced concrete structures.

Figure 11a. *Nubian vault under construction using minimal guidework. Image: AVEI.*

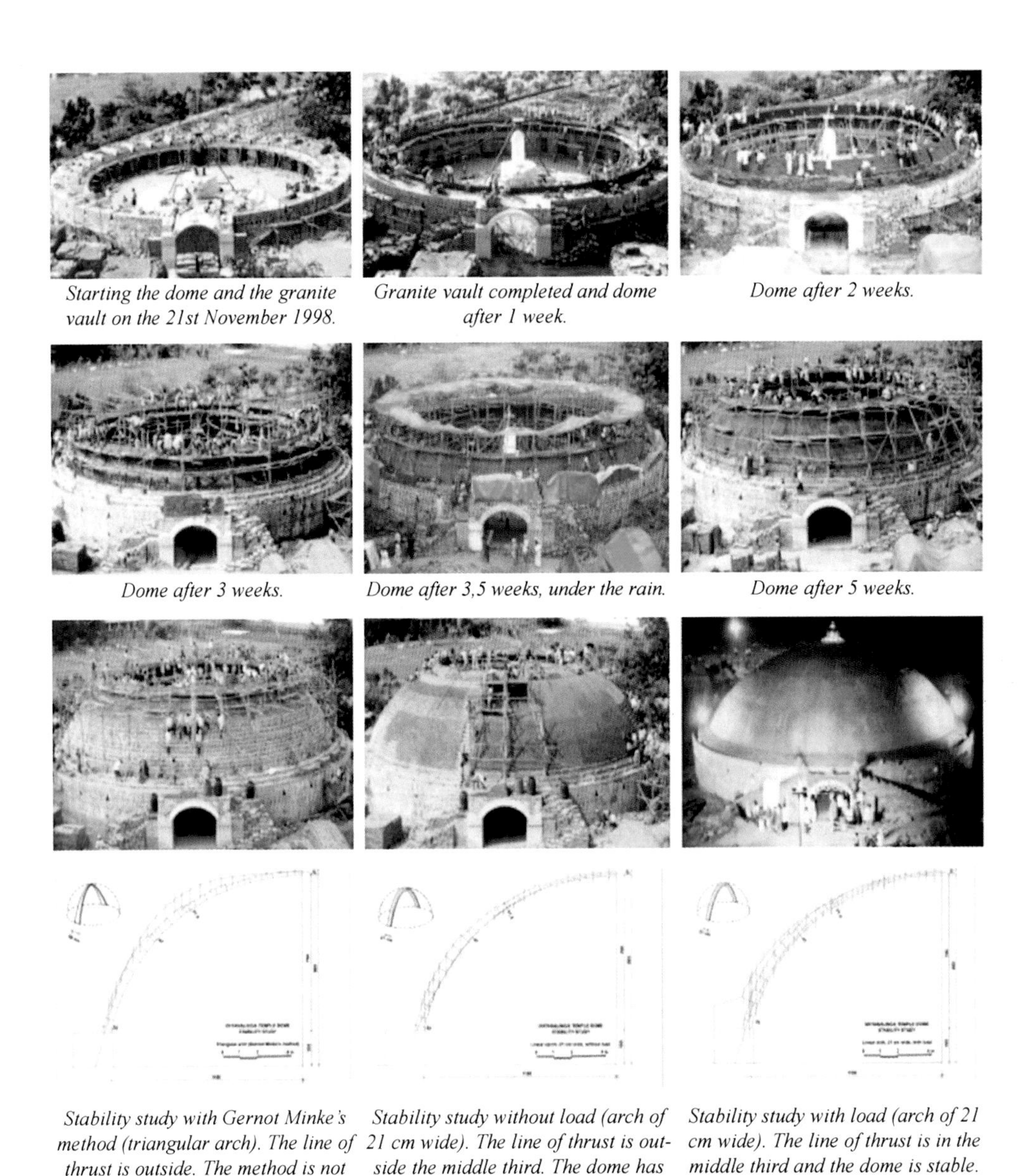

Starting the dome and the granite vault on the 21st November 1998. *Granite vault completed and dome after 1 week.* *Dome after 2 weeks.*

Dome after 3 weeks. *Dome after 3,5 weeks, under the rain.* *Dome after 5 weeks.*

Stability study with Gernot Minke's method (triangular arch). The line of thrust is outside. The method is not satisfactory to optimize LT. *Stability study without load (arch of 21 cm wide). The line of thrust is outside the middle third. The dome has to loaded outside.* *Stability study with load (arch of 21 cm wide). The line of thrust is in the middle third and the dome is stable.*

Figure 11b. *The Dhyanalinga dome under construction with graphical analysis of its structure. Image: AVEI.*

Kundoo's doctoral research on fired in-situ structures by Auroville-based potter Ray Meeker, documents the latter's extensive efforts in creating monolithic vaulted houses. Meeker pursued the idea of eliminating cement mortar in masonry and instead created brick masonry vaults with clay-rich mortar joints which upon firing would transform into ceramic (Kundoo 2008). These lessons were finally put to use in the construction of Anupama Kundoo's Volontariat Home for Homeless Children, Pondicherry 2011 (fig. 12).

Figure 12. *Images: Anupama Kundoo / ArchNet.*

Figura 13. *Photo of the finished council chambers. Image: RIBA.*

Resonating with the construction technique of fired earth shelters by Nader Khalili, Kundoo quotes him: "Here, instead of taking the materials to the fire, we were bringing the fire to the material, and thus a new horizon had opened up to us". Although energy intensive, the beauty of the construction system was multifold – it eliminated any joints making it truly a 'one material building'.

The approach to architectural production and India's economic and demographics are also intimately linked. As the Indian population burgeoned post independence, heavy migration to cities further exacerbated not only the housing shortfall in urban and rural areas but also the rural-urban divide manifested itself in new socio-political conditions. Building techniques available in the city's capitalist economy capable of rapid delivery, best incarnated by cement concrete, contrasted with hand-hewn construction methods of the village.

Reflecting upon their experience from working in rural areas, the architect engineer couple Rupal and Rajendra Desai have stated:

> Buying power has replaced manpower, that resources are not available to people to build their own buildings without the intervention of the marketplace or the governments and yet the predominant expert technical assistance available is one that promotes energy intensive and modern technologies that alienate the rural builders from the building process. And to not have that palpable association with your own buildings creates the kind of dissociation and looking down upon rural / crafts-based building methods that have just been shunned inducing a discontinuity in trust and pride (Desai 1998).

Brick Production in India and Cultural Associations

Brick and its most basic constituent, clay, continue to suffer from being stigmatized as a telluric material when compared to cement concrete, which in contrast remains the benchmark of a modern, progressive lifestyle conferring its masters a social status of affluence and sense of permanence.[6] The disparity in this understanding is accentuated with the economic boom of India and the developing world that seeks to compare itself with western models of achievement.

On the other hand exposed brickwork finishes may be seen to possess a cryptic aesthetic quality appreciated only by the educated urban elite familiar or perhaps those sensitized to the Brutalist ideals of architecture with Le Corbusier and Louis Kahn having directly influenced future generations of architects in India. Their work sanctioned the use of exposed brick and adversely reserved its appeal to a limited set of people rarely trickling down to the bourgeois. As the production and use of fired clay products is intimately linked with the promising architecture of shell structures, it is necessary to understand the underlying motivations for their use and place today.

India accounts for over 10% of the world's fired clay brick production making it the second largest producer of bricks having more than 100.000 brick kilns that produce in excess of 200 million bricks annually. (Maithel et. al 2012). The construction industry itself in the country is set to grow at 6.6% per year between 2005 through 2030 owing to an increasing infrastructure and affordable housing market (Gupta 2012). The late but definite foray of international brick manufacturers in India such as Wienerberger as well as dedicated investments by major domestic business houses such as Tata and Mahindra into affordable housing further testifies the growing construction market[7]. Several factors reinforce the continuation of brick production and sustain the inclusion of labour such as:

i) Changes in production methods such as energy efficient kilns, improved onsite presses and the scientifically attested production of cement stabilized soil blocks.

ii) Government of India rural housing and employment schemes such as the National Rural Employment Guarantee Act (NREGA) and the Pradhan Mantri Gram Awas Yojana (PMAY-G)[8] for assisting the rural and peri-urban populations to build capacities and ensure safe, affordable housing.

iii) The permeating sense in the Indian architectural community of environmental sustainability and expressive structural form fuelled by domestic organizations such as Auroville's Earth Institute, COSTFORD and others.

The manner in which we choose to build conveys much about our social values and prevalent concerns. My study thus weaves a tapestry of India's cultural reflections through its taste for architectural experimentation by using vaulting as not merely a recurring roofing technique but an age-old ontological practice that has persisted and adapted to times contemporary.

Notes

1 I visited the site on 12 June 2014 and was able to see the central hall and the Lok Sabha and Rajya Sabha (Lower and Upper Houses of Parliament respectively.) Some tiles could be seen coming loose and suspended on the wire mesh. It was not possible to take any photos due to the government's strict rules against it.

2 See writings by Edward Said (Orientalism, 1978) and Homi Bhabha (The location of culture, 2004) that articulate nuances in postcolonial and orientalist legacies. in the developing world.

3 Brynildsen and Jensen were then students at the Oslo School of Architecture during the construction of the hospital and were credited with two semesters worth of credits for the work.

4 HUDCO - Housing and Urban Development Corporation is Government of India enterprise established in 1970 to assist in the uniform development of urban centres chiefly through better access to housing, finance and adoption of suitable construction technologies.

5 Email correspondence with Shobhita Jacob, Wallmakers on 11th May 2014 regarding the Mattancherry church.

6 See Laurie Baker's writings on mud and brick and its associated cultural mindsets in Gautam Bhatia, Laure Baker: Life, Work, Writings (Delhi: Penguin Books, 1991). Also, the scholar Adrian Forty implies the same by elaborating how concrete is 'modern' in Concrete and Culture: A Material History (London: Reaktion Books, 2012).

7 Wienerberger's brick manufacturing plant in Bangalore was operational in 2009 and has a 200 million annual brick production capacity.

8 Mahatma Gandhi National Rural Employment Guarantee Act (NREGA) was introduced in 2005 to enhance the livelihood of the rural population by guaranteeing a 100 days / financial year of wage-employment to families that has adult members volunteering to do unskilled manual work.

References

AUROVILLE EARTH INSTITUTE. *Building with Earth*, AVEI Technologies. http://www.earth-auroville.com/auram_blocks_data_en.php (accessed May 24, 2014).

AUROVILLE EARTH INSTITUTE. "*Dome of the Dhyanalinga Shrine*", Vaulted Structures. http://www.earth-auroville.com/dhyanalinga_dome_en.php (accessed May 24, 2014).

ASHER, C. B. (1992). *Architecture of Mughal India*. New York; Cambridge: Cambridge University Press.

BAKER, H. (1944) *Architecture and Personalities*. London: Country Life.

BHATIA, G. (1991). *Laure Baker: Life, Work, Writings*. Delhi: Penguin Books.

BROWN, P. (1971). *Indian Architecture (Buddhist, Hindu, Islamic Periods)*. 6th. Bombay: D.B. Taraporevala Sons & Co. Pvt. Ltd.

CHATTERJEE, S. & KARUNAKARA, U. *India's Youth - A Blessing or a Curse*. https://www.huffingtonpost.com/siddharth-chatterjee/indias-youth-a-blessing-o_b_9288120.html (accessed January 13, 2018).

DESAI, R. & RUPAL, D. (1998). *Gramin Takniki Kendra (A Village Polytechnic): An Experience in Appropriate Construction*. Ahmedabad: Ahmedabad Study Action Group.

DESAI, R. & RUPAL, D. (1992). *Burnt Clay Tube Vaults: Structural and Thermal Performance Study*. Project Completion, Ahmedabad Study Action Group, 122.

FORTY, A. (2012). *Concrete and Culture: A Material History*. London: Reaktion Books.

GUPTA, R., SHIRISH S. & SAHANA S. (2009). *Environmental & Energy Sustainability: An Approach for India*. Market Research, McKinsey & Company Inc.

GORE, RAHUL. (1996). *A Documentation of Four Houses of Nari Gandhi and Analysis based on the Principles and Philosophies of the Architect.* Undergraduate Thesis, Department of Architecture, Centre for Environmental Planning and Technology, Ahmedabad: CEPT.

HUERTA, S. (2006). "Structural Design in the Work of Gaudi." *Architecture Science Review* 49.4: 324-339.

HUSSEY, C. (1989). *The Life of Sir Edwin Lutyens.* Woodbridge: Antique Collectors' Club.

JUNEJA, M. ed. (2001). *Architecture in Medieval India: Forms, Contexts, Histories.* Delhi: Permanent Black.

KUNDOO, A. (2008). *Building with Fire: Baked-Insitu Mud Houses of India: Evolution and Analysis of Ray Meeker's Experiments.* PhD Thesis, Technischen Universität Berlin, 22.

KOCH, E. (2005). *The Taj Mahal: Architecture, Symbolism and Urban Significance.* Edited by Julia Bailey Gülru Necipoğlu. Muqarnas: An Annual on the Visual Culture of the Islamic World 22: 141.

LANCASTER, L. C. (2009). "Terracotta Vaulting Tubes in Roman Architecture: A Case Study of the Inter-relationship between Technologies and Trade in the Mediterranean." *Journal of the Construction History Society (Construction History Society)* 24: 3-18.

LANG, J., DESAI, M. & DESAI, M. (1997). *Architecture & Independence: The Search for Identity - India 1880 - 1980.* Delhi: Oxford University Press.

MAITHEL, SAMEER & R. UMA (2012). "Brick Kilns Performance Assessment: Monitoring of brick kilns & strategies for cleaner brick production in India." Research Paper, *Shakti Sustainable Energy Foundation & Climate Foundation*, 2012, 164.

MAITHEL, S. & ASHWIN, S. (2011). "Strategies for Ceaner Walling Materials in India." *Shakti Sustainable Energy Foundation Initiative.* Enzen Global Solutions, Greentech Knowledge Solutions.

MARTINELL, C. (1975). *Gaudí: His Life, His Theories, His Work.* Translated by George R. Collins. Cambridge, Massachusetts: MIT Press.

TILLOTSON, G. (1989). *The Tradition of Indian Architecture.* New Haven & London: Yale University Press.

VEGAS LOPEZ-MANZANARES, F. & MILETO, C. (2012). "Guastavino in India" *Guastavino Vaulting: Past, Present and Future.* Lecture delivered at Cambridge, MA: Construction History Society of America. The text is included in this book.

Secretariat building (1914-1927) designed and built by Herbert Baker on the skirts of Raisina Hill, New Delhi (Vegas & Mileto, 2005)

ISBN. 978-84-9048-827-0

Guastavino in India[1]

Fernando Vegas[a], Camilla Mileto[b]
[a,b] PEGASO Centro de Investigación Arquitectura, Patrimonio y Gestión para el Desarrollo Sostenible, Universitat Politècnica de Valencia

Abstract

This article reconstructs the history of the relationship between Rafael Guastavino Esposito and the British architect Herbert Baker during the project, execution and events that later took place in the dome of the Legislative Building, today's Indian Parliament in New Delhi, in the nineteen twenties. The epistolary correspondence related with the construction, visits to the site, plans and data allows us to analyse the origin of the contact between the two men, the commercial strategy of Guastavino & Co., the constructive details and the interesting relationship established with the acoustician Hope Bagenal for this project, for which they used the Akoustolith ceramic tiles developed by Guastavino with the by then late Wallace Sabine. The text reveals the unsuccessful efforts of William Blodgett and Rafael Guastavino to build their flat tile vault in the construction of the building, whereas Herbert Baker only wished to use the company's ware for the acoustic lining of the dome. The article examines the cross references between Lutyens and Baker about the use of dome in the design of the capital New Delhi and in their professional career. Finally, the investigation shows that the good results obtained from the use of Guastavino's Akoustolith tiles in the Indian Parliament encouraged Baker to use this material for his project for the Bank of England at London.

Keywords: *Rafael Guastavino Expósito, Herbert Baker, India, New Delhi, dome.*

Resumen

El texto reconstruye la historia de la relación entre Rafael Guastavino Expósito y el arquitecto británico Herbert Baker durante el proyecto, la ejecución y los sucesos que tuvieron lugar más tarde en la cúpula del Edificio Legislativo, hoy Parlamento indio en Nueva Delhi, en la década de 1920. La correspondencia relacionada con la construcción, las visitas a obra, planos y datos nos permiten analizar el origen del contacto entre estos dos hombres, la estrategia comercial de Guastavino & Co., los detalles constructivos, y la interesante relación establecida con el ingeniero acústico Hope Bagenal para este proyecto en el que se usaron las rasillas Akoustolith creadas por Rafael Guastavino y el entonces ya fallecido Wallace Sabine. El texto revela los esfuerzos infructuosos de William Blodgett y Rafael Guastavino para construir las bóvedas y cúpula del edificio con bóveda tabicada, frente a Baker que solo deseaba emplear el material acústico de la compañía para el revestimiento del intradós. El artículo examina las referencias cruzadas entre Edwin Lutyens y Herbert Baker en torno al empleo de la cúpula en el diseño de Nueva Delhi y en su carrera profesional. Finalmente, la investigación muestra que los buenos resultados obtenidos con el Akoustolith en el Parlamento indio sugirieron a Baker el empleo de este material en su proyecto para el Banco de Inglaterra en Londres.

Palabras clave: *Rafael Guastavino Expósito, Herbert Baker, India, Nueva Delhi, cúpula.*

Introduction

Most of the work of Rafael Guastavino & son was carried out in Spain and the United States. But their archives contain references to up to a dozen countries. Among these works, it is worth mentioning especially their participation in the construction of the Legislative Building (1919-1928) in the future capital of India, New Delhi. This building, designed by the British architect Herbert Baker (1862-1946), is one of the monumental new public-building complex erected in the city, together with others like the Secretariat Building (1914-1927) (fig. 1), also by Herbert Baker, and the Viceroy's House (1914-1929), Jaipur Column (1915), the All India War Memorial Arch (1921-1931) and the King George V Memorial (1936), all of which were designed by the architect Edwin Lutyens (1869-1944), also British.

The history of the design and construction of the new capital of India by the duo of architects Lutyens and Baker is well-known and has been abundantly studied by other authors (Shoosmith 1931; Irving 1981a; Irving 1981b; Morris 1983; Volwahsen 2002; Nath 2002; Singh 2006). These two architects met while collaborating as young men in 1887 in the studio of the architect Ernest George. Like other contemporary European architects, their language evolved from vernacular romantic style to classicism.

Edwin Lutyens, with an extraordinary instinct for attracting the right clients, became famous in England thanks to the private residences he designed for the upper classes. Apart from his undeniable merits, due to his inexperience in urban development and public buildings, his appointment as the architect to design New Delhi was a great surprise that can only be accounted for by his contacts with the authorities and his marriage to Emily, daughter of the Earl of Lytton, the previous viceroy of India. For his part, Herbert Baker made his reputation by designing several buildings in South Africa, where he worked between 1892 and 1912, among which the government buildings of Pretoria deserve special mention. His appointment in 1913 as an architect for the new capital New Delhi with Edwin Lutyens, apparently at the latter's suggestion, was readily accepted thanks to the expertise and solid experience he had previously shown in his important commissions (London Indian Office 1913).

The discrepancies between them that arose in 1916 regarding the siting of Raisina Hill, which deprived Lutyens's Viceroy's House of importance as the centre of the composition slowly coming into view as one walked along the central avenue, and gave equal status to Baker's Secretariats, put an end to their friendship and made the whole process more difficult (Baker 1916; Lutyens 1916; Lutyens 1980, 187-9). Lutyens never accepted defeat, stating he had "met his Bakerloo", and from then onwards never missed a chance to demean or humiliate his colleague Herbert Baker.

Figure 1. *Secretariat building (1914-1927) designed and built by Herbert Baker on the skirts of Raisina Hill, New Delhi (Vegas & Mileto, 2005).*

The Legislative Building

The creation of the Legislative Building, known today as Rashtrapati Bhavan and the current headquarters of the Indian Parliament, a building adjudicated to Herbert Baker, was a last-minute decision with regard to the whole site for which Lutyens chose a secondary position at the foot of Raisina Hill. After the Montagu-Chelmsford reforms in 1919, it was a building that could hold a new system of government comprising three houses for an India that was crying out for a greater and greater say in decision-taking regarding its country.

Baker's first two designs, one rectangular and the other triangular, both crowned with a high central dome symbolising a united India (Baker 1921a), were rejected, and the circular plan that Lutyens preferred was chosen instead[2] (Lutyens 1919; Lutyens 1920a; Lutyens 1920b). The addition of new office spaces made the circular cornice of the building rise so high that the central dome disappeared completely (fig. 2). Lutyens, in open antagonism towards Baker, managed to minimise the presence of this new building of Baker's in the urban setting and, at the same time, to hide Baker's dome in revenge for the disappearance of his own dome in the Viceroy's House, where Baker's opinion had prevailed (fig. 3).

For all these reasons, Baker designed a Legislative Building with a plan in the shape of a wheel with three spokes, each containing one of the three houses of parliament: the Legislative Assembly, the Council of State and the Chamber of Princes; a porticoed perimeter housing offices and a main hall in the centre crowned by a large dome where the three houses could hold plenary meetings (fig. 4). This unusual plan seems to have been inspired by some visionary project of Claude-Nicolas Ledoux (1736-1806), such as the Sawmill or, even more likely, the cemetery for the town of Chaux, whose large central dome clearly crowns the composition (Ledoux 1804, 102, 195). And, strangely enough, it seems to have inspired the shape of the spaceship in Stanley Kubrick's film 2001: *A Space Odyssey*[3] not such a far-fetched idea if we take it into account that the writer of the screenplay, Arthur C. Clarke, spent over fifty years of his life living in India and greatly admired its culture (Jonas 2008).

Figure 2. *The addition of new office spaces made the circular cornice of the Legislative building (1919-1928) by Herbert Baker rise so high that the central dome disappeared completely (Vegas, 2006).*

Figure 3. *During the coordination meetings, Lutyens managed to minimise the presence of Baker's Legislative building in the urban setting and, at the same time, to hide its dome in revenge for the disappearance of his own dome in the Viceroy's House (Vegas, 2006).*

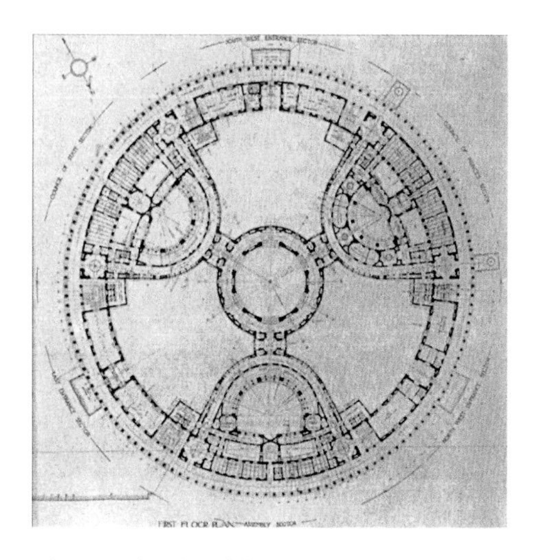

Figure 4. *The plan of the Legislative Building in the shape of a wheel with three spokes, each containing one of the three houses of parliament: the Legislative Assembly, the Council of State and the Chamber of Princes, with a porticoed perimeter housing offices and a main hall in the centre crowned by a large dome (Byron 1931: fig.7)*

Enter Guastavino Co.

Concerned about the acoustic problems that could arise from the circular shape and the dome (Baker 1944, 76), Herbert Baker decided to contact experts in the field to advise him. He had probably heard of Guastavino Co. in 1921 from his overseas friend the architect Bertram Grosvenor Goodhue (1869-1924) (Goodhue 1921; Baker 1922). The latter had worked with Guastavino Co. in many buildings.[4] Goodhue, along with Ralph Adams Cram (1863-1942) and Frank Ferguson (1861-1926), had been one of the first to use Rumford tiles with acoustic properties in St Thomas's Church (1913), and was a personal admirer of the efficacy of the products of Guastavino Co. in acoustic absorption (Pounds, Raichel and Weaver 1999, 33-9). At the inauguration of a church that Goodhue designed on his own, he wrote the following to Guastavino:

"On Easter Sunday I attended the dedicatory service at the First Congregational Church at Montclair. To the best of my knowledge and belief no such acoustical result has ever been achieved before except possibly by accident. To you and Dr. Sabine all credit is due and it is difficult to express my satisfaction with the result of the years of patient effort spent by you both in the perfecting of this wholly new material. Please accept my thanks and congratulations" (Goodhue 1916).

Also, we don't know through whom, Herbert Baker got in touch with the acoustic expert Hope Bagenal (1888-1879). Bagenal originally began to study engineering at Leeds University, but gave it up to study architecture at the Architectural Association of London (Bagenal 1984). Since he was interested in acoustic problems in architecture, he contacted Wallace C. Sabine (1868-1919) in 1914 to get information for a text he was writing for *RIBA Journal* called "Acoustic Relative to Architecture" about acoustics in auditoriums,[5] although it was never published. Bagenal published his first article about acoustics in 1919 (Bagenal 1919) and, from then on, began to work as an acoustic consultant for cinemas, theatres, offices, etc.

At the same time, Baker heard about the opening of the Public Auditorium in Cleveland (Ohio) on 15th April 1922 and asked to be sent a leaflet published for the inauguration (Anonymous 1922), which, among other things, explained the acoustic virtues of the auditorium thanks to the use of an acoustic gypsum called Macoustic Gypsum, produced by the Mechanically Applied Products Co. of Cleveland. Besides, probably through Hope Bagenal, he heard about the acoustic gypsum that the by then late Wallace C. Sabine had developed in the United States and that he had called Sabinite.

After the first contact step made by Baker, at the end of 1922, the firm Guastavino Co. wrote to Baker to propose the construction of all the vaults and domes in the building that would later be covered with Akoustolith tiles. Guastavino Co. proposed to send their employees to New Delhi to make the tiles on site in order to avoid transport costs (Baker 1923a). Baker never understood the process very well and was loath to trust it from his own experience, for he said to his engineer in New Delhi, "I don't know whether you know that it has been a custom in America, invented in California I believe (sic), to build large domes structurally of two or three layers of flat small tiles like English roofing tiles without any support other than a tie at the base" (Baker 1923b).

With rare exceptions, Baker had never used domes and vaults in his work prior to New Delhi. Apparently, it was the lack of this tradition in South Africa that led him to use lintel-like solutions above all. However, India had a long-standing tradition of that sort of structure. In 1912, before being appointed architect for New Delhi, Baker wrote an article for *The Times* (Baker 1912) discouraging direct imitation of any Indian or orthodox classical style for the new capital (Metcalf 1989) and suggesting that it would be better "to build according to the great elemental qualities and traditions, which have become classical, of the architecture of Greece and Rome (…) and to graft thereon structural features of the architecture of India as well as decoration expressing the myths, symbols, and history of its people". In this text, in seeking common elements that would represent the essence of both cultures, he mentioned the dome, pride and joy of Indian architectural tradition, with its most outstanding example in St Paul's cathedral, designed by his venerated architect Sir Christopher Wren (1632-1723). During his first visit to India in 1913, following the advice of the Viceroy Lord Hardinge, Baker and Lutyens visited several ancient cities and monuments in the north and centre of the country, among others, the Mughal monuments in Delhi, the Taj Mahal and the sacred hill of Sanchi with its famous domes. Baker read several texts about Indian art and architecture in an attempt to trace the genealogy of the dome in the subcontinent. Lord Hardinge urged them to use the pointed Mughal horseshoe arches, whereas Baker and Lutyens were more inclined to use the round arch (Lutyens 1980, 103-4), following Wren's doctrine that said that only simple geometric forms possessed "the Attributes of the Eternal" (Baker 1944, 71-2; Lutyens 1980, 113). Due to his interest in discovering the origin and development of vaulted forms in India, Baker studied several books (Baker 1944, 70) and even went to a lecture[6] and wrote to the person who was then considered the greatest expert in Islamic architecture, Sir K.A.C. Creswell (1879-1974), who kindly replied explaining the genealogy of the double-shell dome in India (Creswell 1914).

This fascination with vaulted spaces persisted after his time in India and can be seen in his sketches for Kenya government buildings in 1925. Speaking about this project, T.E. Lawrence (1888-1935), better known as Lawrence of Arabia, a close friend of Baker's[7] (Baker 1944, 206), gave him interesting advice about this project in a letter, which, consciously or otherwise, seems to suggest flat brick vaults: "Do not fall into the Khartoum fault of wide streets. In tropics, air (fresh or foul) is an enemy. Also sunlight. You want houses of immense height and vigorous overhang. Streets like alleys, half dark, and full of turnings to exclude the wind. All pavements should be covered over with light vaulting" (Baker 1944, 107).

In any case, throughout his life Baker concentrated mainly on the form of these vaulted spaces without paying any type of special attention to the construction, as we can gather from his own work, where vaults and domes were mainly built on metal lathing hung from flat concrete slabs or metal structures or occasionally on concrete shells like in some parts of Salisbury cathedral (Rhodesia) or the Ninth Church of Christ Scientist in Westminster (England).

It's a real shame that the proposal of Guastavino Co. to build a tile vault in the four large spaces of the Legislative Building literally aroused hilarity in Baker, an architect of metal structures and concrete in classical style. It's a pity that this possibility, apparently advantageous from an economic point of view, was not even considered, because otherwise they would have built a great central dome 60 feet in diameter and three semicircular cupules with a radius of 70 feet in the same building, a feat that would have become part of the history of architecture.

Acoustic tests

With the data at hand, Bagenal immediately rejected Macoustic gypsum (Baker 1923c). One month later, showing proverbial dedication to the building's acoustics (Bagenal 1929, 851-2), Bagenal studied all the options and finally recommended the Akoustolith tiles made by Guastavino Co. rather than Sabine's acoustic gypsum (Bagenal 1923a). Nevertheless, from the outset and up to the time the design was well under way, Herbert Baker preferred acoustic gypsum to acoustic tiles, perhaps because of the neutral character of the plaster in comparison with the rougher appearance of the tiles. Maybe for that reason, it was decided to carry out acoustic absorption tests at the Building Research Board in London in order to decide for one or the other solution once and for all (Chief Engineer N. Delhi 1923). Due to the danger of losing this contract, Guastavino Co. began to make experiments with acoustic absorbing render and finally patented one product of his own, that apparently was never used in the Legislative Building (Guastavino 1925).

Baker, who seems to have had his doubts from the beginning about Guastavino Co. or the long distance from United States to India, intended to compare prices and have a second option to fall back on in case of failure in the delivery of supplies from the States (Baker 1923d). In a letter dated 12th April 1923, Baker wrote, "I have felt after my interviews with Blodgett of Guastavino Company that although the prospect of using his tiles seems very hopeful yet there might be *many a slip between cup and lip* of your entering into a satisfactory contract" (Baker 1923e). For his part, Bagenal felt it was a waste of time to carry out these experiments from scratch, seeing as Guastavino's products had seen the light after many years of toil and had already proven their worth.

Half-way through the process, Baker even consulted other experts in acoustics, such as Richard Glazebrook (1854-1935) and the Nobel prize William Bragg (1862-1942), who had given him lectures as a student at London University (Baker 1923f; Baker 1923g; Baker 1923h; Bragg 1923a; Bragg 1923b). Finally, it was decided to perform tests on Akoustolith's absorption properties at the Building Research Board in London, as he was not convinced of the 40% absorption factor that Guastavino Co. claimed in the official documents. So, they contacted Guastavino Co.'s representatives in England, Building Products Ltd.

With its offices in a late 19th century building at 44-46 Kings Road, Building Products Ltd., managed by the engineers J. Chapman and A.G. Huntlye, looked after the affairs of Guastavino Co. around the nineteen twenties. Although the initial idea was to build an Akoustolith acoustic tile factory in England (Blodgett 1923a), in fact, apparently, they only intervened in the construction of two buildings: the Legislative Building in New Delhi in India, and the cladding with acoustic tiles in the main hall of the Ironmonger's Company in Shaftesbury Place, near the Barbican, in London, completed in 1925. Today, this little-known building in which Guastavino Co. collaborated is still standing, and the hall, surrounded by a wooden wainscot, lit by leaded windows and walls tiled with Akoustolith, is successfully used for banquets and wedding parties, thanks to its virtues of acoustic absorption.

The participation of the representatives of Guastavino Co. in Baker's Legislative Building was limited in principle merely to sending off on 25th June 1923 (Chapman 1923) the results of the US acoustic tests, which included both Sabine's graphs and the results of the tests at the Federal Reserve Bank in Chicago, completed in 1922. The acoustic tests at the Building Research Board of London continued anyway, and they even contemplated the possibility of creating alternatives similar to Akoustolith tiles or Sabinite acoustic gypsum by copying part of the components (Weller 1923).

Suspecting the ploy, for a few months Guastavino Co. stopped sending samples of Akoustolith for acoustic tests in London that had already been tests at laboratories in the United States. Later on, Blodgett finally acceded to send the samples for testing, on condition that he received a copy of the results (Blodgett 1923b).

Mr. H.O. Welles of the Building Research Board in London, who can clearly be accused of having caused the conflict due to his tactlessness, went so far as to produce acoustic tiles of his own imitating Akoustolith, but they turned out to be softer and coarser (Baker 1923b), so that, according to Bagenal, they were harder to cut to make special pieces (Bagenal 1923b). During the whole process, Bagenal had to insist several times that it was impossible for other materials, both patented and otherwise, to outshine the acoustic virtues of Akoustolith (Baker 1923i; Baker 1923j).

Towards the end of 1923, Bagenal, in contact with the York & Sawyer architecture studio of New York, which was at the time constructing the Federal Reserve Bank in New York, wrote an almost complete copy of a letter from these architects praising the properties of Guastavino Co.'s Akoustolith and the acoustic gypsum patented by W. Sabine and sent it to Baker to ease his mind (Bagenal 1923c). Like Bertram G. Goodhue, the architects Edward York (1863-1928) and Philip Sawyer (1868-1949) had already worked with Guastavino Co. on a large number of projects.[8] In one of his letters to Baker, Bagenal even went so far as to say: "In regard to the question of using Akoustolith the evidence of York & Sawyer and Goodhue was generally to the effect that Akoustolith was used because it was a commercial product that was reliable from all points of view..." (Bagenal 1924).

Nonetheless, the tests and the manufacture of alternative copies of both the tiles and the acoustic gypsum continued until 1925 was well under way. In mid June 1926, the engineers in the New Delhi office were trying to make their own acoustic tiles to clad the Library Dome, based on their observation of the first lots of Akoustolith that had come from the United States (Baker 1926). Bagenal was compliant with the situation, but warned about the texture and colour of their home-made tiles in comparison with the Akoustolith made by Guastavino Co. with ground Italian pumice stone (Bagenal 1926).

The application of Akoustolith on the Legislative Building

In the midst of this turmoil, Herbert Baker sent the first plans of the Legislative Building to the Boston office of Guastavino Co. on 15th August 1923 in order for them to prepare an estimate for the acoustic tiles required (Baker 1923k; Baker 1923l). They were not only to supply the tiles, but all the mouldings, edgings,

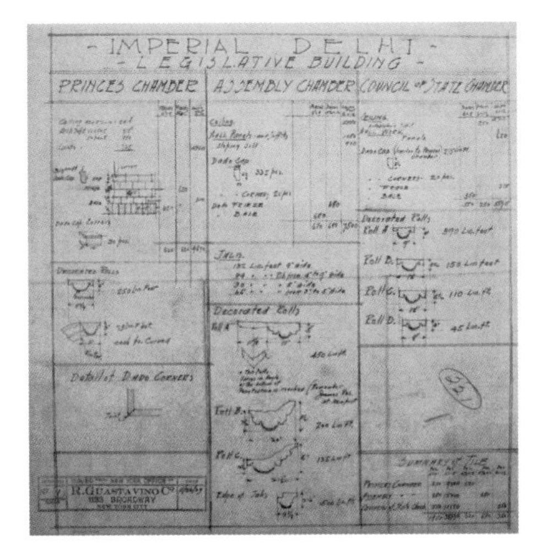

Figure 5. *Summary of construction details of various chambers and the number of tiles needed drawn by the R. Guastavino Co. (11/26/1923). Guastavino Fireproof Construction Company architectural records, 1866-1985, Avery Architectural & Fine Arts Library, Columbia University.*

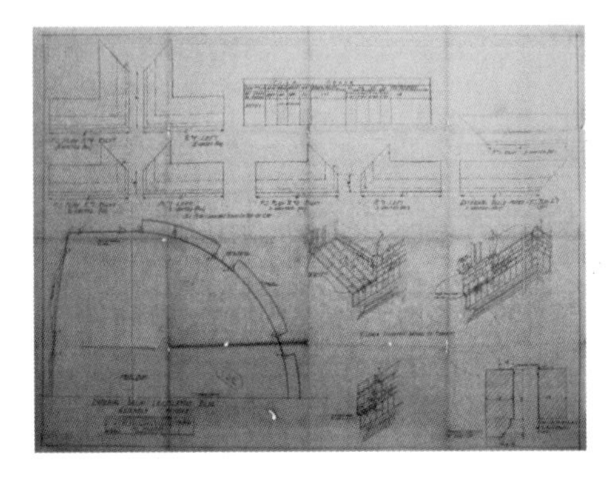

Figure 6. *Plans and sections of the Assembly Chamber at the Legislative building and the number of tiles needed drawn by the R. Guastavino Co. (12/16/1924). Guastavino Fireproof Construction Company architectural records, 1866-1985, Avery Architectural & Fine Arts Library, Columbia University.*

cornices, etc. necessary to tile the space. Their detail and precision aroused Blodgett's admiration, and he praised their beauty and accuracy (Blodgett 1923a).

Unlike other works tiled with Akoustolith where the pieces were of diverse format, Baker asked for uniform pieces of 6"x12" for large surfaces and for the manufacturing of special pieces in order to make the mouldings and even decorative latticed Akoustolith panels, imitating traditional Indian *jalis*. Besides reminding him of the pressed system used for manufacturing Akoustolith, Blodgett explained to Baker how these mouldings were made by carving a timber model and casting it in plaster and then emptying it to make a mould. On the other hand, Guastavino Co. didn't think it possible to make these perforated decorative panels with Akoustolith, probably because they would have been too fragile.

Since Baker insisted the material be produced on site or at least in England, Blodgett suggested the possibility of making the plain tiles outside the United States but mentioned the huge difficulty in making the special pieces for the moulding, since they required great precision. Another interesting point is Baker's initial insistence that Guastavino Co. tile the dome with Akoustolith, to which Blodgett replied that it wasn't a matter of building a tile vault and that any good builder could put the acoustic tiles in place.

This remark was to have important consequences afterwards, as we shall see below. Baker wanted to eliminate, annul or camouflage the presence of the joints as much as possible, but Blodgett told him that even Guastavino Co. hadn't found a way of eliminating the joints either in the ceramic bricks or the Akoustolith, so that in his opinion the best solution was to place them in a herringbone pattern. Finally, Blodgett recommended that the Akoustolith pieces, which weighed only 4 or 5 pounds per square foot, be applied with a lime mortar with a lime/aggregate proportion of 3:8, with a small amount of Portland cement added to the mixture.

Based on the plans sent by Baker, Guastavino Co. drew up plans of the detail and measurements of all the pieces needed, and some of these plans are conserved in the Avery Library archives.

The precision and exactitude of these plans, like those of other projects performed by the company, once again confirms their professional competence in carrying out these works, even those commissioned thousands of kilometres away from their headquarters. The plans conserved are dated between November 1923 and December 1924, which gives us an idea of the length of time required for counting, checking and making the pieces, apart from the problems arising in checking the acoustic material (figs. 5, 6).

In November 1923, Baker asked for the size of the standard tile to be reduced from 6"x12" to 5"x10", apparently because they would be easier to handle and assemble. Blodgett made no objections to this change, considering the number of pieces to be made and the fact that the price per square foot would be the same. Besides, it was to be expected that having a smaller size would mean that fewer pieces would break during transport, although it turned out to everyone's dismay that up to 15% of the pieces in each shipment broke during the journey (Baker 1924a).

When Blodgett offered to make Akoustolith in slightly different shades, Baker again stated that he wanted the tiles to look like plaster, so he begged they would all be exactly the same colour (Baker 1923m). Finally, in an attempt to control even the slightest detail, Baker asked Blodgett about the problems involved in tiling a curved surface. Blodgett replied that it wouldn't be a problem, especially if the projecting joints he had recommended were used, since the projecting parts between the joints would be absorbed by the curvature (Blodgett 1923c).

After performing some tests applying the tiles with no mortar at the joints, with flat mortar and projecting mortar, Baker decided to apply the acoustic tiles without mortar at the joints for acoustic and, above all, aesthetic reasons. Blodgett sent Baker a drawing explaining how to apply the tiles to avoid rough edges and stains on their absorbent surface (fig. 7) (Blodgett 1923d; Baker 1924b). This decision would also have its consequences as a result of the incident described below. The Akoustolith tiles were applied on a metal lathing hung from the metal structure of the dome, a strange solution for Guastavino Co., nevertheless very similar to the employed system on those years by York & Sawyer in the Federal Reserve Bank of New York, with whom Bagenal had contacted in order to confirm the efficiency of the Guastavino Co. acoustic products (see Jalia's text in this book, figs. 9, 15).

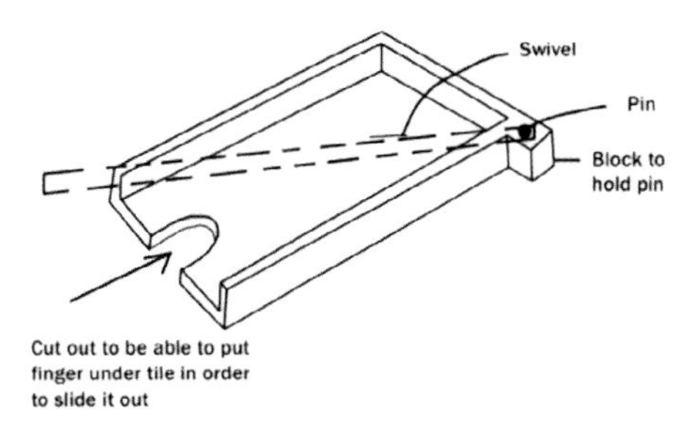

Figure 7. *Drawing sent by Blodgett to Baker explaining how the Guastavino Co. applied the Akoustolith tiles to avoid rough edges and stains on their absorbent surface (redrawn by the authors from the Blodgett's letter to Baker, December 28th 1923, RIBA, V&A. BaH/61/1).*

"When I die you will find the words 'Acoustic tiles' engraven on my heart"

These were the words of the architect Herbert Baker (1923n) in the midst of the controversial hiring of Guastavino Co. for the Legislative Building in New Delhi. The building was inaugurated in January 1927 by Lord Irwin, the new Viceroy of India, who spoke through a loudspeaker, quite a novelty at the time (figs. 8, 9). Happy that the work was finished, Baker presented the Viceroy with a golden key with which he opened the gate and declared the building inaugurated. Baker had no idea about the troubles that still lay ahead, precisely with the acoustic tiles.

On 15th March of that same year, an acoustic tile fell from the dome and nearly hit the commander-in-chief. Investigations began immediately to discover the cause of the accident and

Figure 8. The Council Chamber at Baker's Legislative Building (Baker 1944: 72).

Figure 9. The central dome at Baker's Legislative building, clad-ded with Guastavino's Akoustolith tiles (Baker 1944: 73).

the likelihood of similar incidents in the future and the way to avoid them, and the possible liability of the architect, engineer, builder and/or Guastavino Co. as a subcontractor. The engineer Rouse, the project manager, was asked to draw up a report (Rouse 1927). To find out the state of the building, first he set up scaffolding taking advantage of the fact that the members of parliament had a few days' holidays, and tapped a large number of acoustic tiles, whereupon he discovered a few that sounded hollow and two that were about to come loose altogether. They removed the ten least secure tiles although they needed two hefty screwdrivers to prise them loose.

The report on the incident drawn up by A. Brebner, chief engineer of the Simia Imperial Circle (Brebner 1927), provided data about the cement mortar rendering on the metal laths with cement/aggregate in 1:3 proportion, and about the mortar adhering the acoustic tiles, with a very high proportion, 1:1, much stiffer and diverse than that recommended by Guastavino Co. (fig. 10); it deems unfortunate that the tile cladding tests had been performed on a brick vault when they knew the definitive solution would be to adhere them to a metal lath; and it criticises Baker for choosing an acoustic tile cladding without repointed joints both for aesthetic and acoustic reasons.

In view of the apparently good adhesion between the tile and the mortar, the following possibilities were considered: that the mortar coat on the lath had been completely dry when the tiles were attached; that due to the absorbent nature of the material, not having been soaked in water, the tiles might have absorbed the water in the cement mortar; that the thermal movements of the metal lath might have affected the ceramic cladding; or that not having scraped the mortar cladding to increase coarseness might have caused the tiles to adhere less firmly (Architect's Office 1927a). The examination carried out from the scaffolding revealed that quite a few acoustic tiles were broken or cracked, although they were still firmly stuck in place, due to the expansion of the metal lath base and the rigidity of the cement mortar (Architect's Office 1927b).

Section of ceiling as constructed (not to scale)

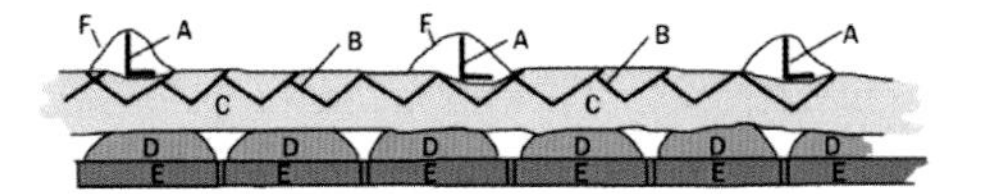

Figure 10. *Detail of the final construction of the vault (not to scale):*

A. Light steel angles riveted to steel work in roof to carry the expanded metal lathing.

B. Expanded metal lathing (tied by wire F to A).

C. Rough coat of 3 to 1 sand and cement plaster to form a base for the Akoustolith tile.

D. 1 to 1 cement plaster (the spaces between D and D were due to the fact that the 1 to 1 mortar was put on each individual tile as it was laid, the idea being to avoid having mortar between the vertical joints of the tiles.

E. Akoustolith tile fixed on to coat C by cement plaster D.

An examination of the ceiling showed that in some cases there was a tendency for separation to take place between d & E and between C & D due to the adhesion being imperfect (redrawn by the authors from A. Brebner's drawing in his report, March 22nd 1927, RIBA, V&A. BaH/61/1).

It soon became evident that the cause of the incident had been that the surface of the base of the tile had not been wet enough and that perhaps the base was too smooth (Baker 1927). Furthermore, the documentation of the works was examined, and it was found that Guastavino Co., after making it clear that they wouldn't cover the spaces with tile vaults, had entrusted the application of its Akoustolith tiles to any good local workman.

In any case, after consulting Guastavino Co. about the matter, Blodgett said nothing like this had ever happened before with Akoustolith tiles, except for some coming loose during the work: but never months later. Blodgett recommended setting up a moveable scaffold and tapping the tiles systematically to find out their state and adherence from the sound. Finally, Blodgett, who had visited New Delhi in November 1926 on a trip around the world, was sorry he had visited the building before the incident and not afterwards, because he could have helped clear up the reasons for the tiles coming loose (Blodgett 1927).

The engineer Rouse wrote a confidential letter to Baker about this incident (Rouse 1927b), reminding him of a letter dated 25th October 1923 and affirming that not only would they find *his* heart engraved with the words "Akoustolith tile" but also those of the other collaborators and engineers at the technical office in New Delhi. The yellow press took the opportunity to forecast the ruin of the building and mindlessly criticise its acoustic virtues (The Pioneer 1927). The incident apparently died a natural death without more ado.

Tests were performed by hanging up to 100 kg dead weight per tile from a large number of them, and proved with great satisfaction that they were perfectly adhered. A year later, the recent wound of this accident remained open and, while working on the design of a new bank in South Africa, Baker consulted Bagenal (Baker 1928) about the use of acoustic gypsum instead of tiles for the vaults. He probably felt wary about the material. Almost one hundred years later, currently, a net still protects the four big vaulted spaces of the building from any detachments of the tiles, which remain suspended in the air over the net.

In his autobiography written years later, Baker didn't refer at any time his collaboration with Hope Bagenal or Guastavino Co., and only mentioned in passing Professor Sabine's acoustic principles, either because he still had bitter memories or because he didn't want to minimise his role in the design of the building, for he did mention other collaborators in this project and others. The hundreds of letters, negotiations and headaches arising from the purchase of Guastavino Co.'s acoustic tiles instead of hiring the company to build the whole dome were summed up in a single sentence: "The acoustics have proved, I believe, to be good" (Baker 1944, 76).

Figure 11. *Dome of the Durbar Hall designed by Lutyens in the Viceroy's House, New Delhi, comprising of three domes one on top of the other: the inside one made of thick brick fabric, the middle one a dome-shaped cone also made of brick and the outer one of reinforced concrete covered with waterproof copper sheets (Vegas 2006).*

Lutyens following in Guastavino's footsteps

The dome, 72 feet in diameter and 75 feet high, designed by Lutyens for Durbar Hall in the Viceroy's House (fig. 11) is an unusual structure comprising three domes one on top of the other: the inside one made of thick brick fabric, the middle one a dome-shaped cone also made of brick and the outer one of reinforced concrete covered with waterproof copper sheets. Lutyens didn't need to pay attention to the acoustics of the space as Baker did for the parliament building. Furthermore, considering the hatred he felt since the Bakerloo incident, he would never have used Guastavino Co. had he known he was already working with Baker.

We do have information about the smaller saucer domes in the Viceroy's House, made of gypsum-clad brick, built in a traditional local ancient method without any kind of prop or formwork. The foreman placed a gang of workmen around the edge of the dome to be erected. In the first place, mortar was applied all around the edge and, at a signal – which often consisted in the roll of a drum accompanied by a few bars of music – all the masons affixed their brick at the same time, creating an instant circle of bricks that remained in place. Once the mortar set, the workmen repeated the operation until the dome was completed (Irving 1981, 270).

Lutyens would never have considered using a tile vault. There are several direct testimonies of his rejection of everything other than the solid assembly of bricks always laid flat and not on edge. For example, in 1927 when his disciple Arthur Gordon Shoosmith (1888- 1974) was designing St Martin's Church in New Delhi, he gave him the following advice: "My Dear Shoo: Bricks! A building of one material is for some strange reason much more noble than one of many. It may be the accent it gives of sincerity, the persistence of texture and definite unity (...) Don't use, whatever you do, bricks on edge or any fancy stuff. It only destroys and promotes triviality (...) Get rid of all mimicky Mary-Ann notions of brickwork and go for the Roman wall..." (Hussey 1950, 367-8).

He repeats his criticism of bricks laid on their edge throughout his career: "The thin walls are worth while, if only to watch your Client's face glow with joy at winning a few square feet of carpet" (Lutyens 1980, 255). And he criticised not only the construction but the effect of the bays on excessively thin partition walls. "They cannot afford or see the essential differences of an arch carried on posts of sufficient calibre B and those which have the bilious (thin) feeling A. Yet on paper in elevation they both look alike" (Lutyens 1915).

But, notwithstanding his rejection of the construction of tile vaults, Lutyens greatly admired the Guastavinos' work, even though he had no direct knowledge of their existence. This became evident when he travelled to the United States in April 1925 to receive the Gold Medal conferred on him the previous year by the Institute of American Architects and, at the same time, to accept the commission for the design and construction of the British Embassy in Washington (fig. 12) (Lutyens 1980, 218-20). Indeed, on his first visit to the docks at New York port when he disembarked, Lutyens saw Guastavino's characteristic tile vaults in Walker & Morris's Battery Maritime Terminal (1906-1909), which he confused with McKim, Mead & White's Pennsylvania Station (1902-1911). Lutyens stayed at the University Club (1918), another building designed by McKim, Mead & White, in which Rafael Guastavino collaborated by building the vaults.

The dinner in his honour was also held on the tenth floor of the University Club, with the presence of 40 architects, among whom was Cass Gilbert. One day later, his visit to Pennsylvania Station to catch a train to Washington impressed him greatly, to such an extent that he compared it to Caracalla Thermal Baths. During his visit to Washington, among other buildings, he visited another two works by Guastavino Co. that were under construction: the Washington National Cathedral (1907-1990), by Frohman, and the National Shrine of the Immaculate Conception (1920-1962), by Murphy and Maginnis & Walsh (Lutyens 1925).

For the construction of the British Embassy in Washington, Lutyens chose a British-born contractor called Harry Wardman (1872-1938), a real estate developer and builder who specialised in dwellings and hotels, who in his lifetime built 4000 houses, 400 apartment blocks, 12 office buildings, but lost his fortune in the 1929 Wall Street Crash, before he had time to finish the embassy. As far as we know, Wardman didn't work with Guastavino, but the matter is worth investigating. However, the architect associated with Lutyens in charge of interpreting the plans, Frederick H. Brooke (1876-1960), did work with Guastavino Co.[9] What is more, it was Brooke who took Lutyens to see the two churches with Guastavino vaults during his visit to Washington in April 1925.

In fact, Brooke, who studied architecture at Yale and Pennsylvania Universities and later at the École des Beaux Arts in Paris (1903-1906), was the author together with Horace W. Peaslee

Figure 12. British Embassy at Washington D.C. (1925-1930) designed by E. Lutyens and construction supervised by Frederick H. Brooke (Vegas & Mileto 2013).

(1884-1959) and Nathan W. Wyeth (1870-1963) of the District of Columbia War Memorial in West Potomac Park in Washington, a Doric temple with a colonnade crowned by a dome 47 feet in diameter built by Guastavino Co. The intrados of the dome is apparently rendered with classical mouldings with shallow coffers. The initiative to build a monument to the participation of the United States in World War I dates from 1924, although the preliminary project is dated May 1925. Once funding was complete, the memorial was erected in 1931 (fig. 13).

Lutyens visited the United States on four occasions in relation with his project for the British Embassy in Washington. The first time, in April 1925, to receive the commission; the second and third, in October 1928 and September 1929, to make the only two visits to the site that he was able to (work had begun in January 1928); and the fourth, in May 1930, for the inauguration of the building (Stamp & Greenberg 2002, 129-46). The construction of the embassy was left largely to the architect Frederick H. Brooke. Lutyens's project, a cross between Georgian English and vernacular American style, is characterised by the predominance of trabeated architecture, except, of course, for the staircase. In fact the double staircase at the entrance has a very flat vault at the centre, which might suggest the presence of a stone-covered tile vault. Without examining in greater depth the archives or making probes on the building, neither of these possibilities can be confirmed.

The Bank of England: Baker, Soane and the frustrated participation of Guastavino Co.

Baker also admired the work of Guastavino Co. during his visit to the United States in December 1929. His good friend Goodhue had died in

Figure 13. *District of Columbia War Memorial (1925-1931) in West Potomac Park in Washington D.C. designed by Frederick H. Brooke, Horace W. Peaslee and Nathan W. Wyeth, and built by Guastavino Co. (Vegas & Mileto 2013).*

1924, so it was Philip Sawyer, whom it seems he met through Hope Bagenal (Bagenal 1923c), who acted as his guide around the city. As he was engrossed in designing the Bank of England in London, Baker asked Sawyer to show him the banks he had built in New York in recent years, especially the Federal Reserve Bank (1924), which he had also shown to Alexander Thomson Scott (1887-1962), Baker's partner, on his earlier visit to New York to prepare the initial design. Besides, the Bank of England and the Federal Reserve Bank of New York had worked together during the 1st World War raising funds for the Allies and it was only natural that they held cordial relationships and exchanged ideas on their respective new buildings to be erected after the war (Abramson 2005, 205).

Apart from this bank, the York & Sawyer architecture studio had made a large number of banks in the city with the participation of Guastavino Co., among which it is worth paying special mention to: the Bowery Savings Bank Building (1922), the Broadway Barclay Building (1926), the Brooklyn Trust Co. Building (1926) and the Central Savings Bank (1928). In his memoirs, Baker says he visited the famous buildings in New York, Central Station and Pennsylvania Station among others, which he admired enormously and also compared them to Roman thermal baths (Baker 1944, 114). It is to be expected that he visited other works by McKim, Mead & White, especially considering that both Edward York and Philip Sawyer had been disciples and employees of this famous trio of architects.

Baker was also regaled with the hospitality of William Adams Delano (1874-1960), another architect who worked many times with Guastavino Co. on the Kyhuit Rockefeller Estate in Tarrytown (1916), on Oak Knoll, the Bertram G. Work Estate (1917), and on Oheka Castle, the Otto Hermann Kahn Estate in Huntington (1919), among others. During his trip in USA, Baker also stated his admiration for the Memorial Amphitheatre in Arlington National Cemetery (1914-1920), built by Carrère & Hastings with the collaboration of Guastavino Co (fig. 14). Baker's remarks and descriptions would lead us to believe he visited other Guastavino buildings, such as Rafael Guastavino Expósito's own house on Long Island, accompanied by Delano; some buildings of Harvard University in Cambridge ("admiring a beautiful small domed building") (Baker 1944, 119); and other buildings located in Washington, Boston or Philadelphia.

Despite all the foregoing and his sincere admiration for vaulted spaces, Baker clearly gave priority to the form and not the constructive force of these buildings or, rather, to the form without attaching too much importance to the constructive solution adopted, as he would make clear in his refurbishment of the Bank of England. Baker received this commission in the spring of 1921, when he was still busy with the design and construction of the New Delhi buildings. Edwin Lutyens had been promised

Figure 14. *Among other buildings with Guastavino vaults, Baker visited in 1929 the Chapel at the Memorial Amphitheatre in Arlington National Cemetery (1914-1920), designed by Carrère & Hastings and built and cladded with Akoustolith tiles by Guastavino Co., Arlington, VA (Vegas & Mileto 2013).*

the commission years before by the then governor of the bank, Lord Cunliffe (1855-1920), since dead, so that this affront was an addition to the enmity he already felt towards his rival (Lutyens 1980, 185).

The Great War had not only added more than a zero on to British national debt but had also quadrupled the number of employees in the Bank of England, which called for an urgent expansion of office space. The old Bank of England building (Abramson 2005; Bank of England Museum 2003), with the extraordinary vaulted spaces designed by John Soane (1753-1837) between 1788 and 1833, a veritable symphony of vaults and domes, of masses intermingled with light, was starting to be seen as a museum (Kynaston 1999, 22). Baker's blueprints for the Bank of England strove to respect "as much of Sir John Soane's famous building as may be possible without too great a sacrifice of other vital considerations involved" (Baker 1921). This initial intention of conserving the façade and a large amount of the bank's first outer bay with many of Soane's vaulted spaces lost force little by little due to the increase of built surface performed, caused by Baker's love of symmetry and geometric order and with the excuse that the old building suffered pathologies, and he eventually ended up demolishing Soane's work completely. The building of a line of concrete domes in Soane's style did not in any way compensate for this irreparable historic loss.

In general terms, the rebuilding process lasted between 1921 and 1942, but it continued even after Baker's death in 1946 in the design of some interior spaces that were left to his partner Scott to finish. Even though most of the photographs, plans and details are still kept in the bank and are not accessible to the public for safety reasons, some drawings dated 1947 are conserved and show that up to that time they were considering the possibility of covering over some false ceilings and vaults with acoustic tiles. Guastavino Co.'s files throw no light on the matter, either because it never actually materialised or because of the documentary secrecy involved in this sort of institution (Baker & Scott 1947).

One of the reasons Baker gave for demolishing Soane's work was the construction of a building with a fireproof metal and concrete structure, although Soane's work had been conceived and constructed precisely as fireproof to replace the wooden structures of his predecessor in building the bank, the architect Robert Taylor (1714-1788). Indeed, in keeping with the Roman building tradition that he so admired, for his vaults and domes Soane used bricks and lightweight hollow clay pots (Abramson 2005, 107), a unique building method that had been reinvented by the architects Jean-Far Eustache de Saint Fair (1746-1828) and Victor Louis (1713-1800), after the research on fireproof vaults carried out by Comte Félix François d'Espie (1708-1792) (d'Espie 1754). Furthermore, Soane showed interest in this subject not only participating in the study of fireproof systems proposed by the Architects' Club (Abramson 2005, 107), but also creating fireproof jack vaulting floors for the New State Paper Office (1829-1834) (Palmer 2006; Watkin 2000, 270), which protected the underside of joists from fire, a solution extraordinarily similar to the one proposed by Rafael Guastavino in many of his works and patents, such as those commissioned for the Fire-Proof building (Guastavino 1888) or the Hollow Cohesive Arch (Guastavino 1892a).

And the fact is John Soane and Rafael Guastavino had many points in common, although the latter apparently did not know about the former. They both took up architecture for reasons of family tradition (Abramson 2005, 96; Vegas & Mileto 2012, 132-56); they admired and tried to imitate Roman building methods (Richardson & Steven 1999, 62; Abramson 2005, 107, 226; Guastavino 1892b, 12-4; Guastavino 1895, 101-16); they invented self-supporting construction systems (Darley 1999; 130); they manufactured special ceramic pieces for the construction of their works[10]; they used Portland stone repeatedly because of its extraordinary resistant properties, either in its natural state or evoked in mortar with the same name of similar appearance and characteristics;[11] they developed fireproof systems for their structures; they were as fascinated by technological excellence as by architectural detail (Darley 1999, 50; Tarragó 1999, 227); they built beautiful domes and vaults that succeeded in dignifying and embellishing even the most mercantile or prosaic activities below them; they lit these vaulted spaces magnificently by inserting oculi, lunettes and thermal windows; they inserted metal ties and rings inside the fabric to conceal them from view and protect them from fire (Abramson 2005, 107; Huerta 1999, 334; Guastavino 1910). And, unfortunately, they both shared and suffered the disdain and incomprehension of Baker, who was incapable of preserving the work of the former or use the constructive potential of the latter in his great works, reducing his participation to the acoustic cladding of vaults.

Conclusion

History is always written by the victors. Lutyens lost his personal battle in New Delhi in the Bakerloo issue, but won the war in the end. Lutyens, an extraordinary architect but also the spoilt child of the English bourgeoisie and on excellent terms with *Country Life* and *Architectural Review Magazine* (Gradidge 2002, 147-148) managed to underrate and even wipe out the presence of Baker in the monograph about New Delhi written by Robert Byron for *Architectural Review* in 1931 (Byron 1931), being adjudicated the merits himself later in the publications of Nikolaus Pevsner (1951, 217-25) and the remarks of Le Corbusier[12] (Boesiger 1957, 50). Notwithstanding the architectonic quality of Baker's previous work in South Africa and New Delhi, this discredit was exacerbated too by his project for the Bank of England at London with the polemic and surprising demolition of John Soane's vaults. Both Guastavino Co.'s real collaboration in the Legislative Building in New Delhi and their potential participation in the new Bank of England, where, as well as the Akoustolith tiles, the tile vault would have established an extraordinary dialogue with John Soane's historical domes, were left in the background. It is no surprise, therefore, that the extraordinary participation in the acoustic absorption in these significative spaces by Guastavino Co., a firm that always stayed in the background behind the protagonists of the work, has gone unnoticed by the history of architecture, an unforgivable omission that this article hopes to amend.

Acknowledgements

We are thankful for the help received during this research to the personnel of the Avery Library of the Columbia University of New York, especially to Janet Parks and Katherine M. Prater, who has allowed us to reproduce the original drawings by Guastavino Co.; National Archives of India and the Spanish Embassy in New Delhi; RIBA library and archives; Victoria & Albert Museum of London; Sir John Soane's Museum Archives; to Teresa Vegas; and to the library of the UPV for getting us rare and old texts, articles and books.

Notes

[1] This text is the content of a lecture given by the authors at the meeting organized by The Construction History Society of America (CHSA) at the Massachusetts Institute of Technology on November 3rd, 2012. See: http://web.mit.edu/cron/Backup/project/guastavino/www/chsa_papers.htm).

[2] This was Lutyens' final victory: "Another struggle with Baker over the site of the Legislative Chamber, but I have got the building where I wanted and the shape I want it" (Lutyens 1920b).

[3] Other people criticized the building's form and pointed this apparent movement of the whole, as the good friend of Baker's, Sir William Marris, who commented that this building was about "to go slowly turning round" (Irving 1981, 299). The Space Odissey comparison was first suggested by Volwahsen (2002, 221).

[4] Among others; US Military Academy, cadet chapel in West Point (1903-1910); Goodhue's New York office (1905-1906); Calvary Episcopal Church in Pittsburgh (1906); St. Thomas's Church in New York (1906, 1911-13); South Church (now Park Ave. Christian Church) in New York (1910); First Baptist Church of Pittsburgh (1911); Laboratories at the Rice University in Houston (1912); Tyrone Railroad Station (1914-1918); St. Vicente Ferrer Church in New York (1915); California Building (now Museum of Man) in El Prado, Balboa Park in San Diego (1915); Henry Dater Residence (now Val Verde Estate) in Montecito (1917) (Wyllie 2007; Ochsendorf 2010, 226-40).

[5] We have the answer to this letter (Sabine 1914).

[6] The lecture took place at the end of March or beginning of April 1914 at the Royal Asiatic Society.

[7] In his most clamorous years, Lawrence of Arabia hid in the attic of Herbert Baker placed in 14th Barton Street, where he wrote his book The Seven Pillars of Wisdom (Baker 1944, 206).

[8] See among others: Gould Stable in New York (1902), New York Historical Society (1902), Rockefeller Institute for Medical Research (1908), Fifth Ave. Hospital in New York (1921), Bowery Savings Bank Building in New York (1922), and the already named Federal Reserve Bank in New York (1924) (Ochsendorf 2010, 226-40).

[9] Several options were considered for the American partner for Lutyens in the British Embassy, among them, the architect Cass Gilbert, who had initially helped suggesting the choice of "a first class British Architect in conjunction with some reliable American architect". Cass Gilbert was finally rejected as possible partner of Lutyens to manage the building site due to its poor reputation as builder (Stamp & Greenberg 2002).

[10] Soane did not only used especial lightweight hollow clay pots (Richardson & Steven 1999, 237; Darley 1999, 129), but also chose sometimes to produce and use white limey bricks for the main façade instead the usual red ferrous bricks due to aesthetical reasons, for example at the stables of Burnham Westgate (1786) (Darley 1999, 77). On the other hand, Guastavino also did it (Guastavino 1892b, 21). It must be remembered that Guastavino required "Spanish tiles" in order to build the Boston Public Library (Mroszyk 2004, 28-29). Besides, he finished to establish his own ceramic kiln at Woburn, Ma.

[11] Soane often used Portland stone because of its strength performance at cantilevered staircases like the one at Letton Hall (1783), Tendring Hall (1784), Shotesham Hall (1785), Pitt's country villa at Holwood (1799) or at his own house at Lincoln's Inn Fields (1794), among others, much in the way the Prun stone is used in Verona and Vicenza to build cantilevered staircases, which he probably saw while visiting the area in September 1779 (Darley 1999, 50). He also used Portland stone to face some pillars and walls at the Bank of England. Besides, Soane was one of the first architects to use Parker's roman cement, a proto Portland cement developed during the 1780s and patented in 1796 by James Parker, in the Moggerhanger House (1790-93, 1806-12) (Dean 2007). Joseph Aspdin (1778-1855) patented Portland cement in 1824. We do not know if Soane used it in his last buildings, as he only retired in 1834, when he was aged 81. Guastavino defended the use of Portland cement (Guastavino 1892b, 21-23, 26-27).

[12] "New Delhi, capital of Imperial India, was built by Lutyens over thirty years ago with extreme care, great talent and true success. The critics may rant as they will but the accomplishment of such an undertaking earns respect" (Boesiger 1957, 50).

References

ABRAMSON, D.M. (2005). *Building the Bank of England. Money, Architecture, Society*. New Haven: Yale University Press.

ANONYMOUS (1922). *Official Souvenir Cleveland Public Auditorium*, Cleveland, Ohio. RIBA. V&A. BaH/61/1.

ARCHITECT'S OFFICE N. DELHI. (1927a-03-17). *Letter to Baker.* RIBA. V&A. BaH/61/1.

ARCHITECT'S OFFICE N. DELHI. (1927b-04-05). *Letter to Baker.* RIBA. V&A. BaH/61/1.

BAGENAL, H. (1919). "Acoustic for Churches and Choral Music". *Architect's Journal.*

BAGENAL, H. (1923a-03-28). *Letter to Baker.* RIBA. V&A. BaH/61/1.

BAGENAL, H. (1923b-11-02). *Letter to Baker.* RIBA. V&A. BaH/61/1.

BAGENAL, H. (1923c-12-20). *Letter to Baker.* RIBA. V&A. BaH/61/1.

BAGENAL, H. (1924-02-14). *Letter to Baker.* RIBA. V&A. BaH/61/1.

BAGENAL, H. (1926-07-02). *Letter to Baker.* RIBA. V&A. BaH/61/1.

BAGENAL, H. (1929). "The Acoustics of the New Legislative Chamber at Delhi". *Architect and Building News*, 121: 851-2.

BAGENAL, J.S. (1984-01-26). *Hope Bagenal (1888-1979).* Lecture. RIBA. V&A. BaHo/1/5.

BAKER, H. & A.T. SCOTT(1947) (August). *New Rooms on First Floor at East & West Ends of Register Office. Layouts and sections.* Sir Herbert Baker drawings, RIBA Archives.

BAKER, H. 1912-10-03. New Delhi. The problem of style. *The Times.*

BAKER, H. (1916). *Papers.* RIBA. V&A. BaH/2/1/14-26.

BAKER, H. (1921a-02-21). *Letter to his wife.* RIBA. V&A. BaH/58/2.

BAKER, H. (1921b-04-29). *Opinion on rebuilding.* RIBA. V&A. BaH/27/2.

BAKER, H. (1922-01-10). *Letter to Goodhue.* RIBA. V&A. BaH/58/2.

BAKER, H. (1923a-01-10). *Letter to Keeling.* RIBA. V&A. BaH/61/1.

BAKER, H. (1923b) (no date, probably Nov. 1st). *Letter to Keeling.* RIBA. V&A. BaH/61/1.

BAKER, H. (1923c-03-08). Letter to Keeling. RIBA. V&A. BaH/61/1.

BAKER, H. (1923d-03-29). *Letter to Keeling.* RIBA. V&A. BaH/61/1.

BAKER, H. (1923e-04-12). *Letter to Keeling.* RIBA. V&A. BaH/61/1.

BAKER, H. (1923f-05-25). *Letter to Bragg.* RIBA. V&A. BaH/61/1.

BAKER, H. (1923g-06-05). *Letter to Bragg.* RIBA. V&A. BaH/61/1.

BAKER, H. (1923h-06-07). *Letter to Keeling.* RIBA. V&A. BaH/61/1.

BAKER, H. (1923i-04-19). *Letter to Keeling.* RIBA. V&A. BaH/61/1.

BAKER, H. (1923j-05-03). *Letter to Keeling.* RIBA. V&A. BaH/61/1.

BAKER, H. (1923k-08-09). *Letter to Guastavino Co.* RIBA. V&A. BaH/61/1.

BAKER, H. (1923l-08-15). *Letter to Guastavino Co.* RIBA. V&A. BaH/61/1.

BAKER, H. (1923m-12-20). *Letter to Blodgett.* RIBA. V&A. BaH/61/1.

BAKER, H. (1923n-10-25). *Letter to Keeling.* RIBA. V&A. BaH/61/1.

BAKER, H. (1924a-05-29). *Letter to Bagenal.* RIBA. V&A. BaH/61/1.

BAKER, H. (1924b-02-14). *Letter to Blodgett.* RIBA. V&A. BaH/61/1.

BAKER, H. (1926-07-01). *Letter to Bagenal.* RIBA. V&A. BaH/61/1.

BAKER, H. (1927-04-06). *Letter to Blodgett.* RIBA. V&A. BaH/61/1.

BAKER, H. (1928-12-10). *Letter to Bagenal.* RIBA. V&A. BaH/61/1.

BAKER, H. (1944). *Architecture and Personalities.* London: Country Life Ld.

BANK OF ENGLAND MUSEUM. (2003). *The architecture of the Bank of England. From its foundations in 1694.* London: The Governor & Company of the Bank of England.

BLODGETT, W.E. (1923a-10-01). *Letter to Baker.* RIBA. V&A. BaH/61/1.

BLODGETT, W.E. (1923b-10-23). *41 Letter to Baker*. RIBA. V&A. BaH/61/1.

BLODGETT, W.E. (1923c-12-06). *Letter to Baker, sent from Montreal.* RIBA. V&A. BaH/61/1.

BLODGETT, W.E. (1923d-12-28). *Letter to Baker.* RIBA. V&A. BaH/61/1.

BLODGETT, W.E. (1927-05-02). *Letter to Baker from Boston*. RIBA. V&A. BaH/61/1.

BOESIGER, W.E. (1957). *Le Corbusier. Oeuvre complete 1952-1957*. Zürich: Girsberger.

BRAGG. (1923a-05-23). *Letter to Baker.* RIBA. V&A. BaH/61/1.

BRAGG. (1923b-05-31). *Letter to Baker.* RIBA. V&A. BaH/61/1.

BREBNER, A. (1927-03-22). *Copy of the report secretly given by Rouse to Baker.* RIBA. V&A. BaH/61/1.

BYRON, R. [1931] (1997). New Delhi. *The Architectural Review*, Vol. LXIX.

CHAPMAN, J. (1923-06-25). *Letter to Baker*. RIBA. V&A. BaH/61/1.

CHIEF ENGINEER IN NEW DELHI. (1923-03-21). *Cable to H.O. Weller.* RIBA. V&A. BaH/61/1.

COLLINS, G. (1968). The Transfer of Thin Masonry Vaulting. *Journal of the Society of Architectural Historians 27*, n° 3, 195.

CRESWELL, K.A.C. (1914-04-24). Letter to Baker RIBA. V&A. BaH/58/3.

D'ESPIE, F.F. [1754] (1996). *Manière de rendre toutes sortes d'édifices incombustibles, o Traité sur la construction des voutes.* Venezia: Il Cardo.

DARLEY, G. (1999). *John Soane. An Accidental Romantic*. New Haven: Yale University Press.

DEAN, P. (2007). It was Unimaginable that this House Would Emerge as a Soane Masterpiece. *The Architect's Journal* 3: 24–35.

GOODHUE, B.G. (1921-12-30). *Letter to Baker.* RIBA. V&A. BaH/58/2.

GOODHUE, B.G. (1916-05-05). *Letter to Rafael Guastavino Jr.* Box 2, Folder 13, GCC, Avery Library. Reproduced by COLLINS, G. 1968, 195.

GRADIDGE, R. (2002). Baker and Lutyens in South Africa or, the Road to Bakerloo. In HOPKINS, A. & GAVIN, S. 2002. *Lutyens Abroad.* Rome: The British School at Rome.

GUASTAVINO, R. [1892b] (2006). *Escritos sobre la construcción cohesiva y su función en la arquitectura*. Madrid: Instituto Juan de Herrera.

GUASTAVINO, R. [1895] (2006). *Función de la fábrica en la construcción moderna*. Madrid: Instituto Juan de Herrera.

GUASTAVINO, R. Jr. (1910). *Patent n. 947,177 for Masonry Structure.*

GUASTAVINO, R. Jr. (1925). *Patent n. 1,563,846 for Sound Absorbing Material for Walls and Ceilings*.

GUASTAVINO, R. Sr. (1888). *Patent n. 383,050 for Fire-Proof building.*

GUASTAVINO, R. Sr. (1892a). *Patent n. 471,173 for Hollow Cohesive Arch.*

HUERTA, S. (1999). *Las bóvedas de Guastavino en América.* Madrid: Instituto Juan de Herrera.

HUSEY, C. (1950). *The life of Sir Edwin Lutyens.* London: Antique Collectors Club Ltd.

IRVING, R.G. (1981a). *Indian Summer: Lutyens, Baker and Imperial Delhi.* New Haven: Yale Univ. Press.

IRVING, R.G. (1981b). "Lutyens in India". *Progressive Architecture* 12: 93-8.

JONAS, G. (2008). "Arthur C. Clarke, Premier Science Fiction Writer, Dies at 90", *The New York Times*, March 18th.

KYNASTON, D. (1999). *The City of London. Illusions of Gold, 1914-1945.* Vol. 3. London: Chatto & Windus.

LEDOUX, C.-N. [1804] (1994). *L'Architecture. Considérée sous le rapport de l'art, des moeurs et de la Législation*. Madrid: Akal.

LONDON INDIAN OFFICE. (1913-01-08). *Letter to Herbert Baker*, RIBA. V&A. BaH/58/3.

LUTYENS, E. (1915-01-03). *Letter to his wife*. In Percy & Ridley 1985: 308-9.

LUTYENS, E. (1916-01-16). *Letter to his wife*. In PERCY, C. & RIDLEY, J. 1985. The Letters of Edwin Lutyens to his wife Lady Emily, 328-331. London: Collins.

LUTYENS, E. (1919-12-24). *Papers 1.159*. RIBA. V&A. LuE/17/7/1-5.

LUTYENS, E. (1920a-01-13). *Papers 1.160*. RIBA. V&A. LuE/17/8/1-5.

LUTYENS, E. (1920b-02-08). *Papers 1.161*. RIBA. V&A. LuE/17/9/1-7.

LUTYENS, E. (1925-04-28). *Letter to his wife*. In Percy & Ridley 1985: 403-6.

LUTYENS, M. (1980). *Edwin Lutyens*. London: John Murray: 187-9.

METCALF, T.R. (1989). *An Imperial Vision*. London: Faber & Faber.

MORRIS, J. (1983). *Stones of Empire. The Buildings of the Raj*. Oxford: Oxford University Press.

MROSZYK, L.J. (2004). *Rafael Guastavino and the Boston Public Library*. Boston: unpublished MIT Thesis.

NATH, A. (2002). *Dome over India. Rashtrapati Bhavan*. Mumbai: India Book House.

OCHSENDORF, J. (2010). *Guastavino Vaulting. The Art of Structural Tile*, 226-240. New York: Pricenton Architectural Press.

PALMER, S. (2006). Sir John Soane and the Design of the New State Paper Office, 1829-1834. *Archivaria 60: First International Conference on the History of Records and Archives, Journal of the Association of Canadian Archivists*: 39-70.

PEVSNER, N. (1951). Building with wit. The architecture of Sir Edwin Lutyens. *Architectural Review* 111: 217-225.

POUNDS, R., D. RAICHEL & M. WEAVER (1999). The Unseen World of Guastavino Acoustical Tile Construction: History, Development, Production. *APT Bulletin* 30, 4: 33-9.

REDFERN, M. & J. OCHSENDORF (2010). *Selected List of Extant Buildings with Guastavino Tile Vaulting*. In OCHSENDORF, J. 2010, 226-240.

RICHARDSON, M. & M.A. STEVEN (1999). *Sir John Soane. Master of Space and Light*. London: Royal Academy of Arts.

ROUSE, I. (1927a) (probably March). *Report*. RIBA. V&A. BaH/61/1.

ROUSE, I. (1927b-04-07). *Confidential letter to Baker*. RIBA. V&A. BaH/61/1.

SABINE, W.C. (1914-04-13). *Letter to H.Bagenal*. RIBA. V&A. BaHo/1/1.

SHOOSMITH, A.G. (1931). *The Design of New Delhi*. Indian State Railways Magazine 4: 423-33.

SINGH, K. (2006). *My Father, the Builder. Delhi, The Imperial City*. Delhi: The Attic.

STAMP, G. & A. GREENBERG (2002). *Modern Architecture as a very Complex Art: The Design and Construction of Lutyens' British Embassy in Washington D.C.* In HOPKINS, A. & GAVIN, S. 2002. Lutyens Abroad, 131. Rome: The British School at Rome.

TARRAGÓ, S. (1999). *Las variaciones históricas de la bóveda tabicada*. In HUERTA, S. (1999). Las bóvedas de Guastavino en América, 217-240. Madrid: Instituto Juan de Herrera.

THE PIONEER. (1927) (no date, probably April). *Press note*. RIBA. V&A. BaH/61/1.

VEGAS, F. & C. MILETO (2012). *Guastavino y el eslabón perdido*. In ZARAGOZÁ, A., R. SOLER & R. MARÍN, 2012. Construyendo bóvedas tabicadas: 132-156. Valencia: Universitat Politècnica de València.

VOLWAHSEN, A. (2002). *Imperial Delhi. The British Capital of the Indian Empire*. Munich: Prestel.

WATKIN, D. (2000). *Lecture XII. Sir John Soane. The Royal Academy Lectures*. Cambridge: Cambridge University Press.

WELLER, H.O. (1923-07-20). *Letter to Baker*. RIBA. V&A. BaH/61/1.

WYLLIE, R. (2007). *Bertram Goodhue. His Life and Residential Architecture*. New York: W. W. Norton & Company.

Naples, cloister of the monastery of Santa Maria delle Grazie a Caponapoli, with cross vaults (late 16th century) (V. Russo 2019)

ISBN. 978-84-9048-827-0

Masonry vaults in vice-royal Naples. Construction persistences and discontinuities between the 16th and the 17th centuries

Valentina Russo
Università degli Studi di Napoli Federico II

Abstract

The paper discusses the results of researches focused on masonry vaulted structures spread in the city of Naples, capital of the Spanish viceroyalty since 1503. This is a neglected episode within the broader range of studies about masonry building which is hereby detailed with an investigation on the local literature about technical topics and on what results from the local viceroyal laws[1]. Particular attention is paid to the interweaving of the results of the comparative interpretation of the documentary sources concerning materials and building skills and the direct study of the vaults' sections datable between the 16th and 17th centuries. The study is completed with notes on the evolution of construction techniques between the end of the 17th century and the first decades of the 18th century; evolution to be understood as a response to the damages caused by the strong earthquakes of 1688 and 1694 with the beginning of the first attempts at a scientific-mathematical approach to the understanding of the constructive behaviour.

Keywords: *Masonry vaulted structures, Naples, constructive techniques in south Italy, 16th and 17th centuries.*

Resumen

El artículo presenta los resultados de una investigación centrada en las bóvedas de mampostería diseminadas en la ciudad de Nápoles, capital del virreinato español desde 1503. Se trata de un episodio bastante descuidado dentro de la gama más amplia de estudios sobre las técnicas de construcción de mampostería en el Sur de Italia y que se examina aquí a través de una investigación en la literatura local sobre cuestiones técnicas y el resultado de las pragmáticas o leyes locales virreinales. A destacar los resultados entrelazados de comparar fuentes documentales, por una parte, y materiales, conocimientos constructivos y estudio directo de las secciones abovedadas de los siglos XVI y XVII, por otra. El estudio culmina con una reflexión sobre la evolución de las técnicas constructivas entre el final del siglo XVII y las primeras décadas del siglo XVIII que, en términos técnicos, debe entenderse como una respuesta a los daños de los fuertes terremotos de 1688 y 1694, con los primeros intentos de aplicar un enfoque científico-matemático a la comprensión del comportamiento de las construcciones.

Palabras clave: *Bóvedas de mampostería, Nápoles, técnicas constructivas del sur de Italia, siglos XVI-XVII.*

Introduction

The history of construction in the Neapolitan context offers a wide range of research horizons which, for the most part, are still under considered. This regards that building parts invisible to a directly visual inspection. If the documentary sources concerning vertical masonries and domes that cover valuable spaces offer more historic data (Di Stefano, 1967; Fiengo, 1983; Aveta, 1987; Fiengo y Guerriero, 1999; Fiengo y Guerriero, 2003; Casiello, 2005; Fiengo y Guerriero, 2008; Picone y Russo, 2017), there is not such a type of information which allows us to build up a wider cognitive picture for the vaulted spaces present in the more common built heritage. The reasons for this disparity can be explained also by the fact it is impossible to understand directly and stratigraphically the Modern Age vaulted structures which are generally covered in plaster or stucco. This goes with a reduced chance of extracting information from the documentary sources, which are characterized by a very scanty glossary (Carletti, 1772; Ragucci, 1843; De Cesare, 1855, 1: 166-205; Di Stefano, 1967; Villani, 2018). Alongside the fragmentary archive feedbacks and the "fortunate" collapsed sections, photography can become useful when examining the topic. More specifically, the war photographs – for a city, like Naples, which was heavily bombed during the Second World War – offers relevant information, through dilapidated vaulted structures and domes, concerning the masonry asset, constructive details and hidden strengthening interventions (Villari, Russo y Vassallo, 2005) (fig. 1).

Figure 1. *Naples, ruins of a rural house in the eastern part of the city (via Traccia a Poggioreale), bombed during WWII (Naples, Vigili del Fuoco Archive, inv. 5-109).*

Vaulted construction between the first and second parts of the 16th century

Indications from the treatises and from the vice-royal laws

In 1508 a statute aimed at defining the rules of the corporation of stonecutters and the builders in the city was adopted in Naples[2] (Strazzullo, 1964). There were sixteen people from Cava dei Tirreni who signed the Statute just to confirm the recognized building ability that the skilled workers of Cava demonstrated in the Neapolitan building yard (Peduto, 1983; Patroni Griffi, 1985). The statute, which aimed at regulating the construction work, did not give any indication as regards the practices to adopt when dealing with vaulted structures. It is necessary to wait until at least 1542 for more specific information on the topic in the *Opera darithmetica et Geometria*. This was elaborated on by Giorgio Lapazaya, a mathematician from Puglia (*Opera*, 1542)[3]. The work, known as the *Ramaglietto*, caught the attention of the viceroy Pietro Alvarez de Toledo who backed its publication and was a constant reference for the Neapolitan technicians in the following centuries. Even in such a work, the principal technical references were the master builders from Cava "who have from time immemorial always been accustomed to and are still accustomed to this illustrious, faithful and flowery City of Naples as head of the Kingdom"[4] (*Opera*, 1575,130-131).

The attention of the mathematician lingered, above all, on the estimated computation for the vaulted building as regards their measurement, underlining the possible forms of geometry (*Opera*, 1575,127-137). This referred to the semicircular barrel vaults, to the cross-shaped structures[5] to the pavilion vaults[6], to the sail vaults or to the semi-spherical calottes. The attention, hence, was on the possible measurement modalities for arcades which contained lunettes, that means cross vaults without protruding ribs or barrel vaults with lunettes (*Opera*, 1542, 133).[7]

Figure 2. Naples, cloister of the monastery of Santa Maria delle Grazie a Caponapoli, with cross vaults (late 16th century) (photo V. Russo, 2019).

Analogous information emerge from the local viceroyal law about the *Modo di riformare le misure della Fabbrica a'detti Fabbricatori che oggidì falsamente s"osservano*, as promulgated in 1564 by the viceroy Pedro Afan de Ribera to discipline the activity of *piperno* workers or "*mastri d'ascia*", i.e. axe workers or woodcutters, and "*tagliamonti*" or those who extracted the stone from the quarry. Even in such a document nothing is indicated as regards the ways to build vaults. However, thanks to a comparative examination of buildings relating to the first few decades of the 16th century, a widespread use of cross vaults covering cloisters or other religious and civil architecture with different variations and transversal arches on corbels, pillars, pilasters and columns may be found (fig. 2).

The size of the elements which made up the vault[8] is reflected in the estimated calculation, leading to a variation in the unit prices as regards the type of elements used[9]. The document did not avoid taking into consideration, finally, the cost of the scaffolding and the centring[10] both in the case in which this is worked on in wood and on earth, recalling the necessity to estimate the dismantlement and the stone carving.

Materials and building skills

The main material in 16th century Neapolitan masonry vaults[11], (either vaults at the ground floor[12], vaults that can be walked on at the extrados, such as those covering crypts or underground rooms[13] or extradosed vaults[14]), just like those from the following century, is the yellow tuff, which is easily workable and porous[15]. The *piperno*, a magmatic and very compact rock, is adopted above all in the arches which set the limits and strengthen the vaults. Even if there are no indications in the abovementioned texts regarding the mortars, it can be stated the widespread use of mortars with lime as their basis with aggregates of a volcanic nature such as lapillus and fragments of tuff. Differently from the other coeval Italian contexts, the Neapolitan vault between the Renaissance and the beginning of the Baroque period – both ground vaults[16] or aerial ones– is a "heavy" vault in which the use of the brick is almost absent[17]. The vault flanks[18] were widely used between the 16th and 17th centuries, so much so as to be the object of recurring indications regarding their measurement in the coeval documents. To bring this about a casting was used by re-using demolished or collapsed materials, mixed with earth, gravel, fragments of tuff and lime mortar.

A testimony of how the vault flanks were carried out is given by the agreement made, in 1572, by the friars of the Convent of Sant'Agostino maggiore[19] with the skilled workers who had to build the houses and the workplaces. In this case they were advised "to flank the vaults with excellent lime mixture"[20], or "that all the vaults that have to support some weights have to be made with medium stones and flanked with lime mixture"[21] and that "the old disused woods can be of use for the centring of the vaults"[22]. This last piece of information highlights the modalities of the building site in which the re-use of stone parts and of wooden elements – usually chestnuts or poplars from Cervinara – to set up the centrings was very common.

An analogous re-use of materials coming from demolitions is found in the building site with the reconstruction of the church of San Gregorio Armeno when the workers were employed in 1574 in "ripping off and demolishing at their own expense the old walls which will be found where the church will be made and the stones will belong to the masters and can be used for the foundations and flanks of the vaults without dry lime"[23], placing in the vaults pieces, broken stones, stone slabs, pozzolana[24], water[25]. Examining the sections of the collapse confirms the archive data: the masonry structure made up of blocks of stones, generally at one row and with joints converging down, is followed by a thick ponderous part made up of irregular elements of a decreasing dimension going up, mixed with the abundant lime mortar. This can be understood by examining the section of the big vault which covered one of the great 16th century halls of the hospital of Santa Maria del Popolo or the Incurabili[26] (fig. 3) or, in the same complex, what remains of the vault behind the apse of the church which had only recently collapsed. Once again this can be understood by examining the vaults of the cloister of the Convent of San Paolo Maggiore (from about 1557) (Savarese, 1986, 53), where the low quality workmanship is evident; these were the result of re-arrangements and re-using stone elements as well as fragments which were not compact and badly attached to each other.

The upper pavement, called *astraco à maglioccola* by Lapazaya (Opera, 1542, 136), completed the building of the vaults when the latter were extradosed, either with or without any floors above (fig. 4). Such a work was articulated following well-defined phases, starting with the setting up of the arriccio, a layer made of dry waste elements about 5 cm thick. There followed, thus, a mixture of lime and lapilli whose granulometry and colour varied depending on where it came from and whose thickness was anything up to 20 cm. The work on these layers was carried out by skilled workers and they were given the task of flattening the covered surfaces by using mallets to reduce by about a third the thickness of the casting. This was mentioned by Francesco De Cesare in 1827 who wrote: "To obtain a good paving the lapillus needs to be mixed with not too dense lime. Everything is mixed together and left for 24 hours, then it is re-mixed to moisten it with milky lime, and the layer is re-extended, which is left to itself; then on the following day, more men begin to beat it, depending on its width. This can be done by about two people for every three extended quadrants. The blows from the beginning will be strong, and then gradually they will get lighter, then lighter mallets will be used, and it will be moistened with milky lime.

The blows need to be given equally over all the surface, and after each stroke you start from the beginning... Having built the paving, it needs to be covered in straw and broken stones, to avoid damaging it which could be caused by the cold or when the sun is so warm. It will be uncovered after at least two months when there is a temperate climate, or until this is shown" (De Cesare, 1827, 1: 210-211)[27].

The vaulted Neapolitan structures show a well-documented enrichment in their geometrical forms and in their decorations from the beginning of the 17th century. This enrichment was anticipated in the previous century by the spread of forms of lunettes that were set up to distribute the vault's action on the sides of the windows and that were widely used, throughout the seventeenth century, in large halls as in naves covered by barrel vaults.

During the first part of the 17th century, the barrel vaults' type with frames of transversal arches spread (fig. 5). On building sites of a certain size or of a particular morphological get-up, besides, the masonry vault was already assisted in the building phase, as well as being consolidated, by metal rods whose presence aimed at reducing the push on the support walls (de Martino y Russo 2005, 1: 153-158). This is known both as regards domes' vaults on drums and in the case of covering aisles or other spaces. Such an expedient was used above all by operators who were greater technical experts throughout the 17th century. Francesco Antonio Picchiatti used it in 1668 both in re-constructing the vaults in a dungeon in the Carmine Castle (Strazzullo, 1969, 293-294) and in the vault of the tower of San Giorgio in Castel Nuovo. In this case a suspended centering was used, and four extra-dossal chains were inserted before building the vault, with "*lavore a conochia*", i.e. with crossbars and terminal and vertical keychain (Strazzullo, 1969, 288).

Figure 3. *Naples, hospital of Santa Maria del Popolo (the Incurabili). The 16th century ruined hall (photo V. Russo, 2019).*

Figure 4. *Pozzuoli (Naples), Fra Vecchia farmhouse (late 16th-early 17th century). Detail of a ruined vault. The masonry is completed by flanks made of stones mixed with conglomerate of volcanic origin and, on the top, by the layer made of lime and lapillus (photo V. Russo, 2005).*

Figure 5. *Naples, church of Augustissima Disciplina della Santa Croce. The vault dating to the second half of 17th century: transversal arches, lunettes and false oculi define its morphology (photo V. Russo, 2017).*

The late 17th century earthquakes and the impact on the building knowledge

An important change in the evolution of the Neapolitan vault building can be traced to the years which followed the quakes in 1688 and, hence, in 1694, which devastated a good part of Campania (s.a. 1688a; s.a. 1688b; s.a. 1694). The widespread presence of masonry vaults in Neapolitan architecture brought out their fragility with respect to the seismic rumbling and the pushing action on the corresponding vertical masonry. Thus there came about a widespread use of metal chains to reinforce the structures[28] whose cost was officially "controlled" by the viceroy, just as had happened for the wood workers and the building workers[29] (s.a. 1688a, 4). The seismic "testing" was, as a result, a clear modification in the structural concept of the vaults whose requisites were spotted as being light, autonomous from the perimetrical masonries and with a good response to the dynamic stresses.

The way to understand the failures of the vaults and to propose the necessary remedies were led, in these two centuries, still by parameters which had an empirical-analogical logic[30]. The rules present in interpreting the structural damage were the result of a daily experience, which came from the building sites, based on visual analysis and on a proof over time which the interventions had already been carried out gave to the technicians. An interesting demonstration of the state of art at the beginning of the 18th century regarding the static of the vaults was given by the royal engineer Giuseppe Lucchese in 1707 (Russo, 2012). On the occasion of his consultation to strengthen the dome of the Tesoro di San Gennaro Chapel in the cathedral, he described the construction habits of the Neapolitan building site in a long text, pointing out the availability of materials and methods as regards the measurements of the structure: "Architects usually proportionate their straight walls and perpendicular ones which have to support vaults and domes with the vacuum. In this city, where the buildings are made by soft stones, it is usual to give a fifth of the vacuum space (e.g., diameter) for the thickness of the walls around to support a given vault, or a dome; in other parts, where the building is heavier then a quarter of the space is given for the walls' thickness, in other places the average is between a quarter and a fifth and in the old brickwork buildings, there bricks were built with a sixth of the space... In short, in our city the thickness of the walls is a fifth, and it is a certified rule based on various mathematical demonstrations, and backed up by the experience of so many buildings built of vaults, and carried out by master masons and workers so as to be infallible"[31].

The publication of the first scientific contribution edited by local scholars in the second part of the 18th century, dealing also with the problem of the equilibrium of the vaults, established a significant moment so as to lead to a more scientific, general advance in passing from interpretations based on only one direct form of data to understanding the damage mechanisms supported also by quantitative-like factors. In the Neapolitan context, in particular, Vincenzo Lamberti (Cirillo, 2007) represented, with Nicolò Carletti, a figure who was definitely among the most up-to-date as regards the progression of French technical literature so as to be numbered by Francesco Milizia in the restricted group of experts – with de la Hire, Couplet, Bélidor, Frézier, Gauthey – who had contributed significantly to the problem of the equilibrium of the vaults (Di Pasquale, 1996, 288). His *Voltimetria retta...* of 1773 just like the *Statica degli edifici...* of 1781 attest the state of art as regards the interpretation of the structure in the Bourbon capital. Rather than the problem of strengthening, in the second part of the 18th century the works by Lamberti faced up to the theme of the measurement modalities of the new parts of the building, setting out project rules and calculations based exclusively on geometric-type considerations (Lamberti, 1781, 239-246; Lamberti, 1773, 374-407). He excluded the correlation between building factors (materials, working techniques, the time needed to build, etc.) and the behaviour of the structure. With an exclusively theoretic approach, he set out the principles connected to the measurement and the resistance to the stresses recurring to complex geometrical demonstrations of the theories, supported by explanatory tables. In the final part of the *Statica...* the Neapolitan technician examined the origins of the crackings in the buildings (Lamberti, 1781, 247-260). The first cause taken into consideration was linked to subsiding problems: the presence of water, the "natural disposition of the ground"[32], the "lack of the art"[33], eventual empty spaces under the foundations lead to typical cracking problems, analyzed and also sometimes drawn by the author in the tables accompanying the text. Another phenomenon which was studied is the "shaking" of the building, due to the "push of bodies" or nearby buildings. Strangely enough no mention of seismic problems was made in this part of the book while everything was explained by it being a question of "cohesion of parts" which make up the structure.

The bad building method and age were pointed out in the final part of the *Statica...* as possible causes of cracks also in the vaulted structures. In this case, the "wrong preparation of the gluten"[34] that is the mortar and its turning to dust reduces the "dead force"[35] or strength of the vault making it insufficient to bear the loads (Lamberti, 1781, 130). Lamberti underlined the effects a differential exposition to the rays of the sun can provoke, too, reasoning on the cracks resulting from the settling of the masonry: "Of the same nature there will be the crackings generated by a more or less exposition to the sun: because the former settle in a shorter time than the latter, one will pull the other, and the capillary crackings will be in those places which are less exposed to the sun, as often happens in a dome, or other round buildings, which are exposed to the sun"[36].

The initial "mathematical" theories on the behaviour of the vaults, from the middle of the 18th century contributed to setting aside a longstanding tradition in favour of using more "adaptive" solutions even if sometimes less resistant with regard to environmental factors (Fiengo, 1977; Fiengo, 1983). Having abandoned, for the most part, the masonry tradition in vaults, local architects and engineers took up, in projecting new covers, the ancient vault techniques by using wood and reeds and, afterwards, also wood and canvas, which were independent as regards vertical walls and suspended to the superior floors. From the second part of the 18th century onwards, finally, the building of the Neapolitan vault was enriched by techniques which overcame the building method for single ashlars, which recurred in more cases and by diverse forms of geometry and dimensions, and made use of the castings of light and predominantly volcanic materials such as pumice stone and lapillus.

Conclusions

This study points out a lasting continuity in vault construction during the Spanish Vice-reign Age in Naples, not very prone to experiment with new techniques, rooted in the past experience of the 15th century and tending to overcome the "heavy" masonry tradition from the beginning of the 18th century.

This stands as a neglected chapter within the broader range of studies about the history of masonry construction, due to the invisibility of the vault's sections and their recurrent inaccessibility. The interweaving of data coming from the local literature, from what results from the Vice royal "laws" with the results of a comparative interpretation of the documentary sources datable between the 16th and 17th centuries represents a relevant research methodology for widening the knowledge of a misunderstood heritage and, consequently, for implementing more careful interventions of conservation and structural strengthening.

Notes

1 *Prammatiche* is the local name.

2 The original name of the workers used in the statute was "*fabbricaturi et tagliaturi di petre commoranti in la cita de Neapoli et suo districtu*".

3 Subsequent editions: 1566, 1569, 1575 (from which the quote is taken), 1590, 1601, 1723, 1727 and 1784.

4 Original: "*li quali hanno da tempo antico costumato sempre e costumano al presente in questa inclita, fidele e fiorita Città di Napoli capo di Regno*".

5 Originally "*à crucette*", although in a document dated 1501 concerning the erection of a chapel in the church of San Pietro ad aram the cross vault is also defined as "*cruce ad lamia*" (Filangieri 1883-1891, vol. V: 202).

6 Original: "*lamie à gabata*" or "*a 'cielo di carrozza*", or "*a schifo*".

7 A quotation of "*lamias ad cruceptas*" dating 1500, related to their construction "*super dictos arcus*" in the corridor of the hospital extra moenia of Santa Maria della Pietà – founded by Ferdinando I in 1488 – is in Filangieri 1883-1891, vol. VI: 124.

8 In the documents, these elements are called "*pezzi*", "*pietre spaccate*" e "*pietre spaccatelle*". In the last quarter of the fifteenth century, in the documentation relating to the construction of arches and "*volte de lamie*", "*petre dobre*", "*mecze petre*", "*prete rusteche spacchate*" are mentioned. See the agreement with Novello Paparo for the expansion of the Annunziata hospital in 1475 (Filangieri 1883-1891, vol. VI: 532).

9 For the reconstruction of the monastery of SS. Marcellino e Festo in 1567, Giovan Vincenzo della Monica, engineer-entrepreneur of Cava dei Tirreni, "*promette ... tutte le lamie veneranno in detta fabrica farle ad ragione de carlini sette et meczo con la forma cioè carlini sei et meczo la canna dela lamia, et carlino uno la canna della forma et tutte le sformature et scarpellature ad ragione de grana cinque la canna, con che detto mastro Vicenso nce habbia da ponere piecze prete spaccate et spaccatelle et piczolame. Et le lamie che veneranno de prete spaccate s'habbiano da mesurare doie volte et quelle de prete spaccatelle s'habbiano da mesurare una volta et mecza iuxta la costumanza de napoli*" (Strazzullo 1969, 105).

10 Original: "*forma*".

11 Originally called "*lamie di fabbrica*" or "*lamiozze*", smaller vaults built, i.e., for closing lanterns. The term "*lamia*" (rarely "*lammia*" in the historical Neapolitan glossary), widespread in southern Italy, could derive from the late Greek *λάμια*, meaning "deep opening, chasm, cave". On the contrary, the term "vault" will come into use in technical language more widely only from the end of the 18th century, referring to the Latin etymology of *volvĕre*.

12 Original: "*terranee*".

13 Original: "*carpisature*".

14 Original: "*A cielo*".

15 This material (NYT) is the most widespread product of volcanic activity in the Neapolitan area. It is a soft rock whose medium-high porosity (40-60%) also depends on the microporous structure of the zeolites in the matrix. Its wide diffusion and excel-

lent workability, together with its insulating properties, have led to a wide use in the architecture of the Campania region and, specifically, in the historical building yard of masonry vaults and domes. This is also due to the opportunity of extraction, in many cases, in the direct connection with the object to be built (Aveta 1987; COLELLA et al. 2013).ww

16 Original: "*lamia a terra*".

17 The use of brick in the vaulted parts is much more widespread in the medieval building site in Naples. Evidence of isolated uses in the 16th and 17th centuries can be seen, for example, in the late 17th century building site of the church of Santa Maria Regina Coeli in whose choir in 1680 "*si levarono 32 palmi di lamia vecchia, e si voltò di nuovo una lamia di mattoni incassandosi a croce per sostenersi e star con sicurtà*" (DE" ROSSI Y SARTORIUS 1987, 44). The use of brick, with prevalence in masonry facings, will be much greater in the Neapolitan yard from the fourth decade of the 18th century (GUERRIERO 1999).

18 Original: "*incosciatura di fabrica*".

19 Also called "*alla zecca*".

20 Original: "*incosciar le ditte lamie con bonissimi beveroni*".

21 Original: "*si haggiano da fare tutte le lamie che haveranno da sustentare alcuno peso de pietre spaccatelle et Incossate de beveroni*".

22 Original: "*se possino servire delli legnami vecchi disutili per le forme delle lamie*". Texts extracted from Naples State Archive, Corporazioni religiose soppresse, f. 33, fasc. G36 (4th november 1572) ("Convenzioni e patti stabiliti dal Real Convento di Sant"Agostino di Napoli con Pirro Lionetto e Pauolo de Angelo Mastri Fabricatori per la fabrica delle Case e Boteghe sotto il Convento").

23 Original: "*scippare et sfabricare a spese loro tutte le mura vecchie che se ritroveranno nel loco dove se farà detta ecclesia con che le prete siano de detti mastri, et di quelle si possano servire alle pedamente et incosciature dele lamie tantum senza calcerogne*".

24 Incoherent pyroclastic material, widespread in the Neapolitan area, capable of fixing lime by forming hydraulic compounds. For this property, mortars are resistant to the action of water.

25 Original: "*pezzi, prete spaccate, spaccatelle, pizzolame, et acqua*". Naples State Archive, Notai del Cinquecento, G.B. Pacifico, sch. 259, year 1574.

26 For the construction features of this church, see POLLONE 2017.

27 Original: "*Per ottenere un buon lastrico è necessario, che il lapillo sia impastato colla calce un poco densa; si mescola il tutto, e si lasci in riposo per 24 ore, indi si rimescola umettiandolo con latte di calce, e se ne ristende lo strato, quale si lascia, e nel giorno consecutivo s'incomincia a battere da più uomini, in ragione della sua larghezza, possono occuparvisi circa due persone per ogni tre tese quadre. I colpi da principio saranno dati forti, indi mano mano si alleggeriranno, facendo perciò uso di magli (detti mazzole) più leggieri, e si umetta con latte di calce; è necessario che i colpi siano dati egualmente nell'intera superficie, e finita una battuta si ricomincia da capo. (...) Costrutto il lastrico si deve covrire con paglia e rottami di pietra, per evitarlo da" danni che potrebbero sopravvenirli dalle gelate, e dal forte calore del sole, e non si scovrirà, se non dopo due mesi almeno, quando la stagione fusse temperata, o fino a che questa non si mostri*".

28 For their usage onto the domes: Russo 2005a, 157-174.

29 Original: "*fabricatori*".

30 For the coeval progress of the subject in the Italian and European contexts, Benvenuto 1996 may be referred; Como, Iori y Ottoni 2019. More specifically, as far as vaulted structures are concerned, see Buti 1980; Marconi 1997; Becchi y Foce 2002; Huerta 2004.

31 San Gennaro Treasury Deputation Archive (Naples), DA/72, s.n. (fully reported in Russo 2012): "*Sogliono l'Architetti proporzionare le loro fabbriche di muri dritti, e a' perpendicolo, che hanno da sostenere lamie, muri piegati, o' Cupole con il vano di quello; in questa nostra Città, che la fabrica è composta di pietre dolci, si suole dare il quinto del vano di grossezza di muri intorno per reggere una data volta, o' Cupola, in altre parti, ove la fabrica è più gravosa si da' di grossezza di muri il quarto del vano, in altri luoghi il medio proporzionale fra il quarto e il quinto, e nelle fabriche antiche di pietra cotta, e mattoni furono costituite con il sesto del vano (...) Insomma in questa nostra Città – Lucchese wrote – si da' di grossezza di muri il quinto del vano, et è una regola accertatissima fondata su' varie demostrazioni matematiche, corroborata dall'esperienza di tanti edificij costrutti con lamie, e pratticata da Mastri Muratori, e fabricatori per infallibile*".

32 Original: "*natural disposizion della terra*".

33 Original: "*mancanza d'arte avvenuta*".

34 Original: "*cattiva preparazion del glutine*".

35 Original: "*forza morta*".

36 Original: "*Delle medesime nature saran le lesioni generate dall'aspetto maggiore, o minore, che avran le parti di un edificio a quello del sole; poiché rassettandosi in minor tempo le prime, che le seconde, quelle si tireran queste, ed in quei luoghi di minore aspetto accaderan le lesioni capillari; come sovente accade nelle cupole, o altre fabbriche rotonde, che sono esposte al giro del sole*". Lamberti 1781, 259.

References

AVETA, A. (1987). *Materiali e tecniche tradizionali nel napoletano. Note per il restauro architettonico*. Napoli: Arte tipografica.

BECCHI, A. & FOCE, F. (2002). *Degli archi e delle volte. Arte del costruire tra meccanica e stereotomia*. Venezia: Marsilio.

BENVENUTO, E. (1981). *La scienza delle costruzioni e il suo sviluppo storico*. Firenze: Sansoni.

BUTI,A.(1980).*Cognizioniscientifichesullestrutture voltate prima del XVII secolo*. Genova: Ecig.

CARLETTI, N. (1772). *Istituzioni di architettura civile*. Napoli: Stamperia Raimondiana, 2 voll.

CASIELLO, S. ed. (2005). *Le cupole in Campania. Indagini conoscitive e problemi di conservazione*. Napoli: Arte tipografica.

CIRILLO, O. (2007). Teoria e prassi nell'opera di Vincenzo Lamberti. In *Architettura nella storia. Scritti in onore di Alfonso Gambardella*. Eds. G. Cantone, L. Marcucci y E. Manzo. Milano: Skira, 2 voll.

COLELLA, A. et al. (2013). Il Tufo Giallo Napoletano (TGN). In Le pietre storiche della Campania. Dall'oblio alla riscoperta. Ed. M. de Gennaro et al. Napoli: Luciano Editore.

COMO, M., IORI, I. & OTTONI, F. (2019). *Scientia abscondita. Arte e scienza del costruire nelle architetture del passato*. Venezia: Marsilio.

DE CESARE, F. (1827). *Trattato elementare di architettura civile*. Napoli: stamperia della vedova di Reale e figli, 3 voll.

DE CESARE, F. (1855). *La scienza dell'architettura applicata alla costruzione, alla distribuzione ed alla decorazione degli edifici civili*. Napoli: dai tipi di Giovanni Pellizzone, 3 voll.

DE MARTINO, G. & RUSSO, V. (2005). Structural damage prevention in the historical building site. Theory and praxis in the eighteenth century in Campania. In *Structural analysis of historical constructions. Possibilities of numerical and experimental techniques*. Eds. C. Modena, P. B. Lourenço, P. Roca (eds.). Proceedings of the IVth International Seminar on Structural analysis of historical constructions. (Padova 10-13 nov. 2004). Leiden: A.A. Balkema, 2 voll.

DE' ROSSI, F. & SARTORIUS, O. (1987). *Santa Maria Regina Coeli. Il Monastero e la Chiesa nella storia e nell'arte*, Napoli: Editoriale scientifica.

DI PASQUALE, S. (1996). *L'arte del costruire. Tra conoscenza e scienza*. Venezia: Marsilio.

DI STEFANO, R. (1967). *Edilizia. Elementi costruttivi e norme tecniche*. Napoli: L'arte tipografica editrice.

FIENGO, G. (1977). *Documenti per la storia dell'architettura e dell'urbanistica napoletana del Settecento*. Napoli: Editoriale scientifica.

FIENGO, G. (1983). *Organizzazione e produzione edilizia a Napoli all'avvento di Carlo di Borbone*. Napoli.

FIENGO, G. & GUERRIERO L. eds. (1999). *Murature tradizionali napoletane. Cronologia dei paramenti tra il XVI e il XIX secolo*. Napoli: Edizioni Scientifiche Italiane.

FIENGO, G. & GUERRIERO L. eds. (2003). *Atlante delle tecniche costruttive tradizionali. Lo stato dell'arte, i protocolli di ricerca, l'indagine documentaria*. Napoli: Edizioni Scientifiche Italiane. 2 voll.

FIENGO, G. & GUERRIERO, L. eds. (2008). *Atlante delle tecniche costruttive tradizionali: Napoli, Terra di Lavoro* (XVI-XIX sec.). Napoli: Arte tipografica. 2 voll.

FILANGIERI, G. (1883-1891). *Documenti per la storia, le arti e le industrie delle provincie napoletane*. Napoli: Tipografia dell'Accademia reale delle scienze. 6 voll.

GUERRIERO, L. (1999). Apparecchi murari in laterizio dell'età moderna. In eds. G. Fiengo y L. Guerriero. *Murature tradizionali napoletane. Cronologia dei paramenti tra il 16 ed il 19 secolo*. 281-368. Napoli: Arte tipografica.

HUERTA, S. (2004). *Arcos, bóvedas y cúpulas. Geometría y equilibrio en el cálculo tradicional de estructuras de fábrica*. Madrid: Instituto Juan De Herrera.

LAMBERTI, V. (ante 1773). *Voltimetria retta ovvero misura delle volte...* Napoli: presso Donato Campo.

LAMBERTI, V. (1781). *Statica degli edifici*. Napoli: presso Giuseppe Campo.

Tile vaulting in Naples: first experimentations in the early 19th century

Lia Romano
Università degli Studi di Napoli Federico II

Abstract

Vaults made by thin bricks flatly arranged started appearing in Naples during the first decades of the 19th century. There is no record of the adoption of such vaults in the previous centuries, when local materials, such as tuff and wood, represented the main employed solutions. The technique of tile vaulting was imported in Naples from Sicily where it was used, albeit discontinuously, since the 15th century thanks to the activities of the Catalan builders on the island. During the first half of the 19th century, the construction of tile vaulting in numerous royal residences of Naples was overseen by a Sicilian master builder. Presumably at such time builders from Naples lacked the specific skills to construct tile vaults, justifying the need for the supervision of a Sicilian foreman. However, it may be supposed that the Neapolitan technicians were actually aware that such construction technique was not only employed in the Kingdom of the Two Sicilies but also in the nearby Papal State and in the Grand Duchy of Tuscany. Moreover, the exposure to French experimentations and publications should be considered, in particular to the well-known work of the Count of Espie, who certainly played an important role in the diffusion of tile vaults in the Neapolitan area.

Keywords: *Tile vault, Naples, history, diffusion.*

Resumen

Las bóvedas tabicadas realizadas con ladrillos recibidos por su canto se difundieron en Nápoles solamente a partir del siglo XIX. De hecho, no se ha verificado la existencia de ejemplos en siglos anteriores, que recurrieron al empleo de materiales locales, como la toba volcánica y la madera. La técnica de las bóvedas tabicadas se importó a Nápoles desde Sicilia donde se utilizaba de manera discontinua desde finales del siglo XV, gracias a los maestros catalanes activos en la parte meridional y oriental de la isla. Durante la primera mitad del siglo XIX, los trabajos de construcción con bóveda tabicada de numerosas residencias reales de la capital del Reino fueron realizados por un maestro siciliano que había sido llamado desde Palermo. Evidentemente faltaban en Nápoles maestros locales capaces de desarrollar este trabajo, aunque los técnicos partenopeos conocían las experiencias precedentes y coetáneas del mismo Reino de las Dos Sicilias, además de las de los Estados Pontificios y del Gran Ducado de Toscana. Por otro lado, no se debe olvidar la influencia de la experiencia y las publicaciones francesas, particularmente de la conocida obra del Conde d'Espie que, a su vez, desempeñó un rol importante en la difusión de las bóvedas tabicadas en el área napolitana.

Palabras clave: *Bóveda tabicada, Nápoles, historia, difusión.*

wood in the project of reconstruction and expansion of the Royal Palace in Naples after the fire occurred in 1837. The need to use materials capable of withstanding high temperatures in the event of a fire was common to many European contexts where tile vaulting widespread.

The palace of Capodimonte

The construction site of the Palace of Capodimonte[2] (Venditti 1961, 361-366; Capano 2017) is a significant example for the use of the vaults so-called "alla siciliana" which were foreseen in the project for the completion of the building drawn up by Tommaso Giordano and Antonio Niccolini in the thirties of the 19th century[3] (Sasso 1858, 2: 38-74; Venditti 1961, 235-320; Giannetti and Muzii 1997) (fig.1).

The palace in the early decades of such century was still completely devoid of the central part as well as of the wing on the northern side as proved by an interesting watercolour by Niccolini dated 1824 and kept at the National Museum of San Martino in Naples.[4] The two architects planned the completion of the building, which had been conceived in the first half of the 18th century by Giovanni Antonio Medrano.

The first reference to vaults "alla siciliana" can be found in Niccolini's project for the Alcova Apartment, whose renovation was carried out between 1831 and 1832. A schematic section kept in the archives of the Museum of San Martino clarifies the choice of materials to be used: bricks and gypsum "alla siciliana" for partition walls and wood for the vault.[5] The architect proposed light construction solutions for both the floorings and the vertical partitions, probably in view of the fact that it was a renovation and not a new construction work.

The contract for the extension of the palace, dated December 1832, is particularly interesting because it reported all the prices and the descriptions of the works to do in the

Figure 1. *Naples. Palace of Capodimonte (Romano 2017).*

ISBN. 978-84-9048-827-0

Tile vaulting in Naples: first experimentations in the early 19th century

Lia Romano
Università degli Studi di Napoli Federico II

Abstract

Vaults made by thin bricks flatly arranged started appearing in Naples during the first decades of the 19th century. There is no record of the adoption of such vaults in the previous centuries, when local materials, such as tuff and wood, represented the main employed solutions. The technique of tile vaulting was imported in Naples from Sicily where it was used, albeit discontinuously, since the 15th century thanks to the activities of the Catalan builders on the island. During the first half of the 19th century, the construction of tile vaulting in numerous royal residences of Naples was overseen by a Sicilian master builder. Presumably at such time builders from Naples lacked the specific skills to construct tile vaults, justifying the need for the supervision of a Sicilian foreman. However, it may be supposed that the Neapolitan technicians were actually aware that such construction technique was not only employed in the Kingdom of the Two Sicilies but also in the nearby Papal State and in the Grand Duchy of Tuscany. Moreover, the exposure to French experimentations and publications should be considered, in particular to the well-known work of the Count of Espie, who certainly played an important role in the diffusion of tile vaults in the Neapolitan area.

Keywords: *Tile vault, Naples, history, diffusion.*

Resumen

Las bóvedas tabicadas realizadas con ladrillos recibidos por su canto se difundieron en Nápoles solamente a partir del siglo XIX. De hecho, no se ha verificado la existencia de ejemplos en siglos anteriores, que recurrieron al empleo de materiales locales, como la toba volcánica y la madera. La técnica de las bóvedas tabicadas se importó a Nápoles desde Sicilia donde se utilizaba de manera discontinua desde finales del siglo XV, gracias a los maestros catalanes activos en la parte meridional y oriental de la isla. Durante la primera mitad del siglo XIX, los trabajos de construcción con bóveda tabicada de numerosas residencias reales de la capital del Reino fueron realizados por un maestro siciliano que había sido llamado desde Palermo. Evidentemente faltaban en Nápoles maestros locales capaces de desarrollar este trabajo, aunque los técnicos partenopeos conocían las experiencias precedentes y coetáneas del mismo Reino de las Dos Sicilias, además de las de los Estados Pontificios y del Gran Ducado de Toscana. Por otro lado, no se debe olvidar la influencia de la experiencia y las publicaciones francesas, particularmente de la conocida obra del Conde d'Espie que, a su vez, desempeñó un rol importante en la difusión de las bóvedas tabicadas en el área napolitana.

Palabras clave: *Bóveda tabicada, Nápoles, historia, difusión.*

Introduction

Tile vaulting made its first appearance in the Neapolitan area at the start of the 19th century, with cases dating back to the 1820s as recorded in many Neapolitan buildings such as the Royal Palace and the Palace of Capodimonte.

In order to operate in the construction yards and oversee the realization of tile vaults, the expertise from a Sicilian builder was sought: it is the case of Salvatore Polizzi, defined in the archival documentation as "dammusellaro", a term deriving from "dammuso", which in Sicilian dialect means vault. He moved from Palermo to Naples in 1817, dedicating himself to the construction of vaults and partitions so-called "alla siciliana", consisting of multiple layers of thin tiles, laid flat and joined with gypsum. Such event defined a starting point for the diffusion of a new construction technique in the Neapolitan area.

Knowledge transfer and technical skills

The geographical footprint of this construction technique is of particular interest, in view of its widespread adoption not only in the Neapolitan area, but also in many other contexts of the Italian peninsula and in Europe, especially in Spain and France. In Naples, according to the archive sources, the construction technique was imported from Sicily where it was used since the 15th century and introduced by the Catalan builders active in the southern and eastern part of the island (Bares and Nobile 2012, 119-132).

The relationship between the Catalan area and the south of France is also of great interest, particularly regarding the Roussillon region, which until 1659 belonged to the Spanish Principality of Catalonia. It was not a coincidence, in fact, that the Count of Espie published in 1754 a treatise dedicated to vaults with bricks laid flat, capable of making buildings fire-resistant (d'Espie 1754). As discussed by Turbin Bannister (1968, 163-175), the Roussillon vaults should be considered a vernacular tradition reinterpreted by French technicians of the second half of the 18th century. They actually identified in this construction system, used for centuries, a possible solution to their design requirements related to the need for lightweight and highly fire-resistant materials. Following the transfer of the Roussillon region under French sovereignty, with the Treaty of the Pyrenees, the construction technique widely diffused and at the beginning of the 18th century it was already widespread in many architectures of the Provence and Toulouse.

There are still doubts about the origins of this technique. It is opportune underlining that already in the 18th century there was no clear understanding on where and how this type of vaults had made their first appearance. The Jesuit Johann Baptist Izzo (1764, 63) called them "French vaults" while the Spanish Benito Bails (1775, 9: 568) wrote that in Spain there were much older examples than in France. According to Pérouse de Montclos ([1982] 2013, 195), some of the 18th century vaults "à la Roussillon" found in Lyon and Orange could be related to the Italian vaults, known as the "volterrane", and present in the Papal State and in the Grand Duchy of Tuscany. The French historian reports that in 1810 Robert Bombicci, engineer of the Imperial Corps of Bridges and Roads, recommended the sending of Tuscan bricklayers to Paris for the construction of the "volterrane", namely tile vaulting. It seems evident, therefore, the interweaving of knowledge and skills from different contexts. This is proved by the terminology adopted for the indication of the constructive system that often denounces the context in which it was used.

In the case of Sicily, it is interesting to highlight that tile vaulting were often called "catalane", which could be partly justified by the Spanish influence. Unfortunately, there are relatively few late medieval examples known in Sicily, since most of them were destroyed during the earthquake that struck the Val di Noto in 1693. Marco Rosario Nobile points out that, excluding the cases in which the Catalan commission is ascertained, no other examples of vaults being built via such construction technique have been recorded till the first decades of the 18th century, when they actually started reappearing in the two major islands of the Mediterranean: Sicily and Sardinia (Bares and

Nobile 2012, 124). It is unknown whether this second moment of diffusion is linked to the 15th century examples or other contemporary experiences which can be found in different areas of the Italian peninsula. In Sicily, in this regard, it is unclear to what degree the 18th century recovery can be associated to the renewed spread of the technique in France and Spain, potentially helped by the publication of the work of the Count of Espie.

Evaluating the potential French impact on the adoption of this construction technique in central-southern Italy is key, in order to understand the interaction between the cultural influences originating from distant contexts as the French one and the panorama of the Italian construction techniques available at the time. For instance, in Sicily and other seismic areas of the Italian peninsula, this construction system represented a valid alternative to the traditional wooden vaults, dangerous in the event of fire and also relatively expensive. From the 18th century, therefore, tile vaulting was widely used because of their rapid construction process and their resistance to fire. Moreover, being particularly light, they seemed preferable, compared to other building systems, in restoration interventions.

Tile vaulting in Naples: cultural influences and circulation of master builders

It is in such a cultural climate that the "dammusellaro" Salvatore Polizzi was called from Palermo to Naples to oversee the construction of the vaults so-called "alla siciliana" in the royal sites. The term used suggests the origin of the technique from the extreme southern offshoot of the kingdom: however, it should be pointed out that this does not necessarily mean that the other numerous examples of the central and northern Italy were not known by the Neapolitan technicians (Frattaruolo 2000, 327-334).

These vaulted systems were sometimes identified in the analyzed archive documentation, as "volterrane": this demonstrates and confirms the knowledge, by the Neapolitan architects, of the construction experiences implemented in the nearby Grand Duchy of Tuscany. Other cases, probably known, were spread in the same Kingdom of the Two Sicilies, in particular in Abruzzo Citeriore and Ulteriore (Varagnoli 2008, 49-64) as well as in the Province of Molise (Romano 2017, 141-148). In this latter, the studies conducted so far have highlighted the influence of the constructive culture of northern Italy and in particular of the Lombardy area (Grimoldi 2009, 753-759; Grimoldi and Landi 2012, 1136-1144), from which the master builders called upon to intervene on the architectural heritage of Abruzzo and Molise came. The Province of Molise was actually historically influenced, from a constructive point of view, not only by the Neapolitan context, especially after the Bourbon Restoration and thanks to the presence on the territory of the engineers of the "Corpo di Acque e Strade", but above all by the nearby Abruzzo with which Molise partially shared materials and workers. In fact, after the 1805 earthquake many vaults of ecclesiastical architectures were rebuilt using bricks laid lengthwise. This connection is also confirmed by the fact that the design solution was proposed not by the engineers but by local foremen, bearers of a building tradition consolidated and handed down from generation to generation.

Taking this into account, it may be assumed that many coeval examples were certainly known; moreover most of them were geographically close to the Capital of the Kingdom. The decision to call a Sicilian master builder could have been dictated both by the strong relations with the island and by the need to supply raw materials such as gypsum, imported from the quarries of Taormina.[1] An interweaving of different motivations which, also in this case, does not exclude the influence of French technical culture on the design choices of Neapolitan architects and engineers.

The famous work of the Count of Espie was actually mentioned by the scholar Francesco de Cesare ([1827] 1855, 1: 175) in his treaty of architecture. Hence the architect was well updated on the experimentations carried out in France. Consequently, the choice to use tile vaulting could have been induced by numerous reasons including the lightness and the strong resistance to fire of the brick that made it preferable to wood in the project of reconstruction and expansion of the Royal Palace in Naples after the fire occurred in 1837. The need to use materials capable of withstanding high temperatures in the event of a fire was common to many European contexts where tile vaulting widespread.

The palace of Capodimonte

The construction site of the Palace of Capodimonte[2] (Venditti 1961, 361-366; Capano 2017) is a significant example for the use of the vaults so-called "alla siciliana" which were foreseen in the project for the completion of the building drawn up by Tommaso Giordano and Antonio Niccolini in the thirties of the 19th century[3] (Sasso 1858, 2: 38-74; Venditti 1961, 235-320; Giannetti and Muzii 1997) (fig.1).

The palace in the early decades of such century was still completely devoid of the central part as well as of the wing on the northern side as proved by an interesting watercolour by Niccolini dated 1824 and kept at the National Museum of San Martino in Naples.[4] The two architects planned the completion of the building, which had been conceived in the first half of the 18th century by Giovanni Antonio Medrano.

The first reference to vaults "alla siciliana" can be found in Niccolini's project for the Alcova Apartment, whose renovation was carried out between 1831 and 1832. A schematic section kept in the archives of the Museum of San Martino clarifies the choice of materials to be used: bricks and gypsum "alla siciliana" for partition walls and wood for the vault.[5] The architect proposed light construction solutions for both the floorings and the vertical partitions, probably in view of the fact that it was a renovation and not a new construction work.

The contract for the extension of the palace, dated December 1832, is particularly interesting because it reported all the prices and the descriptions of the works to do in the

Figure 1. *Naples. Palace of Capodimonte (Romano 2017).*

Figure 2. Naples. Palace of Capodimonte: the Real Apartment, room 37 (Romano 2017).

Royal Palace.[6] With reference to the vertical partitions, it was pointed out that the load-bearing walls had to be made up of tuff or tuff and brick, while the dividing walls of wood or brick "alla siciliana". The wood and the bricks laid flat were also chosen for the vaults construction.[7] The roof tiles used for the covering were purchased from the kilns of the Granatello[8] and Salerno and it is highly probably that the same furnaces provided the bricks used for the vaults.

Unfortunately, it is not known in which rooms of the building this construction system have been used. However, in some rooms the way in which the plaster has been applied allows a partial glimpse of the vault texture that could had been implemented following the technique under discussion (fig. 2-3).

Figure 3. Naples. Palace of Capodimonte: the Real Apartment, room 37 (Romano 2017).

The Royal Palace of Naples

The "damusellaro" Salvatore Polizzi oversaw the construction of the vaults "alla siciliana" also in the Royal Palace of Naples, which was restored and expanded after the great fire occurred in 1837 (Sasso 1858, 255-279; Venditti 1961, 347-356; de Cunzo et al. 1994; Buccaro 2001; Porzio and Mascilli Migliorini 1997, 75-84). The reconstruction and expansion project were entrusted to the architect Gaetano Genovese who gave a new layout to the building (Sasso 1858, 2: 245-302; Genovese 2000; Venditti 2008). The latter was the result of numerous interventions carried out over the centuries that had been partially altered the original vision conceived by Domenico Fontana between the late 16th and early 17th centuries (fig. 4).

The fire that broke out in 1837 provided the opportunity to reconfigure the structure, rectifying some pre-existing contours and defining a new hierarchical order of the spaces strongly connected to the sea front. Through the construction of the "Rimessone delle Carrozze", the architect was able to weld the new wings with the 18th century so-called "Braccio Nuovo" defining a majestic southern front clearly recognizable by the sea. Genovese broke through the building block below the Belvedere garden and moved the staircase body to create an ideal optical cone between the entrance halls and the 17th century courtyard of honour by building the body housing the Apartment "delle Feste", nowadays used as National Library. Moreover, he transformed the front on San Ferdinando square, demolishing what remained of the "Palazzo Vecchio" and defining a new facade in line with the rest of the building.

As in the case of the Palace of Capodimonte, also for the Royal Palace the rates and the construction progress reports are particularly interesting because they allow to comprehend what materials and techniques were used to build the vaulted systems. Through the study of the archival documentation a remarkable use of the vaults so-called "alla siciliana" emerges. They were made up of three layers of bricks coming from Gaeta and Ischia, laid flat and reinforced by counter vaults on the extrados with the task of curbing the thrusts acting on the vertical partitions (fig. 5-6).

The technique was used in the second and in the third levels of the aforementioned "Rimessone delle Carrozze": in this case the "works of tiles" [lavori di mattonelle] were employed not only for the construction of the vaults but also for the partition walls.[9] An interesting document preserved at the National Library of Naples reports the list and the descriptions of all the walls and vaults made up of bricks and so-called "alla siciliana".[10] The planned vaults were made up of three layers of bricks, or in case of larger structures of five or six layers, filled in on the sides with a brick and gypsum conglomerate and flanked by flat brick walls to support the counter vaults.[11]

Figure 4. *Naples. Royal Palace (Romano 2017).*

Figures 5-6. *Naples. Royal Palace: vaults made by thin bricks placed one against another, laid flat on their large faces and joined with gypsum (Romano 2017).*

Figure 7. *Naples. Royal Palace: the vault of the Reading Room in the National Library of Naples Vittorio Emanuele III, formerly "Salone delle Feste" (Romano 2017).*

The drawing related to the documentation[12] clearly show the different described structures. The thickest vaults had the function of stiffening and were lain on walls made up of bricks flatly arranged on two, three, four and five layers.[13] From the design of the project it is possible to deduce the complex arrangement of the elements: it is evident in the section the willingness to use lighter materials for the upper levels not supporting great loads unlike the first one

Figure 8. *Naples. Royal Palace: the extrados of the vault of the Reading Room in the National Library of Naples Vittorio Emanuele III, formerly the "Salone delle Feste" (Romano 2017).*

Figure 9. *Naples. Royal Palace: the extrados of the vault of the Reading Room in the National Library of Naples Vittorio Emanuele III, detail of the containment structures (Romano 2017).*

where the Doric columns served as a support for much heavier mixed vaults with tuff and brick. Furthermore, the use of chains is particularly interesting: they are inserted on the extrados of the vaults and are completely hidden in the masonry, with the preventive function of helping to absorb the thrusts acting on the vertical partitions.[14]

The same construction technique was also used to build the stairs and the large vault of the ballroom in the "Salone delle Feste", nowadays Reading Room of the National Library of Naples, whose direction of the work was entrusted, once again, to the Sicilian master builder Salvatore Polizzi (fig. 7).

The construction progress report carried out in August 1840[15] and signed by Pietro Persico, architect and Gaetano Genovese's assistant, proves the use of several layers of bricks for the construction of the large vault reinforced, on the extrados, by tuff walls serving as buttresses, as also visible by the project section.[16] The remarkable size of the vaulted system imposed the construction of the counter vaults as well as of containment structures still partially visible on the extrados (fig. 8-9). Moreover, the dimension of the room imposed to use a formwork, that usually were not employed for smaller vaults.

On top of that it should be noted that in this case, as in most of the studied architectures, the vaults were walkable on the extrados and, therefore, able to withstand loads. It is not a coincidence, in fact, that brick vaults with a single sheet were not planned in the Royal Palace. This type of vaults was generally employed in ecclesiastical buildings where the extrados were not planned as walkable.

Some other works in Naples

The spread of this construction system is recorded not only in the royal buildings[17] but also in many other architectures of the capital city as the Hermitage of the Capuchins in Capodimonte, whose construction dates back to the early 19th century (1817-19) and Palazzo Orsini of Gravina[18] (Sasso 1858, 2: 280-284; Tungbang 2004; Picone 2008).

In the latter, during the works of transformation of the building entrusted to the architect Nicola d'Apuzzo between 1837 and 1839, three-layer brick vaults were built.

The resistance of the structures was praised by the scholar Camillo Napoleone Sasso who, describing the subsequent intervention of Gaetano Genovese, highlighted the robustness of this type of construction system especially in reference to the fire that had partially destroyed the building in 1848 during the revolutionary uprisings. The report made by the architect Gaetano Genovese and the engineer Benedetto Lopez Suarez on the state of the building after the fire, identified and described not only the numerous brick and gypsum vaults but also the fake vaults in wood and canvas.[19] Genovese's project foresaw the demolition of the vaults "alla siciliana", that were rebuilt in a "more solid masonry" [di più soda muratura] (Sasso, 1858, 2: 284). On the ground floor, in order to avoid the spread of possible further fires, all the wooden floors were replaced with iron and hollow clay bricks slabs [soffitte piane ben congegnate tra ferro, tubi d'argilla e gesso], proving the great awareness of the architect to the theme of fire safety.

The constructive system of tile vaulting found wide diffusion in the second half of the 19th century also in other parts of the Campania region. It is attested, in fact, the use in the church of Sant'Aniello in Maddaloni [Caserta] after 1865 and in many parish churches of small urban centres. It is the case of Tocco Caudio [Benevento] where, in the 1850s, vaults in bricks laid flat bonded with gypsum were used during the reconstruction of St. Vincent church damaged by the earthquake occurred in 1688.[20] This choice, recommended by the General Direction of Waters and Roads of Naples [Direzione generale di Acque e Strade], which was called upon to give an opinion on the project, was dictated by the need to not overload the weak vertical partitions. They also asked to avoid any kind of contact between the truss and the "false vault" [volta finta] in order to prevent possible transfer of loads that could have damaged the fragile self-supporting structure. Unquestionably, this choice highlights the strong awareness of the engineers working on the project, of the specific vulnerability factors associated with this type of construction systems.

The considerations presented above show the great diffusion of the vaults "alla siciliana" on the territory and the use not only in important architectures such as the Royal Sites of Naples, where the technique was applied for the first time, but also in less known ecclesiastical and civil buildings of small urban centres of the region. Such remarkable use and spread have to be related on the one hand to the undeniable advantages connected to the lightness and on the other hand to the strong fire resistance of tile vaults that made them preferable to the wooden ones.

Notes

1. The most part of gypsum used for the construction of the vaults was imported from the quarries of Taormina in Sicily. It was considered more resistant than the one quarried near Naples, such as in Sorrento, Montesarchio and Gaeta (de Cesare [1827] 1855, 1: 50).
2. For further information about the building of the Palace of Capodimonte, in addition to the texts cited, see the rich bibliography reported by Capano (2017,143-152).
3. State Archives of Naples (ASna), Casa Reale, Maggiordomia Maggiore e Soprintendenza generale di Casa Reale, III inventario, Amministrazione generale di Casa Reale, b. 598.
4. A. Niccolini, Taglio dimostrativo del monte 1824, Naples, Museo Nazionale di San Martino (MNSM). The watercolour has been published by Giannetti and Muzii (1997, 133) and by Francesca Capano (2017).
5. MNSM, Gabinetto Disegni e Stampe, Fondo Antonio Niccolini, Studio per la progettazione dell'Alcova di Francesco I e Maria Isabella, n. 8009. The section has been published by Giannetti and Muzii (1997, 32).
6. "le tariffe dei prezzi per lavori di fabbrica che potranno occorrere nel Real Sito di Capodimonte", see ASna, Casa Reale, Maggiordomia Maggiore e Soprintendenza generale di Casa Reale, III inv., Amministrazione generale di Casa Reale, b. 597.
7. Ibidem, the vaults were defined "finte d'incannucciata" (wood) or "di mattoni alla siciliana a due foglie" (consisting of multiple layers of thin tiles).
8. The Granatello furnaces at Portici were built between 1750 and 1753 using clay from Gaeta, Ischia, Sorrento and workers coming from central-northern Italy. The production of bricks in the Neapolitan area is confirmed, among others, by Francesco de Cesare, who dedicated a section to the different

types of bricks used in Naples in his treatise (de Cesare [1827] 1855, 1: 22-7).

[9] National Library of Naples (BNN), Bancone palatino, III 23(1. "Fabbriche di diverse costruzioni corrispondenti alla grande rimessa a colonne del nuovo braccio, calcolati a palmi cubici".

[10] Ivi, "Calcolo delle quantità di tutte le opere di mattonelle,e gesso alla Siciliana,costrutte nel 1 piano nobile del nuovo fabbricato, verticalmente sovrapposto al rimessone a colonne".

[11] Ivi, "Calcolo separato delle grandi volte, con le controvolte, ed altro da sopra le notate".

[12] The drawing has been published by Paolo Mascilli Migliorini (1994, 137).

[13] Ibidem.

[14] BNN, Bancone palatino, III 23(2). The drawing, anonymous but attributable to Gaetano Genovese or Pietro Persico, shows vaults and dividing walls in brick arranged on a flat surface. The section has been published by Mascilli Migliorini (1994, 137).

[15] ASna, Casa Reale, Maggiordomia maggiore e Soprintendenza generale di Casa Reale, III inventario, Dipendenze di Casa Reale, Controloria, b. 217.

[16] MNSM Gabinetto Disegni e Stampe, Fondo Gaetano Genovese, n. 10649.

[17] Tile vaulting was used also in the Royal palaces of Carditello and Calvi, see "Tariffa per Carditello e Calvi, Stamperia Reale", Napoli 1840.

[18] For further information on Palazzo Gravina, see the bibliography cited in Picone (2008).

[19] "descrizione dei lavori dati in consegna al partitario Aniello Nocerino per eseguire le opere di riparazione di Palazzo Gravina a seguito dell'incendio del 1848". There are three reports signed by Gaetano Genovese and Benedetto Lopez Suarez dated December, 4th 1850, January, 7th and May, 12th 1851. See ASna, Fondo Cassa di Ammortizzazione, fascio 1781, incart. 148 (Divenuto 2003, 147-172).

[20] ASna, Ministero degli Affari Ecclesiastici, Pandette dei restauri degli Edifici di Culto, b. 2968, f.lo 2467, Riedificazione della chiesa di San Vincenzo Martire, 1849-1860.

References

BAILS, B. (1775). *Elementos de matematica*. Vol. 9, 568. Madrid: Por Joaquin Ibarra.

BANNISTER, T.C. (1968). The Roussillon Vault. The Apotheosis of a 'Folk' Construction. *Journal of the Society of Architectural Historians*, 27: 163-75.

BARES, M.M. & M.R. NOBILE (2012). Volte tabicadas nelle grandi isole del Mediterraneo: Sicilia e Sardegna (XV-XVIII secolo). In *Construyendo Bóvedas Tabicadas. Actas del Simposio Internacional sobre Bóvedas Tabicadas* (Valencia, 26-28 mayo 2011), edited by A. Zaragozá, R. Soler, R. Marín, 119-132. València: Editorial UPV.

BUCCARO, A. ed. (2001). *Storia e immagini del Palazzo Reale di Napoli*. Napoli: Electa Napoli.

CAPANO, F. (2017). *Il Sito Reale di Capodimonte. Il primo bosco, parco e palazzo dei Borbone di Napoli*, Napoli: Federico II University Press.

DE CESARE, F. [1827] (1855). *La scienza dell'architettura applicata alla costruzione, alla distribuzione, alla decorazione degli edifici civili. Vol. 1.* 2nd edition. Napoli: dai Tipi di Giovanni Pellizzone.

DE CUNZO, M., A. PORZIO, P. MASCILLI MIGLIORINI & C. GUARINO (1994). *Il palazzo Reale di Napoli*. Napoli: Casa editrice Fausto Fiorentino.

D'ESPIE, F-F. (1754). *Manière de rendre toutes sortes d'édifices incombustibles, ou Traité sur la construction des voûtes, faites avec des briques et du plâtre, dites voûtes plates, et d'un toit de brique, sans charpente, appelé comble briqueté.* Paris: chez Duchesne Libraire.

DIVENUTO, F. (2003). "Il Palazzo Orsini di Gravina a Napoli. Dal Cinquecento al ripristino novecentesco", *Palladio. Rivista di Storia della Architettura e Restauro*. 32: 147-72.

FRATTARUOLO, M. R. (2000). Las bóvedas in folio: tradicion y continuidad. In *Actas del Tercier Congreso Nacional de Historia de la Construccion* (Sevilla, 26-28 octubre), 327-34. Madrid: Instituto Juan de Herrera.

GENOVESE, R.A. (2000). *Gaetano Genovese e il suo tempo*. Napoli: ESI.

GIANNETTI, A. & R. MUZII eds. (1997). *Antonio Niccolini architetto e scenografo alla Corte di Napoli (1807-1850).* Exhibition catalogue. Firenze-Napoli: Electa Napoli.

GRIMOLDI, A. (2009). The "Frame Vaults" of North Italy between the Sixteenth and the Eighteenth Century. In *Proceedings of the Third International Congress on Construction History,* (Cottbus, 20-24 maggio 2009), edited by K.-E. Kurrer, W.Lorenz, V. Wetzk, 753-59. Berlino: Neunplus.

GRIMOLDI, A. & A.G. LANDI (2012). The spread of the XVIIth century vaults in Cremona. The case-study of Magio-Grasselli palace. In *Structural analysis of historical constructions. Proceedings of the 8th International Conference on Structural Analysis of Historical Constructions*, (Wroclaw, 15-17 October 2012), edited by C. Modena, P.B. Lourenço, P. Roca, 1136-44. Breslau: DWE.

GUERRIERO, L. (1998). *Apparecchi murari in laterizio dell'età Moderna. In Murature tradizionali napoletane. Cronologie dei paramenti tra il XVI e il XIX secolo*, edited by G. Fiengo and L. Guerriero, 287-88. Napoli: Arte Tipografica Editrice.

IZZO. G.B. (1764). *Elementa architecturae civilis in usum nobilium collegii regii Theresiani.* Vindobonae: Typis Joannis Thomae Trattner.

MASCILLI MIGLIORINI, P. (1994). *Lineamenti e sviluppi architettonici. In Il palazzo Reale di Napoli*, edited by M. de Cunzo, A. Porzio, P. Mascilli Migliorini, C. Guarino, 113-159. Napoli: Casa editrice Fausto Fiorentino.

PÉROUSE DE MONTCLOS, J.M. [1982] (2013). L'architecture à la française du milieu du XVe à la fin du XVIIIe siècle. 3rd edition, 195. Paris: Picard.

PICONE, R. 2008. *Restauro ripristino riuso. Il palazzo Orsini di Gravina a Napoli.* 1830/1926. Napoli: CLEAN.

PORZIO, A. & P. MASCILLI MIGLIORINI (1997). *Le trasformazioni ottocentesche del Palazzo Reale, in Civiltà dell'Ottocento. Architettura e urbanistica,* edited by G. Alisio, 75-84, Napoli: Electa.

ROMANO, L. (2017). Lightweight vaulting systems in the early 19th century, from Naples to Europe. Knowledge for conservation of an adaptive built heritage, in *Proceedings of the 4th WTA International PhD Symposium* (Delft, 2017, September 13-16), edited by W.J. Quist, S.J.C. Granneman, R.P.J. van Hees, 141-48. Delft: TuDelft.

SASSO, C.N. (1858). *Storia dei monumenti di Napoli e degli architetti che li edificavano dal 1801 al 1851-*. Vol. 2, 255-79. Napoli: Tipografia di Federico Vitale.

TUGBANG, Y. (2004). *Palazzo Gravina. Storia e degrado.* Napoli: Giannini.

VARAGNOLI, C. (2008). Tecniche e materiali nella costruzione delle volte in Abruzzo, in *La costruzione tradizionale in Abruzzo. Fonti materiali e tecniche costruttive dalla fine del Medioevo all'Ottocento*, edited by C. Varagnoli, 49-64. Roma: Gangemi editore.

VENDITTI, A. (1961). Architettura neoclassica a Napoli, Napoli: Edizioni Scientifiche Italiane.

VENDITTI, M. (2008). *Per il Re e la città. Gaetano Genovese architetto neoclassico a Napoli.* Roma: Kappa.

Iglesia de San Antonio Abad. Sumacárcer

La bóveda tabicada en el futuro próximo

Manuel Fortea Luna
Universidad de Extremadura

Abstract

The timbrel vault seems a slippery subject as far as its study and analysis is concerned. In them not everything is as it seems. Its condition of being stable at any moment of its life and its construction generates multiple obligations to all its elements, assuming various spatial and temporal functions. On these specific issues of the timbrel vaults, the texts are not very abundant, and the few extant do not shed enough light to understand them. Moreover, the discourse of the texts and the constructed reality are not always compatible. The timbrel vault has evolved throughout history, incorporating new elements according to needs and opportunities. However, the evolution of the timbrel vault does not rest, as it happens to its pushes, as long as there are people working on them.

Keywords: *Timbrel vault, historic evolution.*

Resumen

La bóveda tabicada parece un asunto escurridizo en lo que a su estudio y análisis se refiere. En ellas no todo es lo que parece. Su condición de ser estable en cualquier instante de su vida y su construcción le genera múltiples obligaciones a todos sus elementos, asumiendo diversas funciones espaciales y temporales. Sobre estas cuestiones específicas de las bóvedas tabicadas, los textos no son muy abundantes, y los pocos existentes no arrojan suficiente luz para comprenderlas. Es más, el discurso de los textos y la realidad construida no siempre son compatibles. La bóveda tabicada ha ido evolucionando a lo largo de la historia, incorporando elementos nuevos en función de las necesidades y de las oportunidades. No obstante, la evolución de la bóveda tabicada no descansa, al igual que le sucede a sus empujes, siempre que haya gente trabajando en ellas.

Palabras clave: *Bóveda tabicada, evolución histórica.*

Introducción

En las bóvedas tabicadas no todo es lo que parece. Su interior encierra un cierto arte de prestidigitación. El relleno parece que cumple la función constructiva de ocupar el hueco entre la hoja de la bóveda y la solería del piso superior. Y es verdad, pero no es toda la verdad. También desempeña una función estructural ayudando a la hoja a soportar las cargas superiores.

Lo mismo ocurre con las costillas, que son piezas destinadas aparentemente a sustentar el tablero que soportará el piso superior. Y es cierto, pero también colaboran estructuralmente con la primera hoja de yeso. Las lengüetas no son un supuesto adorno caprichoso del operario, son refuerzos estructurales de la primera hoja. Y qué decir si existen varias hojas, todas trabajan cuando hace falta. Se puede afirmar que una bóveda tabicada es un artefacto compuesto por una hoja delgada de ladrillo tomada con yeso y algo más, que una vez finalizada trabajan en conjunto y durante su ejecución no precisa cimbra porque es soportada progresivamente por los anillos que forman la primera hoja gracias al fraguado rápido del yeso.

La bóveda ha de ser estable en cada fase intermedia de su construcción. Cada momento de su construcción es tan importante como cada momento de su posterior vida. Con esta premisa el proceso constructivo adquiere una importancia sustancial. Es vital el orden que ha de seguirse en la ejecución sin cimbra, de forma que en cada fase sea estable. De otro modo puede producirse el colapso por atravesar una fase imprevista e inestable.

No solo se debe saber qué es lo que hay que hacer, además se debe saber cuándo hay que hacerlo y en qué orden. Si se hace correctamente se culminará la obra con éxito. Si no, se llegará a un callejón sin salida, o aun peor, al fracaso. La bóveda toma conciencia de su pasado, de las fases de su vida, llegando a adquirir su propia memoria, donde almacena cada estado de equilibrio que ha superado satisfactoriamente, y cuando es necesario recurre a cualquiera de ellos. No es una casualidad que cuando aparecen patologías estructurales emergen fisuras que parcialmente coinciden con los límites de las fases de construcción (Fortea 2011).

Los textos históricos

La bóveda tabicada es una tecnología depurada, fruto de una evolución prolongada, que ha necesitado de un ambiente propicio para su crecimiento y desarrollo. No ha surgido espontáneamente en un desierto cultural. Al igual que otros avances o inventos, el conocimiento humano en su desarrollo progresivo va creando nuevas fórmulas técnicas para satisfacer nuevas demandas culturales, y todo ello de manera integral o conjunta.

Parece lógico que la primera fuente documental donde acudir para obtener información de primera mano sobre temas constructivos específicos son los textos históricos. Sobre cuestiones específicas como las bóvedas tabicadas, los textos no son muy abundantes. Se trazará un recorrido por los más significativos.

Al Idrisi

Se puede considerar que Al idrisi es el primer autor en citar las bóvedas tabicadas, aunque no con este nombre, y de forma muy vaga. Es el primer y mayor geógrafo hispano-musulmán que describe la Península en su totalidad. Abû 'Abd Alláh Muhammad b. Abd Allah b. Idris al-Sarif nació en Ceuta el año 1099, y cuando contaba 18 años de edad visitó Éfeso y viajó por el Asia Menor, por lo que las noticias que ha transmitido sobre esa parte del mundo poseen un gran valor documental. A mediados del siglo XII, en época almorávide, conoció en su decadencia la antigua capital califal, donde acabó sus estudios (V. Dubler 1975). En el año 1138, tras su traslado a la corte de Palermo por invitación del rey Roger II de Sicilia (1121-1154), inició la redacción de su obra geográfica titulada Nuzhat al-Muštâq, y, cuando murió su señor, continuó sus investigaciones científicas bajo el patrocinio del nuevo monarca Guillermo (1154-1166), hasta su muerte en el año 1164. Lo concerniente a la España de entonces se encuentra en el denominado Cuarto clima, primera sección. Sus descripciones son cortas, atendiendo a cuestiones estratégicas, como fortificaciones, murallas o distancias, pero ocasionalmente da noticias singulares, como la producción de papel en Xativa. Al Idrisi terminó su obra geográfica en

1154. Al Idrisi muestra una Almería industriosa, comercial y rica. En su breve descripción de la ciudad, se detiene de manera sorprendente, singular y directa en el yeso, en concreto, en las canteras de Alhama, su producción, su uso y comercialización (Al-Idrisi 2002). El yeso, una sustancia que se extrae de la tierra, se calcina y se usa en los edificios "en lugar de la piedra". Lo primero que resalta de este relato es que un cronista, geógrafo, no muy especializado en los métodos de construcción, incluya en su catálogo esta tecnología, por lo que debía ser una práctica novedosa como para llamar su atención. En segundo lugar, se trata de un artículo bueno y abundante como para introducirlo notoriamente en los mercados. Y en tercer y último lugar, es un elemento que tiene la virtud de poder sustituir a la piedra en los edificios. Esto último, contado por un inexperto en métodos constructivos, requiere de una mínima interpretación. La sustitución por la piedra no debe entenderse literalmente. Construir edificios con bloques de aljez es poco habitual, aunque se conocen algunos ejemplos. Se debe entender esta sustitución en términos tecnológicos: la tecnología de la piedra es sustituida por la tecnología del yeso. Molduras de yeso, revestimientos de yeso, tabiques de ladrillo y yeso, y dentro de esta lista podrían estar incluidas las bóvedas tabicadas, igualmente de ladrillo y yeso (Fortea 2008).

Pedro IV

Philippe Araguas data el primer documento sobre la bóveda tabicada en 1382. El documento tiene forma de carta dirigida al Merino firmada por el propio rey D. Pedro de Aragón en Algeciras el 22 de junio de 1382 (Araguas 1998), donde se describe el descubrimiento de una nueva técnica constructiva como "una manera de trabajar con el yeso y el ladrillo más provechosa, más ligera y de poco peso". Según Arturo Zaragozá (2011) la carta no fue escrita en Algeciras, sino en Alzira (Valencia). En cualquier caso, al rey le pareció haber encontrado una técnica desconocida para él y digna de ser copiada. Se podría afirmar que en 1382 la España cristiana descubrió la bóveda tabicada en los territorios de la España musulmana.

Fray Lorenzo

Fray Lorenzo de San Nicolás, agustino descalzo y maestro de obras, es el autor del "Arte y uso de la Architectura" (1639). Un tratado de arquitectura que le dedica unos cuantos capítulos a las bóvedas y cúpulas, incluyendo las tabicadas. En el capítulo cincuenta y uno, ya declara que "de tres materias se hacen las bóvedas", de yeso tabicado, de rosca de ladrillo y de cantería, manifestando que de las dos primeras "no hará demostración" y sí de las de cantería. En el capítulo siguiente trata la construcción de la bóveda de cañón, y afirma que a su juicio la más fácil es la bóveda tabicada en cañón derecho, para la que será preciso hacer "cerchas de tablas".

Fray Lorenzo no contempla la construcción de una bóveda tabicada de cañón sin la utilización de una cimbra. Para la bóveda baída de ladrillo recomienda una cimbra de cerchones, y encima tabicarlo de ladrillo para "que quedase por cimbra lo tabicado y encima sentases una rosca de ladrillo". Los que utilizan la técnica de la bóveda tabicada saben que una de sus virtudes es poderse construir sin cimbra, tanto la bóveda de cañón como una de arista, por lo que se puede concluir que Fray Lorenzo no debía de ser muy experto en esta materia. Por tanto, no parece que se puedan encontrar en los textos de Fray Lorenzo las esencias de las bóvedas tabicadas.

Juan Torija

Juan de Torija, arquitecto, es el autor de un tratado titulado "Breve tratado de todo género de bóvedas" y publicado en Madrid en 1661. En la introducción declara que "Simando, rey de los Persas, fue el inventor de la arquitectura y Meris, rey de Egipto, el primer inventor de la geometría". Y señala que el libro trata de "medidas de cualquier superficie de todo género de bóvedas, por la parte cóncava, como en este tratado se verá, en que se da la forma de medir el medio cañón, la media naranja, y sus pechinas, la capilla vaída, y el esquife arista, y media naranja ovada, rincón de claustro, el ochavo, el triángulo arista, el triángulo en esquife, y una tabla de proporciones muy breve para sus semejantes" (Torija 1661).

Como bien adelanta el autor este tratado se centra fundamentalmente en medidas, y exclusivamente por el intradós, y por extensión a su geometría. Reglas geométricas igualmente útiles para una bóveda de cantería, de fábrica de ladrillo o tabicada, sin entrar en cuestiones constructivas, ni de materiales, ni siquiera en la geometría del extradós.

Este tratado pertenece al grupo que se podría denominar "tratados geométricos de las bóvedas", al que también pertenece el de Plo y Comín (1776). Estos tratados no contienen una información específica sobre las bóvedas tabicadas.

Joaquín de Sotomayor

Cuando se trata de bóvedas tabicadas, un texto muy nombrado es el del francés Conde de Espie, divulgado por Joaquín de Sotomayor en una publicación titulada "Modo de hacer incombustibles los edificios sin aumentar el coste de construcción" publicado en Madrid en 1776. Es un extracto del texto del francés el Conde de Espie, ilustrado y completado por el propio Joaquín de Sotomayor. El autor se felicita de haber encontrado en el texto del Conde de Espie el secreto "que con tanta ansia había buscado", que era "unas bóvedas muy ligeras y sin empuje" (Sotomayor 1776).

Ventura Rodríguez, arquitecto de reconocido prestigio y solvencia, fue el encargado de "revisar" dicha publicación, y en su informe dirigido al Secretario de Cámara del Consejo manifiesta que "el problema de que trata el señor Don Joaquín pertenece a un punto de los más delicados de la Arquitectura cual es averiguar el equilibrio del empuje, en cuya investigación se han fatigado los más célebres matemáticos y arquitectos, y hasta ahora por ninguno se ha dado solución, viniendo a parar en que este asunto es otro arcano como la cuadratura del círculo, que sin embargo de que muchos ingenios se han lisonjeado haberlos resueltos, han quedado con su buen deseo en el mismo estado que los dejó Arquímedes 208 años antes de Cristo". Un comentario irónico, incluso sarcástico, que pone en evidencia el poco respeto que sentía Ventura Rodríguez por los conocimientos arquitectónicos del señor Sotomayor.

El conde de Espie en su primer capítulo dice lo siguiente refiriéndose a las bóvedas tabicadas: "los materiales precisos para hacer estas bóvedas son el ladrillo y el yeso. Pero al segundo se podrá sustituir la cal, con gran ventaja, así por ser más general su abundancia que la del yeso, y menor por consiguiente su precio". Es obvio que, con esta puntualización sobre la utilización de la cal en las bóvedas tabicadas, está descubriendo su total desconocimiento sobre el asunto. Con esta declaración del Conde de Espié y el comentario de Ventura Rodríguez sobre Joaquín de Sotomayor, no parece que este sea un texto de referencia para profundizar en el conocimiento de las bóvedas tabicadas.

Rafael Guastavino

Guastavino patentó la bóveda tabicada en Estados Unidos, y al respecto admitió "que en una pequeña parte de España e Italia se utilizó de forma empírica un sistema similar" (al suyo), pero declara que "ninguna Escuela posee un método científico para su aplicación" (Guastavino 2002).

En sus textos sobre la "construcción cohesiva" da la siguiente fórmula para hallar el espesor de un arco en la clave:

$$e = \left(\frac{Pl}{8f}\right) * \left(\frac{1}{\sigma}\right)$$

Siendo

- e = espesor del arco en la clave
- P = carga total
- l = luz
- f = flecha
- σ = resistencia a compresión

Y esta otra para el espesor de una cúpula en la clave:

$$e = \left(\frac{1}{2}\right) * \left(\frac{Pl}{8f}\right) * \left(\frac{1}{\sigma}\right)$$

- e = espesor de la cúpula en la clave
- P = carga total
- l = luz
- f = flecha
- σ = resistencia a compresión

Según el propio Guastavino "no se pretende dar la fórmula matemática absoluta, sino una que sea práctica, suficiente para garantizar la seguridad de la construcción".

El espesor en el arranque es:

e (arranque) = e (clave)/cos a

Siendo "a" el ángulo entre la clave, el centro del arco y el arranque. Es decir, para un arco semicircular el espesor del arranque es infinito.

Esta es la explicación teórica de Guastavino, pero en sus obras utilizaba otros procedimientos para el dimensionado de sus bóvedas y cúpulas. En la Universidad de Columbia se conservan los planos de sus proyectos y junto a ellos cálculos gráficos para la determinación de las dimensiones de sus elementos.

Conclusión: una cosa eran sus recetas teóricas y otra sus propias recetas para la construcción, que como se ha demostrado son incompatibles. ¿Qué razón le pudo llevar a Guastavino a tener dos teorías contradictorias sobre sus bóvedas tabicadas, o como él lo denominaba la construcción cohesiva? La única explicación es que ambas teorías tenían objetivos diferentes. La primera, basada en fórmulas matemáticas, tenía un objetivo "comercial", el reconocimiento del mundo académico de Boston de su bagaje "técnico profesional". La segunda, sus propias recetas de cálculos gráficos, basados en la estática gráfica, eran de utilidad práctica, para poder construir con seguridad.

Tras aquel texto de la construcción cohesiva publicado en el MIT, nunca más publicó ningún otro texto sobre la materia. Es obvio que no estaba muy interesado en transmitir sus conocimientos. Es más, los guardaba con celo para evitar competidores. En este escenario no parece que los textos "teóricos" de Guastavino puedan servir de referencia para conocer la bóveda tabicada. O al menos lo que él sabía de las bóvedas tabicadas.

Brunelleschi

Brunelleschi, autor de la famosa cúpula de Florencia, no dejó ningún texto escrito para transmisión de sus conocimientos a la posteridad. Al igual que Guastavino no estaba interesado en darles ventaja a posibles competidores. Pero sí se dispone de una obra atribuida a Antonio di Tuccio Manetti ([ca.1480] 1992) titulada "Vida de Filippo Brunelleschi" donde se puede encontrar información interesante. Según su autor, es copia de un libro al que tuvo acceso, fechado en 1420, y trata de los siguientes temas: primera cúpula y proporción, doble cúpula, estribos, zunchos, bovedillas entre estribos, balcón, cubierta y construcción sin cimbra. Curiosamente, la doble cúpula, los estribos y la construcción sin cimbra son temas comunes con las cúpulas hispano-musulmanas. Sobre la doble cúpula dice que la exterior, sirve para proteger y conservar la interior, que es de mayor sección que la exterior, por lo que se puede deducir que la función estructural recae fundamentalmente sobre la interior. Afirma que Brunelleschi coloca 24 estribos ocultos entre las dos hojas y dispone dos tipos de zunchos, en la base del arranque de la cúpula de piedras trabadas con elementos metálicos, y otro a una cota superior de madera de castaño.

Citando el documento de Brunelleschi, sobre la construcción sin cimbra Manetti añade literalmente "Se fabriquen las cúpulas en la forma indicada arriba sin ningún armazón, pero con andamios, en el modo que será sugerido y dictaminado por aquellos maestros que la harán fabricar, hasta al máximo 30 brazos; y de 30 brazos hacia arriba como será entonces decidido, porque en el fabricarla la práctica enseñará aquello que servirá para proseguir".

Claramente el autor está ocultando deliberadamente la descripción de la construcción sin cimbra, dando a entender que la práctica ya determinará el procedimiento. Una excusa poco convincente. No se llega a este punto de un proyecto de tal envergadura sin tener prevista su construcción total hasta el final. Es más, Brunellechi tenía construido un modelo a escala durante la obra, modelo que fue destruido cuando se concluyeron las obras. Como hipótesis, es posible que Brunelleschi tomara como referencia las cúpulas dobles tabicadas de la España musulmana levantina. De haber ocurrido así no se puede esperar que lo hubiera declarado a los cuatro vientos. Ya se ha constatado que era muy celoso a la hora de mantener en secreto sus conocimientos, al igual que Guastavino.

La obra construida, fuente de información

Como fuente de información de una técnica constructiva histórica, los textos no pueden considerarse infalibles, no pueden tomarse como dogmas de fe. Cada autor ha tenido sus propios motivos para escribirlos, incluido este, que no necesariamente ha de coincidir con la divulgación "urbi et orbe" de una verdad contrastada.

La verdadera fuente de información para el conocimiento de la técnica constructiva es la obra construida. En ella no existen interpretaciones sesgadas. Lo que estructuralmente está bien se mantiene en pie, y cuando algún intrépido ha entendido que estaba exento del cumplimiento de la ley de la gravedad, la naturaleza se lo ha notificado de inmediato con un colapso.

Aznalcollar: La Zawiya

La bóveda tabicada no se puede comprender sin traspasar las fronteras de los reinos cristianos peninsulares de la Edad Media. Es necesario sumergirse en la España musulmana para profundizar en su origen, conocimiento y evolución. D. Leopoldo Torres Balbás llamaba la atención sobre las bóvedas tabicadas de la Alhambra, alentando a estudiarlas en profundidad, consciente de estar ante unas piezas de gran valor no suficientemente reconocido ni estudiado. No son las únicas en Al-Andalus. Multitud de construcciones cristianas como iglesias, palacios o cementerios conservan bóvedas y cúpulas de la época musulmana integradas de tal manera que a veces es difícil detectarlas.

Aznalcollar es un pueblo perteneciente al área denominada Aljarafe de la provincia de Sevilla. Dicha zona da al monte Aljarafe (al–Saraf) de donde recibe el nombre. En época musulmana Aljarafe era un distrito de la "Cora de Sevilla". Con la caída del Califato en 1035 Sevilla adquiere la soberanía, convirtiéndose en el reino de taifa más poderoso. Aznalcollar en ese tiempo fue una población menor, con una pequeña edificación militar, que formaba parte de la línea defensiva de todo el Aljarafe como protección del núcleo principal que era Sevilla. En 1224, el Aljarafe fue atacado por tropas leonesas y los castillos del Aljarafe fueron tomados por el disidente gobernador de Sevilla Abd Allah al-Bayyasi, aliado de Femando III. Con esta derrota, decayó finalmente el dominio almohade en el Reino de Sevilla. La Capilla del Cementerio formaba parte de una edificación de mayor entidad hoy desaparecida. Un estudio reciente, aún sin confirmar, afirma que se trata de un edificio islámico denominado *zawiya*, que era destinado a fines religiosos y levantado en torno a una tumba venerada de un santón (en árabe *waliya* o *sahid*) que residía allí cuando vivía o de algún fundador de órdenes religiosas.

Tuve la oportunidad de visitar esta capilla en agosto de 2006, justo cuando la escuela taller de esa localidad estaba realizando unas obras de restauración de la bóveda. Acompañado por la directora Dña. Manuela Serrano y aprovechando que estaban los andamios colocados, el autor pudo acceder por ellos hasta tocar con las puntas de los dedos la clave misma de la bóveda, y apreciar en proximidad lo que no se puede captar desde la lejanía. Sobre una base cuadrada, a cierta altura, emergen cuatro semibóvedas con aristas en las esquinas haciendo chaflán, transformando el cuadrado en octógono (procedimiento similar al de las bóvedas de la Alhambra). Desde cada lado del octógono arranca una cuña de bóveda de cañón, de simple curvatura con hiladas horizontales rectas. En la terminología de Fray Lorenzo de San Nicolás, esta sería una bóveda esquifada de ocho lados. Cada una de estas cuñas se compone de 24 hiladas de ladrillos colocados de plano (bóveda tabicada) y catorce hiladas en la cumbre de ladrillos colocados de canto (bóveda de rosca). Las patologías y las obras de reparación han permitido conocer con precisión la sección de esta bóveda que está compuesta, comenzando por el intradós de: primero, una hoja de ladrillo colocado de plano tomada con mortero de yeso, una capa de mortero u hormigón de cal de varios centímetros de espesor, y una nueva hoja de ladrillo colocado de plano tomada con mortero de cal. La primera hilada de la hoja interior de cada cuña está compuesta en la base por 8 unidades. Esta sección se mantiene así durante 24 hiladas horizontales y, a partir de aquí, cuando ya queda poco para cerrar la bóveda, cambia la posición del ladrillo para ser colocado de canto, con objeto de poder soportar con comodidad un pequeño cupulín ciego sobre la clave, necesario para el contrapeso de la bóveda. Las hiladas colocadas de plano están supuestamente ejecutadas sin cimbra. La parte de la clave con los ladrillos de canto presumiblemente necesitaría algún pequeño soporte auxiliar. Los ladrillos miden aproximadamente 25 cm de largo, 12 cm de ancho y 3 cm de espesor, y su peso por unidad no llega a 1,5 kg.

Figura 1. *Interior cúpula de La Zawiya. Aznalcollar.*

Esta iglesia, también conocida como "La Zawiya" ha sufrido muchas vicisitudes a lo largo de su historia, y hoy ha quedado reducida a una pequeña capilla, otrora cabecera de una iglesia hoy inexistente. Antes de las actuales intervenciones de la escuela taller de Aznalcollar, la capilla era prácticamente una ruina. Las aguas habían penetrado en la bóveda ocasionando graves desperfectos. No obstante, después de las reparaciones recibidas, con alguna que otra prótesis, hoy se mantiene en pie con dignidad. Una inscripción en la puerta da testimonio de "la restauración llevada a cabo por los alumnos del módulo de Recuperación Monumental de la Escuela Taller La Zawiya, finalizando la misma en junio de 2004". El revestimiento interior es una pintura prácticamente aplicada sobre el ladrillo, sin otro soporte previo, y los motivos, como la flor de lis, indicarían que es posterior a la dinastía borbónica española. Los historiadores locales datan su construcción en el siglo XIV, alimentando la duda de si la cabecera (justo la actual capilla) es un antiguo oratorio musulmán reaprovechado. Hasta ser pintada, la bóveda debió permanecer desnuda, sin ningún revestimiento.

No es habitual en este tipo de estructuras, que como ya se ha dicho, se completaban con un tratamiento exterior diferente según el destino, lo que lleva a pensar que la obra quedó inconclusa en el momento de la ejecución, circunstancia que ha permitido conocer su interior.

En 1224, el Aljarafe fue tomado por tropas leonesas. No era Castilla en esa época un reino que brillara por su industria ni por su arte. Tanto al rey conquistador como a su hijo Alfonso X les costó repoblar los territorios conquistados, y siempre contando con el conocimiento de los oficios de las gentes del lugar. La Zawiya de Aznalcollar, fuese construida antes o después de la conquista cristiana, está hecha no con tecnología castellana, sino con tecnología hispanomusulmana.

Por otro lado, una pieza menor como esta en el escalafón arquitectónico no parece que sea merecedora de acaparar el esfuerzo de hacer venir de lejanas tierras a algún afamado artífice con una técnica novedosa para su ejecución. Por su ubicación, uso y escala más bien parece ejecutada por artesanos del lugar, o al menos de la zona, con una técnica conocida y dominada, que por circunstancias ignotas la dejaron inacabada. Una de las primeras acciones de Fernando III El Santo fue ordenar la construcción de un templo, capilla o ermita en cada población conquistada en proporción a su tamaño, y representando La Zawiya los restos de la construcción cristiana más antigua del pueblo es lícito pensar que pueda datar de la segunda mitad del siglo XIII.

Valencia

El antiguo reino de Valencia es un caso singular en lo que respecta a las bóvedas tabicadas. Un lugar donde se ha llegado a una superespecialización de un tipo único: la cúpula tabicada de doble hoja. Un tipo optimizado al máximo en el que es difícil llegar a semejantes resultados con secciones tan mínimas. Una optimización de la cúpula de Aznalcollar.

A las dos de la madrugada del día 8 de julio de 2015, tras un gran estruendo que sorprendió a los vecinos, se produjo un colapso parcial en la cúpula de la iglesia San Antonio Abad de Sumacárcer (Valencia). La prensa local dio la noticia con el siguiente titular: "El intenso calor "derrite" la cúpula de la iglesia parroquial de Sumacárcer". No es momento de indagar sobre las causas de este accidente, fuera este debido al calor o a las obras de rehabilitación realizadas con motivo de unas inundaciones ocurridas años atrás.

Lo significativo del caso es que permitió ver el interior de esta singular construcción. Una cúpula de dos hojas, una interior, otra exterior y entre ambas unas costillas. La interior y las costillas tomadas con yeso aplicado con las manos desnudas, sin herramientas (se pudieron ver las marcas de los dedos). Aproximadamente a media altura era visible un tirante metálico horizontal. El color negruzco del interior no había sido producto de algunas llamas, sino por los restos de un panal de abejas, que se habían instalado en el interior de la cúpula, entre las dos hojas. Un detalle que pasó inadvertido a periodistas y técnicos fue unos agujeros en las costillas, todos a la misma cota, una serie tras el arranque, y otra serie por encima del tirante metálico.

Los constructores de cúpulas tabicadas conocen la utilidad de estos orificios. Una cúpula como esta se comienza construyendo la hoja interior por hiladas horizontales, pero las hiladas son demasiado verticales debido a la sección apuntada de la cúpula, al menos hasta más de la mitad de su altura. Esta circunstancia provoca que una hilada pretenda girar hacia el exterior mientras se construye la hilada superior. Esta situación se controla atirantando la hilada con un elemento provisional, pues este fenómeno va

Figura 2. *Iglesia de San Antonio Abad. Sumacárcer.*

Figura 3. *Cúpula de la iglesia de San Antonio Abad. Sumacárcer.*

desapareciendo conforme se van construyendo las hiladas superiores. Es habitual utilizar como tirante una simple cuerda, pues las tensiones que ha de soportar son pequeñas. En este caso la cúpula tiene un tirante metálico fijo, y ha tenido varios tirantes auxiliares durante su construcción, tantos como series de orificios. Los elementos estructurales que le dan estabilidad a la cúpula son la hoja interior y las costillas ocultas entre ambas hojas. La hoja exterior es simplemente el soporte de la cobertura, razón por la que, habiendo desaparecido prácticamente el 50% de ésta, la cúpula se mantiene estable. En la imagen aún se puede observar cómo algunas piezas de la hoja exterior quieren saltar hacia afuera.

La evolución de la bóveda extremeña de rosca a tabicada

La bóveda extremeña es una bóveda de arista de geometría peculiar, cuya característica principal es que se construye sin cimbras. De herencia mesopotámica, las bóvedas de rosca extremeña se han construido con mortero de cal en hiladas cónicas, lo que ha permitido prescindir de las cimbras sin necesidad de contar con un mortero de fraguado rápido. Hoy en Extremadura se pueden encontrar las mismas bóvedas extremeñas en versión "bóveda de rosca" y en versión "bóveda tabicada" (Fortea y López 1998).

Extremadura es tierra de cales y granitos, pero no de yeso, como sucede en todo el Oeste peninsular. Ocasionalmente se usaba el yeso, que debía ser importado. En los siglos XVI, XVII y XVIII las bóvedas tabicadas son productos de lujo, solo accesibles a economías poderosas, como por ejemplo la Iglesia. En esta época se construyen algunos templos (o se reparan) con bóvedas tabicadas por ser más baratas que las bóvedas de cantería. La llegada del ferrocarril supuso el acceso masivo a un material barato como el yeso.

Figura 4. *Bóveda extremeña de rosca.*

Figura 5. *Bóveda extremeña de rosca y tabicada.*

Figura 6. *Bóveda extremeña tabicada.*

Los maestros de obra descubrieron que hacer las bóvedas tradicionales extremeñas con la técnica de las bóvedas tabicadas resultaba más barato, y además necesitaban mucho menos tiempo para su ejecución.

Una adaptación tecnológica que transformó la bóveda de rosca extremeña en una bóveda tabicada extremeña. Al principio de esta evolución no había suficiente confianza en la seguridad de la bóveda tabicada y tan solo se valoraba su rapidez de ejecución, hasta el punto que se construía la tabicada y encima se colocaba otra de rosca, haciendo la tabicada de encofrado perdido. Pronto se percataron los constructores extremeños que con la bóveda tabicada era suficiente y eliminaron la segunda bóveda de rosca. Bastaba con rellenar los senos adecuadamente.

Guastavino

La figura de Guastavino es suficientemente conocida, así como sus obras. Aportó importantes avances tecnológicos a la bóveda tabicada, hasta el punto de elevarla a una categoría superior. Sus obras en Estados Unidos están elevadas al rango de patrimonio arquitectónico.

Llegó a dominar la cúpula de doble hoja hasta unos extremos insospechados, consiguiendo grandes luces con secciones mínimas. En su afán de explorar límites ignotos introdujo el concepto de sección variable con el recurso de la superposición de diferentes capas de ladrillo fino. Usaba ladrillos patentados y fabricados por el mismo, de unas dimensiones más próximas a las de una baldosa de revestimiento que a un ladrillo estructural. Entre la hoja interior y la exterior sustituía las costillas por arbotantes ocultos consiguiendo reducir aún más la sección de los elementos estructurales, haciendo trabajar por igual tanto la hoja interior como la exterior. En puntos estratégicos situaba tirantes metálicos con una doble función, en unos casos eran piezas necesarias para la estabilidad de la cúpula, como los situados en el arranque, de dimensiones considerables. Otros, de secciones menores, desempeñaban una misión temporal esencial durante la ejecución,

***Figura** 7. Chapel for Columbia University N.Y.C. Howell & Stokes Arch.*

aunque permanecen en la obra de manera permanente. Este refinamiento implica un conocimiento del comportamiento estructural profundo, que no se sabe si adquirió por razonamientos teóricos o por pruebas experimentales.

El presente y el futuro de la bóveda tabicada

La bóveda tabicada ha ido evolucionando a lo largo de la historia, incorporando elementos nuevos en función de las necesidades y de las oportunidades.

Esa evolución se detuvo cuando entró en desuso, como ha ocurrido en los últimos decenios con la aparición de nuevos materiales como el hormigón, un producto que ha monopolizado el sector, condenando al ostracismo otras alternativas constructivas. La ausencia de la enseñanza y divulgación de la técnica de las bóvedas, en general, y las tabicadas, en particular, en el ámbito académico junto con la ausencia de normativa tanto en el ámbito nacional como internacional, hace difícil que las bóvedas tabicadas se incorporen con naturalidad al proceso constructivo de manera generalizada. No obstante, algunos arquitectos valientes las están incorporando en sus proyectos con resultados satisfactorios.

Sus cualidades medioambientales, de bajo consumo energético, de bajo nivel de emisión de CO2, y de no ser un producto nocivo como residuo, hacen que la bóveda tabicada cobre un protagonismo inesperado en el marco mundial actual en el que la sostenibilidad es un valor en alza y estimado socialmente. Situaciones, como las derivadas del COVID-19 aceleraran el interés por mejorar las condiciones medioambientales en todos los sectores y productos.

No obstante, la evolución de la bóveda tabicada no descansa, al igual que le sucede a sus empujes, siempre que haya gente trabajando en ellas. La última línea de investigación en la que está trabajando un grupo heterogéneo procedente de varios ámbitos, entre los que se encuentra el autor, es en la utilización de materiales de baja densidad en sustitución del ladrillo, fundamentalmente productos del reciclaje, aumentando aún más sus valores medioambientales. El resultado hasta hora es satisfactorio por una razón básica: el ladrillo en la bóveda tabicada trabaja a unas tensiones muy bajas que estos nuevos materiales ligeros soportan con facilidad. El futuro un poco más lejano es que estas estructuras ligeras puedan ser aparejadas por un robot como si de un rompecabezas se tratara, sin necesidad de cimbras auxiliares.

Nota: Salvo indicación contraria, las imágenes de este artículo pertenecen al autor.

Referencias

AL-IDRISI. [1969] (2002). Description de l'Afrique et de l'Espagne. Traducción de P. A. Reinhart Dozy et J. Michaël J. de Goeje. Amsterdam: Oriental Press. REpublicación integral de la edición de Leiden (1866) disponible en: http://penelope.uchicago.edu/Thayer/F/Gazetteer/Periods/. Consulta 10/09/2002.

ARAGUAS, P. (1998). "L'acte de naissance de la Boveda Tabicada ou le certificat de natutalisation de la "voûte catalana" En *Bulletin Monumental*, tome 156-II. París: Société Française d'Archéologie.

CHOISY, A. (1883). *L'art de bâtir chez les byzantins*. Paris: Librairie de la Société Anonnyme de Publications Périodiques.

COLLINS, G.R. (2001). "El paso de las cáscaras delgadas de fábrica desde España a América." En *Las bóvedas de Guastavino en América*. Madrid: Exposición Guastavino Co (1885-1962). La reinvención de la bóveda.

DUBLER, C. E. (1946). Sobre la crónica arábigo-bizantina de 741 y la influencia bizantina en la península ibérica. En *Al-Andalus*, 11.

DUBLER, V. (1975). *Opus geographicum*. Nápoles-Roma: Edicion d'Al-Idrissi.

FORTEA LUNA, M. (2008). *Origen de la bóveda tabicada*. Zafra.

FORTEA LUNA, M. & LÓPEZ BERNAL, V. (1998). *Bóvedas Extremeñas*. Badajoz: Colegio Oficial de Arquitectos de Extremadura.

FRAY LORENZO DE SAN NICOLÁS. (1639). *Arte y Uso de la Arquitectura*. Madrid.

GLICK, T. F. 1992. Tecnología, Ciencia y Cultura en la España Medieval. Madrid: Alianza.

GÓMEZ MORENO, M. (1892). *Guia de Granada*. Granada.

GÓMEZ-FERRER LOZANO, M. (2003). "Las bóvedas tabicadas en la arquitectura valencia durante los siglos XIV, XV y XVI." En *Una arquitectura gótica mediterránea*, v. II. Valencia: Generalitat Valenciana.

GUASTAVINO, R. (2002). *Escritos sobre l construcción cohesiva*. Madrid: Instituto Juan de Herrera.

MANETTI, A. ([ca.1480] 1992). *Vita di Filippo Brunelleschi*. Roma: Salerno editrice.

MUÑOZ COSME, A. 2005. *La vida y la obra de Leopoldo Torrés Balbás*. Sevilla: Junta de Andalucía, Consejería de Cultura.

SÁNCHEZ MARTÍNEZ, M. 1976. "La Cora de Ilbira (Granada y Almería) en los siglos X y XI, según Al-'Udri (1003-1085)". En *Cuadernos de Historia del Islam*, 7.

SOTOMAYOR, J. de. (1776). *Modo de hacer incombustibles los edificios sin aumentar el coste de construcción*. Madrid.

TORIJA, J. de. (1661). *Breve tratado de todo género de bóvedas*.

TORRÉS BALBÁS, L. (1981). Obra dispersa I "*Al-Andalus. Cronica de la España Musulmana, 1*". Madrid: Instituto de España.

WHITE, L. Jr. (1971). "Cultural Climate and Technical Advance in Middle Ages". En *Viator*, 2.

II. NUEVOS USOS

NEW USES

Bóveda tabicada del panteón de la familia Soriano Manzanet en el cementerio de Vila-real

ISBN. 978-84-9048-827-0

Versatilidad de la bóveda tabicada en la arquitectura contemporánea

Camilla Mileto, Fernando Vegas, Lidia García-Soriano
PEGASO Centro de Investigación Arquitectura. Patrimonio y Gestión para el Desarrollo Sostenible, Universitat Politècnica de Valencia

Abstract

This text presents the work carried out by the RES-Arquitectura research group, led by Fernando Vegas and Camilla Mileto, following a line of work focusing on traditional constructive techniques, tile vaulting in particular. Different approaches have been followed in this work. The theoretical approach used the research and cataloguing work to study the technique and trades, recognizing the importance of artisans and their skill in maintaining the technique, thus ensuring its survival. In terms of practical architecture, the tile vaulting technique is used in intervention projects and new designs, providing contemporary solutions born of constructive tradition. In the field of development cooperation this traditional technique is used in developing countries as a possible optimal solution for covering architectural spaces in places with little industry and a scarcity of timber. Furthermore, drawing on all the fields above, it was considered essential to promote the tile vaulting technique through various training workshops adapted to different audiences and contexts.

Keywords: *Research group; traditional constructive techniques; tile vaulting; intervention projects; development cooperation.*

Resumen

Este texto presenta la labor realizada por el grupo de investigación RES-Arquitectura, dirigido por Fernando Vegas y Camilla Mileto, en una línea de trabajo centrada en las técnicas constructivas tradicionales y concretamente en la técnica de la bóveda tabicada. Este trabajo se ha abordado desde diversos ámbitos: el teórico, con trabajos de investigación y catalogación que no sólo han tratado de estudiar la técnica sino también el oficio y reconocer la importancia del artesano y su pericia para el mantenimiento y perduración de la técnica; el ámbito práctico de la arquitectura, con el empleo de la técnica de la bóveda tabicada en proyectos de intervención y obra nueva, es decir, soluciones contemporáneas que surgen desde la tradición constructiva; y el ámbito de la cooperación al desarrollo, con el empleo de esta técnica tradicional en entornos poco desarrollados como posible solución óptima para la cobertura de espacios arquitectónicos en contextos poco industrializados y con escasez de madera. Además, de forma transversal a estos ámbitos de trabajo, para el conocimiento de la técnica de la bóveda tabicada también se ha considerado fundamental la realización de acciones para la difusión, a través de diversos talleres de formación, que se han adaptado a públicos y contextos heterogéneos.

Palabras clave: *Grupo de investigación; técnicas constructivas tradicionales; bóveda tabicada; proyectos de intervención; cooperación al desarrollo.*

Introducción

RES-Arquitectura, el grupo de investigación dirigido por Fernando Vegas y Camilla Mileto, (http://resarquitectura.blogs.upv.es/), lleva años desarrollando una línea de trabajo sobre las técnicas constructivas tradicionales en general y la técnica de la bóveda tabicada en particular, realizando diversos proyectos y acciones de investigación en esta área, así como talleres de formación en distintos niveles. Tras estos trabajos de investigación, se ha tenido la posibilidad de dar el salto del plano teórico a la puesta en obra de proyectos reales y a la investigación orientada a la acción en el ámbito de los proyectos de cooperación. En este texto se presentan algunas acciones llevadas a cabo en esta línea de trabajo, desde los diversos ámbitos y enfoques, tanto en el marco teórico de la investigación, el ámbito práctico de la construcción de arquitectura contemporánea, como en el desarrollo de proyectos de cooperación y talleres de formación y difusión.

Estudio de las técnicas tradicionales como ejemplo de sostenibilidad

La arquitectura tradicional, y por tanto sus técnicas constructivas, se fundamenta en los tres pilares de la sostenibilidad: el respeto del medioambiente (adaptación al ecosistema, adaptación a las condiciones bioclimáticas, reducción de transporte y polución, etc.); el fomento sociocultural (conservación del paisaje, transmisión del saber constructivo tradicional, desarrollo de relaciones sociales, etc.); y el desarrollo socioeconómico (fomento de la autonomía y la actividad local, durabilidad de las construcciones, ahorro de recursos, etc.) (AA. VV. 2014). Además, el empleo de los materiales y técnicas tradicionales permite valorar el trabajo artesanal y de la pericia técnica, es decir, poner en valor el oficio como fundamento de una mejor adaptación a las condiciones bioclimáticas del lugar. Muchas técnicas constructivas tradicionales han ido cayendo en el olvido con el paso de los años con la introducción de nuevas técnicas constructivas y materiales que han ido desplazando a los tradicionales. No obstante, algunas técnicas como la bóveda tabicada siguen en la actualidad teniendo un colectivo de maestros artesanos que mantienen vivo el oficio y permiten que la técnica siga transmitiéndose de generación en generación, como en de la zona de Valencia.

El empleo de estas técnicas constructivas tradiciones tanto en la restauración de la arquitectura tradicional como en la arquitectura de nueva planta supone uno de los posibles motores para un desarrollo económico local a través del empleo de los materiales, artesanos y empresas del entorno inmediato. En este marco, se considera fundamental conocer no sólo las técnicas tradicionales y de qué lugares son características, sino también los artesanos que son capaces de ejecutarlas y ponerlas en práctica hoy en día. Con este objetivo nació un encargo para la "Documentación e Investigación para el Conocimiento de la Situación Actual de la Extracción, Utilización y Puesta en obra de los Materiales Tradicionales de Construcción en España" del IPCE del Ministerio de Educación, Cultura y Deporte (2013-2014).

Estudio de las técnicas tradicionales, de los oficios y maestros

Dada la importancia de la cuestión y su impacto en la conservación y restauración del patrimonio arquitectónico tradicional, en el Plan Nacional de Arquitectura Tradicional se decidió dedicar un apartado específico a la recuperación de las técnicas tradicionales de construcción para la restauración de la arquitectura tradicional. El objetivo principal era crear un estado de la cuestión de los materiales tradicionales disponibles en la actualidad, su extracción, elaboración y puesta en obra, así como la persistencia de los oficios específicos ligados a la producción y puesta en obra para su fomento y empleo en los procesos de restauración de la arquitectura tradicional.

El trabajo se desarrolló principalmente en cuatro direcciones: la elaboración y compilación de una base de datos con los diferentes agentes de la construcción tradicional; el mapeo geográfico de los materiales y las técnicas constructivas y de su presencia y actividad en la actualidad (fig. 1); la documentación gráfica y audiovisual (fotografías, videos y enlaces a internet) de los materiales, procesos y técnicas constructivas tradicionales; y el cruce de

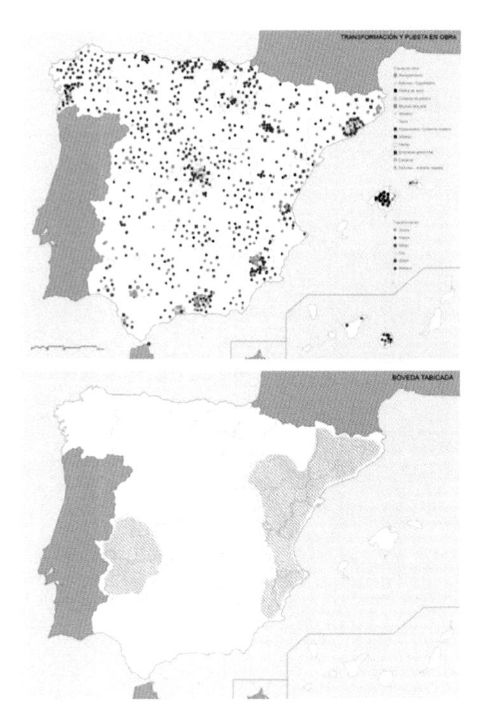

Figura 1. Arriba: Mapeado de materiales y técnicas constructivas realizado en el trabajo de "Documentación e Investigación para el Conocimiento de la Situación Actual de la Extracción, Utilización y Puesta en obra de los Materiales Tradicionales de Construcción en España". Abajo: Mapeado de la técnica de la bóveda tabicada. Fuente: http://www.culturaydeporte.gob.es/planes-nacionales/planes-nacionales/arquitectura-tradicional/actuaciones/materiales-tradicionales.html.

información, análisis y reflexiones para alcanzar unas conclusiones sobre el estado actual de los materiales y las técnicas tradicionales de construcción en las distintas zonas de España. Se realizó un trabajo difícil, complejo, con el que se consiguió recoger información sobre diversas técnicas de construcción tradicionales que, a pesar de su exhaustividad, no puede considerarse un trabajo terminado, sino que podría ser objeto de continua ampliación de este conocimiento en el futuro. El trabajo se puede consultar en abierto en la página web del Instituto del Patrimonio Cultural de España, a través del siguiente link: www.culturaydeporte.gob.es/planes-nacionales.

Red Nacional de maestros de arquitectura tradicional

A partir de este trabajo se desarrolló la Red Nacional de Maestros de la Construcción Tradicional (2016-2017) por un equipo dirigido por Alejandro García Hermida y con la participación del equipo de investigación de Res-Arquitectura que había desarrollado previamente la nombrada catalogación. Esta red se creó gracias al apoyo del Richard H. Driehaus Charitable Lead Trust, mediante la colaboración del Instituto de Patrimonio Cultural de España (IPCE) del Ministerio de Educación, Cultura y Deportes, el Premio Rafael Manzano y el INTBAU (International Network of Traditional Buildings and Urbanism).

En este proyecto se desarrolló un Directorio Nacional de las personas y empresas más cualificados en los diferentes oficios de la construcción tradicional y su restauración. Se trató de catalogar los oficios tradicionales (patrimonio intangible), en su condición de patrimonio. Entre ellos actualmente en el catálogo de la Red hay registrados 10 maestros constructores de bóvedas tabicadas. Se trata de un catálogo de libre acceso que está disponible en la web (https://redmaestros.com), que también podría ser susceptible de ampliación en el futuro.

Empleo de la bóveda tabicada en proyectos contemporáneos

En las últimas dos décadas, la técnica de la bóveda tabicada ha generado un gran interés por sus posibilidades tanto estructurales como estéticas y plásticas, y por ello ha tenido cada vez más presencia en el diseño de la arquitectura contemporánea, es posible citar como ejemplo los trabajos de John Ochsendorf, Peter Rich, Michael Ramage y David López López, entre otros (Ochsendorf 2010; Ramage et al. 2010; López López et al., 2014).

Y en esta línea de trabajo, en el seno del grupo de investigación Res-Arquitectura, tras los estudios teóricos previos de la técnica y el oficio de la bóveda tabicada, ha sido también posible poner en práctica la misma en diversos proyectos contemporáneos. Inicialmente,

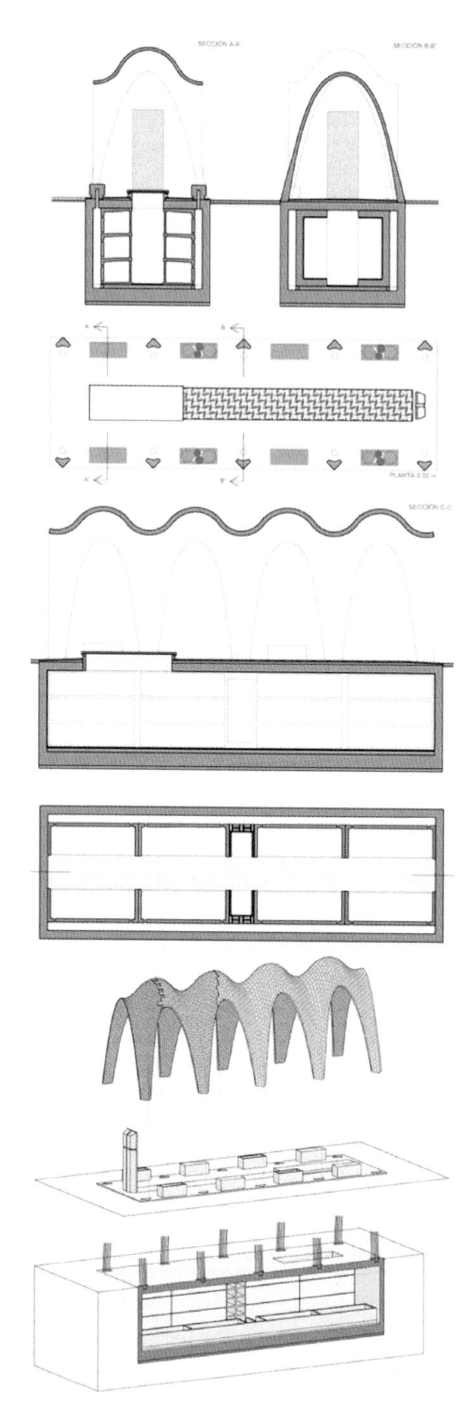

Figura 2. *Esquema 2D y 3D del diseño definitivo de la bóveda.*

se trabajó con esta técnica en el diseño de escaleras en diversos proyectos y obras de restauración.

Posteriormente, en 2014, los arquitectos Fernando Vegas y Camilla Mileto recibieron el encargo de construir el panteón de la familia Soriano Manzanet en el cementerio de Vila-real (Castellón), que resultó ser una gran ocasión para poner en práctica el diseño contemporáneo desde la perspectiva de la tradición constructiva de la bóveda tabicada. En este proyecto se ha perseguido un espacio abierto que permitiera crear un lugar de reflexión y tranquilidad en armonía con el entorno, siguiendo el deseo de la propiedad de reflejar el carácter del patriarca de la familia. El panteón familiar se ha construido con ladrillo fabricado artesanalmente y una piedra sedimentaria (caliza Cenia) extraída en canteras cercanas, en busca de una relación con la tradición y los materiales de su territorio.

El espacio de enterramiento se materializa como una cámara funeraria que se inserta en el terreno mediante un vaso estructural de hormigón armado, y en la que se disponen dos filas de nichos en torno a un corredor central. Sobre él se construye un espacio, exterior pero cubierto, destinado a la memoria de los difuntos. La distribución de este espacio es reflejo de la cámara situada debajo de él.

La cobertura de este espacio es una superficie de cuatro pseudoparaboloides hiperbólicos que se pliegan y prolongan hasta tocar el suelo en apoyos puntuales. Esta estructura abovedada, que no establece ninguna dirección preponderante, aspira a crear bajo ella un espacio reposado y diáfano que propicie la meditación y el recuerdo.

La bóveda, diseñada por los arquitectos Fernando Vegas y Camilla Mileto, dimensionada por Adolfo Alonso y construida por Salvador Gomis con la dirección de ejecución de Salvador Tomás, nace como un homenaje tanto a la tradición ceramista de la zona como a la técnica de la bóveda tabicada, tan arraigada y propia de la historia del Levante (Mileto & Vegas 2016). Para el diseño de estas bóvedas se trabajó con programas de ordenador específicos de diseño tridimensional persiguiendo

Figura 3. *Salvador Gomis durante la ejecución de la bóveda.*

Figura 4. *Detalle de la construcción de la bóveda en el que puede apreciarse el despiece de las rasillas.*

un resultado óptimo tanto en el plano estético como estructural (fig. 2). Trabajar con estos programas de dimensionado permite realizar variaciones en los parámetros de diseño de las bóvedas con relativa agilidad y optimizar así dicho proceso de diseño. Todas las curvas presentes en el panteón responden a perfiles de catenaria, curvas con una extraordinaria dificultad de expresión matemática y gráfica, que permiten sin embargo optimizar el funcionamiento estructural del conjunto.

La bóveda se calculó aplicando un modelo de cálculo no lineal que tiene en cuenta el comportamiento plástico de la fábrica y la influencia de la fisuración por tracción. Las solicitaciones de la estructura, y el dimensionamiento de los elementos han sido obtenidas mediante la aplicación informática ANGLE, un programa de elementos finitos desarrollado en el Departamento de Mecánica de Medios Continuos y Teoría de Estructuras de la Universidad Politécnica de Valencia (UPV) por el profesor Adolfo Alonso Durá.

La complicidad y la colaboración del promotor permitió que durante el proyecto se pudiese trabajar en el diseño de la bóveda desde todos los niveles: desde la selección de los materiales, la supervisión de su proceso de extracción, elaboración y fabricación hasta su puesta en obra.

Para la ejecución de la bóveda se emplearon cerca de 20.000 rasillas cerámicas fabricadas manualmente, previa realización de varias pruebas para determinar el tipo de arcilla, la textura, pruebas de durabilidad y envejecimiento, el tamaño y el espesor, estos últimos en función del radio de las curvas del panteón y el peso calculado necesario de las tres capas de cerámica para compensar el efecto de succión del viento. La bóveda, de tres hojas, la primera de ellas recibida con pasta de yeso y, las dos restantes, con mortero de cemento blanco, fue erigida sin necesidad de cimbra, solo con la ayuda de unas guías metálicas para no perder la curvatura (figs. 3, 4). Además, el aparejo del ladrillo se estudió para emplear siempre módulos enteros y evitar recortes, puntas y parches cerámicos (fig. 5).

Figura 5. *Imagen final de la bóveda tabicada del panteón en el cementerio de Vila-real.*

La técnica de la bóveda tabicada para la cooperación al desarrollo

Tras estas experiencias, surgió la posibilidad de aplicar el conocimiento adquirido también en el ámbito de la cooperación internacional. En 2013, la ONG Algemesí Solidari junto con la asociación local Buud-Bumbu de Bao/ Baasneeré (A3B), se embarcaron en un proyecto común para la construcción de una escuela de enseñanza secundaria en el pueblo de Baasneeré (Burkina Faso), en cuyo diseño y formación del equipo español en técnicas constructivas participó el equipo de Res-Arquitectura. Merced a esta colaboración previa con la ONG Algemesí Solidari, en 2017 surgió la posibilidad de realizar el proyecto "ConBurkina" financiado por el Centro de Cooperación al Desarrollo de la UPV.

El proyecto "ConBurkina", nació con el objetivo fundamental de ofrecer la técnica de la bóveda tabicada como una alternativa más sostenible a nivel de producción, puesta en obra, bienestar y salubridad de los propios alumnos, frente a la construcción convencional de cooperación con formato y tecnología de hormigón importada de Europa. Un objetivo transversal del proyecto fue ofrecer a Algemesí Solidari asesoramiento técnico y contribuir con un programa de formación profesional centrado en la construcción de bóvedas tabicadas. Se trataba de llevar la bóveda tabicada a un lugar del que no es propia, confiando en los beneficios que esta técnica puede brindar en otros contextos, además de ofrecer formación a personas en un determinado oficio, independientemente de que posteriormente lo puedan poner en práctica de forma directa o no. El sistema de la bóveda tabicada se basa en el empleo de morteros rápidos y piezas de poco espesor para la construcción de bóvedas ligeras que requieren de muy poca cimbra (Gómez Patrocino et al. 2016). Gracias a estas características, estas bóvedas resultan soluciones óptimas para la construcción de elementos horizontales en contextos poco industrializados y con escasez de madera.

Con estos objetivos se planteó un programa de formación a distintos niveles, que dio como resultado la realización de tres talleres: dos talleres de formación para adultos (con perfiles diferentes) para el empoderamiento de la comunidad local y formación de técnicos locales, y un taller infantil de sensibilización y participación social.

Talleres para el empoderamiento de la comunidad local y formación de técnicos locales

En enero de 2018 se realizaron dos talleres, uno en la capital de Burkina Faso (Ouagadougou) para un grupo de obreros de diversas empresas constructoras, y otro taller en Baaneere para los jóvenes de la población y posibles futuros trabajadores en la construcción de la escuela. Ambos talleres se estructuraron de la misma manera y las actividades a desarrollar se plantearon siguiendo una metodología "learning by doing" (Rama et al. 1998), basada en un proceso de aprendizaje en el que se invierte el modelo pedagógico convencional. Partiendo de la realización de una actividad práctica concreta, se extraen las reglas que la han hecho posible y se adquieren los conocimientos teóricos de forma deductiva.

Así pues, siguiendo este proceso de abstracción progresiva del conocimiento, ambos talleres se estructuraron en diversas partes. En primer lugar, se realizó una breve introducción a las bóvedas tabicadas y a las características básicas de la técnica; a continuación, se realizó un ejercicio práctico de construcción en el que se incluyó también la fabricación de los medios auxiliares necesarios y su empleo para la construcción de una bóveda tabicada. En esta sesión se pretendía que los alumnos aprendieran un sistema sencillo para diseñar cimbras a pie de obra, comprendieran la importancia de un trazado correcto para la estabilidad de las bóvedas y fueran capaces de fabricar todos los medios auxiliares necesarios para su construcción (fig. 6).

Posteriormente, se trabajó en la construcción de las bóvedas tabicadas, empleando las cimbras fabricadas en la actividad anterior. En esta tarea, los alumnos pusieron en práctica la técnica constructiva y asimilaron conceptos de

Figura 6. *Trazado y construcción de las cimbras de madera durante el taller de Ouagadougou.*

ejecución fundamentales como la importancia de dotar a las bóvedas de un apoyo firme o de evitar las juntas continuas. Por otra parte, en esta tarea se enfrentaron por primera vez al empleo del yeso como material de construcción para la elaboración del mortero de agarre de las piezas (fig. 7).

Después de que los alumnos comprendieran la utilidad de las bóvedas tabicadas y aplicaran el sistema constructivo, se desarrolló una tercera actividad orientada al descubrimiento de las posibilidades que esta técnica ofrece desde un punto de vista arquitectónico y expresivo. Con este taller se pretendía generar una valoración positiva de las construcciones con bóvedas tabicadas como edificios confortables, útiles y bellos. Durante esta sesión se diseñaron diversas propuestas para un edificio tipo construido con bóvedas a partir de maquetas funiculares (Songel 2015). Estas maquetas se basan en la capacidad de la tela empapada en escayola húmeda de descolgarse generando formas cóncavas por efecto de su propio peso[1]. Cuando el yeso que impregna la tela endurece, se puede dar la vuelta a las maquetas de manera que las formas creadas por la gravedad se conviertan en bóvedas, arcos y cúpulas.

Esta actividad permitió a los alumnos obtener un conocimiento más abstracto de la técnica e incluso trabajar aspectos relacionados con el diseño de espacios, pudiendo ver las posibilidades de la nueva tecnología aprendida en otros edificios como sus propias viviendas (fig. 8).

Entre los dos talleres realizados se ha formado a 35 personas con perfiles muy diferentes: arquitectos, estudiantes de ingeniería civil, albañiles (autónomos o integrados en cuatro empresas constructoras), fabricantes de BTC y jóvenes sin oficio. Al involucrar a todos los agentes participantes en el proceso (productores, constructores, técnicos y comunidad receptora), se ha pretendido generar una cadena completa de valoración de esta técnica que pueda propiciar su uso más allá del proyecto de construcción de la escuela. En ese sentido, la participación de técnicos ha favorecido el interés de los constructores en la técnica, al percibirla como una fuente potencial de encargos.

Es también importante destacar que el taller de formación profesional para jóvenes de Baasneeré se desarrolló en un espacio situado junto a un aulario construido en una fase inicial del proyecto de la escuela. Este pabellón ha demostrado ser un buen recurso de apoyo para la sesión introductoria, pues ha permitido observar las bóvedas que lo cubrían (realizadas con una técnica diferente) y compararlas con los ejemplos aportados para extraer unas reflexiones previas por parte de los alumnos.

Al situar este taller junto a la escuela, ya en uso, se propició también la participación de los alumnos de la escuela secundaria que, al salir de clase, se quedaban en el taller para ver los avances de las bóvedas tabicadas en construcción (fig. 9).

Figura 7. *Construcción de las bóvedas tabicadas durante el taller de Ouagadougou.*

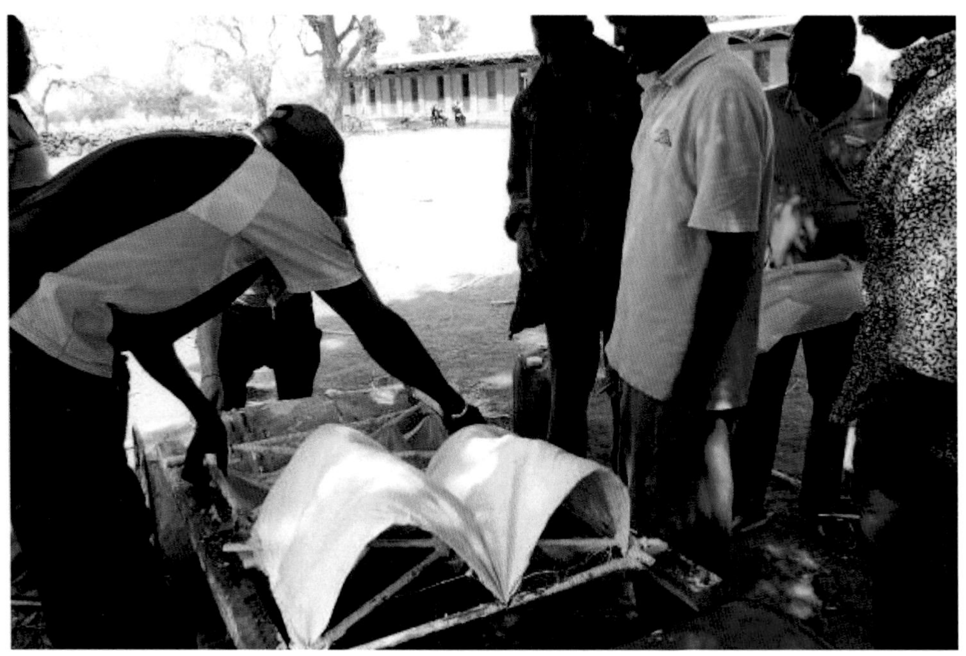

Figura 8. *Taller de maquetas funiculares realizado en Baasneeré.*

Figura 9. *Alumnos de la escuela secundaria observando el desarrollo del taller de construcción de bóvedas tabicadas realizado en Baasneeré.*

La formación impartida a los jóvenes locales ha supuesto una oportunidad poco frecuente en un entorno con tan poca actividad económica y se espera que pueda desembocar en un primer trabajo remunerado durante la construcción de la escuela. Por otra parte, la realización de este taller en la comunidad ha contribuido a despertar el interés de la población local habiéndose recibido visitas constantes por parte del jefe de la población, de su comité y de los niños que ya ocupan el aulario previamente construido. Esta curiosidad, junto con la convicción de estar contribuyendo a la construcción de la escuela, se espera que favorezca su asimilación positiva por parte de la comunidad.

Figura 10. *Actividades de participación social con los niños de Baasneeré.*

Actividades de participación social

En el marco del proyecto también se realizaron actividades específicas de participación social con los niños y jóvenes que serán los futuros alumnos de la escuela. El taller organizado para los niños de Baasneeré tuvo por objetivo fomentar el valor y el aprecio de los más jóvenes tanto por la arquitectura tradicional, construida con tierra, propia de su país, como por las técnicas constructivas del proyecto de la escuela de educación secundaria, de la que los niños serán los futuros usuarios.

Para la preparación de la actividad se contactó con el director de la escuela primaria de Baasneere, quien, junto con el equipo de la UPV, acordó que el taller se realizaría con aproximadamente 70 niños de la escuela, de las clases de CE2 y CM1, que son las clases correspondientes a los niños de 8 y 9 años.

Estas actividades de difusión con la población local más jóvenes han sido una parte fundamental del proyecto "ConBurkina". La intención de todas estas actividades fue aportar a los niños de Baasneeré conocimientos que sirvieran para fortalecer su apreciación por la cultura propia y empoderar, de esta manera, a las generaciones futuras, que serán las encargadas de tomar las decisiones en los próximos años, frente a los cambios impuestos por la industria, la globalización o la especulación. Además, estas actividades les han permitido trabajar habilidades de perfil creativo (como la pintura y el modelado) que habitualmente no son desarrolladas en las masificadas escuelas del país (fig. 10).

Por otro lado, para el equipo de la UPV, que tiene una amplia experiencia en la realización de talleres infantiles, esta experiencia fue un gran reto, no sólo por la gran cantidad de niños que realizaron el taller, sino también por la dificultad de adaptar las actividades a una realidad local muy concreta y distinta de la propia, que obligó en algunas ocasiones a tener que realizar cambios en la programación de las actividades durante el desarrollo de las mismas.

Difusión y explotación de los resultados

Como conclusión del trabajo realizado en el proyecto "ConBurkina" se han preparado diversas publicaciones científicas sobre el proceso y los resultados de la parte experimental de proyecto. Además, se puso en marcha una web del proyecto (conburkina.blogs.upv.es) donde se han publicando los resultados. Se realizó también una exposición sobre el proyecto que fue expuesta en la Escuela de Arquitectura de la UPV y en el Casino de Algemesí (fig. 11). Para esta exposición además de paneles se prepararon videos explicativos que enmarcan y ayudan a comprender mejor las tareas desarrolladas en el proyecto. Por otro lado, se está trabajando también en una publicación que recoja el desarrollo del proyecto y pueda servir a futuras experiencias.

Figura 11. *Imagen de la exposición del proyecto "ConBurkina".*

Esta línea de trabajo vinculada a la formación para el empleo de las técnicas constructivas tradicionales y en concreto para el conocimiento de la técnica constructiva de la bóveda tabicada se ha completado también con diversos talleres desarrollados en la UPV para alumnos de Arquitectura, tanto de la Escuela de Valencia como alumnos de otras escuelas como es el caso, por ejemplo, del taller realizado en julio de 2017 en colaboración con la Universidad "SAL College of Engineering" de Ahmedabad.

Conclusiones y futuras líneas de trabajo

Este texto ha presentado las distintas experiencias y propuestas que se han llevado a cabo por el grupo de investigación Res-Arquitectura, en una línea de trabajo vinculada directamente al estudio y difusión de la técnica constructiva de la bóveda tabicada. Partiendo del estudio teórico se ha tratado de poner en valor no sólo la técnica sino también el oficio de los maestros que hacen que sea posible convertir los proyectos en realidad. La posibilidad de poner en práctica este conocimiento en proyectos contemporáneos ha permitido afianzar y experimentar con las posibilidades expresivas de estas bóvedas.

Por otro lado, las propuestas formativas, aunque dirigidas a un público diverso, tienen como objetivo común el promover la formación comprometida y consciente de los alumnos sobre las técnicas constructivas tradicionales y su aportación para la construcción en el S. XXI. Las distintas actividades formativas se han vertebrado para que la educación sea uno de los catalizadores más cruciales para el desarrollo sostenible, involucrando colectivos y acciones que, a pesar de ser heterogéneas, tienen como denominador común apostar por la concienciación y el compromiso formativo.

Además, el desarrollo del proyecto de cooperación ConBurkina ha permitido llevar a cabo experiencias pioneras de construcción de bóvedas tabicadas de BTC, con unos resultados preliminares muy satisfactorios, y se han podido brindar a Algemesí Solidari varias alternativas para la construcción de las bóvedas de la escuela que se adaptaban a los recursos disponibles localmente y permitían reducir significativamente la madera empleada en la construcción de cimbras y medios auxiliares.

Por otro lado, los talleres han puesto en relación los diversos agentes intervinientes en la obra, desde los arquitectos y los trabajadores hasta la población local, haciéndoles partícipes del proyecto y fomentando el afianzamiento de la técnica más allá de la duración del proyecto. Además, el trabajo realizado abre todo un abanico de posibilidades de colaboración entre la universidad y las entidades humanitarias para el desarrollo de soluciones que partan de la arquitectura tradicional para ofrecer alternativas de construcción sostenible medioambiental, socioeconómica y socioculturalmente en los proyectos de cooperación.

Con todo ello, las futuras líneas de trabajo continuarán el camino ya iniciado para seguir investigando, formando y difundiendo la técnica constructiva de la bóveda tabicada y el patrimonio material e inmaterial ligado a esta cultura constructiva. Actualmente, se sigue trabajando en varias propuestas para solicitar nuevos proyectos de investigación y cooperación en torno a esta técnica, como el proyecto House Nepal que se ha iniciado en 2019 y, además, se ha trabajado también en la posibilidad futura de realizar un programa de postgrado centrado en las técnicas constructivas tradicionales.

Nota: Salvo indicación contraria, las imágenes de este artículo pertenecen a los autores.

Referencias

AA. VV. (2014). *Versus. Heritage for tomorrow. Vernacular knowledge for sustainable architecture*. Ed: Mariana Correia, Letizia Dipasquale, Saverio Mecca. Firenze University Press.

OCHSENDORF, J. (2010). Guastavino Vaulting: The Art of Structural Tile. Princeton, NJ: Princeton Architectural Press.

RAMAGE, M.H., J. OCHSENDORF, J. y P. RICH (2010). Sustainable Shells: New African vaults built with soil-cement tiles, *Journal of the International Association of Shell and Spatial Structures*, Vol.51 No. 4, pp 255-261.

LÓPEZ LÓPEZ, D., M. DOMÈNECH RODRÍGUEZ y M. PALUMBO FERNÁNDEZ (2014). *"Brick-topia", the thin-tile vaulted pavilion, Case Studies in Structural Engineering*, Volume 2, pp. 33-40.

MILETO, C. y F. VEGAS (2016). "Panteón de la familia Soriano-Manzanet" en *CONarquitectura nº 58. pp. 56-58.*

GÓMEZ-PATROCINIO, F.J., A. ALONSO, C. MILETO y F. VEGAS LÓPEZ-MANZANARES (2016). "Optimización geométrica de trazados funiculares en el diseño de bóvedas de BTC para forjados", in *Memorias del 16º Seminario Iberoamericano de Arquitectura y Construcción con Tierra*, eds. R. Meyer and C. Neves. Asunción, Paraguay: Universidad Nacional de Asunción – Red Proterra.

RAMA, V.; DASARATHA, E. A. ZLOTKOWSKI (1998). *Learning by Doing: Concepts and Models for Service-Learning in Accounting.* Washington, D.C.: American Association for Higher Education.

SONGEL GONZÁLEZ, J. M. (2015). "Form follows forces. Building funicular models to show how gravity shapes form", en *7th International Conference on Education and New Learning Technologies (EDULEARN 2015)*, p. 621 – 626. Barcelona: IATED.

MILETO, C., F. VEGAS, L. GARCÍA-SORIANO, J. *GÓMEZ* y V. CRISTINI (2018). Building workshops for empowerment and sustainable development. a training experience in Burkina Faso, in *EDULEARN18 Proceedings. 10th Intern. Conf. on Education and New Learning Technologies*. p. 3993-3998.

MILETO, C., F. VEGAS y L. GARCÍA-SORIANO (2019). Children's workshops on awareness of earthen architecture in Baasneeré (Burkina Faso) in *ICERI2019. International Conference on Education, Research and Innovation*. p. 5981-5986.

MILETO, C. y F. VEGAS (2016). El panteón de la familia Soriano Manzanet en Vila-real (Castellón) in *CyTET. Ciudad y Territorio.* Estudios territoriales. Ministerio de Fomento

VEGAS, F. y C. MILETO (2016). El panteón de la familia Soriano Manzanet in *Palimpsesto* 15. Cátedra Blanca – ETSA Barcelona – UPC. p. 10-11.

MILETO, C. y F. VEGAS (2017). Retrieving the memory of what seemed lost, in *Compases. The architecture and interior design international magazine* / Middle East 25. e.built Srl (Napoles, Italia). p. 90-95.

Agradecimientos

[1] Agradecemos al profesor Juan María Songel, de la Universitat Politècnica de València, la idea y la experiencia que nos transmitió para la realización de estos talleres.

El trabajo realizado en el marco del proyecto "ConBurkina", ha sido financiado por el programa ADSIDEO del Centro de Cooperación al Desarrollo de la Universitat Politècnica de València.

Cúpula de la Iglesia de Valverde de los Arroyos (Palomino 2011)

ISBN. 978-84-9048-827-0

Escuchando a las bóvedas tabicadas

Julio Jesús Palomino Anguí
Arquitecto

Abstract

The text analyzes 10 years of work by the "Taller de Bóvedas" group, from a very personal point of view as the promoter of the project, explaining the trajectory, the reflections, the paths taken, the achievements and, above all, the wealth of content that we have been able to create with the extraordinary contributions of each of the components of the workshop. It describes the process from my first contact with my mentor Manuel Fortea in 2010, during the construction of the dome of Valverde de los Arroyos. It shows the structure of the workshop as a group of people from architecture, engineering and construction from all over the world, which gives it a very broad capacity to approach fields and works. It also presents the research, essays, teaching and works carried out to date and, finally, the achievements and recognitions collected in the last year, both for works and projects. A safe technique that generates a complete system to build without formwork, with very small pieces, not very resistant and working under compression, but not so restrictive as not to allow its hybridization or alteration to make it even more useful, trustable and powerful.

Keywords: Taller de Bóvedas, *research, teaching, project, work.*

Resumen

El texto analiza el camino recorrido en 10 años de trabajo del grupo "Taller de Bóvedas", desde un punto de vista muy personal como impulsor del proyecto, repasando la trayectoria, las reflexiones, los caminos emprendidos, los logros y, sobre todo, la riqueza de contenido que se ha creado con las aportaciones extraordinarias de cada uno de los componentes. Se describe el proceso desde un primer contacto sin experiencia relevante previa en año 2010 de mano del maestro Manuel Fortea en la construcción de la cúpula de Valverde de los Arroyos. Se explica la idiosincrasia del taller, formado por un conjunto de personas procedentes de la arquitectura, la ingeniería y la construcción de todo el mundo que le dotan de una capacidad de abordaje de campos y obras muy amplio. También se muestran las investigaciones, ensayos, docencia y obras realizados hasta la fecha. Y, por último, se detallan los logros y reconocimientos cosechados en el último año, por obras y proyectos. Una técnica segura que genera un sistema completo para construir sin cimbra, con elementos muy pequeños, no muy resistentes y trabajando a compresión, pero no tan restrictiva como para no permitir su hibridación o alteración para tornarla aún más útil, segura y potente.

Palabras clave: *Taller de Bóvedas, investigación, docencia, proyecto, obra.*

Inicios y primer contacto

Mi primer contacto serio con las bóvedas tabicadas tuvo lugar durante la construcción de una cúpula en la iglesia de Valverde de los Arroyos en el año 2011, en colaboración con Manuel Fortea. Se erigió una cúpula tabicada semielíptica de tres hojas y 7,50 m de diámetro, para sustituir a otra existente encamonada y en ruinas. Dicho proyecto se planteó como respuesta alternativa a la posibilidad de restituir con paneles de cartón yeso el volumen preexistente o dejar a la vista un falso artesonado (fig. 1).

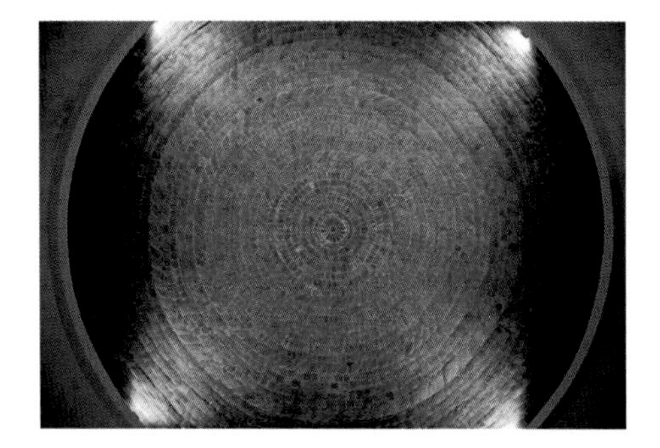

Figura 1. *Cúpula de la Iglesia de Valverde de los Arroyos. Imagen: Palomino 2011.*

La construcción supuso afrontar un triple reto: mi inexperencia con la técnica, la reinvención de un elemento patrimonial en un edificio consolidado y la construcción con albañiles veteranos, pero inexpertos en construcción de cúpulas. Esta circunstancia marcó el inicio de mi experiencia y todo lo que ha venido después ha nacido de la ignorancia y de no aceptar a priori nada que no pudiera comprender o poner a prueba.

Concepto

Así, la primera duda que se planteó era la propia definición del sistema ¿Las bóvedas tabicadas eran aquella técnica singular e intocable, cuyo conocimiento residía en la práctica excelsa de un grupo de artesanos y eruditos, o era solo un ejemplar destilado de las bóvedas sin cimbra? ¿Son la "Fórmula 1" de las bóvedas, como las define el profesor Fortea? ¿Sólo pueden construirse con ladrillo?, etc.

Bóvedas nubias, bizantinas, mexicanas, alentejanas, extremeñas, *voûte sarrasine*, bóveda catalana, bóveda tabicada, etc. Todas son esencialmente parecidas e hijas de las antiquísimas bóvedas sin cimbra del Medio Oriente:

Figura 2. *Modelo de bóvedas tabicadas verticales para aljibe. Taller de bóvedas en Guadalajara. Imagen: Palomino 2011.*

Figura 3. *Captura de video en YouTube. Construcción de cúpula Valverde de los Arroyos. Guadalajara. Julio J. Palomino.2011. https://youtu.be/8Thtr3wAMAE.*

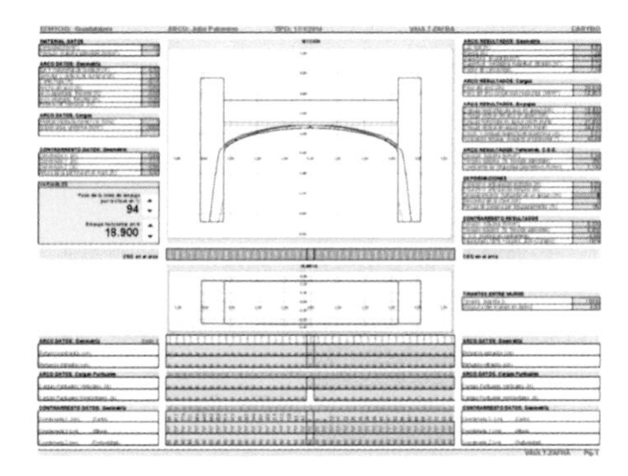

Figura 4. *Hoja de resultados. Cálculo de bóveda. Ermita de SanJosé. Guadalajara.Software CARYBO. Manuel Fortea 2013.*

bóvedas de ladrillo a tabla, a rosca, de adobe, mixtas de ladrillo y tierra, mixtas de ladrillo y morteros pobres, etc. pero también bóvedas verticales (fig. 2).

Yo preferí transitar en la indefinición del concepto: en la ausencia de cimbra y en el trabajo a compresión. Este pensamiento marcó el inicio de todas las investigaciones y trabajos del taller.

La bóveda tabicada en el siglo XXI

El comienzo de la actividad del Taller de Bóvedas coincidió con el auge de las redes sociales e Internet. Estos han permitido la internacionalización del conocimiento y la multiplicación de las redes de contactos y del conocimiento de los actores en cualquier lugar del mundo. La difusión de cualquier obra o investigación provoca una reacción casi inmediata de numerosos grupos de personas interesadas, que rápidamente asimilan y amplifican los mensajes. Nos resultó extrañamente curioso, por lo inesperado, la difusión de un vídeo en YouTube del albañil construyendo en tiempo real la cúpula de Valverde de los Arroyos. En poco tiempo acumuló más de 150.000 reproducciones (fig. 3).

También nos llamó la atención el nacimiento y desarrollo de grupos de trabajo e investigación muy dispares en muchos puntos del globo, así como la asunción de la técnica de las bóvedas tabicadas por parte de algunos equipos de arquitectura e ingeniería muy influyentes. Sus diseños han vuelto a popularizar, o al menos dar visibilidad, a nuestros trabajos.

Al mismo tiempo disponemos de herramientas avanzadas para el diseño, para el cálculo y para la ingeniería inversa como son herramientas de diagnóstico. Rhinoceros y su plugin RhinoVAULT; la aplicación CARYBO implementada por Manuel Fortea para el análisis y el dimensionado de estructuras de arcos y bóvedas de fábrica y otros programas comerciales que los diversos calculistas adaptan a sus necesidades.

La posibilidad de realizar modelados 3D a escala permite la construcción de modelos suficientemente sofisticados para prever o reproducir el comportamiento mecánico de estas estructuras. El uso del aprendizaje automático *machine learning* en el análisis de imagen ha posibilitado también el desarrollo de herramientas de diagnóstico por imagen (SOM) en ensayos de prototipos filmados en los talleres (fig. 4).

Al mismo tiempo, en varios lugares han nacido nuevas líneas de investigación, al abrigo de las universidades o grupos de trabajo, que están profundizando en la técnica con la aportación de diversas propuestas y prototipos.

Figura 5. *Fotografía de asistentes entre modelos a escala natural de bóvedas (Orfanato en Sierra Leona / Prototipo de 12 m de luz) Taller de Bóvedas Guadalajara. Imagen: Palomino 2018.*

En paralelo, muchos de los profesionales involucrados, tanto desde el punto de vista teórico como del diseño y de la construcción, nos hemos involucrado en la difusión y formación de arquitectos, estudiantes, estudiosos, albañiles y constructores. Se han popularizado talleres que priman la faceta constructiva de la técnica con artesanos excelentes que divulgan, perfeccionan y profundizan en la ejecución (fig. 5).

También la realización de algunas obras singulares muy divulgadas mediáticamente y con amplia difusión en las redes, ha provocado el interés renovado por parte de colectivos o personas hasta ahora ajenas a este mundo y ha abierto vías de usos hasta ahora no explorados. Asimismo, la concesión de algunos premios de renombre a obras que incluían estructuras abovedadas ha contribuido a que las bóvedas hayan dado el salto al futuro y su imagen pase de anacrónica a icono de modernidad y de diseño avanzado.

El Taller de Bóvedas como esquema de trabajo e investigación

El Taller de Bóvedas nace como estructura generadora de conocimiento con el objetivo claro de abordar los problemas, los mitos de la técnica, particularidades, límites y promover su estudio, uso, propuestas de proyectos y construcción de obras reales. Dicho grupo se ha organizado al amparo del Grupo de Investigación Ecofuturing de la Escuela de Arquitectura de Alcalá.

Se trata de un grupo heterogéneo de arquitectos, ingenieros y albañiles que durante estos años han compaginado construcción e investigación, incorporando nuevos puntos de vista, introduciendo variables nuevas y planteando problemas con soluciones no suficientemente exploradas. Se han ejecutado varias bóvedas de gran formato en obras reales que han incorporado variables experimentadas y planteadas en los modelos de investigación de los talleres.

A lo largo de siete años se han organizado anualmente encuentros de formación donde se experimentaba con situaciones de diseño, constructivas o patologías que pretendían clarificar comportamientos estructurales, situaciones límite o disposiciones constructivas. También se han abordado propuestas de diseño, materiales o modos de construir nuevos. Cada año se utilizaban como pretexto uno o varios temas monográficos que permitían profundizar en el conocimiento. A modo de resumen no exhaustivo, cabe citar:

- Taller 1: Rotura por deformación de apoyos.
- Taller 2: Forjados de grandes luces.
- Taller 3: Límite de cargas y deformación por carga diferida. Reparación de bóvedas por restitución geométrica.
- Taller 4: Bóvedas asimétricas de grandes luces con un prototipo de 12 m de luz. Construcción de un prototipo a escala real de bóveda de dos hojas de 5 m de luz sin contrafuertes para un orfanato en Sierra Leona. Pruebas de carga y rotura.
- Taller 5: Monográfico de cúpulas
- Taller 6: Comportamiento de las estructuras abovedadas ante el sismo. Simulaciones de rotura y experimentación con refuerzos.
- Taller 7: Aligeramiento de las bóvedas. Influencia de los huecos en el diseño. Experimentación de construcción con materiales ligeros, pruebas de carga y rotura. Estructuras con bóvedas tabicadas verticales. Monitorización de roturas y deformaciones con grabación a alta velocidad. Tratamiento de la información para análisis de estructuras por imagen.
- Taller 8: Profundización en el aligeramiento geométrico y de materiales y simulación de rotura por aceleración sísmica[1].

Figura 6. *Modelo a escala natural de reparación de rotura inducida en bóveda por restitución geométrica. Taller de bóvedas de Chiloeches. Guadalajara. Imagen: Palomino 2015.*

Figura 7. *Modelo de bóveda asimétrica de 12 m de luz. Taller de bóvedas de Guadalajara. Imagen: Palomino 2018.*

Entre tanto, en cursos paralelos se ha experimentado con modelos mixtos de ladrillo cerámico y BTC para entornos de bajo coste y en la formación de albañiles en la técnica (figs. 6 y 7).

Se ha intentado llevar a limite la técnica para resolver o plantear cuestiones que, a nuestro parecer, no están todavía clarificadas y para las que existen respuestas a menudo contradictorias. Es el caso de los posibles límites que establecen la geometría los espesores y luces, los límites que plantea la reparación de elementos con grandes

Figura 8. Pruebas de carga y rotura de modelos de bóvedas tabicadas construidas con ladrillos de lana de madera (Celenit) y de vidrio celular (Polydros). Taller de bóvedas de Guadalajara. Imagen: Palomino 2018.

Figura 9. Pruebas de rotura de arcos gemelos en bandeja vibrante para simulación de rotura por sismo. Taller de bóvedas de Guadalajara. Imagen: Palomino 2017.

deformaciones y e límite que supone el uso de algunos materiales.

Por ello, nos adentramos en la construcción con materiales ligeros para determinar la posibilidad de uso en situaciones complejas y peligrosas o para aprovechar las posibilidades de la construcción sin cimbra, reduciendo el peligro que supone el peso añadido. Poner a prueba la capacidad de carga y resistencia de las estructuras con estos materiales ligeros abre un campo de uso para las bóvedas aún no explorado en profundidad.

Se han realizado investigaciones con piezas de pequeño formato de lana de madera (Celenit) y vidrio celular reciclado (Polydros). Esta la experiencia se ha documentado en una ponencia presentada en Salt Lake City, EEUU. (Fortea et al. 2019; Palomino et al. 2019).

También, hemos experimentado con situaciones de carga y roturas extremas en magnitud y situación, con roturas controladas o provocación de ruinas o lesiones inducidas. Como caso especial y asociado a las preocupaciones propias, al trabajo paralelo de Manuel Fortea en el terremoto de Amatrice, la colaboración con Mark Sarkisian (SOM) experto en estructuras antisísmicas y varios casos recientes de terremotos, introdujimos en los talleres el estudio de la respuesta al sismo de estructuras abovedadas y posibilidades de reparación o prevención de los efectos. Para ello, se prepararon ensayos descriptivos y herramientas de filmación para un análisis y procesamiento posterior de los resultados. Estos ensayos se realizaron en colaboración con SOM y se han documentado en forma de ponencias (Sarkisian et al. 2019) (fig. 9).

También se ha explorado la influencia del aligeramiento achacable al diseño de las propias estructuras: Aligeramiento de los apoyos y de las hojas; la influencia de los huecos y agujeros en el comportamiento de la estructura abovedada. Como caso límite, se construyó el año 2019 una bóveda de geometría compleja y base cuadrada de 5,50 x 5.50 m de dos hojas de rasilla, espesor medio de 5,50 cm y un peso total de 2.319 kg. El peso medio de la bóveda era de 39.30 kg/m^2 y la carga sobre el forjado de 3 kPa, esto es, sensiblemente menor de los 4 kPa que disponíamos como límite.

Para conseguir la resolución del reto del límite de peso sobre el falso suelo de forjado de la sala de Exposiciones del COAM, hubo que recurrir a la afinación del espesor y la realización de un hueco de grandes dimensiones. Todo esto planteaba un problema añadido a la complejidad de la geometría (basada en la función de Airy), complicaba el aparejo y la estabilidad durante el montaje y el desmontaje. El desmontaje supuso la previsión de cortes en la estructura que permitieran su traslado por partes sin provocar la ruina sobre el forjado (fig. 10).

También hemos abordado algunos de los mitos del comportamiento de las hojas. La influencia de los aparejos, de las trabas, de los

Figura 10. Modelo de bóveda tabicada para la exposición "Mas allá de la Estructura" organizada por SOM y el Taller de Bovedas en la sede del COAM en Madrid. Detalle de apoyos de madera y proceso. Imagen: Palomino 2019.

rellenos y la compatibilidad de materiales. Se ha experimentado con dobles hojas de ladrillo cerámico y tierra, con ladrillo cerámico y yeso y con aparejos diversos de ladrillo y tipos varios de ladrillo cerámico. Como caso real y extremo, se han construido 3 cúpulas semiesféricas de 8 m de diámetro de una hoja de 18 cm de espesor compuesta por una capa de rasilla cerámica hacia el interior y otra de ladrillo klinker cara vista por el exterior, esta última dispuesta con un aparejo en espina de pez. Con ello hemos experimentado con la heterogeneidad de las hojas y de los materiales, para verificar el trabajo conjunto de la sección de las bóvedas durante la construcción y en su estado final (fig. 11).

Hemos diseñado y puesto a prueba diseños de bajo coste y seguros para proyectos de cooperación. El último pospuesto por el COVID para la asesoría en diseño y la impartición de un taller de formación para la construcción de las bóvedas de cubierta con ladrillos de BTC de una residencia para niñas de la ONG "Bricks for life" en Karatu (Tanzania).

Figura 11. Fotografía de proceso de construcción. Bóvedas semiesféricas de 8 m de luz. Espacio abovedado. Marchamalo. Guadalajara. Imagen: Palomino 2019.

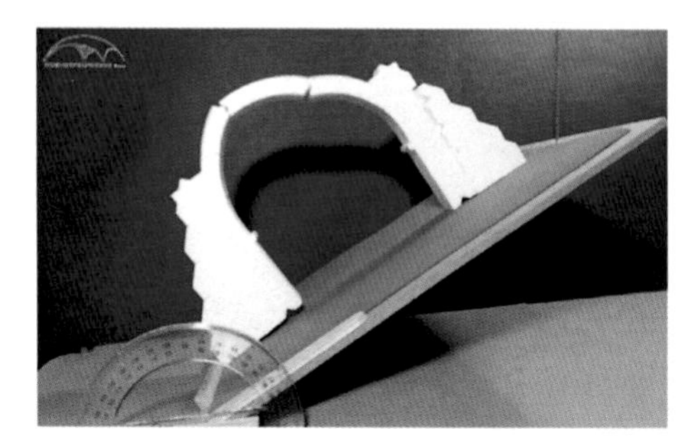

Figura 12. Fotograma de momento del colapso del arco por empuje horizontal. Simulación con un modelo impreso en 3D. Imagen: Manuel Fortea 2018.

El trabajo de Manuel Fortea con el software CARYBO, de su autoría, le ha llevado al estudio y modelización a escala de los modelos y al análisis y descripción del comportamiento estructural y la simulación de las patologías inducidas, como comprobación y cotejo de la realidad construida. En colaboración con SOM, se han monitorizado los ensayos de rotura y se ha logrado realizar mediante sistemas informáticos la diagnosis de deformación mediante estudio de imagen (fig. 12).

El siguiente paso en el que estábamos inmersos antes de la aparición del COVID y que durante el simposio sobre bóvedas celebrado en Valencia en noviembre de 2018 estaba en sus inicios es el de la construcción robotizada. Después de los trabajos con el taller, el equipo de SOM ha realizado un prototipo de bóveda con ladrillos de vidrio construida con brazos robóticos. El doble reto de una geometría compleja y la dificultad de no poder jugar con el relleno de las juntas ha planteado problemas al límite y marcan el inicio de una posible automatización de la construcción de las bóvedas[2].

Pasará por una depuración en el diseño de las piezas, con posibilidad de impresión en 3D o bien por una correcta programación de los recorridos para la correcta ejecución de las

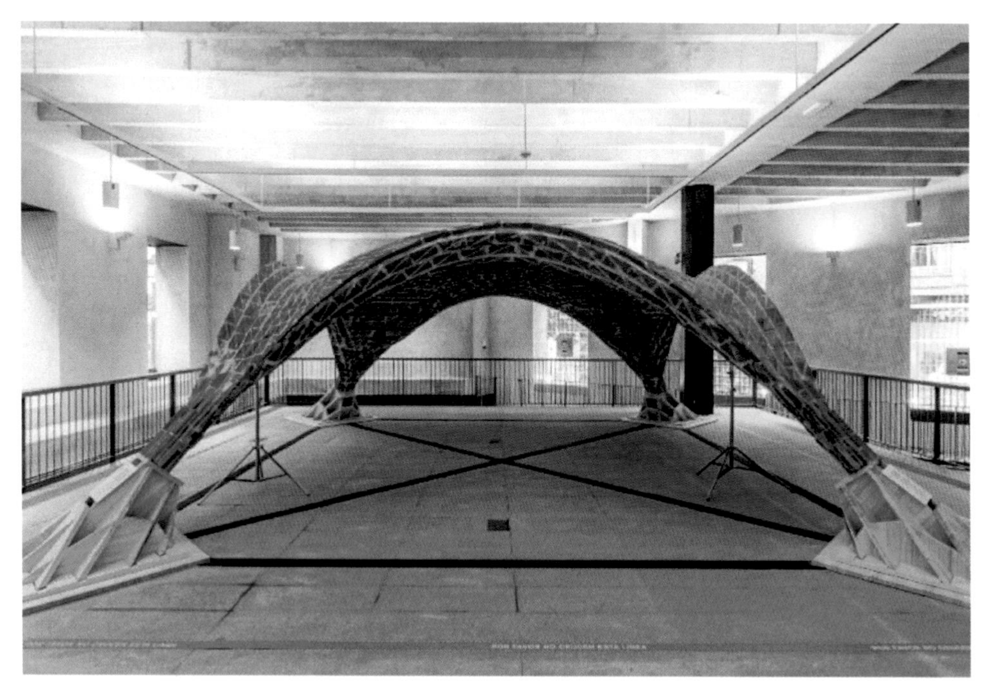

Figura 13. Fotografía de bóveda tabicada construida para la exposición de S.O.M. "Mas allá de la estructura" en el Colegio de Arquitectos de Madrid. Imagen: Rafael Casas 2019.

Figura 14. Estado final Bóvedas semiesféricas de 8 m de luz. Espacio abovedado. Marchamalo. Guadalajara. Imagen: Rafael Casas 2019.

juntas. Del mismo modo el reto de la impresión 3D de modelos autoportantes representa una futura línea de trabajo pospuesta por el momento.

Después de todo lo investigado y probado en estos años, estamos convencidos de poder aprovechar toda la tecnología disponible para, junto con el apoyo del conocimiento y el saber hacer de los artesanos, la evolución en materiales, hibridación de sistemas y aumento de las exigencias hacia las bóvedas, mejorar el comportamiento estructural, la respuesta a los requerimientos extremos, e incrementar y mejorar su comportamiento térmico, niveles de confort y sostenibilidad ambiental mucho mayores que los conseguidos hasta ahora.

Por ello es importante conseguir de modo conjunto de todos los grupos de investigación involucrados, respuestas de las administraciones para poder poner a prueba de modo normalizado y reconocido un sistema que puede ser utilizado a un nivel equiparable a cualquier otro en obras reales.

Figura 16. Proyecto para el Gyekrum Lambo Girls Dormitory, Tanzania. Render de Julio Palomino Abreu. Bricks for Life NGO. 2019. (https://www.bricksforlife.org/).

Obras, premios y reconocimientos y colaboraciones internacionales

Por último, como colofón al trabajo del taller, desde 2018 algunos de nuestros trabajos se han visto reconocidos con premios que avalan la calidad de nuestras propuestas tanto en proyecto como en obra y demuestra que es posible, con

Figura 15. *Render de vista aérea. Proyecto para espacio público abovedado ajardinado de regeneración urbana. Mención de Honor "Cool Abu Dhabi Challenge". Imagen: Palomino 2020.*

mucho esfuerzo y dificultad, llevar el uso de las bóvedas a obras reales.

- Spark Design Awards 2019, junto con el equipo SOM por la construcción del prototipo de bóveda para la Exposición "Beyond the Structure" en el Colegio de Arquitectos de Madrid (abril-junio 2019).
- Mención de Honor en la III Edición de los Premios de Arquitectura MATCOAM en la categoría de Sostenibilidad por la construcción de un espacio Abovedado en Marchamalo (Guadalajara) (figs. 13 y 14).

También hemos abierto nuestro ámbito de trabajo a colaboraciones internacionales. Se han organizado algunos talleres en Portugal, en colaboración con el Instituto Superior Técnico de Lisboa, aunque lamentablemente se han tenido que posponer otros por el COVID en Estambul, Zimbabwe y Tanzania, que estaban orientados a la enseñanza teórico práctica de estas bóvedas. Finalmente, también ha sido premiada con la Mención de Honor en el Cool Abu Dhabi Challenge convocado por The Department of Municipalities and Transport (DMT) of Abu Dhabi. Nuestra propuesta de proyecto para la construcción de un espacio público de grandes dimensiones con bóvedas tabicadas. Este proyecto representa un cambio de escala en nuestras propuestas, para idear todo un sistema de actuación a escala urbana con criterios de sostenibilidad ambiental y de alta eficiencia climática junto con criterios de respeto de tradición local, uso de alta tecnología en diseño y construcción y recuperación al mismo tiempo de la artesanía y mano de obra local en su ejecución.

Conclusiones

Visto en la distancia el recorrido de nuestro trabajo y el resto de los textos de este libro, se descubre que disponemos de un cuerpo de conocimiento amplísimo procedente de arquitectos, ingenieros, constructores, teóricos, calculistas, etc., que son capaces de acometer cualquier trabajo. También con obras construidas e investigaciones de una elevada calidad.

Sin embargo, seguimos constatando que estamos situados en los márgenes de la actividad constructiva. Nos resulta difícil lograr convencer a administraciones, usuarios y muchas veces a los propios colegas de profesión, de la capacidad de estas bóvedas para resolver problemas reales de un modo eficaz, económico, social y ambientalmente responsable, y dar respuesta adecuada a todos y cada uno de los requerimientos estructurales, estéticos, constructivos, ambientales y sociales. Y también de que somos capaces de idear nuevos modelos, prototipos y soluciones a construcciones reales que respondan a todos los requerimientos actuales. De este modo, todo el esfuerzo y conocimiento de los investigadores, constructores, arquitectos, etc. dejará de ser "el conocimiento inútil", que fue primer el título —desechado— de este texto.

Agradecimientos

Todos los talleres, ensayos, construcción de prototipos, pruebas, etc. han sido posibles gracias al esfuerzo de otras personas, empresas y organizaciones que con su apoyo y financiación los han hecho realidad. Debemos, por tanto, agradecer su ayuda a: Construcción de modelos, pruebas, organización y logística: (Rupiros SL); Rafael Gómez Galdón, SL; Palautec; Materiales "El Arco"; Lacecon (Laboratorio de Control y ensayos); Cerámicas Mira; Kimia; Celenit; Polydros; COACM y COAATGU.

Créditos

Fundadores del Taller de Bóvedas: Julio Jesús Palomino Anguí, Manuel Fortea Luna.

Otros componentes en la actualidad: Rosa Mª Cervera Sardá, Rafael Casas Mayoral, Antonio Sousa Gago.

Antiguos componentes: José Carlos San Miguel (Maestro albañil).

Colaboradores ocasionales: René Machado, Mark Sarkisian, Samantha Walker, Equipo SOM, Rafael Gómez Galdón SL (Construcciones).

Notas

1 https://medium.com/@SOM/bricks-mortar-and-robots-solutions-for-sustainable-construction-f404b90fe9ab

2 https://www.som.com/ideas/videos/anatomy_of_structure_robotics_and_digital_fabrication

Referencias

FORTEA LUNA, M., J. J. PALOMINO ANGUÍ, A. SOUSA GAGO, M. SARKISIAN, N. MATHIAS y S. WALKER. (2019). Diagnosis of Damage in Masonry Structures: Repair for Non-Destructive Geometric Restitution. En Patrick B. Dillon et al. (Eds.), *Thirteenth North American Masonry Conference,* Salt Lake City (Utah), June 16–19, nº 277, 23.

PALOMINO ANGUÍ, J. J., M. FORTEA LUNA, A. SOUSA GAGO, M. SARKISIAN, N. MATHIAS y S. WALKER. (2019). Masonry Structures Using Lightweight Materials. En Patrick B. Dillon et al. (Eds.), *Thirteenth North American Masonry Conference,* Salt Lake City (Utah), June 16–19, nº 276, 25.

SARKISIAN, M., J. J. PALOMINO ANGUÍ, N. MATHIAS, A. BEGHINI, S. WALKER y L. VAULOT. (2019). Reinforcement of Masonry Dome Structures for Seismic Loading. En Patrick B. Dillon et al. (Eds.), *Thirteenth North American Masonry Conference*, Salt Lake City (Utah), June 16–19, nº 143, 26.

Imperfection of vault meeting along the apex becomes art (Barry Goldman 2016)

ISBN. 978-84-9048-827-0

A timbrel vaulting journey of learning from nature

Peter Rich
Architect

Abstract

This text presents the reasons why the author uses the timbrel vault in his work, which he conceives inspired by the lessons of African architectural and artistic tradition, following in the footsteps of his master, the Portuguese architect Pancho Guedes, and with an approach to community involvement. In this context, several of his projects and works are presented, starting with the detailed description of the Mapungbuwe Interpretation Centre in South Africa, where a large number of difficulties had to be saved; the earth pavilion at London's Lancaster House Gardens; the Wu Shan Wellness Centre in China; the Cricket Stadium Pavilion in Rwanda and the conical vaulting of the slabs at the FR-2 offices in Chicago.

Keywords: *Timbrel vault, tradition, contemporaneity, community work, reinterpretation.*

Resumen

El presente texto enumera las razones por las cuales el autor emplea la bóveda tabicada en su obra, que concibe inspirada en las lecciones de la tradición arquitectónica y artística africanas, tras los pasos de su maestro, el arquitecto portugués Pancho Guedes, y con un enfoque de colaboración comunitaria. En este contexto, se presentan varias de sus proyectos y obras, comenzando por la descripción detallada del Centro de Interpretación de Mapungbuwe en Sudáfrica, donde se tuvieron que salvar un gran número de dificultades; el pabellón de tierra en los jardines de Lancaster House de Londres; el Wu Shan Wellness Centre en China; el Pabellón del Estadio de Cricket en Ruanda y los revoltones cónicos de los forjados de las oficinas FR-2 en Chicago.

Palabras clave: *Bóveda tabicada, tradición, contemporaneidad, trabajo comunitario, reinterpretación.*

In 2007 I took early retirement from lecturing Design and Theory of Architecture at the University of the Witwatersrand in Johannesburg, as I wished to put into practice the knowledge that I had acquired through more than 30 years of teaching.

As an Adjunct Professor, I had the privilege of working under the headship and mentorship of Amancio d'Alpoim Miranda 'Pancho' Guedes, whose canonical body of architectural work within the context of Mozambique was at the forefront of contemporary African architecture at the time. Pancho exposed me to the value found in both contemporary African art and culture, and the lessons to be learnt from documenting and recording traditional African space-making, and most of my part-time professional focus was on community-based work.

I further share his belief that the best philosophy comes out of the situation, and as a consequence one should explore a broad range of architecture, suited and appropriate to each varying situation.

Winning the South African National Parks (SANParks) design competition for the Mapungubwe Interpretation Centre in 2007 was the pretext for me to launch my full-time architectural practice, Peter Rich Architects, as well as a series of subsequent timbrel vaulting experiments. Embracing timbrel vaulting technology opened up a career path of working with the organic laws of nature as its genesis, a contrast to my projects prior to this point, which largely explored rectilinear geometry and an anthropomorphic order. At the time of delivering my lecture on the use of timbrel tile vaulting at the Universitat Politècnica of Valencia (UPV), my organic work was, through the medium of my hand drawings, being exhibited as part of the 2018 Venice Architecture Bienniale, under the theme 'Freespace'.

The UPV invited me to share my experiences as an architect in designing and experimenting with the application of timbrel vaulting in both Africa, the UK, China and the US. The lecture, recorded here, addresses a range of experimental timbrel vaulting techniques and typologies from my standpoint as the architect, and unpacks the principles and processes, rather than the more detailed technical and scientific enquiry, which is best undertaken by the engineer on the project.

This article focuses on three examples of dual pitched timbrel vaulting, with the main focus on the generic first timbrel project at Mapungubwe, as well as one example of premanufactured 'canon vaulting'. These built projects are as follows:

- Timbrel dual pitched vaults with mono pitch edge arches and end eyelids: Mapungubwe Interpretation Centre, Limpopo, South Africa (3 drawings + 5 photos)
- Timbrel dual pitched tubular vaults exploring double curvature in both plan and section: Earth Pavilion, The Mall, London, UK, and Lotus Wellness Centre, Wu Shan Retreat, Quingshanlang, Baofu, Zheijing Province, China (2 drawings + 2 photos)
- Timbrel dual pitched jumping vaults exploring in-built seismic mitigating design features: Rwandan Cricket Pavilion, Kigali, Rwanda (2 photos)
- Premanufactured 'canon vaults': FR-2 Interior, Chicago, US (1 photo)

Timbrel dual pitched vaults with mono pitch edge arches and end eyelids

Mapungubwe Interpretation Centre, Limpopo, South Africa

The challenge when designing a public building for a new democracy is to understand the symbolic importance of that building to the user, and, in this case, as a cultural heritage site, which shows deference to those whose ancestral story telling it will house.

The Order of Mapungubwe is bestowed on a South African who is honoured for exceptional service to their country. The UNESCO World Heritage Natural Landscape of Mapungubwe is located in Limpopo, South Africa, at the confluence of the great Limpopo and Shashi rivers, which today demarcate the borders between South Africa, Zimbabwe and Botswana. The archaeological evidence that exists for Mapungubwe, originating within the 9th to 12th centuries timeframe, shows a culture whose artefacts are proof and testimony of trade and technology exchange with Asia, North Africa, Europe and the Middle East. This was also a period before European settlement in Africa, and the subsequent centuries of colonial domination and rule.

Mapungubwe's important symbolism to southern Africans required an architectural design that would be iconic, timeless, and evoke respect as a contemporary building for both the ancestral past and the future.

Contentious land claims reconstitution, the remote location (it is six and half hours from a major city centre and 68 km from the nearest farming town), and an insufficient, modest budget of €1 million for the entire project, all became driving factors in the use of local contractor tendering. It also gave rise to Department of the Environment and Tourism (DEAT) poverty relief funding for the project, stipulating the empowerment and social benefit of unemployed communities from the area by training them in transferable skills. This strongly influenced the approach to both the design and the use of an appropriate technology.

The evolution of a cave architecture – working and learning from nature

As the museum component of the Mapungubwe Interpretation Centre exhibits facsimiles of gold artefacts, it needs a structure made of more permanent material than thatching grass. Situated in a World Heritage Landscape, the architecture for the site needed to both psychologically and aesthetically draw on nature for its conception and realisation.

I envisaged a cave architecture that through its darkness evoked a sense of sacredness for both the past and the artefacts on display. I had extensive collections of hand-drawn sketches of caves from my travels to Namibia and the Drakensberg in KwaZulu-Natal in South Africa (where the basalt overhangs gave shelter to bushmen, evident in their rock art paintings). The power of imagination and the re-inhabiting of these cave spaces through my drawings, created a series of remarkable events, which were to manifest themselves to an almost immediate positive outcome, and a way forward in the design of the Mapungubwe Interpretation Centre. While imagining what technology could achieve a cave ambience and aesthetic on the remote site, I received a knock on my Johannesburg studio window from Issy Benjamin (an ex-South African architect now practising in the UK). His surprise visit from London lead to the dream becoming reality. Issy was coincidentally the architect of a timbrel domed vault being built as an experiment in ecological sustainability at the Pines Calyx wellness centre in Dover, England. He told me he was involved in this project with a nephew of mine, Grant Pearson, an Oxford-based doctor who was consulted by the Pines Calyx clients. Issy was working with an enthusiastic Massachusetts Institute of Technology (MIT)-based timbrel vaulting research group. They trained under Professor John Ochsendorf at MIT, who inspired the group through his research on Guastavino's American timbrel constructions.

A recent graduate Michael Ramage, who was teaching at the Cambridge School of Architecture, was being assisted by James Bellamy, an environmentalist/contractor from New Zealand who was keen to learn the art of timbrel construction from timbrel vault masons. The young team were on a learning curve, applying their research and training from Professor Ochsendorf in the implementation of a real-life building in the form of a timbrel tiled dome. It is believed that Catalan vaulting had its origins some 700 years ago in North Africa, and was brought into East Spain by the Moors. The prospect of an MIT research team bringing this technology back to Africa, as a low embodied energy building method of construction, on a remote site, while empowering unemployed local communities, was intriguing.

The process of learning through observation of nature, and the awakening as a designer to the implicit mathematical order in nature, coincided with my son Robert's work on his undergraduate architectural thesis with the renowned botanist and plant taxonomist Professor Braam van Wyk at the University of Pretoria. Robert's thesis, titled 'Museum of Plant Intelligence' (2006), was to design seven pavilions in the National

Botanical Gardens in Pretoria, which demonstrated the emotions and intelligence of plants. Professor van Wyk instilled in us knowledge of the discipline and adaptability inherent in plants. Robert's thesis drew analogies to both plants and architecture being rooted to one place but adapting to their microclimatic circumstance.

A visit to Pines Calyx as an introduction to the build and the MIT team was followed by workshops with Professor Ochsendorf at MIT. We resolved there and then to learn through a series of drawings on the blackboard, and to work strictly to the discipline of the dual pitch catenary in order to achieve the efficient transfer of nature's forces via R/C concrete bearing buttresses to the ground. Timbrel vaulting requires no steel reinforcing, which further reduces its carbon footprint. Professor Ochsendorf's team had developed a mathematical model to calculate timbrel vault forces.

The quest was to achieve what Professor Ochsendorf later described the completed building as "an architecture that had 80% less carbon footprint than conventional building, was at one with nature and the environment, and had nothing to do with fashion or style".

The remoteness of the site gave DEAT the opportunity, as part of poverty relief, to challenge us to empower unemployed people through skills transfer on the project. The two main skills that needed to be taught were *tile manufacture and tile laying.*

Timbrel vault training in tile manufacture

Correct soil and cement mix

With regards to tile manufacture, the right mix of cement and soil had to be determined, and tested by the industrialists at Hydroform, who were the designers and manufacturers of the tile hand press. We decided on a ratio of 95% soil from the site, with 5% cement. It was then crucial to communicate to the tile manufacturing team what the proportions of soil to cement was, so that they could make the right mix before pressing the tiles.

Hand press soil cement tile manufacturing proficiency

The next step was to make the team proficient in the use of the hand press and to produce multiple tiles at the same time with the use of palettes in the press. This would get them up to a production phase, where they could make sufficient amounts of tiles in a given timeframe. It was important during the whole training process for the instructor to train the builders in their home language, as a form of respect.

Tile curing

Working in tandem to the production of tiles was the tile-curing process. The tiles had to be assembled on site. The team who were making the tiles were predominantly women. Having learnt the skill of tile making it became their responsibility to deliver completed tiles to the person who was laying the tiles. The tiles needed to be wet and placed between two layers of black plastic so that they could air and sun dry and cure over a certain period of time. We needed to explain to the team why letting them dry slowly increased their strength. The ratio of 95% soil from the site, with 5% cement, gave us a tile with 4 MPa. The researchers at Cambridge who were a part of this process wanted to see how weak we could make the tile. A 4 Mpa tile with 5% cement was the weakest we could make it, but this meant we could only build during the dry season because it would fail if there was rain and limited sunshine during the building process. Not only does a tile of this makeup have a low embodied energy, but its imperfections gave an aesthetic feel to the weave of the tiled finish, which evoked the idea of the ancient, whereas a perfect fired tile with high embodied energy wouldn't assume that character.

Tile-laying training

The tile making and laying training was used as a platform to empower the communities in the area. Because this was a World Heritage Natural Landscape site, occupants of the land

Figure 1. *A building as an extension of nature in the landscape. (P. Rich 2009).*

were moved off it and translocated into neighbouring towns (the nearest being 68 km away), and were mostly employed on farms. This meant we had to find people who could adjust their lives and were willing to work on a construction site.

The winning tenderer, Ousna Bouers, created a community team of members from various towns, who could be trained. We then brought in James Bellamy from New Zealand on a 36-week contract to train the tile builders. It was important to find a trainer who had compassion and skill. He took it upon himself to visit each individual's home and establish a respectful relationship with them and their families. This had unbelievably positive effects, short and long term. Over a two- to three-week period, James trained the tile layers to build little vaults (1 m high by 1 m wide) first, and placed these against a wall, where the tile layers could stand on them to test the structure's strength.

Timbrel vault construction. Siting and Masterplan Ordering

Movement through a spatial experience of both museum artefact and landscape

Conceptually the Mapungubwe Interpretation Centre zigzags in movement both within and outside the buildings up the southern side of

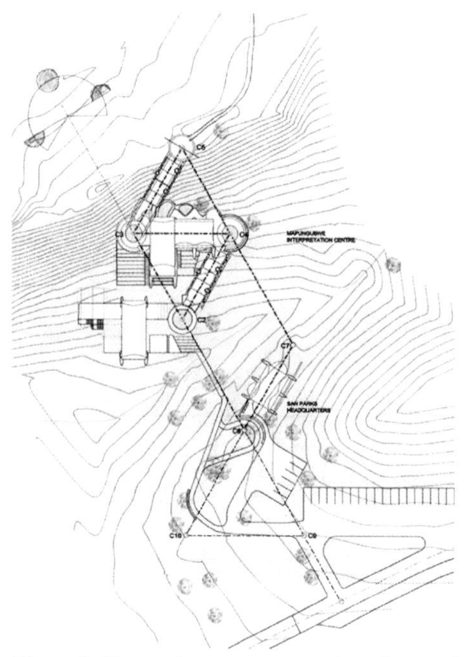

Figure 2. *Master plan composition - An ordering of equilateral triangles (P. Rich 2009).*

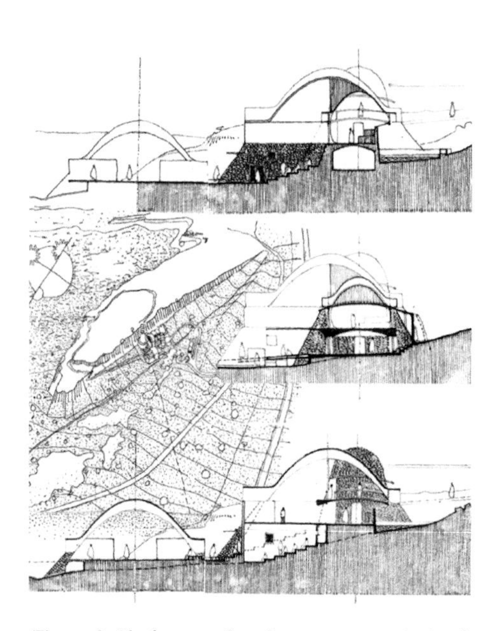

Figure 3. *Platforms and vaults gesturing to the landscape. (P. Rich 2009).*

Figure 5. *Interior carved out space breaking the order of the vaults. (Iwan Baan 2010).*

a mesa. This emulates the pilgrimage route of the approach to the actual Mapungubwe Hill, which can be viewed from atop the mesa 1 km away. Mounds of stone are a traditional way of identifying routes and direction by indigenous people in the vast African landscape. Cairns of stone (here hollow) demarcate the changes of direction as one ascends some 9-11 m from the point of arrival to the mesa top. Light, covered, elevated ramps bridge space as do external ramp stairs around the cairns, affording commanding views of the landscape and enabling relief from close observation of museum artefacts.

The experience weaves between the two principal architectural design ingredients, of shade structures and the dark sacredness of the cave both at sub terrain and elevated position.

Underlying ordering

The underlying order of the Mapungubwe Interpretation Centre plan and composition is one of equilateral triangles, which embraces the positioning of the detached vaulted administrative building on the approach side of the wash.

Plans and sections

The spatial experience is revealed in the plans of the various levels and the incremental sections. [Figure 3. Interrelationship between plan and section. (Peter Rich 2009)]

Car parking is hidden to the south of a hillock, around which one approaches clockwise to the centre. The detached vaulted administrative building compositionally defines the approach before crossing a wash on a light bridge linking element. One is received by the elevated platform of the arrival/reception/information centre, which houses a café, public toilet and shopping facilities.

The large, freestanding 14.3 m vault having born off the roof of the café and public facilities defines and frames the view above. It tends to billow in its lightness, like the sail of an East African dhow. The lightness of the slatted bridge ramp contrasts with the gravitas of the main building. The main building experience is one of entering into the darkness underground and then ascending into the sacredness of the half light of the timbrel vaulted museum space. The span differs between 7.15 m and 14.3 m, which allows in alternating variances of light. The vaults seem as if they have been hollowed out of the earth, solid and heavy in contrast to the billowing shape of the free-flying exterior vault.

Timbrel vault build by poverty relief workers

There was no time allocation for a test run on the real build. The connected pair of timbrel vaults (each 6.1 m long spanning 7.15 m wide),

Figure 6. *Freestanding vault construction with bearing catenary arches. (P. Rich 2009).*

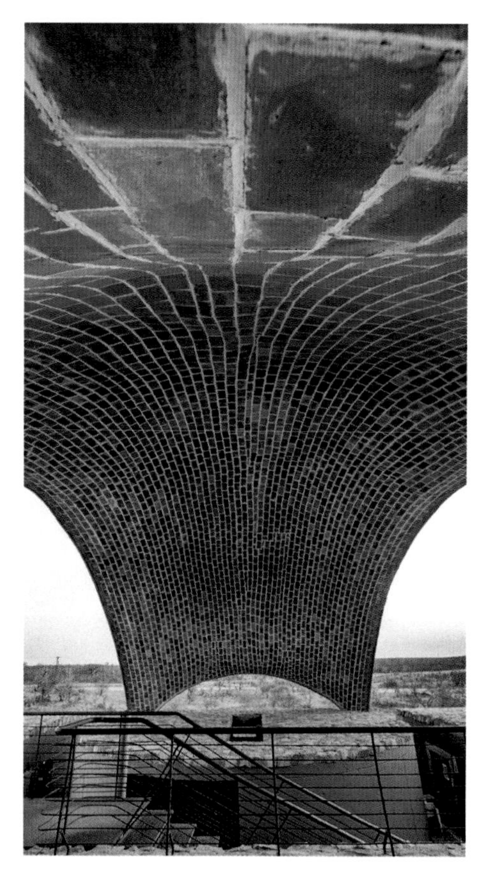

***Figure** 7. Imperfection of vault meeting along the apex becomes art. (Barry Goldman 2016).*

which form the detached administrative centre, was the first exposure to this method of building to trainees, teacher, architect and engineer. Michael Ramage visited the site for two weeks, setting up the formwork from whatever suitable scaffold materials could be found on site. Within 15 weeks it was hard to believe the team would be building vaults spanning up to 14.3 m. This latter process is what is to be illustrated.

Vault bearing

The forces generated by the timbrel vault bear at four supports set at equal height one storey above the main arrival/reception space. In the case of the free-floating vault, illustrated, the end wall supports required inclined reinforced concrete (RC) buttress extensions to distribute the inclined vault forces to the ground. The use of RC in the buttress is mandatory in this instance, so as to comply with the national building regulations. The buttresses are clad in local, loosely packed stone.

Vault build procedure (14.3 m span)

We provided a flat arch with a 450 mm width, made up of five layers of tiles, forming the two outer edges of the vault over its entire span width. This was held in place by scaffolding to provide a place to stand while building. Cross arch eyelid vaults arches close the rectangular vault area at either end. The vault was built simultaneously by a team at each end. The first layer of tiles is exposed internally, and reveals the bonding pattern, in this case a herringbone formation, on the ceiling. The following layers each alternate in direction and reinforce the layer below it. As the tiling accumulated, so did additional thickness over the length of the span, providing the bearing needed by the tilers approaching from each side until they were to meet in the middle apex. The teams working at varying speeds and capacity, often ended up with an irregular weave.

This irregularity became an artwork, handcrafted much like a mend to a cracked calabash, heightening the aesthetic and tactile qualities of the surface. This way of building the vaults from both directions is necessary because proportional loading is needed for the structure to hold. Guiding formwork set to the engineer's mathematical calculation and/or the foreman's catenary disciplined eye provides the shape.

Eyelid end structure

A cross arch forming an eyelid to terminate both ends of the vault was both a structural and aesthetic decision. The curved junction where the eyelid meets the vault places the tiles in tension not compression. Due diligence was needed here in the weave and execution. This concluded the work on the vaults of the DEAT poverty relief contract.

Figure 8. *Eyelid detail - five tile thickness plus stone cladding. (Obie Oberholzer 2015).*

Figure 9. *Digitally generated shuttering. (P. Rich 2010).*

Timbrel vault sealing, waterproofing and finish cladding by main contractor

Mortar screed

The entire tiled vault surface needed a mortar screed that was 'kept wet and alive at all stages of the pour'. This was achieved with a water supply via gravity feed from a water tank on the high point of the day centre some 500 m away from the build site.

Torched waterproofing

Once the mortar screed was fully cured and dry, it received multiple torched malthoid overlapping layers of waterproofing.

Stone roof cladding set in mortar

The loose surface of iodised stone that occupied the built area of the site was cleared and stored for use in cladding the completed timbrel vault structure. This stone cladding adds additional weight to the structure, thereby increasing the vault strength, as well as creating a compatible material finish to the surrounding rock mesa against which the vaults are set. Care had to be taken when laying the stone cladding in newly applied wet mortar to prevent point loading. Each individual stone touches one other, thereby transferring forces laterally in unison with the tiled vault roof to the buttress points and onto the ground.

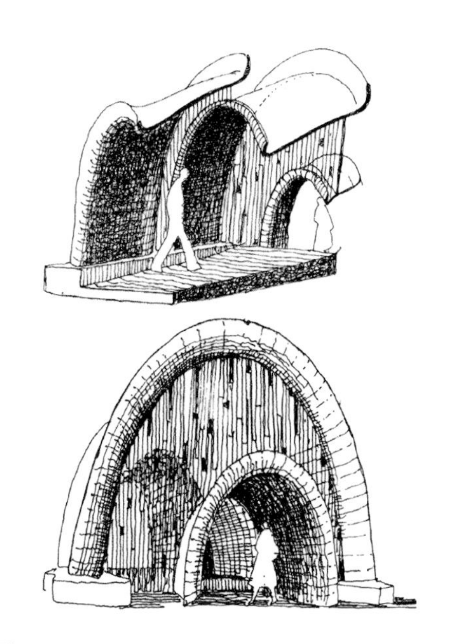

Figure 10. *Experiments in double curvature in plan and section. (P. Rich 2010).*

Figure 11. The completed Earth Pavilion, Lancaster House, The Mall, London. (P. Rich 2010).

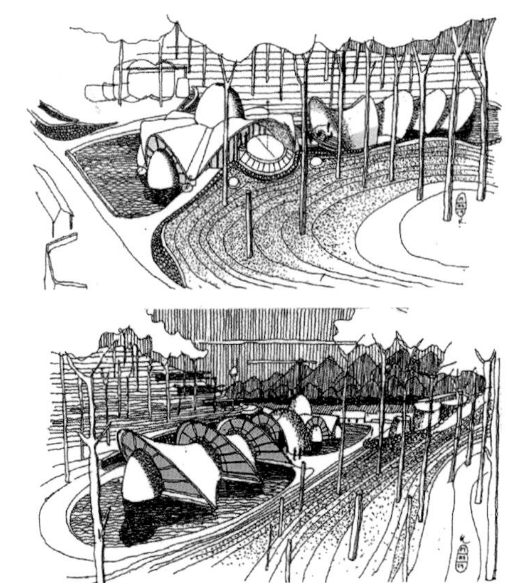

Figure 12. Wu Shan Wellness Centre, China - Further experimentation in double curvature in plan and section. (P. Rich 2019).

End water drip detailing

Rapid drying gypsum mortar was used to hold the tiles in place, connecting each tile in the same plane as other tiles. The mortar dried as a hard, inflexible, white bonding agent. As a consequence of this, the exposed tiles at the vault edge when wet by rain tended to expand and dislodge themselves. Learning as we progressed with a technology that was new to us, we ended up grouting all end tiles and creating an innovative end drip to expel rainwater.

A retrospective on timbrel vaulting at Mapungubwe

1. As beginners in a new technology, we believed passionately in what we were trying to achieve. The coincidences which brought us into contact with an equally enthusiastic timbrel vaulting technology team, and good precedents of timbrel structures in Eastern Spain and the US affirmed our dream.
2. In many ways it was a miracle that the Mapungubwe Interpretation Centre was realised at all. SANParks were rightly reluctant to embrace what had not been tried and tested. It was the political wish of a new democracy that at the time of the competition adjudication a timbrel vaulted project best encapsulates the idea of a building that was not form but felt as though it was an extension of nature and the landscape.
3. Human relations were incredibly important as a part of the empowerment process, especially in the DEAT poverty relief implementation project. Workers need to feel that they were making a contribution while earning an income and sharing the knowledge and history of their ancestors. There was a sense of local pride and ownership of the building.

Mapungubwe was awarded the honour of World Building of the Year 2009 at the World Architecture festival (WAF) in Barcelona. The engineers on the project, Henry Fagan, John Ochsendorf and Michael Ramage, were awarded the David Alsopp Structural Engineering prize for innovation in the field of structural engineering.

Gheralta Lodge in Tigray Province, Northern Ethiopia, and The Laetoli Science Centre Campus in Ngorongoro Conservancy, Tanzania, are both developments of the Mapungubwe method of building timbrel vaults. Both generate the vault bearing off a change in level with consequent internal floor level changes. As these are not yet built, I will not be discussing these projects further in this paper.

Experiments in double curvature: earth pavilion and Wu Shan Wellness Centre

Architect Tim Hall, Michael Ramage and I decided that we would use any other opportunity that came our way to experiment and advance our knowledge of timbrel vault construction. On the success of Mapungubwe's World Building of the Year in 2009, we submitted the project under the Built Environment category to the 2010 Earth Awards in London, which we won. Subsequently, we were approached to build an earth tiled pavilion in the gardens of Lancaster House for the 'Start Festival – A Garden Party to Make a Difference', which was sponsored by the Prince of Wales. We had seven days to conceptualise a design, and 14 days to construct the pavilion.

Figure 14. *Rwandan Cricket Pavilion - Seismic mitigation load bearing experimentation. (P. Rich 2018).*

The formwork was laser cut by London set designers and assembled under a rain-proof awning. The short timeframe for the build

Figure 13. *Rwandan Cricket Pavilion - Leaping vaults as shelter from sun and rain. (P. Rich 2018).*

Figure 15. *FR-2 Interior Chicago - Canon vaults expressed as the flight of birds. (P. Rich 2013).*

afforded experienced mason Sarah Pennell the opportunity to demonstrate her extraordinary tile cutting and laying skill.

The pavilion was made up of three overlapping tulip-shaped catenary vaults. The double curvature to the vaults was applied to both plan and section. In the process, we learnt that by flaring the curved end of the vaults significant strength is added to the structure, as well as serving as storm water built-in guttering.

To maintain a low environmental impact, consideration was made to the materials we used. The tiles were hand pressed and made from waste soil of a London building site. The plywood used for the formation of the tiles became the pavilion flooring and exhibition stands.

The double curvature left a lasting impact on me, as it appears in my later work. The as yet unbuilt Wu Shan Wellness Centre, located north of Hangzhou in China, advances this idea as part of a lotus flower adaptation and inspiration.

Jumping dual pitched timbrel vaults: Rwanda Cricket Pavilion, Kigali, Rwanda

Rwanda Cricket Pavilion was a Light Earth Designs project. Tim Hall conceived the idea of tracing the parabola of a bouncing cricket ball (the symbol of the MCC in London) as a series of connected 'jumping' timbrel vaulted structures that would offer protection against rain and sun and house multiple uses. The non-profit project was funded by money raised by David Cameron, the British Prime Minister at the time, and who was also the chairperson of the MCC.

The importance of the Rwandan project was its attention to addressing issues of seismic disturbance, both in the design of the vaults and at the point of bearing in distributing a point load in transference onto a pad or buttress to the ground. Between each layer of tiles are additional layers of flexible geogrid, which provide the vaults with extra strength under seismic conditions. The geogrid is also embedded into the concrete footings, which are tied together with ground beams. These seismic solutions, engineered by Michael Ramage, create structural continuity and flexibility in the event of movement from a seismic load.

This insight assisted in another African project we were working on at the time, at a World Heritage Landscape at Laetoli, Gorongoro conservation area in Tanzania. The design of this museum in Laetoli had to take cognisance of its Rift Valley location, withstanding earth movements of 6.4 on the Richter scale.

Premanufactured canon vaulted ceilings: FR-2 Interiors, Chicago, US

American philanthropist Joe Richie approached me to design interiors for a new commercial building on the outskirts of Chicago. He needed a corporate address to meet with investors, but he disliked the typical ambience of corporate office design. He believes an office should be more like a home and wanted the architecture to reflect his alternative ideas on organisational structure.

The design had to embody low energy, draw on nature and use materials that "you should be able to eat, taste and smell". Within the plenum of the ceiling void, we constructed canon vaults, flying through the air seemingly as a flock of birds. The earth used for the vaulted ceiling came from the client's farm a few miles away. To minimise artificial light and amplify natural light, we used light-coloured timber floors, and installed a reflecting pool to give the illusion of more height to the space. We were able to combine the skills and construction elements from past projects with new uses of technology in order to build the 200 units for the ceiling with precision and minimal waste. Chicago Union laws necessitated an off-site premanufacture of the vaults, built from moulds. Michael Ramage of Light Earth Designs developed the digital process, allowing the canon vaults to be manufactured off site. After designing the ceiling vaults, we made a 3D print at scale 1:10, from which we could gain better knowledge of the tile coursing. A more detailed 3D model followed, which was sent to be milled in timber. This became the primary formwork from which we cast many silicone moulds, and enabled us to build multiple, repetitive units at the same time. Even with the benefits of a manufacturing process, the tiles differed slightly creating the impression of a handcrafted finish.

Conclusion

Mapungubwe marked a turning point in the exploration of a more organic period of work as part of my career. An architecture of low embodied energy disciplined in having deference for nature's order. It took courage, enthusiasm, belief in others, and naivety to embark on a venture which was to yield wonderment, not as a building but as a structure that was an extension of the nature in which it found itself. It is my belief that timbrel vaulting as a craft should become accessible to all, so intuitive, ordinary people can once again in the developing world context, embrace it as a way of providing poetic shelter.

Bóvedas tabicadas de BTC construidas en uno de los cursos impartidos en Burkina Faso en enero de 2018

ISBN. 978-84-9048-827-0

Bóvedas tabicadas de tierra. Una alternativa para entornos poco industrializados

F. Javier Gómez-Patrocinio, Lidia García-Soriano, Fernando Vegas, Camilla Mileto
PEGASO Centro de Investigación Arquitectura, Patrimonio y Gestión para el Desarrollo Sostenible, Universitat Politècnica de Valencia

Abstract

Considerable weight of compressed earth blocks (CEB) and their moderate compressive strength have frequently restricted their use to the construction of vertical bearing elements. However, the simplicity of their production, the low specialisation that is required to use them, and their low environmental footprint highlight the benefits of their application to other built elements. This paper gathers the technical results of two projects developed by the research group "Research, Preservation and Dissemination of Architectural Heritage" that aimed to study the possibility of using CEB to build plain tile vaults. The first of these projects was developed within the frame of the Venice Architecture Biennale 2016. The second work issues from an international cooperation project and aims to reduce the necessity of industrialised materials in the construction of CEB tile vaults. As a conclusion, this article reflects on the prospects of this technique and foresees future lines of research.

Keywords: *Compressed earth blocks (CEB), out tile vaults, international cooperation project.*

Resumen

El elevado peso propio del Bloque de Tierra Comprimida (BTC) y su moderada resistencia a la compresión han limitado en muchos casos su empleo a la construcción de muros y soportes verticales. Sin embargo, la sencillez de su producción, la baja especialización que requiere su puesta en obra y su reducida huella ecológica, hacen interesante el estudio de alternativas para su aplicación a otros elementos constructivos. En este artículo se recogen los resultados técnicos de dos proyectos desarrollados por el grupo "Investigación, Restauración y Difusión del Patrimonio Arquitectónico" con el objetivo de estudiar las posibilidades de empleo del BTC para la construcción de bóvedas tabicadas. El primero de estos proyectos se desarrolló en el marco de la Bienal de Arquitectura de Venecia de 2016. El segundo trabajo surge de un proyecto de cooperación al desarrollo y pretende reducir las necesidades de materiales industrializados en la construcción de estos elementos. A modo de conclusión, se reflexiona sobre las perspectivas de esta técnica y se anticipan las líneas de investigación que se abren tras los trabajos desarrollados.

Palabras clave: *Bloque de Tierra Comprimida (BTC), bóvedas tabicadas, cooperación al desarrollo.*

Los bloques de tierra comprimida (BTC o CEB, compressed earth blocks, en inglés) son elementos modulares y de pequeñas dimensiones que se emplean para la construcción de elementos de fábrica. Se producen por compactación en una prensa de una masa de tierra en estado húmedo. La mezcla utilizada se dosifica habitualmente con una pequeña cantidad de cemento, entre un 5% y un 8% en la mayor parte de los casos (Amàco 2015), pero también puede ser estabilizado con otros materiales como cal (Nagaraj et al. 2014), cenizas volantes o residuos vegetales (Niño Villamizar, y otros 2012). El sistema de puesta en obra de los BTC es similar al del ladrillo, y el peso de las piezas es suficientemente reducido como para que un único operario las pueda manejar con comodidad. Las dimensiones más habituales oscilan en torno a los 29 x 14 x 9 cm, para pesos de 7-8 kg por pieza, dependiendo del grado de compactación y del tipo de tierra empleado. Por lo que respecta a sus propiedades mecánicas, se trata de uno de los sistemas de construcción con tierra con una resistencia a compresión más elevada. La normativa española de bloques de tierra comprimida recoge tres clases resistentes, con valores normalizados de 1'3 MPa, 3 MPa y 5 MPa respectivamente (AENOR 2008). Sin embargo, es habitual que las piezas cuenten con resistencias superiores a los 7 MPa.

Gracias a que el prensado reduce notablemente su porosidad, y a que estas piezas suelen ser estabilizadas con pequeñas cantidades de conglomerante, los bloques de tierra comprimida presentan una resistencia a la humedad mayor que la de la mayoría de los sistemas de construcción con tierra. Además, se trata de una técnica que acepta un amplio espectro de granulometrías, resultando probable la presencia de suelos válidos en el propio entorno de la intervención.

Figura 1. *Blocadora manual para la producción de BTC en Ouagadougou.*

La sencillez de su producción, que puede ser realizada a pie de obra utilizando blocadoras manuales de tamaño muy reducido (fig. 1), hacen de este un sistema óptimo para la construcción en zonas de difícil acceso o ubicadas en entornos poco industrializados. La producción de BTC no requiere del uso de combustible y, gracias a su adaptabilidad a los materiales disponibles en el entorno inmediato, permite minimizar el consumo energético debido al transporte. Se trata por tanto de materiales con una huella ecológica muy reducida que, gracias a su elevada densidad e inercia térmica, generan ambientes aislados y transpirables con un elevado nivel de confort higrotérmico (Barbeta y Navarrete 2015).

El BTC constituye un elemento constructivo solvente y de gran interés, especialmente para áreas de edificación extensiva o media, donde la construcción de edificios de gran altura no obligue a recurrir a estructuras metálicas o de hormigón armado. Resulta a su vez una técnica idónea para la ejecución de construcciones en zonas de baja industrialización, gracias a su economía en medios técnicos y a que la sencillez de su fabricación y puesta en obra la convierte en asequible para mano de obra local sin formación especializada. Por esta razón, la posibilidad de ejecutar sistemas edilicios completos empleando como elemento fundamental el BTC permitiría la construcción de edificios económicos, sostenibles, confortables y técnicamente viables, incluso en zonas de pocos recursos.

Ante la reducida resistencia a la flexión de los elementos de fábrica, el modo más natural de construir estructuras horizontales empleando BTC es el empleo de bóvedas. Sin embargo, los bloques de tierra comprimida cuentan con un peso propio elevado y resultan difíciles de aligerar debido al proceso de prensado. Como consecuencia, el empleo de las piezas en su formato habitual da lugar a pesadas bóvedas de rosca que requieren cimbras importantes para su construcción. Este es un gasto adicional que se vuelve especialmente condicionante en los entornos áridos en los que muchas veces se desarrollan los proyectos de cooperación al desarrollo –que son uno de los principales contextos en los que en la actualidad se utilizan los bloques de tierra comprimida– y que puede llegar a comprometer la viabilidad de un sistema apropiado en todos los demás aspectos.

La adaptación de estas piezas para su empleo en la construcción de cáscaras ligeras permite reforzar este sistema precisamente en su punto débil y abre todo un abanico de posibilidades para el desarrollo de una técnica económica, sostenible y fácilmente extrapolable a entornos aislados y poco industrializados. La solvencia de las bóvedas tabicadas tradicionales en estos contextos no es desconocida, pues vivieron un periodo de recuperación tras la Guerra Civil Española (Chamorro, M. A., Llorens y Llorens 2012). Durante los años 40 y 50, la necesidad de reponer el parque inmobiliario destruido en la contienda, el aislamiento internacional de la dictadura y la carestía de acero favorecieron la recuperación de la bóveda tabicada como una alternativa económica y fiable a las estructuras metálicas y de hormigón armado para la construcción de forjados de piso en arquitectura residencial.

En este artículo se recogen los resultados de dos experiencias prácticas desarrolladas entre 2015 y 2018 por el grupo "Investigación, Restauración y Difusión del Patrimonio Arquitectónico" del Instituto de Restauración al Patrimonio de la UPV, con el objetivo de estudiar la viabilidad del empleo de plaquetas de tierra comprimida para la construcción de bóvedas tabicadas de tierra.

Optimización del trazado funicular[1]

La posibilidad de emplear el BTC para la construcción de bóvedas de cañón rebajadas se abordó en primer lugar desde un punto de vista mecánico mediante un trabajo que pretendía estudiar la posibilidad de cubrir espacios de dimensión habitual en arquitectura doméstica mediante bóvedas rebajadas ejecutadas con bloques de tierra comprimida.

Los sistemas abovedados trabajan únicamente a compresión –lo que permite su construcción empleando elementos de fábrica– y acostumbran a hacerlo a unas tensiones muy bajas. Por esta razón, la resistencia de los materiales que las constituyen suele no suele ser crítica de cara a la estabilidad de las bóvedas. Sin embargo, sus apoyos generan una serie de empujes horizontales en las cabezas de los muros en los que descansan que pueden introducir en ellos importantes esfuerzos de flexión. Este empuje horizontal puede limitarse durante el diseño de la bóveda –reduciendo su peso o peraltando su trazado– o puede ser absorbido por los elementos que la recogen.

Al plantearse el cálculo desde un material determinado, en este caso sólo era posible reducir el peso de las bóvedas menguando su sección. Sin embargo, estos sistemas resisten a causa de su forma, por lo que una sección menor requiere un trazado más preciso que evite la aparición de esfuerzos de tracción en las fábricas. De igual modo, una sección más peraltada genera una resultante más inclinada y reduce la componente horizontal del empuje; al mismo tiempo, implica un mayor consumo de espacio vertical por parte de los forjados y va en contra de la economía de la obra.

Partiendo de estas premisas, se analizaron un total de 120 modelos de bóveda, que aportaban un amplio rango de alternativas mediante la combinación de tres variables: su luz, el peralte del arco funicular que describían en su trazado y el espesor de la hoja resistente. De este modo, se trabajó con bóvedas que salvaban distancias habituales en arquitectura residencial (2, 4, 6 y 8 m) y que estaban trazadas siguiendo catenarias rebajadas con distintos porcentajes de peralte respecto a su luz (3%, 5%, 7%, 10% y 15%), obteniéndose alternativas con cinco proporciones diferentes entre transmisión horizontal de empujes y consumo de espacio vertical. Para cada uno de estos trazados, se consideraron tres espesores diferentes (9, 14 y 19 cm) y la posibilidad de que los tabiquillos –dispuestos sobre la bóveda para generar una superficie horizontal pisable– se comportaran como costillas colaborantes de BTC o fueran elementos sin papel estructural.

La estabilidad de cada uno de estos modelos se analizó por métodos de estática gráfica plana, considerando una evaluación de acciones habitual en vivienda. En todos los casos, el cálculo demostró que el espesor y el trazado de la bóveda eran capaces de albergar la línea de presiones

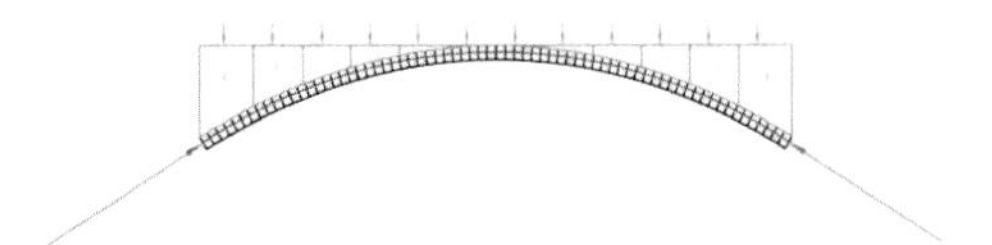

Figura 2. *Análisis por equilibrio de una bóveda de BTC dispuesto a rosca, salvando una luz de 6m con un peralte del 15%.*

producida por la disipación de las cargas y que las secciones eran estables sin la necesidad de emplear costillas colaborantes (fig. 2). Por tanto, se determinó que el menor de los espesores considerados sería suficiente para cubrir este tipo de bóvedas. Dado que todos los trazados resultaron ser estables, se determinó que la sección optimizada sería aquella que presentara una relación más equilibrada entre el espesor del forjado resultante y la dimensión de los elementos necesarios para absorber los empujes.

El empuje horizontal de una bóveda puede ser absorbido mediante la introducción de un armado que permita que el muro trabaje a flexocompresión o mediante la disposición de elementos que absorban la componente horizontal, como contrafuertes, tirantes o encadenados. El armado de los muros de fábrica requiere del consumo de una cantidad considerable de acero, por lo que entraba en conflicto con las premisas

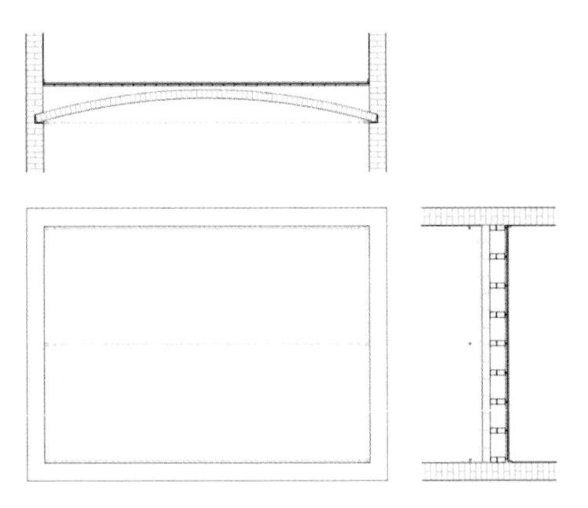

Figura 3. *Detalle constructivo tipo de la solución calculada. Bóveda de BTC, formación de la superficie pisable, sistema de atirantado y encuentro con el muro.*

del estudio. Por su parte, la introducción de contrafuertes implica el acodalamiento de la construcción con elementos de gran masa y supone un importante aumento del material y el espacio consumidos. Por el contrario, los atirantamientos y encadenados actúan directamente en el punto en el que la bóveda entra en contacto con el muro y absorben los empujes antes de que estos sean transmitidos al soporte, requiriendo una cantidad de material mucho más reducida. Estos elementos se consideraron externos a la solución de la bóveda y se diseñaron en metal para agilizar el cálculo.

La solución planteada constaba de dos angulares alojados en el muro que recogían los apoyos de las bóvedas y tirantes dispuestos para dos metros para absorber la componente horizontal del empuje (fig. 3).

A partir de los datos obtenidos en el estudio, se determinó que los tabiquillos colaborantes no eran necesarios para garantizar la estabilidad de la bóveda. Sin embargo, su ejecución no modificaba sustancialmente el estado tensional de las fábricas con respecto a elementos más ligeros y dotaban al forjado de una coherencia material y socioeconómica que justificaba su uso. Por último, se concluyó que los trazados con peraltes del 10% eran las alternativas que mejor conciliaban la ligereza de los elementos de absorción de los empujes con la reducción del espesor del forjado. Por ello, se estableció una horquilla de entre el 7% y el 15% como valores razonables, en función de las características de cada proyecto.

Primeras experiencias de construcción

Las primeras experiencias prácticas se desarrollaron a partir de 2015, durante una colaboración con el Massachussets Institute of Technology en el marco de su pabellón "Beyond Bending" de la Bienal de Arquitectura de Venecia de 2016. Este trabajo implicó el diseño y construcción de una pequeña bóveda de cañón, tabicada y ejecutada en BTC (fig. 4).

Figura 4. *Bóveda tabicada de BTC expuesta en la Bienal de Arquitectura de Venecia de 2016 (Fotografía: S. Gomis).*

Este elemento había de ocupar un espacio de 1'40 x 2'00 m y se trazó siguiendo una curva catenaria con un peralte del 10% en su lado mayor. Esta bóveda se había de construir sobre un bastidor metálico que la elevaría del suelo y haría de encadenado, absorbiendo los empujes horizontales. En la parte inferior del bastidor iba colocado un espejo que permitiría observar el intradós de la bóveda, razón por la que el trabajo debía ser muy limpio. Este proyecto se desarrolló en varias fases e implicó la construcción de dos bóvedas de tierra: un prototipo inicial en las instalaciones de la UPV y el modelo definitivo en el Arsenale de Venecia.

Se optó por construir bóvedas tabicadas de dos hojas y un espesor total de 7 cm, que arrojaron resultados positivos en el cálculo por estática gráfica. La primera de estas hojas iría recibida con yeso rápido y la segunda con un mortero entonado con tierra.

Bloques de tierra comprimida

Los bloques de tierra comprimida empleados en esta experiencia fueron suministrados por una empresa comercial y se ajustaban a las características establecidas en la UNE 41410:2008 (AENOR 2008). El formato de estas piezas se determinó en el proyecto y se fijó en 200 x 95 x 33 mm, dando lugar a unas plaquetas con unas características más adecuadas para la construcción de bóvedas tabicadas que las unidades de formato estándar.

El suelo utilizado para la producción de estos bloques mostraba un contenido elevado de arena gruesa (aproximadamente un 65% de su masa estaba constituido por partículas de entre 2 y 0,5 mm) y contaba con aproximadamente un 12% de finos (fig. 5). Tras ser estabilizada con un 5% de cal y un 2% de cemento, esta tierra fue prensada para dar lugar a piezas con una densidad de 2140 kg/m^3. Para determinar la resistencia a compresión de estas piezas, se realizaron ensayos de compresión directa, según el procedimiento descrito en la UNE-EN 772-1:2002 (AENOR 2002). En este tipo de ensayo, el esfuerzo de compresión creciente produce una progresiva deformación lateral de las probetas, que continua hasta su fallo. Esta deformación se ve distorsionada por el rozamiento entre el espécimen y los platos de ensayo, de manera que la resistencia aparente del material es mayor cuanto menor es la distancia entre los platos (Morel, Pkla y Walker 2007). Con tal de compensar este efecto, en la Tabla A.1 de la UNE-EN 772-1:2002 se establece un factor de forma d que minora la resistencia obtenida. Los cuatro ensayos, realizados a una velocidad de 0,3 MPa/s sobre probetas de 3 años, arrojaron una resistencia corregida de 8,68 kN.

Construcción de las bóvedas

La sustitución de las piezas cerámicas por plaquetas de tierra comprimida hizo necesaria la introducción de ciertos ajustes en el proceso

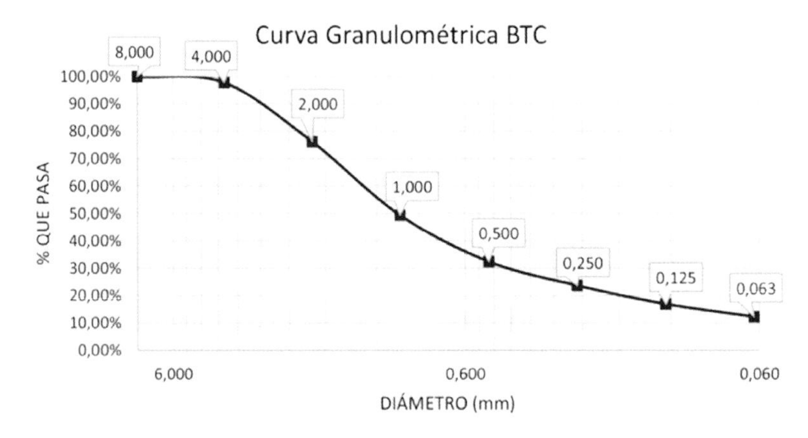

Figura 5. *Resultados del análisis granulométrico de los BTC utilizados.*

constructivo con respecto al sistema tradicional. En las bóvedas tabicadas cerámicas, la ligereza de las rasillas y la rapidez de fraguado del yeso permiten que las piezas sean autoportantes a los pocos segundos de ser colocadas. Gracias a esto, estos sistemas pueden ser levantados sin cimbra cuando cuentan con, al menos, una pared lateral a la que fijar las primeras piezas. Sin embargo, cuando estas bóvedas se construyen de forma completamente exenta, es habitual que se emplee una pequeña guía, un tablero colocado a plomo o un tabique provisional para sostener el primer arco de ladrillo. Tras cerrar este primer arco, el elemento auxiliar puede ser desmontado y el resto de las piezas colocadas sin necesitar más cimbrado. Sin embargo, las plaquetas de tierra comprimida resultan más pesadas que las rasillas cerámicas –las piezas utilizadas en esta experiencia pesaban aproximadamente 1,5 kg– y era necesario que el yeso fraguara aproximadamente medio minuto antes de que fueran autoportantes. Por esta razón, se optó por utilizar la guía inicial para sustentar en cada momento el arco que se encontraba en construcción. En cuanto este arco estaba completo, la guía era inmediatamente desplazada para construir el siguiente (fig. 6). Una vez completada la primera hoja, la segunda podía ser ejecutada directamente sobre ella. Esta capa de doblado aumentaba la sección resistente al tiempo que dotaba de continuidad mecánica al elemento, que dejaba de trabajar como una sucesión de arcos y pasaba a comportarse como una cáscara estructural.

Conclusiones

A raíz de esta primera experiencia, se pudo comprobar que es viable reducir el espesor de los BTC hasta formar plaquetas, sin necesidad de incrementar el contenido de conglomerante. Esto permite ajustar el espesor mejor de la bóveda a las necesidades establecidas por el cálculo estructural, disminuyendo el consumo de material, el peso propio del elemento y reduciendo el empuje horizontal. Además, la producción de plaquetas de entorno a 3 cm de espesor permite la construcción de bóvedas tabicadas de tierra comprimida.

El mayor peso propio de los BTC hace que estos sistemas no sean tan autoportantes durante su construcción como las bóvedas tabicadas tradicionales, pero prescinden de las cimbras y permiten una notable reducción de la inversión en medios auxiliares con respecto a las bóvedas de BTC a rosca (fig. 7). El empleo de plaquetas delgadas y de una guía ligera facilita el manejo de los elementos, aumentando la velocidad de ejecución.

Bóvedas tabicadas con mortero de tierra

Entre 2016 y 2018, se sigue profundizando en esta línea de trabajo de la mano de un trabajo de apoyo a la ONG Algemesí Solidari en la construcción de una escuela en Burkina Faso (Maravilla y Ferragud 2018). El poblado de Baasneeré, donde se está construyendo la escuela, se encuentra situado en la zona predesértica del Sahel. En este entorno, los únicos materiales

Figura 6. *Construcción de la primera hoja de una bóveda tabicada de BTC.*

Figura 7. *Medios auxiliares necesarios para construir una misma bóveda de BTC, empleando un sistema tabicado (superior) o a rosca (inferior).*

de construcción tradicional son la tierra, las fibras y pequeñas secciones de madera, que es un material escaso y caro. Sin embargo, a lo largo de las últimas décadas, la influencia de los modelos occidentales ha propiciado la introducción de materiales importados –como el cemento o la chapa metálica– que no responden al entorno ni a las condiciones climáticas locales. En este contexto, la escuela proyectada por la ONG Algemesí Solidari utiliza el BTC como material fundamental. Con ello pretende integrarse en el entorno y ofrecer un modelo arquitectónico alternativo que satisfaga las aspiraciones de progreso de los pobladores, sin renunciar al uso de materiales locales.

El proyecto desarrollado desde el grupo de investigación, ConBurkina[2], pretendía dar apoyo científico-técnico a Algemesí Solidari, mediante la investigación de posibles alternativas para la construcción de las bóvedas de la escuela y mediante la formación técnica de albañiles y jóvenes locales para la ejecución de bóvedas tabicadas de BTC. En su aplicación inmediata, ConBurkina implicó la puesta en práctica de la técnica y experiencias desarrolladas durante la Bienal de Venecia de 2016. Sin embargo, también incluyó una serie de experiencias de investigación que pretendían explorar la posibilidad de construir bóvedas tabicadas de BTC con mortero de tierra. Con ello, se pretendía mejorar la sostenibilidad de la técnica en zonas como Baasneeré, en las que el yeso no está presente de forma tradicional.

En estas experiencias se trabajó con bóvedas tabicadas de cañón de 1,40m de luz y 66 cm de flecha, medidas establecidas en base a criterios arquitectónicos durante el diseño de la escuela. Se emplearon plaquetas de tierra comprimida de procedencia y dimensiones análogas a las utilizadas para la Bienal de Venecia. La tierra y el cemento utilizados para la fabricación de los morteros se escogieron por su similitud a los materiales disponibles en Baasneeré. Para ello, fue necesario analizar una serie de muestras de tierra procedentes de la localidad burkinesa, recogidas por los cooperantes de la asociación, y localizar un material accesible con características asemejables.

Estudio de morteros

Para la construcción de la primera hoja de las bóvedas tabicadas de tierra se planteó la utilización de un mortero de barro con un elevado contenido de arcilla. De esta manera, se esperaba conseguir una elevada adherencia inicial que permitiera minimizar las necesidades de cimbrado. Por su parte, la segunda hoja se recibiría con un mortero de tierra-cemento, capaz de aportar a la bóveda una mayor resistencia a medio y largo plazo.

Los ensayos granulométricos realizados sobre muestras de suelo de Baasneeré desvelaron un

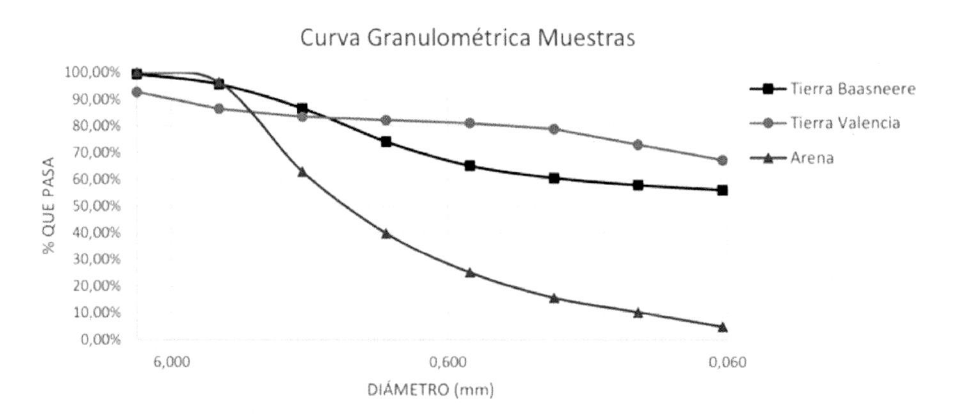

Figura 8. *Granulometría comparativa de las muestras de tierra de Baasneeré y Alacuás, y de la arena utilizada para corregir esta última.*

Figura 9. *Bóveda tabicada de BTC con mortero de tierra construida en la Universitat Politècnica de Valencia.*

contenido elevado de finos (aproximadamente un 56% en masa) y una proporción considerable de arena gruesa, con un 21% de la masa distribuido en partículas de entre 0,5 y 2 mm. Por esta razón, se optó por trabajar con un material local muy arcilloso que, en caso de ser necesario, pudiera ser corregido con arena para obtener una granulometría similar a la de la muestra de la población burkinesa. Después de analizar distintas tierras de diferente origen, se optó por emplear una tierra procedente de una excavación en la localidad de Alacuás (Valencia), que arrojó un contenido de finos de aproximadamente un 67% (fig. 8).

En la dosificación de los morteros mixtos se empleó un cemento CEM / 7B-M (S-L) / 42,5R. Para la realización de eventuales correcciones en la mezcla, se ha trabajado con una arena gruesa con aproximadamente un 71% de su masa distribuida en partículas de entre 4 y 0,5 mm. La dosificación precisa del mortero se ha desarrollado mediante una prueba de control de fisuras basada en la establecida en el Anexo n. 4 de la norma peruana de construcción con tierra E-80 (MVCS 2017). En este proceso se prepararon diferentes morteros de tierra (con un contenido de arena cada vez mayor) que fueron empleados para recibir, en cada caso, tres parejas de BTC. Los tres especímenes de cada mezcla fueron separados al cabo de 6, 24 y 48 horas, para observar el agrietamiento del mortero. Esta prueba se llevó a cabo inicialmente uniendo las piezas por la tabla, tal y como establece la norma citada. Sin embargo, el mortero de tierra escogido debía ser empleado para recibir las piezas de la hoja inferior de la bóveda, que se unen a panderete. Por esta razón, las dosificaciones que dieron mejor resultado en este ensayo se volvieron a testar, uniéndolas esta vez por el canto. Con esta segunda comprobación se pretendía incrementar la proporción de mortero que se secaba en contacto directo con el aire a través de la junta y observar si se modificaba el resultado. En la primera comprobación, los mejores resultados se obtuvieron al emplear un mortero con una proporción 3:1 de tierra y arena. Sin embargo, al incrementarse la exposición al aire durante la segunda prueba, el secado era demasiado rápido y daba problemas de adherencia. Por esta razón, se optó por trabajar directamente con un mortero de tierra sin corregir. En este caso, la elevada concentración de arcilla permite que la junta conserve la humedad durante más tiempo y le aporta una buena adherencia durante el tiempo que las hojas exteriores necesitan para adquirir resistencia.

Para determinar la dosificación exacta de mortero de tierra y cemento también se desarrolló el procedimiento de ensayo recogido en la Norma E.80, trabajando esta vez con diferentes proporciones de tierra y cemento. En este caso, se optó por escoger la dosificación más pobre en cemento que, al cabo de 48 horas, no presentaba fisuras. La mezcla seleccionada se comprobó por segunda vez, añadiendo diferentes proporciones de arena gruesa. Finalmente, se decidió emplear un mortero con una proporción 3:1 de tierra y cemento, que no fue corregido con arena gruesa.

Construcción de las bóvedas

Una vez seleccionadas las dosificaciones de los morteros, se construyeron una serie de bóvedas – primero, de 90 cm de luz y 70 cm de flecha; más tarde, de las dimensiones indicadas en proyecto – para comprobar la viabilidad de la técnica. El punto de partida para la construcción de estos prototipos fue el sistema probado durante la construcción de las bóvedas tabicadas de BTC recibidas con yeso. Sin embargo, el nuevo cambio de material volvió a requerir el reajuste del proceso constructivo. El mortero de tierra endurece más lentamente de lo que fragua el yeso. Por esta razón, se optó por incorporar una segunda guía durante la construcción de la hoja interior de la bóveda. La primera de estas guías es empleada para la ejecución del primer arco. Una vez completado, se coloca la segunda guía para levantar un segundo arco junto a él. De esta forma, la guía inicial sólo necesita ser recuperada para la construcción del tercer arco.

En este tiempo, el mortero del primer elemento ha tenido tiempo de endurecer lo suficiente como para ser resistente y se encuentra arriostrado lateralmente por el segundo arco, que todavía no ha sido descimbrado.

La construcción de la hoja inferior se puede prolongar, alternando únicamente dos guías, hasta alcanzar la longitud necesaria. La hoja de doblado, recibida con mortero de tierra y cemento se forma directamente sobre la hoja inferior y dota al elemento de continuidad estructural y de una mayor resistencia a medio y largo plazo (fig. 9).

Conclusiones

El empleo de tierra con un elevado contenido de arcilla ha favorecido un buen comportamiento del mortero de la hoja inferior de la bóveda, mostrando una adherencia superior a las pruebas realizadas con muestras más arenosas. A la hora de sondear la dosificación de los morteros, se ha observado que la cantidad de material que seca en contacto con el aire a través de la junta tiene una influencia significativa en su capacidad de agarre. Por esta razón, el ensayo habitual para el estudio de la dosificación, a partir de emparedados de piezas (MVCS 2017), no resulta suficiente por sí mismo y ha debido ser complementado con pruebas de adherencia realizadas con piezas unidas por su canto. Los resultados obtenidos hasta la fecha resultan prometedores y, tras dos años de exposición a la intemperie, los prototipos iniciales son estables y no muestran indicios remarcables de degradación. Sin embargo, este trabajo sólo puede considerarse una aproximación preliminar y es necesario profundizar en esta técnica mediante pruebas de carga y estudios de envejecimiento. En cualquier caso, la experiencia abre vías de estudio interesantes para el perfeccionamiento de esta técnica, como la posibilidad de emplear morteros de tierra con fibras naturales, de utilizar estabilizantes alternativos al cemento o de producir plaquetas aligeradas en masa.

Agradecimientos

Las experiencias recogidas en esta comunicación han implicado a diferentes personas y entidades. Sirvan estas líneas de reconocimiento al equipo del profesor John Ochsendorf del MIT, al Block Research Group y a ODB por la oportunidad de colaborar en su pabellón “Beyond Bending”; a Salvador Tomás Márquez y Salvador Gomis Aviñó por su trabajo en la construcción de los prototipos expuestos en la Bienal de Arquitectura de Venecia de 2016; a las asociaciones Algemesí Solidari y A3B por la posibilidad de formar parte del proyecto de l’Escola de Baasneeré; y al CCD-UPV por el apoyo al proyecto ConBurkina.

Notas

1 Los contenidos de este apartado se desarrollan de forma pormenorizada en el artículo “Optimización geométrica de trazados funiculares en el diseño de bóvedas de BTC para forjados” (Gomez-Patrocinio et al. 2016).

2 Es posible encontrar más información sobre el proyecto ConBurkina en los artículos “Research experiences in cooperation and sustainable development. The case of Baasneeré (Burkina Faso)” (Mileto, Vegas, y otros, Research experiences in cooperation and sustainable development. The case of Baasneeré (Burkina Faso) 2018) y “Building workshops for empowerment and sustainable development. A training experience in Burkina Faso” (Mileto et al. 2018).

Nota: Salvo indicación contraria, las imágenes de este artículo pertenecen a los autores.

Referencias

AENOR. (2002). *Métodos de ensayo de piezas para fábrica de albañilería. Parte 1: Determinación de la resistencia a compresión.* Documento normativo, Madrid: Agencia Española de Normalización y Certificación.

AENOR. UNE 41410. (2008). *Bloques de tierra comprimida para muros y tabiques. Definiciones, especificaciones y métodos de ensayo.* Documento normativo, Madrid: Asociación Española de Normalización y Certificación.

AMÀCO. ATELIER BTC. (2015). *Fiches techniques.* Grenoble: CraTerre - ENSAG.

BARBETA, G. y E. NAVARRETE (2015). "A pentagonal block home." *Earthen architecture: past, present and future.* Londres: Taylor & Francis Group, 31 - 36.

CHAMORRO TRENADO, M.Á.; J. LLORENS SULIVERA y M. LLORENS SULIVERA. (2012). "Ignasi Bosch i Reitg (1910-1985): una patente para construir bóvedas tabicadas" *Construyendo bóvedas tabicadas.* Valencia: Universitat Politècnica de València, 239 - 247.

GÓMEZ-PATROCINIO, F. J.; A. ALONSO DURÀ, C. MILETO y F. VEGAS LÓPEZ-MANZANARES (2016) "Optimización geométrica de trazados funiculares en el diseño de bóvedas de BTC para forjados." *Tierra y agua, selva y ciudad. 16° SIACOT Seminario Iberoamericano de Arquitectura y Construcción con Tierra.* Asunción: Universidad Nacional de Asunción / PROTERRA.

MARAVILLA, J. V., y X. FERRAGUD (2018) "The school of Baasneere, the process of international cooperation." *Vernacular and earthen architecture. Conservation and sustainability.* Londres: Taylor and Francis Group, 389 - 392.

MILETO, C.; F. VEGAS, L. GARCÍA-SORIANO y F.J. GÓMEZ-PATROCINIO (2018). "Building workshops for empowerment and sustainable development. A training experience in Burkina Faso" *EDULEARN18. 10th International Conference on Education and New Learning Technologies.* Palma de Mallorca: IATED Academy, 3993 - 3998.

—. "Research experiences in cooperation and sustainable development. The case of Baasneeré (Burkina Faso)." *VIBRArch. Valencia International Biennial of Research in Architecture.* Valencia: Universitat Politècnica de Valencia, 2018.

MOREL, J. C., A. PKLA y P. WALKER. (2007). "Compressive strength testing of compressed earth blocks." *Construction and Building Materials*, 303 - 309.

MVCS (2017). *Norma E.80 Diseño y construcción con tierra reforzada.* Documento normativo, Lima: Ministerio de Vivienda, Construcción y Saneamiento.

NAGARAJ, S. B., M. V. SRAVAN, T. G. ARUN y K. S. JAGADISH (2014). "Role of lime with cement in long-term strength of Compressed Stabilized Earth Blocks" *International Journal of Sustainable Built Environment* 3, 54 - 61.

NIÑO VILLAMIZAR, M. C., V. SPINOSI, C. A. RÍOS y R. SANDOVAL (2012). "Effect of the addition of coal-ash and cassava peels on the engineering properties of compressed earth blocks" *Construction and Building Materials* 36, 276 - 286.

Bóvedas del garaje del Hotel Rosaleda (E. Dilmé, 2015)

ISBN. 978-84-9048-827-0

La bóveda tabicada en Andorra

Enric Dilmé Bejarano
Arquitecto

Abstract

Andorra is a small country nestled in the Pyrenees that has undergone a radical transformation over the past half-century. Overnight, it went from being a society based on an agricultural subsistence economy to a major tourist centre. This metamorphosis was accompanied by a rapid expansion in building based on imported labour and a series of techniques, the most important of which included the tile vault. In this communication we will review the ephemeral history of this construction system in Andorra and how, decades later, it has been vindicated with new models and examples. The presence of some of the protagonists of Catalan architecture in the 20th century in Andorra is reflected in the text, as it is the case of Cèsar Martinell i Brunet, Adolf Florensa i Ferrer, Joan Margarit i Serradell, Josep Maria Sostres Maluquer, Domènec Escorsa Badia, Jordi Bonet i Armengol, Josep Puig i Cadafalch or Ricardo Bofill.

Keywords: *Tile vault, Andorra, techniques, conversion.*

Resumen

Andorra es un pequeño país enclavado en los Pirineos que ha experimentado una transformación radical en último medio siglo. De una sociedad basada en una economía agropecuaria de subsistencia pasó a ser, de la noche a la mañana, un centro turístico de primer orden. Esta metamorfosis estuvo acompañada de una rápida expansión edilicia sobre la base de una mano de obra y de unas técnicas importadas, entre las cuales destacó la bóveda tabicada. En la presente comunicación se realiza un repaso a la efímera historia de este sistema constructivo en Andorra y cómo, décadas después, se ha reivindicado con nuevos ejemplos. La presencia de algunos protagonistas de la arquitectura catalana del siglo XX en Andorra queda reflejada, como es el caso de Cèsar Martinell i Brunet, Adolf Florensa i Ferrer, Joan Margarit i Serradell, Josep Maria Sostres Maluquer, Domènec Escorsa Badia, Jordi Bonet i Armengol, Josep Puig i Cadafalch o Ricardo Bofill.

Palabras clave: *Bóveda tabicada, Andorra, técnicas, rehabilitación.*

El principado de Andorra es un microestado de 468 km² que se encuentra en la Península Ibérica, entre España y Francia. A partir de la segunda década del siglo XX estas peculiaridades políticas y geográficas favorecieron la llegada de numerosos visitantes atraídos por la naturaleza y el comercio. Fue el inicio del cambio de una economía agropecuaria a una basada en el turismo de masas que requería gran cantidad de mano de obra. Andorra pasó de una población más o menos estable de unos 6.000 habitantes durante los siglos XVIII, XIX y mediados del XX a los 75.000 de finales de la centuria (Ros 287-305). La demanda urgente de inmuebles trajo la primera inmigración de origen catalán y con ella la bóveda tabicada. Su rapidez, ligereza y economía se impusieron sin problema y de hecho no se puede entender la gran expansión urbana entre 1940 y 1970 sin esta técnica constructiva. Todas las escaleras y los forjados de aquella época se hicieron con bóveda tabicada.

Seguramente el primer ejemplo conocido de utilización de la bóveda tabicada en Andorra sea la casa Warren del arquitecto César Martinell i Brunet (1888-1973) en Santa Coloma, parroquia de Andorra la Vella. Se trataba de una casa de campo que tenía que ser la punta de lanza de una utópica colonia impulsada por un millonario americano (Marín 2017, 773-777). El mismo día de su licenciatura, Martinell recibió el curioso encargo que se construyó entre 1916 y 1919 bajo la influencia de sus maestros modernistas. Al historicismo medievalista de la composición, Martinell añadió unos innovadores paramentos de mampostería de granito. La casa fue un cuerpo extraño para la Andorra tradicional de aquella época, sin carreteras ni red de saneamiento que aún se construía siguiendo las pautas centenarias de la arquitectura vernácula, por lo que ni la colonia ni las novedades de Martinell tuvieron continuidad.

No fue hasta dos décadas después cuando empezó a ser frecuente la utilización de la bóveda tabicada. Seguramente fue Adolf Florensa Ferrer (1889-1968) con el Hotel Rosaleda de Encamp (1941-1943) quien dio el impulso definitivo. El establecimiento trasladaba a Andorra la tipología y las técnicas del Ensanche barcelonés bajo el ropaje de la arquitectura regionalista.

A la utilización masiva de la bóveda tabicada se sumó el empleo de paramentos de mampostería de granito a la manera de Martinell, inaugurando una corriente denominada en Andorra arquitectura del granito que para algunos alcanzó la categoría de nacional (Lacuesta 2005, 58). Estas dos técnicas serían inseparables a partir de aquí de tal forma que cuando desapareció una, por el empuje del hormigón armado, también lo hizo la otra. El hotel era una construcción pionera. Un establecimiento de gran lujo para una minoría elitista que impactó en la sociedad andorrana que lo conocía como la catedral de los hoteles (Capdevila 1958, 100-102). Aunque la población autóctona no podía permitirse frecuentarlo se convirtió en un referente estético a imitar.

Este último lustro el autor ha tenido la fortuna de rehabilitar el hotel Rosaleda para albergar el Ministerio de Cultura del gobierno de Andorra y durante las obras se descubrió que la totalidad de los forjados estaban hechos, o con bóvedas rebajadas o con revoltones, usando siempre la técnica de la bóveda tabicada. La mayoría permanecían ocultos bajo los falsos techos de yeso. Este descubrimiento hizo replantear el proyecto de restauración, así como la ampliación contigua como se tratará más adelante.

En la década de los cincuenta, cuando las nuevas construcciones seguían los dictados de la bautizada arquitectura del granito, el arquitecto Joan Margarit i Serradell (1908-1977) introdujo la sucesión de bóvedas vaídas a la vista. Por primera vez la bóveda tabicada ya no era una forma práctica de cubrir un espacio, sino que también era un recurso estético. La elegante novedad fue rápidamente copiada en muchos de los bajos y entresuelos comerciales de los nuevos edificios.

La primera obra con bóveda de doble curvatura fue el Park Hotel (1952-1956) de Andorra la Vella. El establecimiento pretendía superar los ejemplos precedentes y poner a la capital del estado a la vanguardia del lujo. Esta exigencia puede que fuera la razón por la que se apostó por la bóveda vaída. Margarit no acabó el hotel al ser nombrado arquitecto jefe de la oficina de la delegación del Ministerio de la Vivienda en las islas Canarias (Margarit 2019, 205-207).

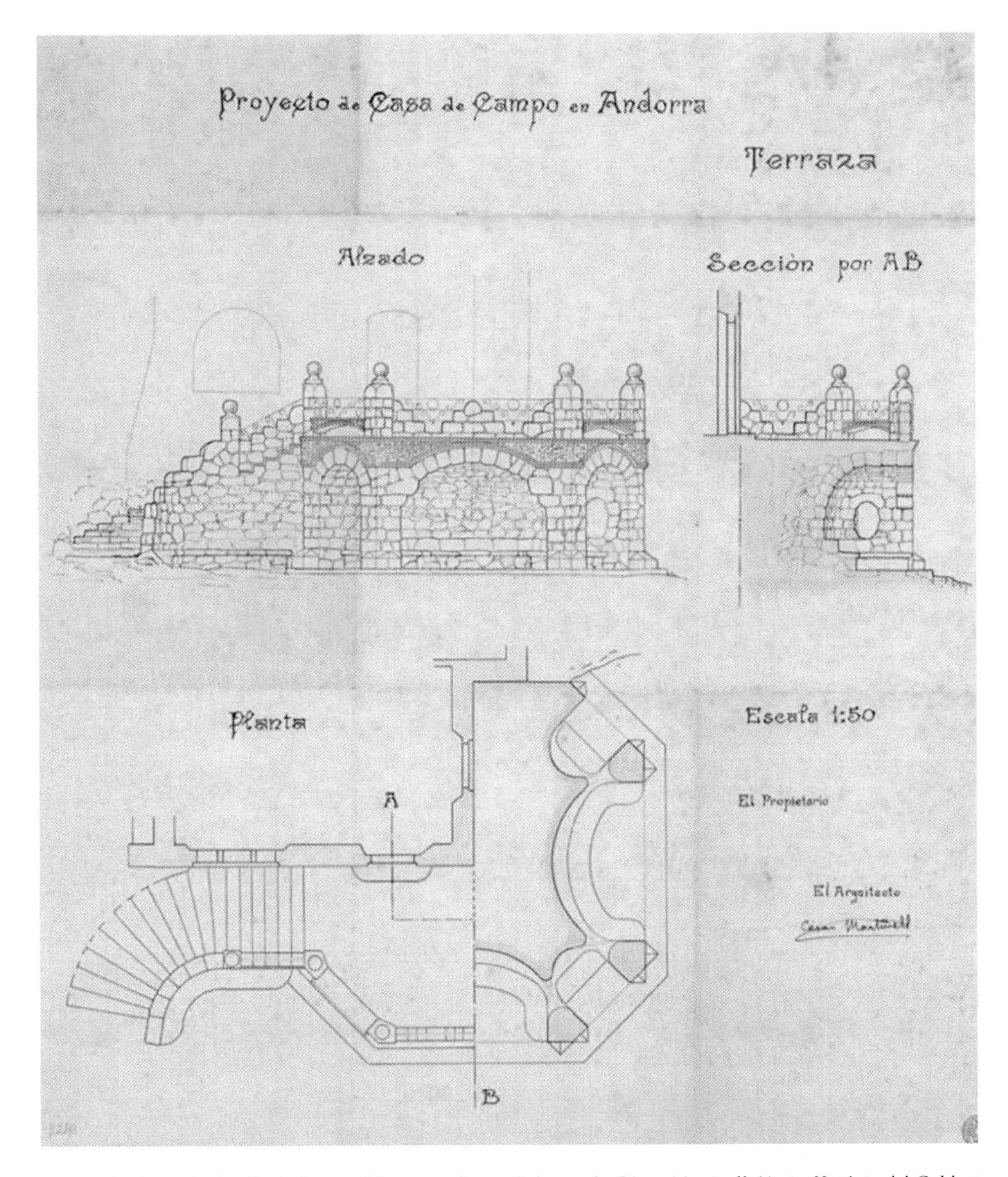

Figura 1. *Plano de detalle de la casa Warren en Santa Coloma, de César Martinell (Arxiu Històric del Col·legi d'Arquitectes de Catalunya).*

Las obras fueron concluidas por Josep Maria Sostres Maluquer (1915-1984) que, por aquel entonces, estaba levantando la casa Farrás (1952-1956), el primer edificio racionalista de Andorra (Bonino 1999, 102). Paradójicamente, el mismo arquitecto que remataba uno de los edificios más representativos de la arquitectura del granito estaba introduciendo la corriente estética que acabaría con ella. No fue el único, ya que el arquitecto Domènec Escorsa Badia (1906- c.1989),

Figura 3. *Iglesia de Sant Esteve de Andorra la Vella, de Josep Brugal (Comú d'Andorra la Vella).*

Figura 2. *Plaza Guillemó de Andorra la Vella, de Joan Margarit (E. Dilmé, 2020).*

exiliado en Bézies, Francia, siguió sus pasos con otro manifiesto racionalista, la editorial Casal i Vall (1961). Lo curioso del caso es que Escorsa asesoraba a Le Corbusier en el uso de la bóveda tabicada gracias a su experiencia junto a su padre, reputado maestro de obras barcelonés. La demanda de detalles y explicaciones prácticas fue intensa entre 1952 y 1953, al inicio de los proyectos en Chandigarh, India. La necesidad de alojamiento para la ingente mano de obra hizo que se pensara en la bóveda tabicada como solución rápida y económica (Tous 2015, 404-405).

Por la misma época, el propietario del Park Hotel encargó a Margarit la ordenación de unos terrenos marginales que poseía en los límites de la capital. El arquitecto propuso el primer ensanche de Andorra a partir del trazado de una plaza rectangular que vertebraba la trama viaria existente y proyectaba la futura. La propuesta regulaba los volúmenes y las alturas de los edificios alrededor de una plaza porticada pensada con pilares y arcos de granito que se cerraban con bóvedas

Figura 4. *Santuario de Nostra Senyora de Meritxell en Canillo, de Ricardo Bofill. (E. Dilmé, 2015).*

tabicadas vaídas. El espacio se fue consolidando según el plan de Margarit y actualmente, su perímetro abovedado es uno de los lugares de ocio más concurridos de la capital. La plaza se le puso el nombre de la casa solariega del promotor, Guillemó, pero es conocida popularmente como plaza de Les Arcades. La idea no tuvo continuidad y continúa siendo el único ejemplo de plaza porticada y de nueva planta de Andorra.

Por las mismas fechas el arquitecto Josep Danés Torras (1891-1955) estaba construyendo la iglesia de Sant Pere Màrtir en el municipio de les Escaldes, en aquella época pedanía de la capital. El proyecto de Danés había ganado la partida a la propuesta de Miguel Fisac Serna (1913-2006), cuya revolucionaria iglesia de muros convergentes de hormigón fue vista como demasiado extravagante. La propuesta de Fisac no tenía ninguna posibilidad de éxito, pero le sirvió para repensar la tipología y, de hecho, fue el embrión de todas las iglesias que proyectó posteriormente (Fernández 2000, 444). Por el contrario, la iglesia neo-románica de planta basilical, muros de granito y bóveda de cañón entre arcos fajones se ajustaba más a los gustos de la sociedad andorrana de la época. A la muerte de Danés la obra continuó de la mano del arquitecto Jordi Bonet Armengol (1925-) hasta su finalización el año 1981, con un nuevo tramo de bóveda tabicada y un atrio porticado en la entrada. De hecho, la iglesia fue inaugurada sin acabar y así estuvo durante muchos años hasta que se consiguieron los terrenos para rematar la nave. Con todo, Bonet no cambió el proyecto ni la técnica constructiva.

Otra iglesia que se proyectó con bóveda tabicada fue la ampliación de Sant Esteve de Andorra la Vella. A mediados del siglo pasado el templo románico original se había quedado pequeño para acoger el aumento de población que había experimentado la capital. Después de una primera reforma de Josep Puig i Cadafalch (1867-1956), donde ya se planteó la ampliación para 200 personas, fue Josep Brugal Fortuny (1911-1999) quien la llevó a cabo. El nuevo templo en cruz latina de una sola nave se convirtió, con sus 30 m de largo y 10 m de anchura, en el mayor espacio del país cubierto con bóveda tabicada.

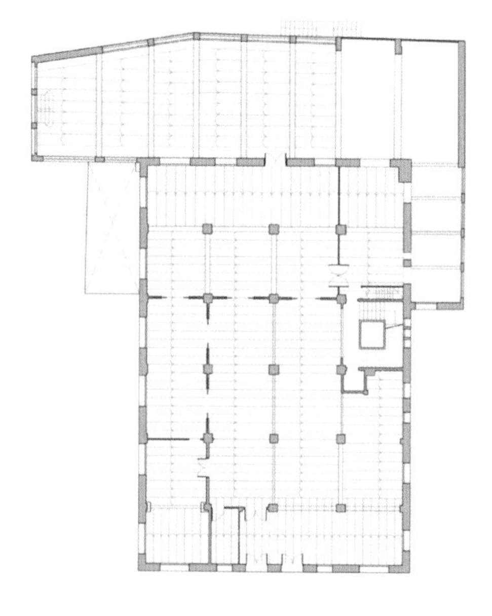

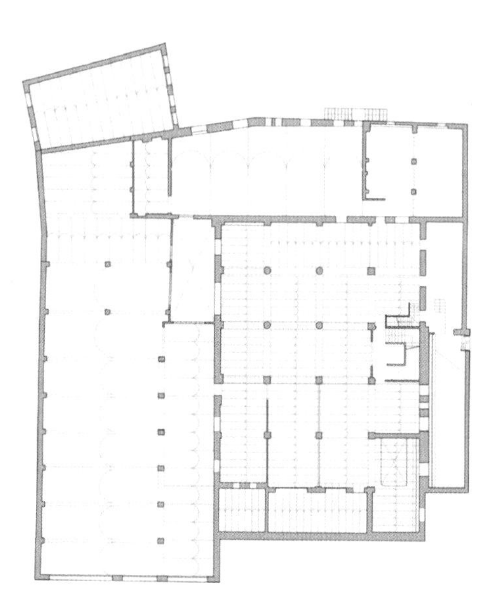

Figura 5. Plantas del Hotel Rosaleda. Correlativamente la planta sótano, con las bóvedas de mayor luz, y la planta baja, con la sala del servicio donde las bóvedas quedaban ocultas por el falso techo.

La última gran obra que se pensó con esta técnica fue el nuevo santuario de Nostra Senyora de Meritxell en la parroquia de Canillo, obra del arquitecto Ricardo Bofill Levi (1939-). Todo empezó la noche del 8 al 9 de septiembre de 1972 cuando, después de la conmemoración de la Virgen de Meritxell, fiesta nacional de Andorra, la iglesia de origen románico fue devastada por un incendio. Las autoridades propusieron a Oriol Bohigas Guardiola (1925-), Antoni de Moragas Gallisà (1913-1985) i Ricardo Bofill, conjuntamente con los arquitectos locales Pere Aixàs (1947-) i Albert Pujal (1948-), su reconstrucción. El único que siguió con el encargo fue Bofill que propuso un recorrido monumental de un lado al otro del valle con una presa de por medio y, al lado de las ruinas de la iglesia, un nuevo santuario. Finalmente, solo se proyectó la basílica. El templo tenía planta de cruz latina y se pensó en cubrirlo con bóveda tabicada de cañón. La idea debió de ser de Emilio Bofill Benessat (1907-2000), padre de Ricardo, que era arquitecto y un reputado constructor de Barcelona (Bohigas 1989, 65). A la hora de la verdad no se encontraron albañiles que pudieran ejecutar las bóvedas, por lo que acabaron por montar una estructura metálica revestida de láminas de madera pintada. Este fue el último intento de bóveda tabicada después del cual ya no se volvió a saber nada más.

El caso de Meritxell ejemplariza el inconveniente que acabó con la bóveda tabicada, la mano de obra especializada. Como dice Jaume Rosell "la razón del abandono de tan magnífico sistema constructivo recae en el hecho que la evolución de las tecnologías se encaminaba a ser cada vez más intensivas en capital y menos intensivas en mano de obra" (Rosell 2002, 55).

La rehabilitación del Hotel Rosaleda

En el año 2015, el autor conjuntamente con los arquitectos Xavier Orteu Riba y Jordi Vidal Quílez, ganaron el concurso de rehabilitación y ampliación del Hotel Rosaleda de Encamp como nueva sede del ministerio de Cultura, por lo que se pudo conocer a fondo el edificio. Era evidente que la escalera se había construido con bóveda tabicada, a la vista de sus tramos parabólicos,

Figura 6. *Bóvedas del garaje del Hotel Rosaleda (E. Dilmé, 2015).*

Figura 7. *Hotel Rosaleda. (E. Dilmé, 2015).*

Figura 8. *Fotografía hecha durante la construcción de la bóveda donde se puede observar el inicio de la primera hilada (E. Dilmé, 2017).*

pero lo que no se sabía es que la totalidad de los forjados se construyeron con la misma técnica. Se encontraron bóvedas de diferentes cuerdas y flechas, desde las más grandes situadas en el garaje, con luces de 4,6 m y flechas de 0,75 m, a las más pequeñas, como las bovedillas de 0,60 m de cuerda y 0,15 cm de flecha de las plantas de habitaciones. En los trabajos de restauración se recuperaron todas dejando a la vista las más significativas.

Como el encargo incluía una ampliación lateral que debía substituir una serie de barracones sin ningún interés se pensó en que sería un buen homenaje a aquellos constructores seguir con la misma técnica con la que se levantó el hotel. Se trataba de cubrir un espacio de 26,50 m de largo, 6,50 m de ancho y 0,90 m de flecha. Para ello se contó con la colaboración de los arquitectos de la Universitat Politècnica de Valencia Fernando Vegas, Camilla Mileto y Adolfo Alonso, el arquitecto técnico Salvador Tomás y el maestro de bóvedas Salvador Gomis. Se debe apuntar que la idea de la bóveda tabicada tuvo que superar las reticencias iniciales de la propiedad, que dudaba de su capacidad para soportar los 400 kg/m² de sobrecarga de nieve que exigía la normativa local. El hecho que el material y los especialistas ya estuvieran contratados hizo que no se diera marcha atrás.

La bóveda rebajada iba apoyada en dos pórticos laterales de pilares y vigas metálicas. Con los empujes calculados por Adolfo Alonso, la ingeniería local, Beal enginyers, dimensionó la estructura de soporte para que no se diera ni el más mínimo desplazamiento que pudiera comprometer la estabilidad de la bóveda. Además, los tirantes

Figura 9. *Las tres primeras capas con una prueba en espina de pez que se desechó. (E. Dilmé, 2017).*

Figura 10. *Salvador Gomis y Enric Dilmé sobre la bóveda finalizada. (E. Dilmé, 2017).*

Figura 11. *Intradós de la bóveda terminada (E. Dilmé, 2020).*

Figura 12. *Sala de servicio del Hotel Rosaleda después de la restauración. (E. Dilmé, 2020).*

pertinentes tenían que situarse por encima para que quedaran ocultos. Al final, con el techo acabado, se evidenciaron, aún más, las virtudes de ligereza y economía de la bóveda en contraste con la contundencia de la estructura metálica.

Para fabricar la bóveda se empezó por construir una cimbra ligera que se iría trasladando a medida que se avanzaba. En otras obras, la pericia del albañil le permitía erigir la bóveda sin ningún tipo de elemento auxiliar, más allá de unos cordeles de referencia, pero en este caso, debido a su longitud y escasa flecha, le era imprescindible una cimbra para no perder la directriz. Esta tenía la envergadura de tres ladrillos (unos 75 cm) que correspondía a la medida máxima que el albañil podía abarcar desde el frente de la bóveda.

Sobre el elemento auxiliar se fue formando la primera capa de ladrillos. Estos se colocaban con yeso, ya que su rápido endurecimiento permitía que se sostuvieran en el aire a los pocos segundos. Como la intención fue dejar la bóveda a la vista en esta primera rosca se utilizó ladrillo macizo manual (26 cm de soga, 13 cm de tizón y 2,5 cm de grueso), para aprovechar estéticamente sus variaciones cromáticas. Esta capa es la que siempre apareja personalmente el maestro de bóvedas mientras que las superiores las pueden ejecutar los ayudantes. Sobre ella se extendió un manto de mortero para recibir una segunda rosca de ladrillo, operación que se volvió a repetir una última vez.

Las tres capas se fueron colocando a rompejuntas, tanto longitudinal como transversalmente, de tal forma que en cada tramo de bóveda el grosor final quedaba escalonado para facilitar una perfecta conexión con el siguiente. Como suele ser habitual en este tipo de obras, las dos capas superiores se hicieron con ladrillo hueco sencillo, más ligero y económico. El grosor final de la bóveda fue de 12 cm, se emplearon 21.000 ladrillos, 7.000 por capa, y se tardó 1 mes en acabarla. Una vez completada la bóveda, se pasó a montar los tabiques conejeros cada 60 cm para aumentar su rigidez y facilitar la formación de la cubierta plana superior.

Una vez cerrada la sala se pasó a dividirla en dos, como exigían las bases del concurso, acristalando la parte superior de los tabiques para tener una visión completa de la bóveda. Las estancias resultantes son ahora las más demandadas de los 6.000 m^2 del hotel Rosaleda, cosa que ha hecho pensar a los promotores que se debía haber dejado toda la sala libre y que incluso se debía haber abierto al exterior para que fuese vista desde la calle.

Nota: Salvo indicación contraria, las imágenes de este artículo pertenecen al autor.

Referencias

BOHIGAS. O. (1989). *Combat d'incerteses.* Dietari de Records, 65. Barcelona: Edicions 62.

BONINO, M. (1999). «Casa Farràs. Andorra la Vella, 1952-56». En *Sostres. Arquitecte-Arquitecto.* Libro del catálogo de la exposición, editado por A. Arnesto y C. Martí, 102. Barcelona: Ministerio de Fomento y Col·legi d'Arquitectes de Catalunya.

CAPDEVILA. Ll. (1958). *Llibre d'Andorra, 100-102.* Barcelona: Editorial Selecta.

FERNÁNDEZ COBIÁN, E. (2000). *El espacio sacro en la arquitectura española contemporánea.* Tesis doctoral. Universidad de la Coruña.

LACUESTA. R. (2005). «El procés de renovació de l'arquitectura andorrana (segles XIX i XX)». En *Revista de Catalunya. N° 209*, 58. Barcelona: Fundació Revista de Catalunya.

MARGARIT. J. (2019). *Per tenir casa cal guanyar la guerra*, 205-207. Barcelona: Proa.

MARTÍN RODRÍGUEZ, M. (2017). «El Enclau de Sant Jordi: una colonia georgísta en Andorra (1916-1938) ». En *Ciudad y territorio: Estudios territoriales. N° 194,* 773-777. Madrid: Ministerio de Fomento.

ROS, F. (2005). «El poblament a Andorra». En *Història d'Andorra*, 287-305. Barcelona: Edicions 62.

ROSSEL, J. (2002). «Rafael Guastavino i Moreno. Enginy en l'arquitectura segle XIX». En *Guastavino Co.(1885-1962). Registre de l'obra a Catalunya i Amèrica,* 55. Editor Salvador Tarragó. Barcelona: Col·legi d'Arquitectes de Catalunya.

TOUS, E. (2015). *L'arquitectura i la vida. Sobre Gaudí i altres escrits*, 404-405. Edición a cargo de Josep M. Rovira. Barcelona: Universitat Politècnica de Catalunya.

III. INTERVENCIÓN ESTRUCTURAL

STRUCTURAL INTERVENTION

Construcción de las costillas entre la bóveda y el nivel del suelo. 4 marzo 1897. En el informe, photograph nº 1237 (Archivo Guastavino/Collins. U. Columbia)

ISBN. 978-84-9048-827-0

Los ensayos sobre bóvedas tabicadas de Rafael Guastavino en Estados Unidos: la necesidad de validar un sistema

Esther Redondo Martínez
Universidad Europea de Madrid

Abstract

The first documented tests on tile vaults date back to the end of the 18th century in France and became increasingly numerous throughout the 19th and early 20th centuries, spreading to other countries such as the United States, Spain and England. In general, the beginning of the tests coincides with the Enlightenment. It is a moment in which architects begin to have a scientific attitude towards construction, which will lead to the modern theory of structures. After a brief overview, this paper focuses on the essays that Rafael Guastavino carried out in the United States, from 1887 to 1935. Guastavino arrived in New York in 1881 with the intention of replicating there the success obtained in Barcelona with the tile vault construction system. But he found himself in a very different context: tile vaults were unknown there. The ultimate reason for his tests, more than obtaining data to apply in his projects, was to validate his construction system before the American society.

Keywords: *Tile vaults, essays, Rafael Guastavino, United States.*

Resumen

Los primeros ensayos documentados sobre bóvedas tabicadas se remontan al final del siglo XVIII, en Francia, y se hacen cada vez más numerosos a lo largo del siglo XIX y los inicios del siglo XX, extendiéndose a otros países como Estados Unidos, España o Inglaterra. De manera general, el inicio de los ensayos coincide con la Ilustración, un momento en que los arquitectos comienzan a tener una actitud científica frente a la construcción que desembocará en la moderna teoría de estructuras. Esta comunicación se centra (después de una somera visión general) en los ensayos que Rafael Guastavino llevó a cabo en Estados Unidos desde 1887 hasta 1935. Guastavino llegó a Nueva York en 1881 con la intención de replicar allí el éxito obtenido en Barcelona con el sistema de construcción tabicado. Pero se encontró con un contexto muy diferente: las bóvedas tabicadas eran allí desconocidas. La razón última de sus ensayos, más que obtener datos para aplicar en sus proyectos, es validar ante la sociedad norteamericana este sistema de construcción.

Palabras clave: *Bóvedas tabicadas, ensayos, Rafael Guastavino, Estados Unidos.*

Introducción

En los últimos años del siglo XVIII y durante el siglo XIX, las bóvedas tabicadas experimentaron un importante desarrollo, ligado a la aparición de nuevos tipos constructivos, especialmente fábricas para las nuevas industrias. Los edificios fabriles poseen unos condicionantes muy rígidos de tamaño y forma, además de graves problemas de incendios por la combustibilidad de máquinas y materiales almacenados.

Por otro lado, durante el siglo XIX se extendió el uso del cemento como aglomerante. La aparición de este nuevo material fue decisiva en el desarrollo de la bóveda tabicada: frente al yeso utilizado hasta ese momento. El cemento rápido también endurecía en poco tiempo, pero no se alteraba con la humedad ni aumentaba de volumen al fraguar. Además, el cemento presentaba en los ensayos cierta resistencia a tracción o "cohesión", y esto reavivó un debate latente desde mitad del siglo XVIII, acerca del comportamiento "monolítico" de estas bóvedas, entendiendo por este monolitismo que no se transmitían empujes a los apoyos.

Este es el contexto histórico en el que se realizaron la mayoría de los ensayos en bóvedas tabicadas, buscando una teoría que respaldara una práctica constructiva centenaria, que pudiera aplicarse además a los nuevos tipos estructurales (edificios industriales) y a los nuevos materiales.

Ensayos en bóvedas tabicadas: una visión general

Aunque esta comunicación se centrará en los ensayos realizados por Guastavino en Estados Unidos, a continuación, se enumeran (de manera muy resumida) otros ensayos realizados en Francia, Inglaterra y España, llevados a cabo por otros autores, usualmente ingenieros. En la tesis doctoral de Redondo (2013) se pueden encontrar datos pormenorizados sobre todos ellos.

Los primeros ensayos documentados sobre bóvedas tabicadas comenzaron a finales del siglo XVIII en Francia, y se hicieron cada vez más numerosos a lo largo del siglo XIX y e inicios del XX, extendiéndose a otros países como Estados Unidos, España o Inglaterra. Todos los autores franceses e ingleses destacaron sus propiedades incombustibles frente a los forjados de madera habituales. En Estados Unidos, Guastavino realizó un ensayo específico para demostrar la resistencia al fuego de las estructuras tabicadas.

En los primeros ensayos, todavía realizados con yeso como aglomerante, el monolitismo se atribuía a perfecta unión entre los ladrillos y el yeso, afirmando que si empujaban sobre los muros es porque el yeso expande al fraguar moviendo los apoyos y que, si se tomaban precauciones para evitar esto, no empujaban en absoluto. Más adelante, en los ensayos se empleó cemento rápido romano o lento tipo Portland, como aglomerante. Entonces el monolitismo se atribuía a la resistencia a tracción de este nuevo material.

Ensayos en Francia

El sistema de construcción tabicado llegó a Francia desde el Rosellón, región del Sur del país que hasta 1659 perteneció a la Corona de Aragón. El Conde d'Espie, un militar retirado residente en Toulouse, escribió en 1754 su conocido libro "Manière de rendre toutes sortes d'édifices incombustibles..." (Espie, 1754). Poco después, las ideas de Espie fueron recogidas por Pierre Patte, que continuó el tratado iniciado por Blondel (Blondel y Patte 1771-77), añadiendo nuevos ejemplos construidos en Francia con el sistema tabicado: las bóvedas del Ministerio de la Guerra y las del Palais Bourbon. Tanto en el libro del Conde d'Espie como en el tratado de Blondel y Patte se recogen incipientes "ensayos" de carácter poco científico, pero que evidencian un interés por validar con datos un sistema de construcción que era desconocido en Francia.

El sistema de construcción tabicado se fue asentando y desarrollando en Francia durante el siglo XIX y, hacia la mitad del siglo, se encuentran nuevos ensayos con un carácter muy diferente: en 1837, D'Olivier, capitán del cuerpo de ingenieros, ensayó bóvedas tabicadas de 5,00 m de luz y flecha L/10 con un ingenioso sistema que le permitía medir el empuje que generaban en los apoyos. El objetivo de este ensayo era demostrar que, frente a las afirmaciones de Espie en su libro (recogidas sin crítica en el tratado de Blondel y Patte), las bóvedas tabicadas sí empujan. Este interesante ensayo de Olivier se publicó en la revista *Annales des Ponts et Chaussées* (D'Olivier 1837).

Unos años después, en 1865, el ingeniero Fontaine llevó a cabo varios ensayos sobre bóvedas, también a escala real (unos 4,00 metros de luz e igualmente una flecha de L/10) con el objetivo de obtener la carga máxima que resistían. Estos ensayos se recogieron en la publicación *Nouvelles Annales de la Construction* (Fontaine 1865).

Otros ensayos similares a este último fueron llevados a cabo por el tratadista Laroque (Claudel y Laroque 1870) o por el ingeniero de caminos Collard (1893). El contexto de estos últimos ensayos fue muy práctico: se quería construir una bóveda de geometría similar a la que se ensaya (usualmente en un edificio industrial) y para ello se hizo primero una prueba de carga.

Ensayos en Estados Unidos

Más de 100 años después, en 1881, Rafael Guastavino llegó a Estados Unidos desde Barcelona dispuesto a aplicar el sistema tabicado. Pero en el país era una forma de construcción desconocida, así que tuvo que realizar una campaña de publicidad, incluyendo numerosos ensayos de todo tipo, para conseguir que la sociedad confiara en ella.

Estos ensayos se estudian con detalle en la parte final de este texto.

Ensayos en España

En España, los ensayos sobre bóvedas tabicadas fueron escasos y más tardíos que en otros países. Estas bóvedas eran un método de construcción habitual, documentado al menos desde el siglo XIV y recogido en numerosos tratados. Por tanto, no existía esa necesidad de dar a conocer o validar un sistema nuevo. También influye que a España tarda más en llegar esa mentalidad científica, ilustrada, que aparece en Francia en el siglo XIX.

En 1891 y 1892, el capitán de ingenieros Luis Monravá realizó unos ensayos en bóvedas tabicadas, recibidas con cemento, para averiguar si con este aglomerante resistían flexiones y podían utilizarse en nuevas situaciones, en concreto, como muros de depósitos de agua. Los resultados de los ensayos se publicaron en el Memorial del Cuerpo de Ingenieros de 1892. En el tratado de Ger y Lóbez (1898) se describen algunos ensayos más, llevados a cabo igualmente por ingenieros militares.

Pero la campaña de ensayos sobre bóvedas tabicadas más amplia llevada a cabo en España, estuvo a cargo de Juan Bergós, arquitecto, amigo y biógrafo de Gaudí, y fue mucho más tardía. Su objetivo fue sentar las bases para terminar la Sagrada Familia de Barcelona. Los ensayos se recogieron en dos libros: Materiales y elementos de construcción (Bergós 1953) y Tabicados Huecos (Bergós 1965).

Ensayos realizados por Guastavino en Estados Unidos

Al llegar a los Estados Unidos, Rafael Guastavino se encontró con un contexto constructivo muy diferente del que había dejado en España. Aunque existía una preocupación por diseñar sistemas constructivos resistentes al fuego, la construcción con bóvedas tabicadas era desconocida y era necesario probar su validez. Los materiales necesarios (ladrillos y cemento) no eran los mismos que en Cataluña, no había mano de obra especializada, etc.

> *I had not been here long before I recognized the necessity of studying American methods, materials and facilities. To this work I devoted five years. It was absolutely essential that I should be posted, particularly in the matter of the timbrel arches: First, because cement is the essential part; second, because of the position of the arches, as failure on their part must endanger the lives of workmen (...) On the other hand, the manufacture of tile here was almost an impossibility; because, if it was accomplished by hand-work it would be very dear, and if by machinery, the probabilities were that it would come out too heavy and useless* (Guastavino 1893, 17-18).

Guastavino dedicó muchos esfuerzos en sus primeros años en América a publicitar y ofrecer garantías al sistema constructivo tabicado, para lo cual escribió libros y artículos (Guastavino 1893, 1896 y 1904), patentó diversos elementos y emprendió una amplia campaña de ensayos, tanto sobre probetas como sobre bóvedas completas.

No hay ningún registro de que Guastavino usara posteriormente los datos obtenidos en los ensayos para el proyecto de sus bóvedas: los ensayos sobre probetas obtienen datos de resistencia (a compresión, tracción, flexión o cortante) y Guastavino nunca usó la resistencia como dato para sus proyectos; los ensayos sobre bóvedas completas tuvieron un carácter publicitario y de ellos no se extrajeron datos científicos. Esta "división mental" entre lo que escribe y lo que emplea en la práctica fue habitual en la época estadounidense de Rafael Guastavino (Huerta 2001; Huerta 2003).

Ensayos sobre probetas, 1887

Estos primeros ensayos se describen en su libro *Essay on the Theory and History of Cohesive Construction* (Guastavino 1893). Forman parte de la exhaustiva campaña publicitaria que Guastavino desarrolló en sus primeros años en Estados Unidos para dar a conocer el sistema de construcción tabicada.

> *The publication of some artistic works in illustrated papers were received with appreciation, and some successful competitions for semipublic buildings in New York put me in position to begin, with some authority, a series of test and experiments with imported tiles* (Guastavino 1893, 19)

Se realizaron en el Departamento de Ensayos y Experimentos de la Fairbanks Scale Company a lo largo del año 1887.1 Fueron ensayos sobre probetas de ladrillo y mortero de cemento y su objetivo (teórico) era obtener unos valores de resistencia a compresión, tracción, flexión y cortante que pudieran aplicarse en el cálculo de bóvedas formadas por estos materiales.

A compresión hizo cuatro ensayos y, aunque no se adjunta ningún dibujo de la probeta, es de suponer que sería la misma que para tracción (fig. 1). El valor medio de estos cuatro ensayos es el indicado abajo, 2.060 lbs/sq inch (14,21 N/mm^2)2 como resistencia a los cinco días. Existe una en la que indica la resistencia un año después de ser construida, que alcanza un valor de 3.290 lbs/sq inch (22,68 N/mm^2). A flexión, llevó a cabo un único ensayo, con un resultado valor de 90 lbs/sq inch (0,62 N/mm^2). A tracción, igualmente se realizó un único ensayo, sobre la probeta de la figura 1, centro y el valor obtenido es 287 lbs/sq inch (1,98 N/mm^2).

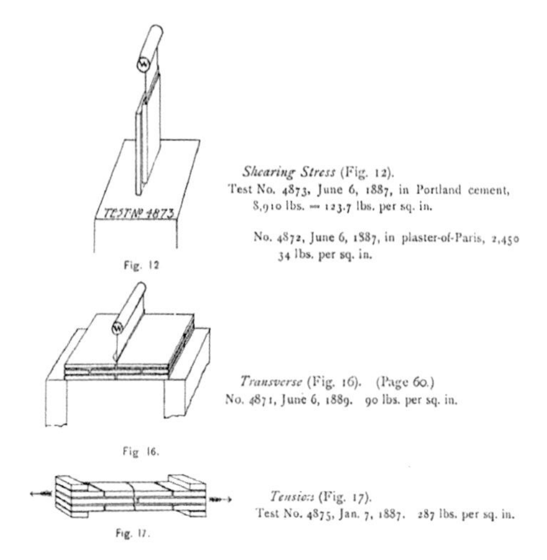

Figura 1. *Diferentes probetas utilizadas por Rafael Guastavino en los ensayos de 1887. Arriba, probeta para realizar ensayos de tracción y probablemente también de compresión (Guastavino 1893, 54); En el centro, probeta para realizar ensayos de flexión (Guastavino 1893, 60); Abajo, probeta para realizar ensayos de cortante (Guastavino 1893, 50). En los tres casos se acompaña el dibujo de la probeta con los valores de resultados obtenidos.*

A cortante se obtienen dos valores, uno de ellos en una probeta de ladrillos y cemento Portland y la otra con cemento y yeso. El valor obtenido es mucho más elevado utilizando cemento. Es interesante que en este ensayo se muestre esta distinción y en el resto no. La probeta ensayada, en ambos casos, se muestra en la figura 1, arriba. Los valores que obtiene son 123,7 lbs/sq inch (0,85 N/mm^2), empleando cemento Portland, y 34 lbs/sq inch (0,23 N/mm^2), empleando yeso. En este libro (Guastavino 1893), el autor hizo un uso teórico de estos valores para obtener el espesor de bóvedas y cúpulas tabicadas. A pesar de haber ensayado la resistencia a tracción, flexión y cortante, Guastavino sólo utilizó el valor medio obtenido para compresión (14,21 N/mm^2). Posteriormente, otros autores (Bayó 1910) utilizaron estos valores obtenidos por Rafael Guastavino, tanto para compresión como para tracción.

Máquina para ensayar arcos de ladrillo, 1890

Dentro del Archivo Guastavino/Collins3, se conserva el dibujo de una máquina para ensayar arcos completos de ladrillo (fig. 2). El dibujo es de 1890. No hay datos de que se usara efectivamente en un ensayo posterior, aunque la forma de repartir las cargas es similar a la que se emplea en unos ensayos muy posteriores, de 1935.

El tamaño y dimensiones de la bóveda que se ensayó: luz 12 ft = 366 cm, arco circular con relación flecha-luz 1/10, fue muy habitual en las obras de Guastavino.

Ensayos de resistencia a carga y fuego, 1897

Una de las ventajas de la construcción tabicada es su carácter incombustible. Guastavino publicitó mucho esta ventaja, un factor importante en Estados Unidos, país de tradición carpintera donde eran frecuentes los incendios, entre los que despunta el más devastador que destruyó Chicago en 1871, unos años antes de la llegada de Guastavino a Nueva York.

En 1897 llevó a cabo una serie de ensayos sobre una bóveda completa de 11x14 pies (3,35x4,27 m) que se construyó en un solar vacío de la ciudad de Nueva York, en la esquina de la Avenida A con la calle 68. El ensayo se realizó en presencia del New York Department of Buildings, que envió un detallado informe posterior a Rafael Guastavino. Este informe, junto con una serie de 5 fotografías tomadas durante el ensayo y 3 planos previos para poder construir la bóveda, se conservan en el Archivo Guastavino. Además, se publicó un resumen de los resultados obtenidos en la revista *The American Architect and Building News* (1897, 45).

En los diez años que habían pasado desde los anteriores ensayos de 1887, Guastavino ya había fundado su empresa y estaba construyendo

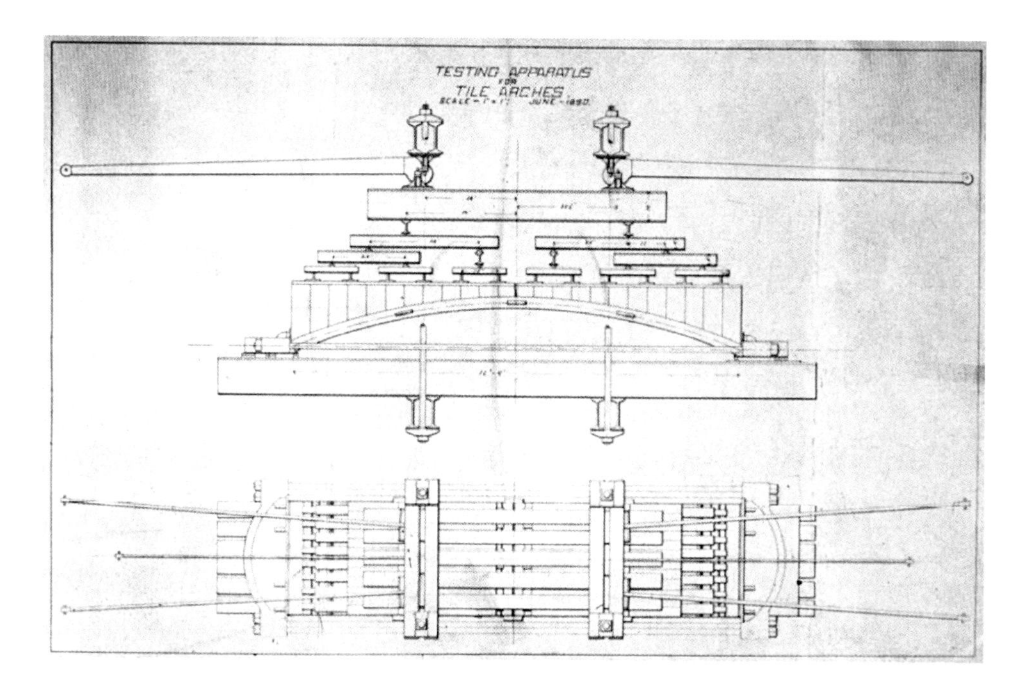

Figura 2. *Máquina para ensayar arcos de ladrillo, 1890 (Archivo Guastavino/Collins. U. Columbia).*

importantes edificios4, lo que se puede apreciar en el cambio de escala de este ensayo respecto al anterior.

El inicio del informe es una detallada explicación del proceso de construcción de la bóveda que se ensayaría posteriormente. Es interesante porque parece razonable que esta fuera la manera en que Guastavino construía sus bóvedas, dado que el tipo descrito era muy habitual (fig. 3).

El forjado ensayado poseía unas dimensiones de 11x14 pies (3,35x4,27 m) y se apoyaba en una pequeña cornisa de 6 pulgadas (15 cm) sobre paredes laterales de 10 pies (3,05 m) de altura. El espacio entre paredes era de 12x15 pies (3,66x4,57 m). En cada esquina se dejaba un triángulo abierto que serviría de chimenea. Este triángulo pasaba a sección cuadrada manteniendo el área inicial y, posteriormente, se cerraba con ladrillo. Encima de los muros se construyó un marco de vigas en I de 15 pulgadas (38 cm) reforzado en las esquinas con cuadrales formados por vigas menores, de 7 pulgadas (18 cm), atornilladas a las primeras.

La línea de arranques de la bóveda es un octógono, formado por las cuatro paredes perimetrales y cuatro arcos construidos sobre las vigas de 7 pulgadas que forman las diagonales del marco metálico (fig. 4). El primer ladrillo de la bóveda se colocó en ménsula introduciéndolo en la parte superior de la pared de ladrillo. La bóveda para el ensayo se construyó con tres capas de ladrillos recibidos con mortero de cemento. Los ladrillos poseían un espesor de 0,75 a 1 pulgada (1,9 a 2,54 cm), 6 pulgadas (15 cm) de ancho y 12, 15 ó 18 pulgadas (30, 38 ó 46 cm) de largo.

Para construirla, se colocaron cimbras ligeras de madera separadas entre sí la longitud de un ladrillo. La primera capa de ladrillos se fue colocando una al lado de otra sobre las cimbras, pegándolas con cemento "puro" (se sobreentiende en pasta) para conseguir una junta perfecta.

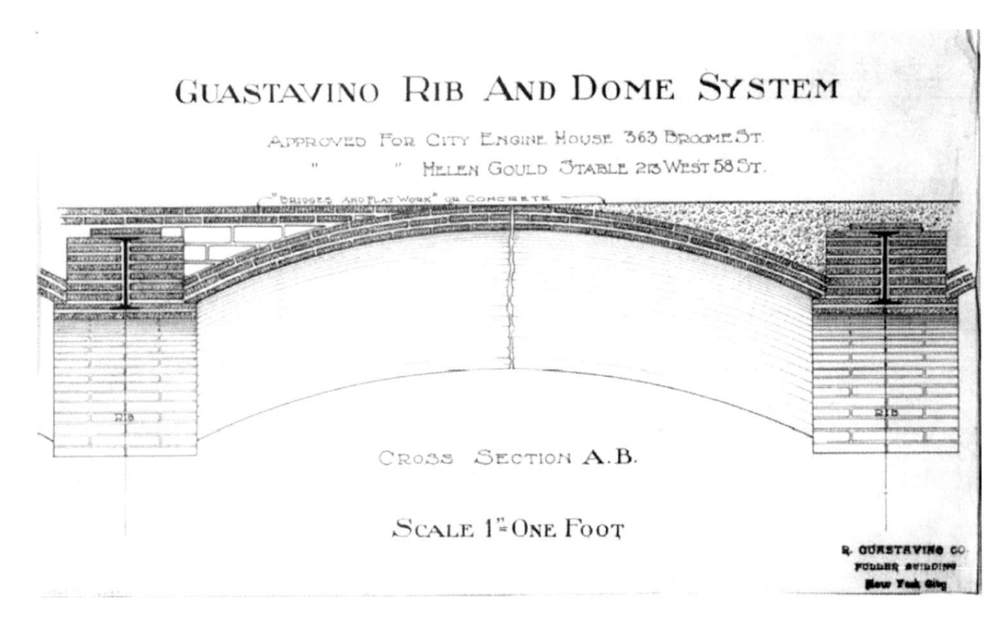

Figura 3. *Dibujo publicitario de la Guastavino Fireproof Construction Company mostrando la forma de construir sus bóvedas. Esta bóveda es muy parecida a la que se construye para el ensayo, incluso la doble manera de llegar al pavimento superior: con un macizo de hormigón ligero -a la derecha- o con un entramado de tabiques de ladrillo -a la izquierda. (Archivo Guastavino/Collins. U. Columbia).*

Después de colocar las tres capas de ladrillo de la hoja inferior, se comenzaron los dos estratos superiores del tablero de ladrillo sobre tabiquillos palomeros. Los ladrillos, mojados cuidadosamente antes de ponerlos en obra, se empujaban para que quedasen embebidos en el mortero, distribuyéndolos sobre la capa inferior, de manera que el espesor final de la junta entre estratos fuera de media pulgada. Los ladrillos se colocaron con cuidado de romper las juntas entre estratos tanto como sea posible. El mortero de cemento realizado con un Portland importado de Inglaterra estaba compuesto por una parte de cemento y una parte de arena.

Cuando la bóveda estuvo finalizada, se decidió construir dos tipos de forjado por encima:

En la mitad de la bóveda se construyeron unas costillas de ladrillo desde las esquinas hasta el centro de la bóveda, de 2 pulgadas (5 cm) de espesor y cuatro tabiques paralelos, también de ladrillo y mortero de cemento. Sobre estos cuatro tabiques se tendieron dos capas horizontales de ladrillo, rompiendo las juntas entre ambas (ver mitad izquierda de la figura 4). En la otra mitad se construyeron también las costillas diagonales de 2 pulgadas (5 cm) de espesor, pero se rellenó el espacio entre costillas con hormigón, formado por 1 parte de cemento Portland, dos de arena y 3 de grava. Por encima de esta capa, hasta llegar a la altura requerida para el forjado, se vertió *cinder concrete*[5], formado por 1 parte de cemento, 1 de arena y 4 de ceniza, en el que se embebieron los durmientes del pavimento, de 2x4 pulgadas (5 x10 cm) y separados 20 pulgadas (51 cm) a ejes, como se puede ver en la mitad derecha de la figura 4.

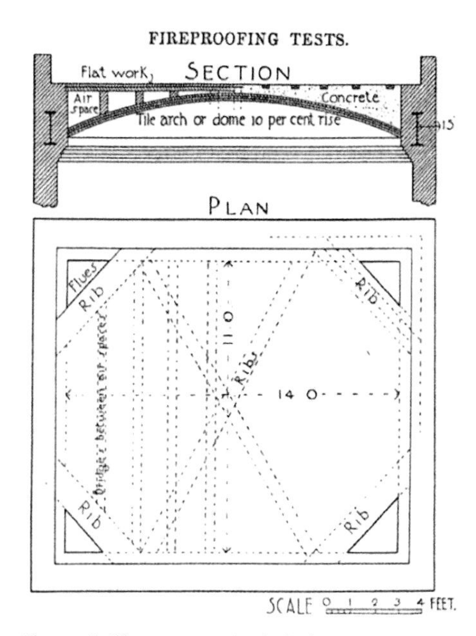

Figura 4. *Planta y sección de la bóveda con la que se realizaron los ensayos. The American Architect and Building News (1897, 45).*

También se emplearon diferentes tipos de ladrillo en el intradós de la bóveda: corrugados de arcilla roja, de arcilla blanca y vidriados. Las juntas entre ladrillo se repasaron cuidadosamente con mortero de cemento y posteriormente se tendió un enlucido de yeso encima de algunas de filas de ladrillos corrugados, dejándose otras a la vista. Las filas de ladrillo vidriado se dejan todas vistas.

La bóveda se terminó de construir el 3 de marzo. La capa de hormigón sobre la mitad de la bóveda se vertió el 9 de marzo. El ensayo comenzó el 2 de abril, de manera que los materiales tuvieron casi un mes para endurecerse.

Se aplicó sobre la totalidad de la superficie de la bóveda una carga uniforme de 150 lbs./sq. inch (6,30 KN/m^2). La carga estaba formada por una gruesa capa de arena para repartir el peso y lingotes de hierro por encima. El 1 de abril, antes de iniciar el ensayo, se miden las deformaciones, encontrando que el punto central de la bóveda ha descendido 0,017 pulgadas (0,43 mm) bajo la carga aplicada.

El fuego comienza el 2 de abril, a las 10:18 horas. Se tomó la temperatura a intervalos regulares de tiempo durante el ensayo y se midieron las deformaciones de la bóveda bajo la influencia del fuego (en la mitad de cada pared y en el centro de la bóveda).

Los datos acerca del desarrollo del ensayo se anotan cuidadosamente en una tabla, en la que se marca la hora, la temperatura alcanzado, la deformación del punto central y algunos

Figura 5. *Construcción de las costillas entre la bóveda y el nivel del suelo. 4 marzo 1897. En el informe, photograph nº 1237 (Archivo Guastavino/Collins. U. Columbia).*

Time H. M.	Temperature Deg. F.	Deflections Inches	Remarks.
9:15 A. M.		.017	
10:18			Fire started.
10:25	925		Lead melting.
10:30	1350	.305	Aluminum was melted. On account of smoke it was impossible to note the exact time of melting.
10:35	1400		Cracks appearing in west wall. See photo 1262.
10:40	1450		Glass plug nearly all melted.
10:45	1600	.500	
11:00	1850	.535	Water dropping in temperature plug hole, showing that the wall had not been sufficiently fxx dried. Ceiling in excellent condition; some plaster had fallen on south side.
11:15	1950	.552	
11:23	2000		
11:30	2000	.530	Copper plug reduced in size. Refiring south opening. Ceiling on the north side of the structure observed to be intact.
11:40	2075		Refiring south opening discontinued. Copper plug melted.
11:45	2000	.510	Refiring small grate openings.
11:46			

Figura 6. *Tabla en la que se apuntan los datos acerca del desarrollo del ensayo. De izquierda a derecha: hora, temperatura en °F, deformación en el centro de la bóveda y comentarios. (Archivo Guastavino/Collins. U. Columbia).*

comentarios. La figura 6 es un extracto de esta tabla, referida al comienzo del incendio.

A modo de resumen, los datos más relevantes de la tabla son:

El fuego se mantuvo durante 5 horas, manteniendo la temperatura alrededor de 2.000-2.100°F (1.100°C) durante 4 horas, con un máximo de 2.300°F (1.385°C)[6]. El punto central de la bóveda se elevó debido a la dilatación de los materiales de la bóveda. Este ascenso fue aumentando de manera gradual, partiendo de que, al inicio, este punto había bajado 0,017 pulgadas (0,43 mm) por efecto de la carga. El máximo total de deformación fue 0,71 pulgadas (1,80 cm), cuatro horas después de iniciado el fuego, con una temperatura de 2.000°F (1.093°C).

Al cabo de las cinco horas, el fuego se apagó aplicando agua a presión al interior durante 15 minutos. Una inspección del techo después de cinco horas de ensayo y justo después de que

***Figura** 7. Paredes norte y este durante el fuego. 2 abril 1897. En el informe, photograph nº 1262 (Archivo Guastavino/Collins. U. Columbia).*

se aplicara el agua, permitió comprobar los daños sufridos: el yeso aplicado en una parte de la bóveda había caído, así como algunos de los ladrillos de la capa inferior (esta caída tuvo lugar al apagar el incendio, debido a la brusca contracción de los materiales). Se observaba una grieta en una de las vigas que forman las diagonales del marco. Algunos ladrillos se habían vidriado y otros estaban fundidos.

El 3 de abril, con la bóveda ya fría y manteniendo la carga de 150 lbs/sq inch (6,30 KN/m^2), el punto central de la bóveda había recuperado deformación, desde el máximo de 0,71 pulgadas (1,80 cm) hasta 0,22 pulgadas (0,56 cm). Se retiró la carga y quedó con una deformación de -0,167 pulgadas (-0,42 cm). Entonces se colocó sobre la bóveda una carga mucho más elevada, de 600 lbs/sq in (25 KN/m^2), que se mantuvo durante 48 horas (figura 8). En ese momento se volvió a medir la deformación del punto central, que fue de -0,362 pulgadas (-0,91 cm).

El 15 de abril del mismo año se repitió el ensayo, sometiendo a la bóveda a un nuevo ciclo de las mismas pruebas (carga media-fuego-agua-carga elevada) observando similares efectos y deformaciones.

Este ensayo se publicó en la revista *The American Architect and Building News*, el 8 de mayo de 1897. El artículo refleja el interés del ensayo por el tamaño de la bóveda y la severidad de las condiciones a la que fue sometida. La descripción del ensayo también cita la facilidad con la que estas bóvedas pueden repararse, al afectar los daños sólo a la capa inferior y la poca influencia que tuvo el primer ensayo sobre los resultados del segundo, realizado 15 días después (Fireproofing test 1897, 46).

La investigación sobre métodos constructivos incombustibles fue muy importante en Estados Unidos en los últimos años del siglo XIX. El objetivo de este ensayo era destacar el buen comportamiento al fuego de las bóvedas tabicadas construidas por Guastavino. Para ello eligió un tipo de bóveda habitual: vaída, apoyada sobre cuatro arcos, unos 4 m de luz, flecha 1/10 de la luz; de tres hojas de ladrillo

Figura 8. *Bóveda cargada con 25 KN/m², después del fuego. 3 abril 1897. En el informe, photograph nº 1267. (Archivo Guastavino/Collins. U. Columbia).*

Figura 9. *Fotografía de una bóveda de 10 pies (3,05 m) de luz a la que se le ha aplicado una carga de 112540 libras (508,67 kN). La profundidad de la bóveda no se indica pero contando el número de lingotes en cada lado puede estimarse en 2,00 m (Archivo Guastavino/Collins. U. Columbia).*

y un repertorio de acabados al interior: ladrillos corrugados vistos y enlucidos y ladrillos vidriados. La carga inicial sobre la bóveda fue bastante elevada, pero está dentro de lo posible. Entonces se sometió la bóveda a las condiciones de un gran incendio durante 5 horas. En conclusión, la bóveda resistió, con unas pequeñas deformaciones que desaparecieron en su mayor parte al apagar el fuego, y los únicos daños fueron el desprendimiento de algunos ladrillos en el interior, susceptibles de reponerse posteriormente sin problemas. El segundo ensayo sirvió pare demostrar que un nuevo incendio tendría las mismas consecuencias que el primero. Ambos ensayos se documentaron, se fotografiaron y se publicaron en revistas de prestigio. Formaron parte de la campaña publicitaria que hizo Guastavino de sus bóvedas en sus primeros años en América.

Ensayos de carga, 1901

La documentación relativa a estos ensayos también está en el Archivo Guastavino de la Universidad de Columbia. Se conserva un informe de seis páginas del 5 de junio de 1901 y fotos descriptivas (una de ellas se reproduce en la figura 9). La carga se aplicó directamente sobre el trasdós de la bóveda. No se indica de qué material, pero por los pesos que se indica debajo y el tamaño de la carga, podrían haber sido bloques de piedra[7].

En la figura 9, vemos una de estas bóvedas. A pesar de lo espectacular de la foto, es normal que la bóveda tabicada del ensayo no falle bajo la carga aplicada. Y es que una bóveda en arco de círculo muy rebajado con carga uniforme es casi indestructible: la línea de empujes es una parábola, de perfil prácticamente igual al arco de círculo para relación flecha-luz 1/10 como esta, como tan claramente explica Luis Moya (fig. 10).[8]

La línea de empujes parabólica que corresponde con una carga uniforme se puede dibujar sin problemas incluso en el mínimo espesor de una bóveda tabicada. A cambio, los empujes son muy elevados. Por eso, los apoyos están atados con unos gruesos tirantes de acero que pueden resistir el empuje de la bóveda sin deformarse. Así, la única manera es romper la fábrica a compresión, lo que no ocurre ni siquiera para la carga aplicada en esta bóveda.

$$Q_{TOTAL} = 508{,}67 \text{ kN}$$

$$q_L = 508{,}67 \text{ kN} / 3{,}05 \text{ m} = 16{,}678 \text{ kN/m}$$

$$E = \frac{q \cdot l^2}{8 \cdot F} = \frac{166{,}78 \text{ kN/m} \times 3{,}05^2 \text{ m}}{8 \times 0{,}3 \text{ m}} = 646{,}44 \text{ kN}$$

Con este empuje y considerando como sección resistente el área transversal de la bóveda en la clave (2000x120 mm)

$$\sigma = \frac{646440\ N}{240000\ mm^2} = 2{,}69\ N / mm^2$$

Esta tensión de compresión es muy inferior al valor de rotura medido por el propio Guastavino en 1887: 14,21 N/mm².

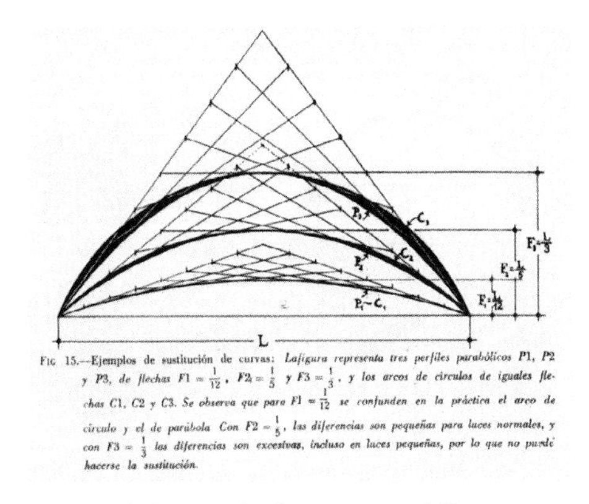

Figura 10. *Sustitución de curvas parabólicas por arcos de círculos rebajados (Moya 1947, 23). Para arcos de círculo con proporciones flecha/luz del orden de L/10, como los que ensaya (y construye) Guastavino, la diferencia con una parábola es mínima.*

Ensayos de resistencia sobre probetas, 1927-1928

Similares a los realizados en 1887, se ensayaron a tracción, compresión y cortante pequeños fragmentos de bóveda que se consideraron significativos para dar un valor de tensiones de rotura. Las probetas se fabricaron en Woburn

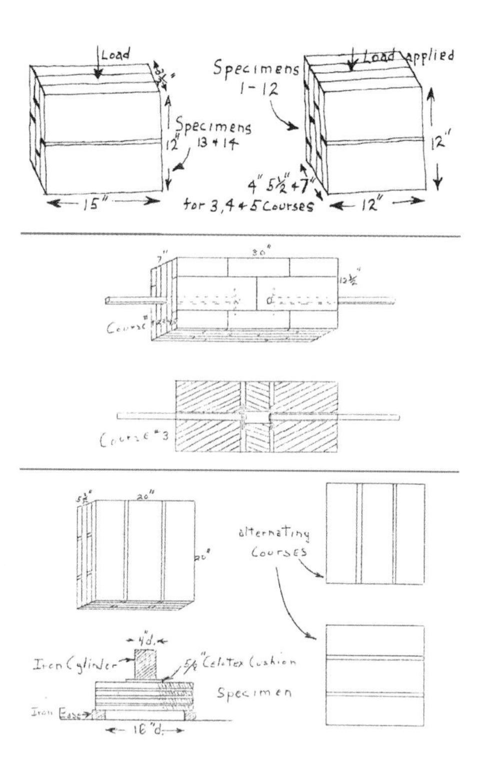

***Figura 11.** Dibujos de las probetas sobre las que se realizan los ensayos de 1927. Arriba, probeta para ensayo de compresión; en el centro, para ensayo de tracción; abajo, para ensayo de cortante. Las cotas están en pulgadas. (Archivo Guastavino/Collins. U. Columbia).*

(Massachusetts), donde los Guastavino tenían una planta de fabricación de ladrillo, entre marzo y abril de 1927. Los ensayos se realizaron en el MIT, a cargo del profesor H. W. Hayward, en mayo de 1927. Fueron más sistemáticos: se ensayaron muchas probetas de cada tipo y se utilizaron diferentes tipos de ladrillos en la fabricación de las probetas.

El ensayo de compresión, que se realizó el 5 de mayo de 1927, consistió en aplicar una carga de compresión centrada sobre un total de 14 probetas, las doce primeras de dimensiones 12x12 pulgadas (30,5x30,5 cm) y las dos restantes de 12x15 pulgadas (30,5x38 cm) (fig. 11). El espesor fue variable según el número de hojas de ladrillo: 3 hojas (4 pulgadas, 10 cm), 4 hojas (5,5 pulgadas, 14 cm) ó 5 hojas (7 pulgadas, 18 cm). Se construyeron con ladrillos de 1 pulgada (2,5 cm) de espesor, con una capa de mortero entre hoja y hoja de media pulgada (1,2 cm). El mortero estuvo formado por dos partes de arena y una de cemento. En la probeta se emplearon dos tipos de ladrillo, uno como acabado (en general *Akoustolith*, aunque hay algunas probetas acabadas en ladrillo corrugado) y el resto de hojas con un ladrillo normal, de dos tipos a los que se refirieron como *National* u *Ohio*[9]. La tensión de rotura se ubicó entre 2.460 y 5.152 lbs/sq in (17,3 y 36,3 N/mm^2) con un valor medio de 23,8 N/mm^2. Este valor es bastante superior al obtenido en los ensayos de 1887 (14,21 N/mm^2), lo que probablemente se debió a una mejora en la calidad de los materiales (cemento y ladrillos). El número de capas de ladrillo de la probeta y las dimensiones generales no parecieron influir mucho en el resultado final, pero sí el tipo de ladrillo, resultando más resistente el tipo *Ohio* (resistencia media 27,4 N/mm^2), que el *National* (resistencia media de las probetas 21,1 N/mm^2).

En el ensayo de tracción, se aplicó igualmente una carga centrada de tracción sobre un total de 8 probetas de 30x12,5 pulgadas (76x32 cm) y espesor 5 hojas de ladrillo (7 pulgadas, 18 cm). Al igual que en el ensayo anterior, los ladrillos tenían 15x6x1 pulgadas (38x15x2,5 cm), y las capas de mortero entre ellos un espesor de media pulgada (1,25 cm). El mortero estaba formado por una parte de cemento y entre 2 y 2,5 partes de arena. En este caso todas las capas de ladrillo de una probeta fueron del mismo tipo, pero se construyeron probetas de los tipos *National* y *Ohio*, al igual que en el ensayo de compresión. Se introdujo una barra de hierro en el interior de la probeta, según se observa en el centro de la figura 11. En este caso se expresan las fuerzas totales a las que se produce la rotura. Dividiendo esta fuerza por el área perpendicular al plano de aplicación de la misma (32x18=576 cm^2), se obtienen tensiones de rotura entre 1,2 y 2,3 N/mm^2, con una media de 1,97 N/mm^2. Este resultado es idéntico al resultante en los ensayos de 1887. A diferencia del ensayo de compresión, en este de tracción resulta mayor tensión rotura

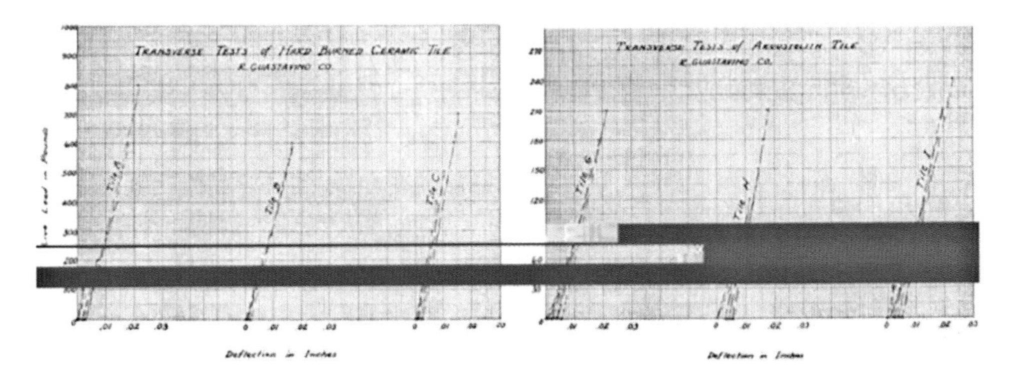

Figura 12. *Comparación entre gráficas de tensión-deformación de las probetas de ladrillo, a la izquierda y de Akoustolith, a la derecha. (Archivo Guastavino).*

media del ladrillo *National* (2,1 N/mm^2) que la del tipo *Ohio* (1,83 N/mm^2).

Por último, para el ensayo de cortante-punzonamiento, sobre una probeta de 20x20 pulgadas (50x50 cm) y 4 hojas de ladrillo (5,5 pulgadas, 14 cm) de espesor se aplicó una carga en el centro mediante un cilindro de acero de 4 pulgadas (10 cm) de diámetro. La distancia entre apoyos era de 16 pulgadas (41 cm), pero no queda claro en los dibujos si apoyaba en las cuatro esquinas o de manera continua en los cuatro lados (fig. 11, abajo). Vuelve a ser más resistente el ladrillo tipo *Ohio* que el *National* (como sucedía en el ensayo de compresión) pero es difícil obtener un dato medio ya que del primer tipo sólo se terminó un ensayo.

Ensayos de resistencia sobre probetas, 1935

Es una completa serie de ensayos similares a los realizados en 1927, en los que probetas de diferentes tamaños se ensayaron a cortante-punzonamiento, flexión y compresión. No se indica la fecha ni el lugar de fabricación de las probetas, aunque sí se indica que los ensayos se realizaron en el MIT bajo la supervisión de H. G. Protze, director del laboratorio de ensayos, y del profesor A. F. Holmes, entre el 31 de enero y el 31 de mayo de 1935.

La única novedad sobre los anteriores es que, entre los tipos de ladrillos que ensayaron, aparece por primera vez el tipo *Akoustolith*, una pieza especial que desarrollaron en colaboración con el físico experto en acústica Wallace Sabine para disminuir la reverberación de las bóvedas. De los ensayos se deduce que es una pieza mucho menos resistente que el resto (también es mucho menos densa (el peso de las probetas de *Akoustolith* es el 60% del peso las de ladrillo ordinario) (fig. 12).

En cualquier caso, estas piezas se utilizaban como revestimiento en la capa interior de las bóvedas, por lo que no parece por tanto que la resistencia o rigidez de estas piezas fuera un valor trascendente.

Conclusiones

Al hilo de la creación de un marco teórico para las bóvedas tabicadas se realizaron numerosos ensayos. En Francia y en Inglaterra desde los últimos años del siglo XVIII y en Estados Unidos a finales del XIX, los ensayos se realizaron para obtener la aprobación de un sistema constructivo nuevo y desconocido. Además de esta novedad, en este periodo se exigían ya evidencias científicas.

Con Rafael Guastavino comenzaron los ensayos de resistencia, buscando valores de referencia sobre probetas. A partir de su llegada a Estados Unidos en 1881, este arquitecto llevó a cabo la serie más completa. La situación es parecida a la que se encuentra en Francia un siglo antes: se trataba de validar un sistema desconocido. Los ensayos que llevó a cabo en 1887, con los que obtuvo valores de resistencia a compresión y a tracción de una fábrica tabicada, fueron una referencia para muchos autores posteriores, especialmente aquellos que siguieron el enfoque elástico-resistente.

Los Guastavino nunca emplearon (o al menos no ha quedado constancia de su uso) los resultados de sus ensayos para construir sus impresionantes cúpulas y bóvedas tabicadas. Del estudio de sus planos, conservados en el Archivo Guastavino/Collins de la Universidad de Columbia, se concluye sin dudas que sólo utilizaron análisis de equilibrio por métodos gráficos para obtener la forma correcta y la posición de los refuerzos metálicos, engrosamientos, lengüetas, etc., sin preocuparse de las tensiones (ni de compresión ni de tracción) en el interior de la fábrica. Pero esa no era la finalidad de sus ensayos. El propósito consistía en dar a conocer un sistema constructivo no usual en Estados Unidos, publicitar sus ventajas y brindar confianza a arquitectos y constructivos. Y ese objetivo quedó cumplido, a la vista del éxito y la abundantísima producción de la Guastavino Company.

Notes

1 En este momento, los edificios construidos por Guastavino en Estados Unidos eran todavía escasos. Hasta 1889 no fundó su empresa *Guastavino Fireproof Construction Company* y empezó a construir extensamente, comenzando por la Biblioteca Pública de Boston.

2 En todos los ensayos de Guastavino en Estados Unidos, las unidades de medida son el pie y la pulgada, y las cargas se expresan en libras. Para su conversión al SI, se ha empleado el sistema *US customary units* (muy similar al sistema *Imperial Units* inglés), que es el que se utilizaba en Estados Unidos en el momento de los ensayos: Longitud: 1 in=2,54 cm; 1 ft=12 in=30,48 cm; 1 lb=453,6 gr=4,54 N.

3 Al cierre de la Guastavino Company, el profesor Collins rescató la documentación de la empresa y la incorporó al Archivo Catalán de Arte y Arquitectura, en la Universidad de Columbia. Actualmente se conserva en la collección "The Guastavino Fireproof Construction Company/ George Collins architectural record and drawings, Department of Drawings&Archives, Avery Architectural & Fine Arts Library, Columbia University".

4 En 1889 se fundó la *Guastavino Fireproof Construction Company*, a raíz del éxito obtenido en la construcción de la Biblioteca Pública de Boston. En 1897 había construido importantes edificios como en Estados Unidos.

5 Aunque no se indica en el informe, este hormigón con ceniza debía ser más ligero que el de arena y grava.

6 En el informe del ensayo, las temperaturas se miden en grados Farenheit. Se han convertido a grados Celsius empleando la fórmula habitual: (F-32)/180=C/100.

7 Dividiendo el valor de la carga aplicada entre el volumen aparente de carga en la figura 9, sale un material de densidad aproximada 20 kN/m^3, que puede corresponder a bloques de piedra apilados incluyendo los huecos entre ellas.

8 En Heyman (1977, 80) se explica este mismo concepto de manera más científica, con una curva en la que se indica el espesor mínimo de una bóveda (expresado como el cociente t/a, espesor/radio) en función de su ángulo de apertura. Para una flecha L/10, el ángulo de apertura es 23°, y la relación t/a es 0,0005.

9 Eran distintas piezas cerámicas de las fabricadas por los Guastavino en su fábrica de Woburn (Massachussets).

Referencias

1892. "Resistencia de bóvedas tabicadas". *Memorial del Cuerpo de Ingenieros*, nº 2, 54-55 y nº 8, pp. 251-253.

1897. "Fireproofing tests". *The American Architect and Building News*, vol. 56, nº 1115, 45-46.

BAYÓ, J. (1910). "La bóveda tabicada", *Anuario de la Asociación de Arquitectos de Cataluña*, 157-84.

BERGÓS MASSÓ, J. (1953). *Materiales y elementos de construcción. Estudio experimental*. Barcelona: Bosch.

BERGÓS MASSÓ, J. (1965) (s.a. en el original). *Tabicados huecos. Bases para las dimensiones de las bóvedas y cubiertas del Templo Expiatorio de la Sagrada Familia.* Barcelona: Colegio Oficial de Arquitectos de Cataluña y Baleares.

BLONDEL, J.F y P. PATTÉ. (1771-1777). *Cours d'Architectue, ou traité de la décoration, distribution et construction des botiments... continué par M. Patte.* Paris: Chez la Veuve Desaint.

CLAUDEL, J. y L. LAROQUE. (1850) (1870). *Pratique de L'art de Construire*, 4° ed. Paris: Dunod Ed.

COLLARD, (1893). "L'essai d'une voûte en briques". *Annales des Ponts et Chaussées,* n° 42: 874- 876.

D´OLIVIER, A. (1837). "Relatif à la construction des voûtes en briques posées de plat, suivi du recherches expérimentales sur la poussée deces sortes des voûtes", En *Annales des Ponts et Chaussées,*, 1° serie, 1° sem., 292-309, pl. 129.

ESPIE, F.-F., comte d'. (1754). *Maniere de rendré toutes sortes d'edifices incombustibles, ou traié sur la construction des voltes, faites avec des briques el du platre, dites voutes plates, et d'un toit de brique, sans charpente, appelé comble briquette.* Paris: Vve. Duchesne.

FONTAINE, M.H. (1865). "Expériences faites sur la stabilité des voûtes en briques", *Nouvelles Annales de la Construction*, vol. 11, 149-159, lám. 45.

GER y LÓBEZ, F. (1869). *Manual de Construcción Civil.* Badajoz: Imp. José Santamaría.

GUASTAVINO, R. (1893). *Essay on the Theory and History of Cohesive Construction, applied especially to the timbrel vault.* Boston: Ticknor and Company.

GUASTAVINO, R. (1896). *Prolegómenos on the function of masonry in modern architectural structures.* New York: Record&Guide Press

GUASTAVINO, R. (1904). *The function of masonry in modern architectural structures.*

HEYMAN, J. (1977). *Equilibrium of shell structures.* Oxford. Oxford University Press

HUERTA, S. (2001). "La mecánica de las bóvedas tabicadas en su contexto histórico, con particular atención a la contribución de los Guastavino". En *Las bóvedas de Guastavino en América*, ed. S. Huerta. 87-112. Madrid: Instituto Juan de Herrera, CEHOPU

HUERTA, S. (2001). "The mechanics of timbrel vaults: a historical outline". *Essays in the History of Mechanics.* A. Becchi, M. Corradi, F. Foce y O. Pedemonte Eds. Basel: Birkhäuser: 89-133.

MOYA BLANCO, L. (1947). *Bóvedas Tabicadas.* Madrid: Ministerio de la Gobernación. Dirección General de Arquitectura.

REDONDO, E. (2013). *La bóveda tabicada en España en el siglo XIX: la transformación de un sistema constructivo.* Tesis doctoral (sin publicar). Madrid: Departamento de Estructuras de la Edificación. ETSAM. UPM. Acceso libre en: http://oa.upm.es/22064/2/ESTHER_REDONDO_MARTINEZ.pdf.

Vehículo aéreo no tripulado dotado de cámara de alta definición y de cámara térmica infrarroja. Inspección de las bóvedas de Guastavino ubicadas en el monumento de Soldiers and Sailors (Manhattan, NY) (de Miguel).

Las bóvedas de Guastavino en los Estados Unidos. Métodos de diagnostico

Berta de Miguel Alcalá [a], **Gabriel Pardo Redondo** [b]
[a] Vertical Access LLC.
[b] Chair of Heritage & Architecture, department of Architectural Engineering + Technology, Technische Universiteit Delft.

Abstract

In the United States, the tile vaults prior to 1962 were built by the prolific firm owned by Rafael Guastavino Moreno ((1842-1908) –from now on Guastavino Sr.– y Rafael Gustavino Espósito (1872-1950) –from now on Guastavino Jr.–, which participated in more than 1.000 projects. This text includes the experimental application of non-destructive methods to evaluate one of the most common pathologies in tile vaults, the delamination between the first and second layers. It also includes other non-destructive on-site survey methods applied to timbrel vaults to detect other pathologies as well as analysis methods to assess structural stability. The images and graphics show in detail the usefulness of the experiences made on a 1:1 mock-up built on purpose of this tests.

Keywords: *Tile vaults, United States, Rafael Guastavino, detection, non-destructive methods.*

Resumen

En Estados Unidos las bóvedas tabicadas anteriores a 1962 fueron construidas por la prolífica compañía de Rafael Guastavino Moreno (1842-1908) –en adelante Guastavino Sr.– y Rafael Gustavino Espósito (1872-1950) –en adelante Guastavino Jr.–, que participó en más de 1.000 proyectos. El presente texto recoge la aplicación experimental de métodos de evaluación no destructiva para evaluar una de las lesiones más comunes en bóvedas de Guastavino: la pérdida de adherencia de los ladrillos de la primera capa del intradós. Además, se explican brevemente otros métodos utilizados en la actualidad para diagnosticar in situ otras lesiones en bóvedas tabicadas y los métodos para comprobar la estabilidad estructural. Las imágenes y gráficos muestran en detalle la utilidad de las experiencias realizadas sobre una maqueta escala real construida para la ocasión.

Palabras clave: *Bóvedas tabicadas, Estados Unidos, Rafael Guastavino, diagnóstico, evaluación no destructiva, métodos.*

Contexto

A los diecisiete años, Rafael Guastavino Moreno (1842-1908) se mudó de Valencia a Barcelona para estudiar Maestro de Obras, Historia y Teoría de las Bellas Artes. Durante los 20 años siguientes realizó alrededor de una veintena de proyectos de diferente naturaleza en Cataluña; edificios de gran belleza y sensibilidad que inspiraron a futuros arquitectos, como Gaudí, Doménech i Montaner, etc. Algunos de estos diseños ya incluían techos y escaleras abovedadas, como queda patente en edificios destacados como la fábrica Batlló (1869-1875) y el teatro la Massa (1881).

En 1881, tras haberse establecido como arquitecto y empresario del vino (Vegas López-Manzanares, Mileto y Cantero Solís, 2017), varios motivos le llevaron a emigrar a Estados Unidos con su hijo Rafael Guastavino Expósito (1872-1950). En el campo profesional, los Estados Unidos le brindaban una gran oportunidad; las tres últimas décadas del siglo XIX correspondieron a lo que se denominó en EEUU la "Gilded Age" (Edad Dorada), debido a la expansión y desarrollo de la nación americana. A modo de ejemplo, la ciudad de Nueva York pasó de 1.000.000 de habitantes en 1880 a 3.500.000 en 1900; este crecimiento requería la creación de nuevas infraestructuras, equipamientos culturales, docentes, religiosos, demandas higienistas como los baños públicos, etc.

Por otra parte, en el ámbito arquitectónico, el Gran Fuego de Chicago de 1871, que destruyó las casas de 100.000 habitantes, marcó el antes y el después en los códigos de edificación y por tanto en la manera de construir. Como resultado, se buscaban materiales y técnicas que fueran resistentes al fuego o retardasen sus efectos (Friedman, 1995).

La llegada a Nueva York de los Guastavino no fue fácil. Ninguno de ellos sabía inglés, y el prestigio del que gozaba Guastavino Sr. en Barcelona se desconocía en Estados Unidos. Guastavino Jr. ingresó en un internado con el fin de aprender el idioma, lo cual hizo, con honores, en el periodo de un año. Al mismo tiempo, Guastavino Sr. trataba de prosperar como promotor, arquitecto o constructor. Gracias a sus dotes como dibujante, finalmente comenzó a trabajar en la revista de muebles "Decorator and Furnisher". A razón de uno de sus diseños publicado en la revista, fue invitado a participar en el concurso para diseñar el Progress Club Bulding en Nueva York, y lo ganó; este proyecto fue el primero de los más de 1.000 que seguirían.

La bóveda tabicada de Guastavino. Patente

En 1885 Guastavino Sr. patentó un sistema resistente al fuego que él denominó construcción cohesiva. Dicho sistema estaba basado en la bóveda tradicional tabicada, conocida también como bóveda catalana. A partir de la aprobación de esta patente, él pasó a ser el propietario intelectual del sistema constructivo de bóveda tabicada en un país en expansión de 80 millones de habitantes. Como resultado, todas las bóvedas tabicadas estadounidenses construidas entre 1885 y 1962 fueron bóvedas de Guastavino. La bóveda tabicada es una técnica constructiva vernácula que en la península ibérica lleva utilizándose más de 6 siglos; el Convento de S. Domingo (XIV) y el Convento del Carmen (XV) son dos de los primeros ejemplos (Zaragozá Catalán, 2011). Consiste en varias capas de ladrillos planos, la primera tomada con yeso de manera que sirve de encofrado perdido a las siguientes capas, tomadas con mortero. Tradicionalmente las bóvedas tabicadas solían revestirse por el intradós. Sin embargo, las bóvedas de Guastavino se caracterizaban en su mayoría por exponer el ladrillo con diferentes patrones geométricos. Es importante recalcar que Guastavino no copió el sistema tradicional, sino que lo utilizó de base, lo adaptó y lo mejoró.

Guastavino Sr. supo identificar una necesidad y ofrecer una solución. Su idea de presentar la bóveda tabicada a la arquitectura estadounidense de finales del XIX fue brillante. Por una parte, se trataba de una solución bella que combinaba utilidad estructural con estética. Además, era una solución resistente al fuego, y como tal la promocionó. Sirva a modo de ejemplo el incendio que ocurrió en 1997 en el

Figura 1. *Biblioteca pública de Boston. El primer gran proyecto de la Guastavino Fireproof Construction Company. Utilizó hasta siete patrones diferentes en la primera hoja (vista). Foto: Pardo.*

Oyster Bar en Grand Central Terminal (Nueva York, NY); el fuego fue tan intenso que todo el mobiliario de cocina se fundió y, sin embargo, las bóvedas no sufrieron daños sustanciales (Silman 1999). Además, las bóvedas tabicadas de Guastavino eran ligeras, baratas y rápidas de construir, con infinitas posibilidades estéticas y estructurales.

En 1889, a sus 48 años de edad, Guastavino fundó la Guastavino Fireproof Construction Company. El primer proyecto de envergadura fue la Biblioteca Pública de Boston (1889), que aprovechó como catálogo expositivo de las posibilidades estéticas de las bóvedas tabicadas, utilizando hasta siete patrones diferentes para sus bóvedas (fig. 1). Cabe destacar que Guastavino no sólo no revestía sus bóvedas, sino que además las hacía protagonistas de sí mismas, jugando con diferentes patrones.

A partir del proyecto de la Biblioteca Pública de Boston la compañía comenzó a crecer y a construir más proyectos. Guastavino Jr. comenzó a trabajar en la oficina después del colegio con tan solo diez años de edad (Guastavino IV, 2008).

A finales del siglo XIX, Guastavino Sr. se trasladó a vivir a Black Mountain (Asheville, NC), delegando cada vez más responsabilidades en su hijo. En Asheville, fruto de su amistad con el párroco, Guastavino Sr. le ofreció sus servicios para construir una basílica que sustituyese la antigua. El templo pone de manifiesto una clara influencia de la Basílica de los Desamparados en Valencia. A principios de 1908, mientras se construía la bóveda, Guastavino Sr. contrajo un catarro que acabaría con su vida en febrero de ese mismo año. Su funeral se celebró en ese mismo templo inacabado mientras sonaba la música que él mismo había compuesto (Guastavino IV, 2008).

A partir de la muerte de su padre, Guastavino Jr. asumió las riendas de la compañía demostrando un gran dominio de las capacidades técnicas de las bóvedas de su padre; diseñó y construyó bóvedas tabicadas sin precedentes. Además, fue un visionario en su propio campo: el desarrollo de materiales para mejorar las propiedades acústicas de las bóvedas tabicadas.

Guastavino Jr. Los materiales acústicos de las bóvedas tabicadas

En 1914 Guastavino Jr. patentó el ladrillo acústico Rumford y en 1916 el Akoustolith, ambos desarrollados por él mismo y el ingeniero acústico Clement Sabine (Ochsendorf, 2014). Jugaban con la porosidad del material cerámico para controlar la reverberación y maximizar la inteligibilidad del discurso en grandes espacios. Clement Sabine es considerado el padre de la acústica moderna a partir de su descubrimiento de la fórmula para calcular la reverberación. El ladrillo Akoustolith absorbe seis veces más el sonido que la piedra caliza.

Gracias a esta innovación Guastavino Jr. ofreció un control sobre el sonido sin precedentes que, junto con el aspecto pétreo del material, brindó a los diseñadores una herramienta valiosísima para resolver grandes espacios; aportó algo nuevo a la historia de la arquitectura, como lo hiciera su padre.

Legado

La Guastavino Fireproof Constuction Company (R. Guastavino Company a partir de 1897) participó en sus 73 años de existencia en la construcción de más de 1.000 proyectos de diferentes usos y tipos, distribuidos en diez países, la mayor parte en la costa este de los Estados Unidos. Registraron veinticinco patentes relacionadas con las bóvedas tabicadas entre Guastavino Sr. (18) y Guastavino Jr. (7) (Redondo Martínez 2000). Cabe destacar que nunca una bóveda o cúpula de Guastavino ha fallado en servicio, a pesar de que fueron miles.

Se desconoce el número total de edificios que albergan bóvedas de Guastavino. Con el fin de crear un catálogo del legado de los Guastavino, se creó una herramienta interactiva a través de la cual cualquier persona puede añadir proyectos con bóvedas de Guastavino: www.guastavinomap.org

Evaluación de bóvedas de Guastavino

En Estados Unidos la técnica de las bóvedas tabicadas cayó en desuso en la segunda mitad del siglo XX. Como consecuencia, los profesionales desconocían tanto la técnica como los procedimientos para comprender y por lo tanto mantener las bóvedas. Fruto de todo ello muchas han sido demolidas, como por ejemplo las bóvedas que existían en el "Metropolitan Museum of Art" de Nueva York, demolidas en 1960 porque los ingenieros no sabían calcular el peso que eran capaces de soportar para futuras exposiciones (Calman Ellowitz, 2014).

En la actualidad existe mayor conciencia con respecto al valor histórico arquitectónico de las mismas. En los proyectos de conservación es común encontrar bóvedas de Guastavino que deben ser evaluadas para conocer su estado actual y actuar en consecuencia. Es habitual que una de las primeras fases llevadas a cabo sea la evaluación mediante técnicas de evaluación no destructiva (END).

Las bóvedas de Guastavino se caracterizan por un excelente comportamiento estructural por lo que requieren un mínimo mantenimiento. Las patologías suelen ser de índole secundaria, siendo las más comunes fisuras o grietas y desprendimiento de ladrillos del intradós.

Las fisuras suelen tener dos orígenes:

- Fisuras o grietas debidas a la corrosión de elementos metálicos embebidos en las bóvedas. Guastavino padre e hijo, introducían varios anillos de tracción realizados con pletinas o ángulos de acero, colocados estratégicamente. Estos anillos no solamente absorbían las tracciones una vez finalizada la bóveda, sino que también durante su construcción (Huerta, 2001).

- Fisuras o grietas debidas al propio comportamiento de las bóvedas. Tanto las tracciones como los pequeños movimientos en los soportes, pueden dar lugar a un reajuste del comportamiento estructural. Estas fisuras no suelen conllevar riesgo estructural, aunque es recomendable realizar un análisis estructural para confirmar que no ha disminuido su capacidad portante.

Existen varias técnicas para el análisis de bóvedas, no obstante, los softwares de elementos finitos (FEM) tienen sus limitaciones para bóvedas de albañilería. Los FEM están principalmente diseñados para analizar elementos homogéneos con un comportamiento elástico (Reese, 2008). Es recomendable analizar también las bóvedas mediante métodos de estática gráfica, como el método desarrollado por William Wolfe que fue el empleado por Guastavino.

Aplicación experimental de END a una bóveda tipo Guastavino

Otra patología común es el desprendimiento de ladrillos de la primera capa (encofrado perdido y/o decorativa). En la mayoría de los casos dicha patología no suele comprometer la capacidad

Tabla 1. *Las columnas indican el número aproximado de edificios clasificados por uso. Dichas cifras corresponden al volcado de las notas del Prof. George Collins (1917- 1993) custodiadas por la biblioteca "Avery Drawings & Archives Collections" de la Universidad de Columbia (Nueva York, NY) en el archivo "Guastavino Fireproof Construction Company architectural records, (1866-1985)".*

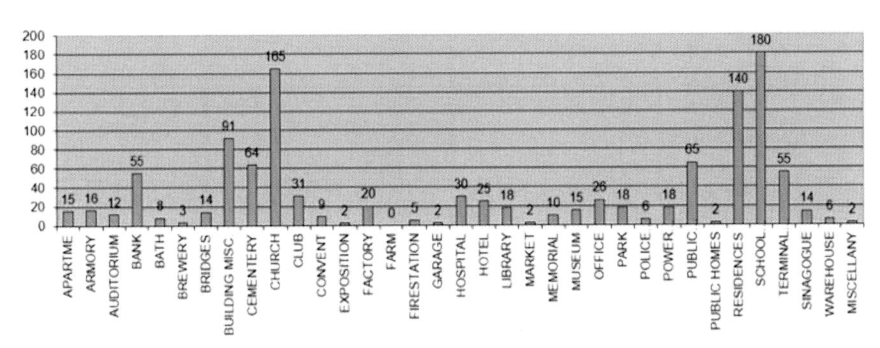

Tabla 2. *Las columnas indican el número aproximado de edificios clasificados por año de construcción. Nótese que Guastavino Sr. murió en 1908. Las cifras corresponden al volcado de las notas del Prof. George Collins (1917-1993) custodiadas por la biblioteca "Avery Drawings & Archives Collections" de la Universidad de Columbia (Nueva York, NY) en el archivo "Guastavino Fireprrof Construction Company architectural records, (1866-1985)".*

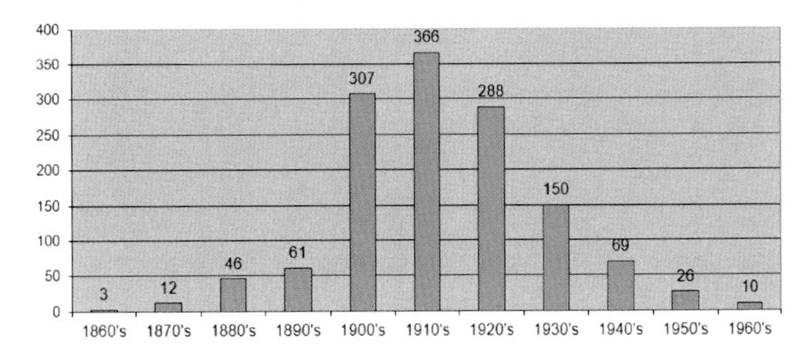

estructural de la bóveda. En la actualidad, el único método utilizado para comprobar la adherencia de esa primera hoja cerámica es el ensayo de percusión con martillo (fig. 2). Para ejecutar este ensayo es necesario el acceso al intradós de la bóveda, lo cual supone un reto logístico, económico y funcional. Por este motivo, los autores de este artículo llevamos a cabo una aplicación experimental de evaluación no destructiva para bóvedas de Guastavino, con el fin de conocer si alguna técnica podía evaluar esta patología con acceso únicamente por el trasdós o con acceso remoto.

Figura 2. *La ingeniera Kelly Streeter ejecutando un ensayo de percusión con martillo. Foto: K. Diebolt.*

Con tal fin se construyó una réplica a escala de bóveda tabicada a la que se le insertaron diferentes faltas simulando pérdida de adherencia entre hojas de ladrillo para posteriormente probar diferentes técnicas de END. Las fases de construcción y ensayos fueron la siguientes (fig. 3):

- Fase 0: se comenzó con la construcción de la primera hoja tomada con yeso, sobre la que se dispusieron plásticos de diferente naturaleza simulando pérdida de adherencia.
- Fase I: Posteriormente se construyó la segunda hoja tomada con mortero de cemento. Una vez concluida se llevó a cabo la primera ronda de ensayos.
- Fase II: Finalmente, se construyó la tercera hoja, tomada con mortero de cemento y se llevó a cabo la segunda ronda de ensayos.

Georradar

Los transductores electromagnéticos utilizados tenían una frecuencia de 2,6 GHz. El espesor total de la bóveda en la Fase I era de aproximadamente 4,5 cm y en la Fase II de aproximadamente 6 cm.

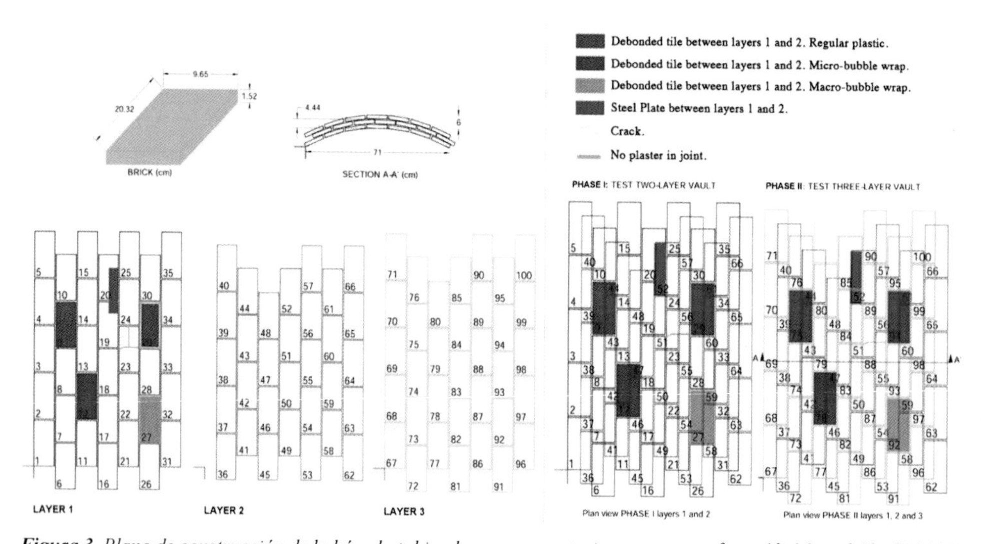

Figura 3. *Plano de construcción de la bóveda tabicada para su posterior ensayo por fases (de Miguel Alcalá 2017).*

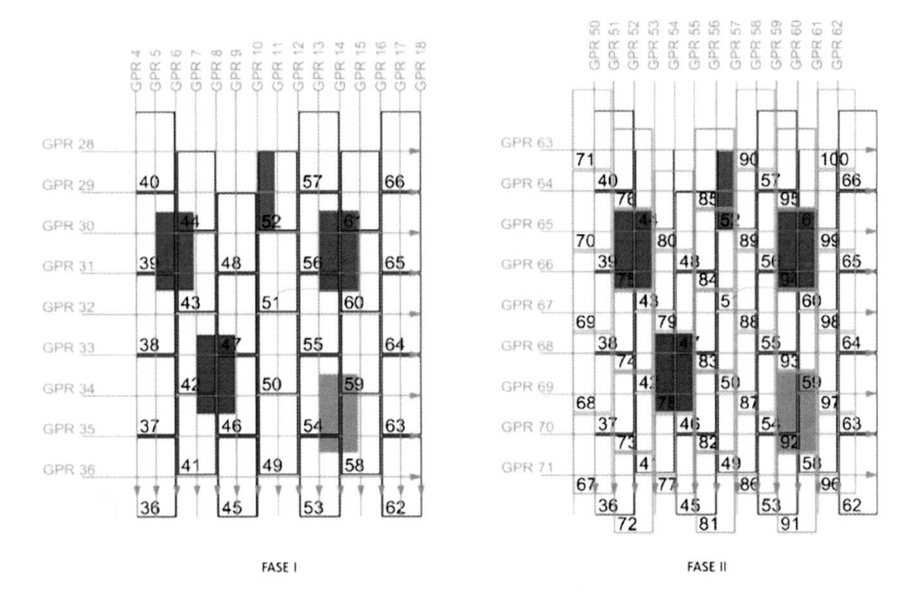

Figura 4. *Plano del ensayo de georradar para ambas fases. Las líneas indican los diferentes tests realizados (de Miguel Alcalá 2017).*

A mayor amplitud de la señal recibida, mayor intensidad del color del radargrama. Una mayor amplitud de señal responde a una mayor reflexión de la señal, que a su vez responde a una mayor diferencia en la constante dieléctrica entre materiales en una interfase, por ejemplo, una cámara de aire fruto de la pérdida de adherencia (fig. 4). La única anomalía detectada en ambas fases en escáneres longitudinales y transversales fue la lesión sobre el ladrillo 27, que corresponde a la de mayor cámara de aire (fig. 5).

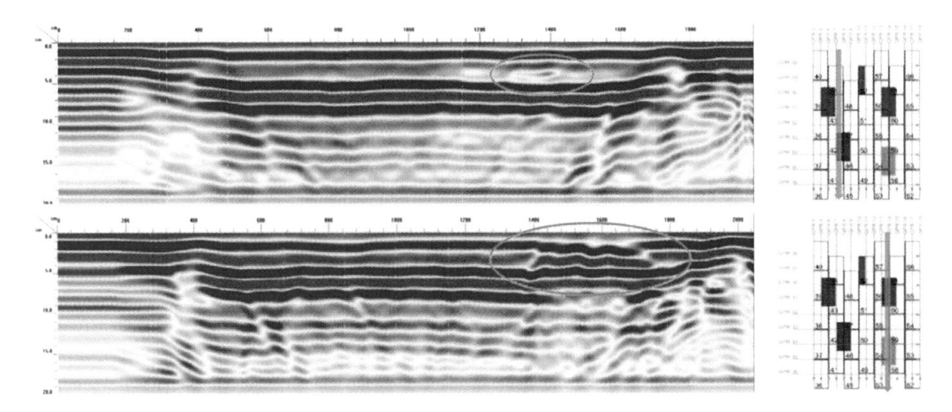

Figura 5. *Ejemplo de radargrama. Una mayor intensidad de color corresponde a mayor diferencia en la constante dieléctrica del material por el que atraviesa la onda electromagnética. En este caso, dicha variación corresponde a la cámara de aire presente en la pérdida de adherencia entre la primera capa y la segunda (de Miguel Alcalá 2017).*

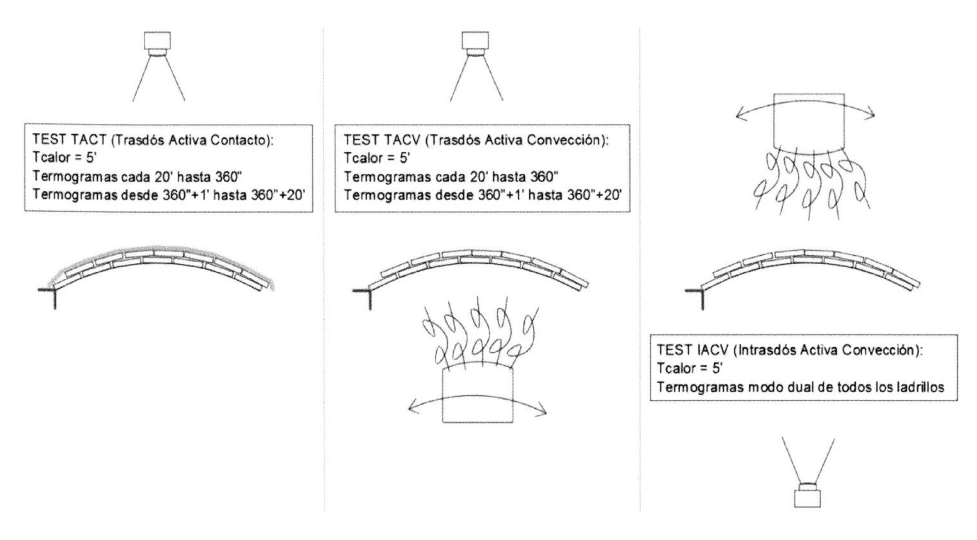

Figura 6. *Esquema del ensayo con termografía infrarroja (de Miguel Alcalá 2017).*

Termografía infrarroja

Se llevaron a cabo cuatro tipos diferentes de ensayos: pasiva registrada por el trasdós, activa por conducción aplicada en el trasdós (mediante manta eléctrica) y registrada por el trasdós (TACT), activa por convección aplicada en el intradós (calentador cerámico) y registrada por el trasdós (TACV) y finalmente activa por convección (calentador cerámico) aplicada por el trasdós y registrada por el intradós (IACV) (fig. 6). El test TACT en la Fase I dio resultados precisos, sin embargo, en la fase II los resultados fueron imprecisos; las lesiones en este test se manifestaron como puntos calientes. El test TACV dio mejores resultados; del mismo modo, los resultados fueron más evidentes en la Fase I que en la Fase II (fig. 7). En este último caso las lesiones se manifiestan como zonas con temperatura inferior al resto de la bóveda.

Impacto Eco

Antes de proceder a realizar el ensayo del impacto eco fue necesario calibrar el sistema, es decir, seleccionar diferentes parámetros en el software y en el hardware: diámetro de la esfera, número de muestras que el aparato recibe para generar la traza (a mayor número de muestras, mayor resolución, pero también mayor ruido), tiempo de registro entre muestras (a menor tiempo, mayor frecuencia de resolución). El número total de posibilidades ascendía a 367.290, lo que implica la necesidad de conocer la técnica con el fin de descartar opciones en base a la experiencia (fig. 8). El análisis de los espectros resultantes tenía como objetivo identificar patrones mediante la comparación morfológica y la comparación de los picos de frecuencia (fig. 9). La única combinación que permitió reconocer un patrón fue el test P3 D3 en la Fase II; sin embargo, el patrón no fue lo suficientemente contundente como para determinar un protocolo de reconocimiento.

Ultrasonidos

El test se llevó a cabo con transductores separados a dos distancias fijas con el fin de registrar la velocidad a la que la onda acústica recorría la distancia desde el punto A al punto B, o lo que es lo mismo, el tiempo que necesitaba para realizar dicho recorrido. El test se basa en el principio de que, a mayor velocidad, mejor calidad de los materiales y su adherencia y viceversa. Los resultados se registraron en una tabla en la que se incluyeron las velocidades, el espacio entre transductores y el tiempo

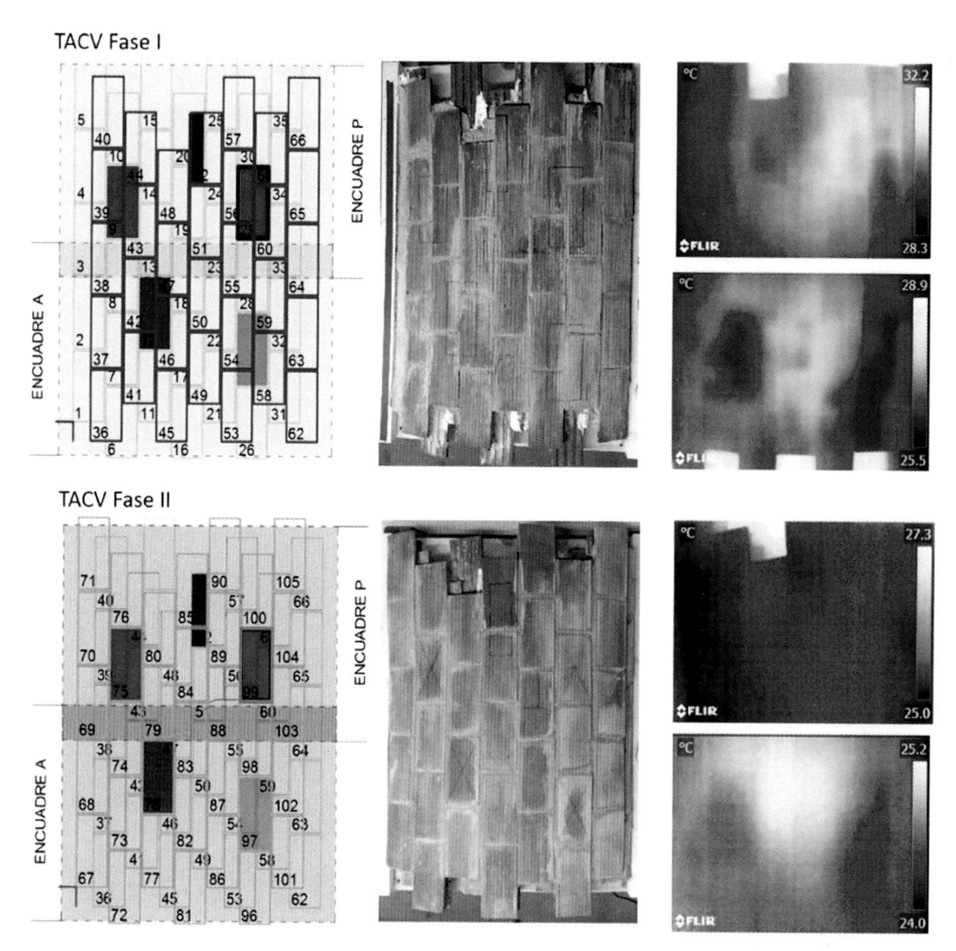

Figura 7. *Ejemplos de termogramas para el test TACV en las Fases I y II. Las imágenes de la izquierda muestran la localización de las patologías (de Miguel Alcalá 2017).*

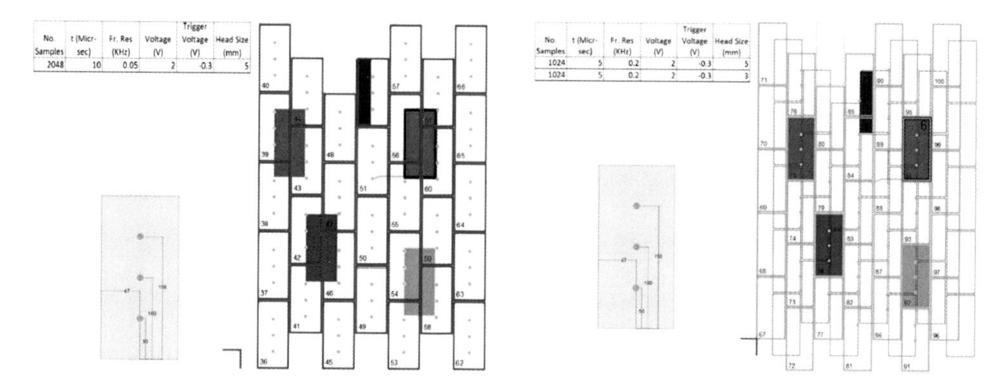

Figura 8. *Esquema del ensayo de impacto eco para las Fases I y II (de Miguel Alcalá 2017).*

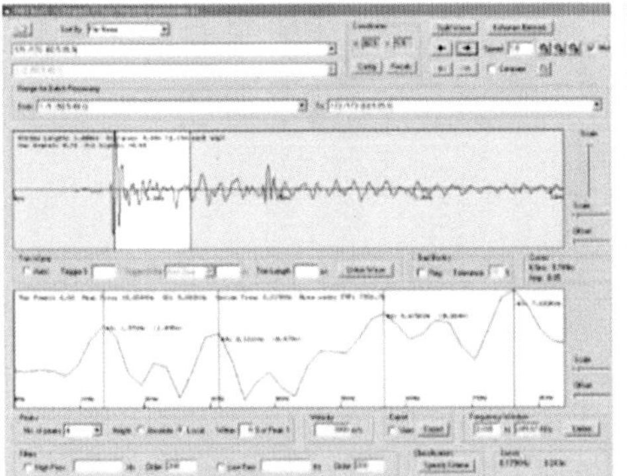

Test *60.5.05.9*. Esta localización corresponde a un área con falta de adherencia, sin embargo, no se observa ningún indicio ni en la forma del espectro ni en los picos de frecuencia que así lo indiquen.

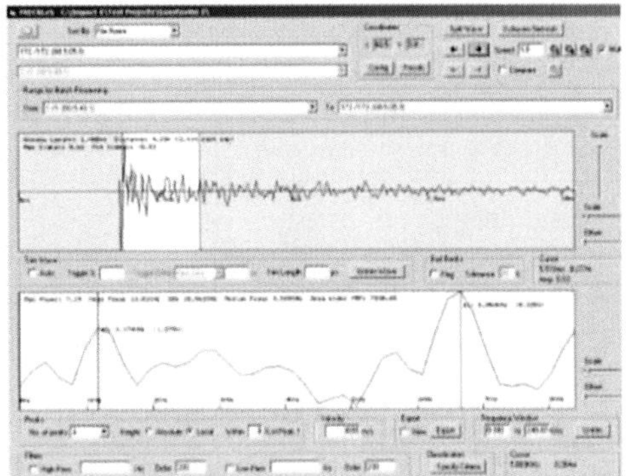

Test *60.5.05.9.2*. Tal y como ocurre en la figura 4.4-10, este test se realiza exactamente en la misma localización que el 60.5.05.9 (izq.), sin embargo, el resultado es muy diferente. Se trata de un claro indicio de que el test no está funcionando.

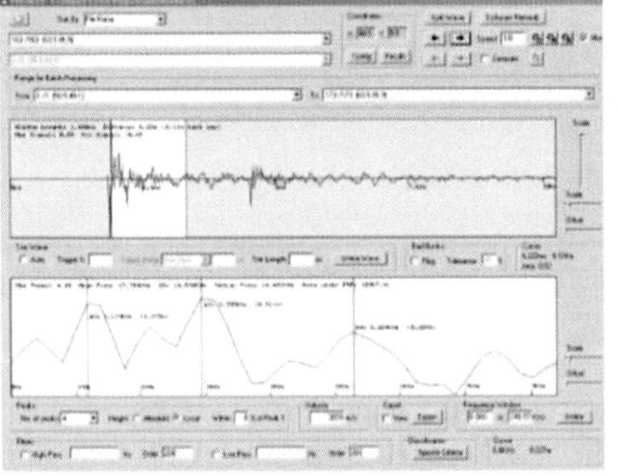

Test *60.5.05.5*. Este test se realiza en un área con pérdida de adherencia. El resultado no permite caracterizar un patrón para la identificación de la lesión.

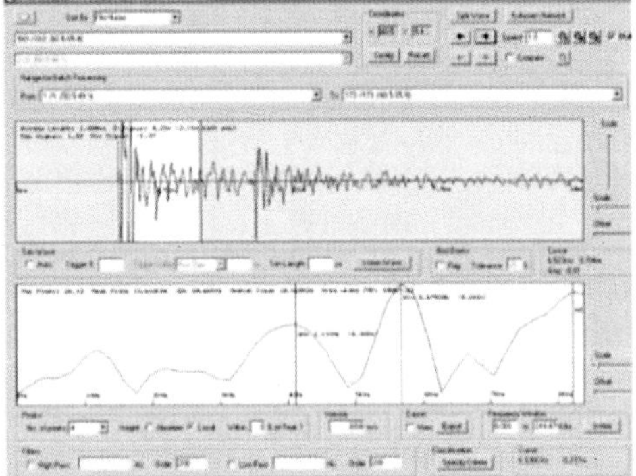

Test ***60.5.05.4***. El resultado no responde a ningún patrón. En este caso, cabría esperar unos resultados similares a los espectros de la figura 4.4-9, que, a su vez, deberían ser similares entre sí.

La imagen incluye 4 de los 25 test realizados al ladrillo 60 durante la ronda de test P9 con frecuencia de resolución 0,05. Tal y como se observa en los 4 test representativos, no existe un patrón morfológico ni un patrón de frecuencia como cabría esperar de estos test.

Nomenclatura: *N.D.F.P.R donde: N, número de ladrillo; D, diámetro de la esfera (mm); F, frecuencia de resolución (kHz); P, posición del test en el ladrillo (fig. 4.4-3 y 4.4-4); R, número de repetición, si R=0, se trata del primer impacto.*

Código de color: N.D.F.P.R*, test realizado en áreas en buen estado; N.D.F.P.R, test realizado en áreas en el límite entre áreas en buen estado y áreas con pérdida de adherencia. N.D.F.P.R, test realizado en áreas con pérdida de adherencia.*

Figura 9. *Ejemplo de los diagramas de frecuencia obtenidos en la Fase I en el ladrillo 60 (de Miguel Alcalá 2017).*

(figs. 10, 11). Posteriormente, se volcaron los resultados en un software de generación de mapas, Surfer 13, para visualizar estos resultados. Las zonas azules y moradas (más oscuras en la figura) corresponden a velocidades más bajas; se detectan las lesiones de los ladrillos 27 y 29 pero no las de los ladrillos 9 y 12. Por medición directa (un transductor por el intradós y el otro por el trasdós, utilizado para calibrar el sistema), las velocidades en zonas de lesiones están entre 400 y 500 m/s, y entre 2.600 y 3.000 m/s en zonas en buen estado. Es un resultado certero. Sin embargo, la medición indirecta no dio resultados tan contundentes, con valores para zonas sanas de 2.026 y de lesiones de 2.014 m/s respectivamente. Esto implica un comportamiento no esperado e incomprendido de la onda acústica. Una de las desventajas a destacar de este método es uso de gran cantidad de gel acoplante y la ineficiencia en tiempo: 3 horas para 90 ensayos.

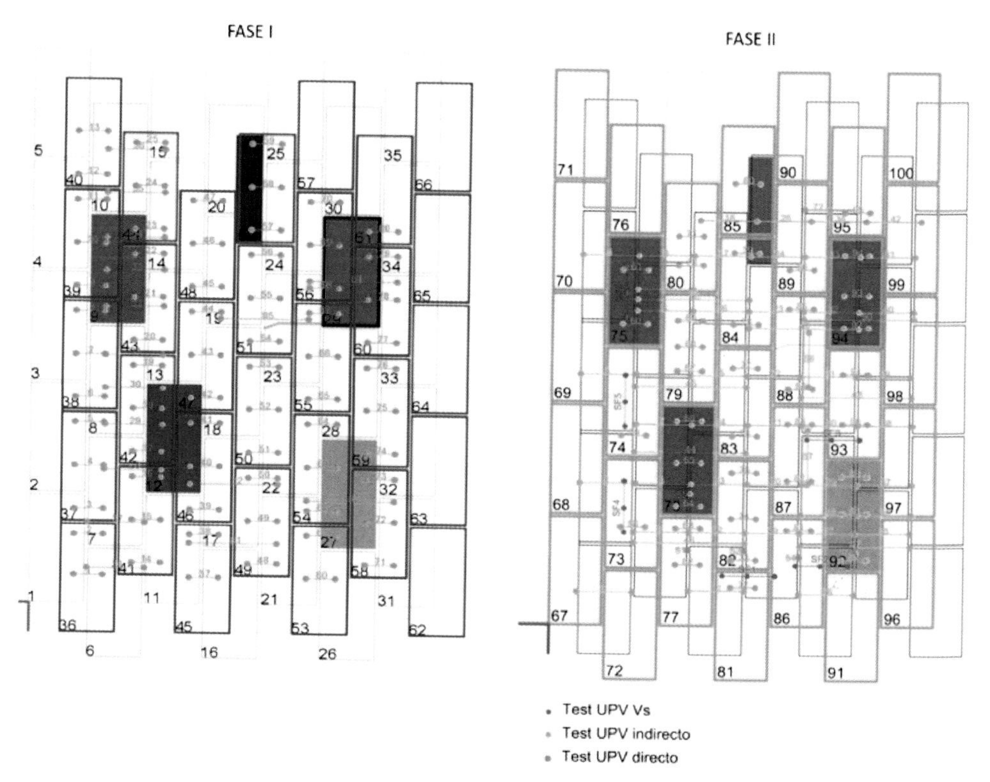

Figura 10. *Esquema del ensayo de ultrasonidos para las Fases I y II (de Miguel Alcalá 2017).*

END aplicada in situ a bóvedas tabicadas de Guastavino en la actualidad

Para otras patologías diferentes al desprendimiento de piezas cerámicas de la primera capa del intradós (cuyo único método de evaluación *in situ* es el test acústico de percusión con martillo), existen principalmente otras tres técnicas que se utilizan en la actualidad para diagnosticar bóvedas tabicadas en los Estados Unidos: el georradar, termografía infrarroja y detector de metales electromagnético. En los tres últimos años también vienen utilizándose los vehículos aéreos no tripulados (drones) como técnica de apoyo para la evaluación visual y térmica.

El georradar se utiliza principalmente para detectar oquedades y elementos metálicos (fig. 12). La termografía infrarroja permite detectar irregularidades en las bóvedas;

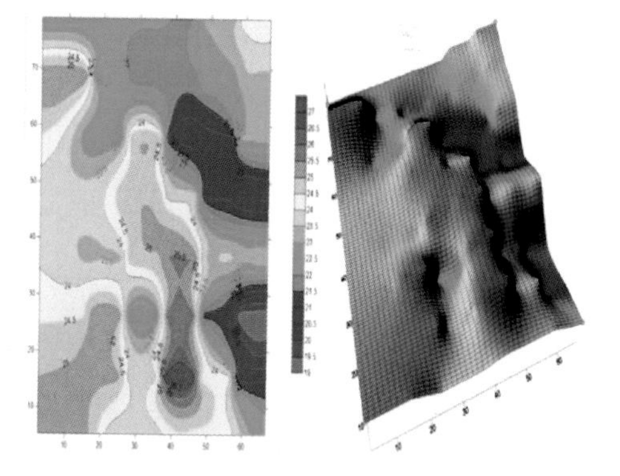

Figura 11. *Resultados del ensayo de ultrasonidos para la fase II. A la derecha se muestra la tabla con la que se registraron los valores y en el centro y derecha se muestran los diagramas 2D y 3D generados del volcado de dicha tabla (de Miguel Alcalá 2017).*

es especialmente útil para detectar humedades (fig. 13), siendo su mayor ventaja que el test se lleva a cabo de forma remota. Los últimos drones permiten instalar cámaras térmicas infrarrojas que son muy útiles para tomar los termogramas desde perspectivas apropiadas (fig. inicial).

Conclusiones

Hasta 1962 todas las bóvedas tabicadas existentes en los Estados Unidos fueron construidas por la Guastavino Fireproof Construction Company (1889-1897) y la Guastavino Company (1897-1962), ambas dirigidas por Rafael Guastavino Moreno y su hijo, Rafael Guastavino Expósito. En total fueron más de 1.000 proyectos los que incluyen bóvedas de Guastavino.

En la actualidad se hacen necesarios métodos de evaluación con el fin de diagnosticar su estado y trazar proyectos de mantenimiento, conservación y restauración. Una de las lesiones más comunes es el desprendimiento de piezas cerámicas de la primera capa del intradós, que se evalúa en la actualidad mediante un test acústico *in situ* de percusión con martillo. Con el fin de identificar posibles métodos de evaluación que no hicieran necesario el acceso próximo por el intradós, dado que en muchos casos su acceso es complejo, se llevó a cabo una investigación en laboratorio consistente en ensayar diferentes metodologías de END.

De los cuatro métodos empleados (georadar, ultrasonidos, impacto-eco y termografía) para detectar la pérdida de adherencia entre la primera y segunda capa de ladrillo de una bóveda tabicada tipo Guastavino, con acceso por el trasdós, la técnica más efectiva fue la termografía activa, aplicando la fuente de calor por convección desde el intradós mediante calentador cerámico y registrando los termogramas desde el trasdós de la bóveda.

Figura 12. *El ingeniero Keith Luscinski realizando un test de georradar en la bóveda central de la iglesia de Saint Bartholomew. (Manhattan, NY). Foto: de Miguel.*

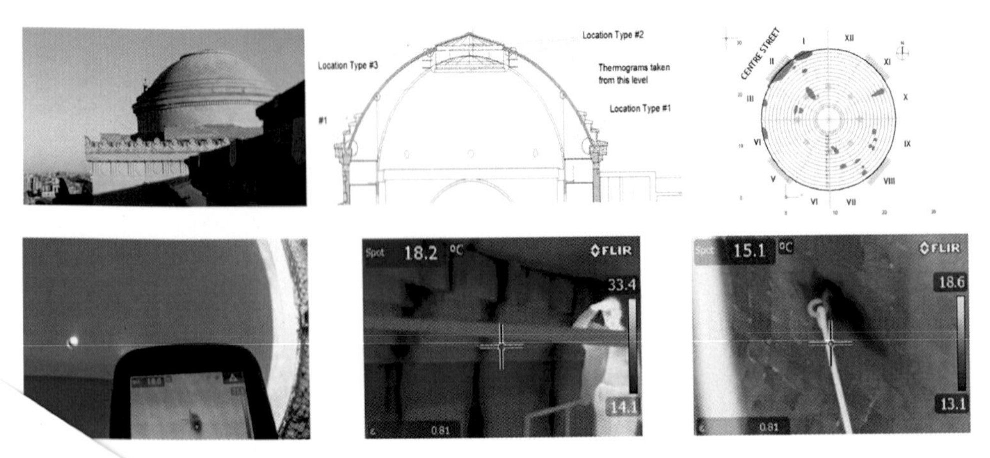

…uema de localización de humedades en una bóveda de Guastavino revestida con piedra por el exte- …mas de la fila inferior se observan en oscuro la presencia de humedad activa Foto: de Miguel.

La técnica del geo-radar permitió detectar una de las cuatro lesiones, por lo que no queda descartada y abre una futura línea de investigación en la que se recomienda utilizar antenas de frecuencias mayores a 2,6 GHz y ampliar en número de muestras y el espesor de la bóveda.

La técnica de ultrasonidos por medición indirecta permitió detectar dos de las cuatro lesiones, sin embargo, los valores de velocidad en otras zonas no respondían a una lógica o patrón, motivo por el cual sería recomendable continuar la investigación utilizando transductores de mayor frecuencia y ampliar tanto el número de muestras como el grosor de la bóveda (por tanto, la profundidad de las lesiones); sin embargo, la necesidad de utilizar gel y el bajo ratio de progreso desaconsejan utilizar esta técnica *in situ*. Una alternativa para evitar dichas limitaciones, a incluir en la futura línea de investigación, sería utilizar transductores acústicos electromagnéticos, que no requieren de gel acoplante para su funcionamiento.

Por último, la técnica del impacto-eco no permitió detectar ninguna de las cuatro lesiones. Además, resultó ser una técnica tediosa y complicada de aplicar al ladrillo estriado de la bóveda, a la par que ineficiente en tiempo. Debido a la profundidad de penetración de este test, es posible que la técnica diera resultados aceptables en bóvedas de mayor espesor; esta teoría es una de las futuras líneas de investigación.

En la actualidad se utilizan principalmente tres métodos para evaluar *in situ* otras patologías en bóvedas de Guastavino. El georradar se utiliza principalmente para detectar oquedades, discontinuidades y elementos metálicos embebidos en las bóvedas. La termografía infrarroja es útil para detectar remotamente irregularidades como humedades y el detector de metales electromagnético ayuda en la identificación de elementos metálicos embebidos.

En cuanto al análisis estructural de las bóvedas de Guastavino hay dos métodos complementarios que se utilizan en la actualidad: el método de elementos finitos y el método de estática gráfica, siendo este último el que utilizasen los Guastavino para diseñar sus bóvedas.

Referencias

CALMAN ELLOWITZ, J. (2014). *Structure and History of Guastavino Vaulting at the Metropolitan Museum of Art.* Master of Engineering in Civil and Environmental Engineering Tesis. Cambridge: Massachusetts Institute of Technology.

DE MIGUEL ALCALÁ, B. A. (2017). *La evaluación no destructiva aplicada a la conservación del patrimonio arquitectónico en los Estados Unidos de América.* Tesis Doctoral, Valencia: Escuela Técnica Superior de Arquitectura. Programa de Doctorado en Arquitectura, Edificación, Urbanística y Paisaje.

FRIEDMAN, D. (1995). *Historical Buildings Construction: Design, Materials & Technology.* New York: W.W. Norton.

GUASTAVINO IV, R. (2008). *An Architect and His Son.* New York: Heritage books.

HUERTA, S. (2001). *Las bóvedas de Guastavino en América.* Madrid. Madrid: Instituto Juan de Herrera, CEHOPU, COAC, UPV, Avery Library.

OCHSENDORF, J. A. (2014). *Guastavino Vaulting: The Art of Structural Tile.* New York: Princeton Architectural Material.

REDONDO MARTÍNEZ, E. (2000). "Las patentes de Guastavino & Co. en Estados Unidos (1885-1939)" en *Actas del Tercer Congreso Nacional de Historia de la Construcción*, Sevilla, 26- 28 octubre 2000, by A. Graciani, Santiago Huerta, Enrique Rabassa and M. Tablares. Madrid: I. Juan de Herrera, SEdHC, U. Sevilla, Junta Andalucía, COAAT Granada, CEHOPU.

REESE, M. L. (2008). *Structural analysis and assessment of Guastavino vaulting.* Tesis de master. Cambridge: Massachusetts Institue of Technology. Dept. of Architecture.

SILMAN, R. (1999). Structural Repairs to Fire-Damaged Guastavino Tile Vaults at Grand Central Terminal's Oyster Bar, *APT Bulletin: THe Journal of Preservation Technology 47-49.*

VEGAS LÓPEZ-MANZANARES, F., MILETO, C. & CANTERO SOLÍS, V. M. (2017). El arquitecto Rafael Guastavino (1842-1908): Obra en cuatro actos, *Ars Longa (26): 209-230.*

ZARAGOZÁ CATALÁN, A. (2011). "Hacia una historia de las bóvedas tabicadas" en *Construyendo Bóvedas Tabicadas. Actas del Simposio Internacional sobre Bóvedas Tabicadas* by A. Zaragozá, R. Soler and R. Marín, 1
Valencia: Universitat Politècnica de Val

tabica... habitacione... fael Guastavino en Barcelona (1872-1875) construida con amplias bóvedas mortero de cemento Portland importado desde Inglaterra, que cubrían original de Rafael Guastavino, 1881, propiedad de los autores)

ISBN. 978-84-9048-827-0

El mortero de cemento en la obra de Guastavino

Fernando Vegas, Camilla Mileto
PEGASO Centro de Investigación Arquitectura, Patrimonio y Gestión para el Desarrollo Sostenible, Universitat Politècnica de Valencia

Abstract

Master builder Rafael Guastavino Moreno (1842-1908) is famed for his enormous contribution to Catalan architecture, and along with his son Rafael Guastavino Exposito (1872-1950), for his influence on American architecture. In Barcelona, many architects from following generations recognized their indebtedness to their work. In the United States, the record of the imprint left in the architectural identity can be found in over a thousand works. Among Guastavino's many virtues, the best-known was his masterful use of tile vaults. He combined this ancient constructive technique with new materials such as cement mortar, which provided better protection from damp, greater resistance, and quicker setting speed. Guastavino used this mortar for doubling tile vaults at least since 1868; he imported Portland cement from England in 1872; and he led a pioneering manufacturing of Portland cement in Spain in the 1870s. This text explores the origins, evolution and trajectory of this early use of cement mortar in his tile vaults, in addition to its composition, procedures and execution.

Keywords: *Architecture, natural cement, Roman cement, artificial cement, Portland cement, artificial stone, construction.*

Resumen

El maestro de obras Rafael Guastavino Moreno (1842-1908) es afamado por su significativa aportación a la arquitectura catalana y, junto con su hijo, llamado Rafael Guastavino Expósito (1872-1950), su contribución a la arquitectura estadounidense. En Barcelona, las generaciones sucesivas de arquitectos reconocieron la deuda para con su obra. En Estados Unidos, un millar de obras brindan testimonio de la huella que dejó en la identidad arquitectónica americana. Aunque destacó por varias virtudes, su obra trascendió por su maestría en el empleo de la bóveda tabicada. Guastavino combinó esta técnica constructiva con nuevos materiales como el mortero de cemento, que le confería incolumidad a la humedad, mayor resistencia y velocidad de fraguado. Guastavino empleó este mortero en el doblado de sus bóvedas tabicadas al menos desde 1868, importó desde Inglaterra cemento Portland en 1872 y pilotó una pionera fabricación de cemento Portland en España en la década de 1870. Este texto indaga en el origen, la evolución y la trayectoria de este temprano empleo del mortero de cemento en sus bóvedas tabicadas, además de su composición y métodos de puesta en obra.

Palabras clave: *Arquitectura, cemento natural, cemento romano, cemento artificial, cemento Portland, piedra artificial, puesta en obra.*

El cemento natural y el cemento artificial Portland durante el siglo XIX

La trascendencia de la utilización del mortero de cemento por parte de Rafael Guastavino Moreno, (en adelante *Guastavino* o *Guastavino padre* para diferenciarlo de *Guastavino hijo*), no debe soslayarse. En las décadas de 1860 y 1870, el empleo en la arquitectura común de morteros de cemento tanto naturales como artificiales, pero especialmente los artificiales como el Portland, era todavía algo novedoso y no solo en España. El hallazgo del cemento natural en 1796 de James Parker, la invención en 1817 del cemento artificial a partir del descubrimiento del comportamiento hidráulico de las cales de Louis Vicat (1786-1861), y la concesión en 1824 de una patente a Joseph Aspdin (1778-1855) por la fabricación de una cal hidráulica artificial de fraguado rápido que denominó "cemento Portland", son hitos conocidos en la historia del material. Los morteros hidráulicos habían irrumpido en la primera mitad del siglo XIX para quedarse. Pero la difusión del cemento artificial Portland estaba lejos de consolidarse.

El cemento natural, también denominado cemento romano por evocación del hormigón romano, aunque no tuviera más relación con él que su carácter hidráulico, o cemento-yeso por la rapidez de su fraguado y su posible uso en forma de pasta, fue muy popular durante el siglo XIX. Su problema principal es que mostraba una gran variabilidad según productores y sus características dependían no solo de cada uno de ellos, sino de la homogeneidad y calidad de la veta de piedra natural empleada en cada momento por el mismo fabricante. En términos generales se podría afirmar que poseía un buen grado de hidraulicidad y un fraguado rápido manteniendo su volumen estable, con lo que a veces se podía emplear en forma de pasta. El cemento artificial Portland, cocido a una temperatura mayor y con componentes añadidos en la proporción justa, ofrecía mayor homogeneidad y permitía un mayor control de la calidad. Tenía igualmente un buen grado de hidraulicidad y fraguaba con retracción, lentamente en los primeros minutos, facilitando la puesta en obra, para después endurecer y adquirir incluso más resistencia que el cemento natural. Inicialmente, este nuevo material pertenecía al ámbito de ingeniería civil para la creación de cimentaciones bajo el agua o la erección de puentes o muelles merced a su hidraulicidad, y tardaría unos años en llegar a la arquitectura.

En Inglaterra, I.C. Johnson (1811-1911) fabricó en 1845 el primer cemento Portland con materiales similares a los actuales, cocido a una temperatura de 1.400-1.500 °C, y comenzó paulatinamente su producción. En Alemania, H. Bleitbreu fabricó el primer Portland alemán en Stettin en 1852 y le siguió J.H. Hagenah en 1867 (Newby 2001). En Francia, É. Dupond y C. Demarle manufacturaron el primer Portland en su fábrica de Boulogne-sur-Mer solo en 1855, año en el que fue presentado en la Exposición Universal de París, seguidos por la cementera Pavin de Lafarge que comenzó su producción en 1869. En Bélgica, la empresa de los señores Dufossez y Henry comenzaron a fabricar el primer cemento Portland en 1872. El mismo Guastavino afirmaba que el empleo del cemento y el renacimiento de lo que él denominaba "construcción cohesiva" habían comenzado entre 1845 y 1850 (Guastavino 1896, 41).

La existencia de excelentes cales y cementos naturales como alternativa retrasó la producción del cemento artificial en otros países como Estados Unidos, Italia o España. En Estados Unidos, Canvass White (1790-1834) había patentado el cemento Rosendale en la década de 1820, un cemento natural popular que sería empleado hasta principios del siglo XX en los edificios y monumentos de Nueva York, incluso en detrimento del cemento Portland. Este fue fabricado por primera vez en Estados Unidos solo a partir de 1875 por David O. Saylor (1827-1884) en Coplay (Pennsylvania), pero se necesitarían más de veinticinco años para doblegar la costumbre de utilizar el cemento natural Rosendale. En Italia la Sociedad Anónima de Cales y Cementos de Monferrato comenzó la fabricación de cemento artificial con regularidad a partir de 1885.

En España, la producción de cemento natural fue introducida por soldados ingleses en 1835 (Mayo 2015, 66). En la década de 1850, se producía cemento romano en explotaciones de pequeña dimensión, al menos en las provincias de Alicante, Barcelona, Gerona, Guipúzcoa, Logroño, Madrid, Palencia, Valencia y Vizcaya, y cales hidráulicas en estas mismas provincias además de Badajoz, Burgos, Cáceres, Guadalajara, Huelva, Oviedo, Segovia, Toledo (Espinosa 1859, 133-48; Mayo 2015, 54-5). La bibliografía afirma que la primera producción de cemento Portland en España tuvo lugar en hornos verticales continuos entre 1898 y 1910 (Mayo 2015, 61), y en hornos horizontales rotatorios a partir de 1904 en la fábrica Asland que diseñó Guastavino para Eusebi Güell desde Estados Unidos (Fernández 2006). En este artículo se muestra que la producción de cemento Portland en España ya comenzó en la década de 1870 en hornos verticales discontinuos pilotada por Rafael Guastavino.

En todos estos países sin excepción, la primitiva producción de cemento natural e incluso de cemento Portland tenía lugar en incómodos hornos de carga discontinua. En el último cuarto del siglo XIX, se comenzaron a introducir los hornos de carga continua que mejoraban y abarataban la producción. El proceso inicial de fabricación del cemento Portland debió mejorar todavía con tres aportaciones posteriores: la invención de los hornos horizontales rotatorios, la adición de yeso para controlar el fraguado y el empleo del molino de bolas para moler la materia prima y el clínker.

La formación no reglada de Rafael Guastavino Moreno en Valencia

La cuestión sería averiguar a través de qué vía se le despertó a Guastavino este prurito por el empleo del cemento natural en general y del cemento artificial Portland, en particular. Guastavino residió en Valencia al menos hasta finales del año 1860, periodo durante el cual descubrió su vocación como arquitecto a través del legado de su tatarabuelo, el maestro de obras Juan José Nadal (1690-1763) (Vegas y Mileto 2012) y trabajó como delineante en un estudio de arquitectura local (Wight 1901a). Nadal empleó mortero de cal en caliente en muros y cimientos y exclusivamente yeso en sus diversos estratos de bóvedas (fig. 1) (Vegas et al. 2019). En cualquiera de los estudios de arquitectos donde trabajó, pudo entrar inicialmente en contacto con los morteros de cemento (Vegas y Mileto 2012; Vegas et al. 2020).

Es importante reseñar esta etapa de formación no reglada no solo porque marca su interés inicial y rumbo personal en la profesión, sino porque más de treinta años después, en Estados Unidos, todavía hacía referencia al tesón con el que algunos arquitectos no solo catalanes sino también valencianos buscaban una marca de cemento fiable que ofreciera garantías para el cálculo estructural (Guastavino 1896, 42). Aquella experiencia inicial había sido lo suficientemente determinante como para reseñar muchos años después la obsesión de los profesionales valencianos por encontrar un cemento de calidad.

Es interesante señalar que, en aquellos años de formación no reglada en Valencia, se había creado una fábrica de cemento natural denominada "La Confianza", dirigida por Juan Bautista Ravena, con canteras en las cercanías de la ciudad. Los análisis encargados en 1855 al profesor José Almazán de la Escuela Especial de Ingenieros de Caminos de Madrid habían arrojado los siguientes resultados: el cemento en pasta amasado con agua fraguaba sumergido de manera casi inmediata y adquiría una gran dureza a los 4-5 minutos; mezclado con arena a partes iguales generaba un mortero poseía una rapidez de fraguado similar; mezclado con arena a razón de 1,5:1 con el mismo amasado y sumersión, el tiempo de fraguado era de 5-6 minutos; y que todas estas mezclas endurecían con igual fuerza y rapidez al aire libre. La mezcla no fraguaba correctamente si la proporción ascendía a 2 de arena por 1 de cemento. Estas extraordinarias prestaciones merecieron una noticia especial en la Revista de Obras Públicas (Redacción ROP 1855, 216) y una mención en el tratado de Espinosa (1859, 141-2), un manual de construcción que se publicó durante su época de delineante en Valencia. No cabe duda de que un material así llegaría a oídos de los arquitectos de la época y, fácilmente, al joven Guastavino trabajando con ellos. Además, la sede de la sociedad La Confianza estaba ubicada en la plaza de Calatrava nº 20, a 300 m de la vivienda de

Figura 1. *Juan José Nadal emplea exclusivamente el yeso en los arcos formeros de rosca, nervios y primera y sucesivas capas de sus bóvedas tabicadas, como se puede observar en el espacio comprendido entre las bóvedas y el tablero de cubierta de la iglesia parroquial de San Jaime de Vila-Real en Castellón (foto: Tato Baeza, 2009).*

Guastavino sita en la calle Verónica 9 (Vegas y Mileto 2012, 135). Además, en la región existían otras fábricas: la calidad y velocidad de fraguado del cemento natural fabricado en la cercana ciudad de Novelda (Alicante) había difundido su uso hasta llegar incluso a Madrid (Espinosa 1859, 142).

Por último, no es intrascendente recordar que su padre, Rafael Guastavino Buch, trabajaba como ebanista para arquitectos y obras varias en Valencia, de modo que se podría afirmar que el joven Guastavino se había criado entre andamios, capazos, serrines y garlopas, adquiriendo una soltura en los materiales, las técnicas y los oficios de la construcción de la que se beneficiaría muy pronto (Vegas et al. 2017).

La formación reglada de Rafael Guastavino Moreno en Barcelona

En 1861, con 19 años, ya casado y con dos hijos a su cargo, Rafael se matriculó en la Escuela de Maestros de Obras (Montaner 1983, 24-5; Rotaeche 2013, 951-2). Elías Rogent i Amat (1821-1897) y José Casademunt i Torrents (1804-1866) eran responsables del primer curso. Joan Torras i Guardiola (1827-1910) coordinaba el segundo curso donde impartía directamente las asignaturas de *Materiales y Construcción* y *Mecánica*. Francisco de Paula del Villar y Lozano (1828-1901) era el responsable del tercer curso (Montaner 1983, 25). Aunque siempre tuvo predilección por las estructuras metálicas, Joan Torras dedicaba casi una cuarta parte de su asignatura a los morteros y sus conglomerantes (Farga Pellicer 1867-68). Entre ellos, trataba del cemento natural, que lo clasificaba como una cal hidráulica con mayor contenido en arcilla y la denominaba *cimento* como Matallana (1848, 90), pero no mentaba en absoluto el cemento artificial Portland (Farga Pellicer 1867-68, 149-151, 200-203).[1]

En 1867, Torras tenía todavía ideas equivocadas sobre el *cimento* que, según él, fraguaba bajo el agua pero no lo hacía a la intemperie. También utilizaba el vocablo *cemento* para nombrar a la puzolana artificial formada por la chamota o "*picadís* de arcilla cocida" que se empleaba para tornar el mortero de cal aérea en hidráulica (Farga Pellicer 1867-68, 184). Se puede afirmar que el conocimiento genérico aportado por Torras a Guastavino sobre morteros y conglomerantes le sería de gran utilidad en su vida profesional, pero no en lo relativo a los morteros de cemento, donde Guastavino tendría que formarse por cuenta propia, a través de su experiencia en obra. A la muerte de Torras en 1910, su biblioteca personal reflejaba todavía su prurito por las estructuras metálicas y, en cambio, no recogía ninguna publicación significativa sobre el cemento (Feliu 2011, 290-3).

Sea como fuere, Guastavino guardó un recuerdo entrañable de sus maestros Elías Rogent y Joan Torras, a quienes atribuyó la sugerencia de construir sus bóvedas cohesivas (Guastavino 1893a, 9). Sin embargo, también afirmó que "hasta el año 1868 los profesores de la Escuela de Barcelona (…) no comenzaron a prestar atención al modo de construcción cohesiva" (Guastavino 1893a, 42). Esto es, Rogent y Torras eran una excepción en la tónica general. Joan Torras parece también haberle sugerido la construcción imitando la sabiduría de las bóvedas concrecionadas de la naturaleza (Guastavino 1893a, 13).

Por otra parte, a mediados del siglo XIX, había varias fábricas de cemento natural de pequeño tamaño en Cataluña (Redondo 2013, 141), entre las que destacaban la producción en San Celoni (Barcelona), Figueras y San Juan de las Abadesas (Gerona) (Ballesteros 1869; Mayo 2015, 53). Esta producción dispersa solo servía para el abastecimiento local y no se exportaba a otras regiones.

Posibles referencias al cemento para Guastavino en la literatura de la época

En los años de formación de Rafael Guastavino se publicaban varias revistas. La *Revista de Obras Públicas*, fundada en 1853, nombra esporádicamente en sus artículos el cemento, especialmente el natural, fundamentalmente ligado a obras ingenieriles como puentes, muelles, etc. Un ejemplo es el citado sobre el cemento valenciano La Confianza (Redacción ROP 1855, 216). En todo caso, se puede estimar que no era necesariamente una publicación de referencia para arquitectos, sino más bien para ingenieros. Lo mismo se puede afirmar de la *Revista de Caminos Vecinales, Canales de Riego y Construcciones Civiles* (1863-1880). Los ocho escuetos números del periódico quincenal *La Arquitectura Española* (1866) apenas tienen referencias al cemento por su enfoque y falta de extensión y continuidad. El *Anuario de la Sociedad Central de Arquitectos* (1866 1868, 1869) tampoco se destaca por tratar del tema y, en cualquier caso, ya se solapa cronológicamente con el primer empleo del cemento por parte de Guastavino (Isac 1987; Ten y Celi 1996).

Su desconocimiento del idioma inglés[2] le impedía acceder a la literatura técnica inglesa de revistas y manuales que trataba el cemento. En cambio, su conocimiento del francés[3] sí le permitía acceder a la *Révue Générale d'Architecture et des Travaux Publiques*. Esta revista, que se publicó entre 1840 y 1888, fue una referencia internacional en el ámbito de la arquitectura, con múltiples suscripciones desde el extranjero. Además, como ya se ha demostrado (Vegas et al. 2020), Guastavino la conoció, consultó y extrajo de ella algunas de sus ideas.

En 38 años, entre el número I (1840) y el número XXXV (1878), la frecuencia con la que en la revista se nombran los aglomerantes es la siguiente: 481 veces el cemento, 1.008 veces la cal y 819 veces el yeso. En esas 481 ocasiones que nombra el cemento, 445 corresponden al natural y 36 al Portland. Todas estas alusiones evolucionan lentamente en el tiempo, sobre todo las relativas al cemento Portland (Tabla 1).

Tabla 1. *Número de veces que aparecen las palabras cemento natural (también denominado cemento romano o cemento-yeso), cemento Portland, cal y yeso en la Révue Générale d'Architecture et des Travaux Publiques entre 1840 y 1878 (elaboración propia).*

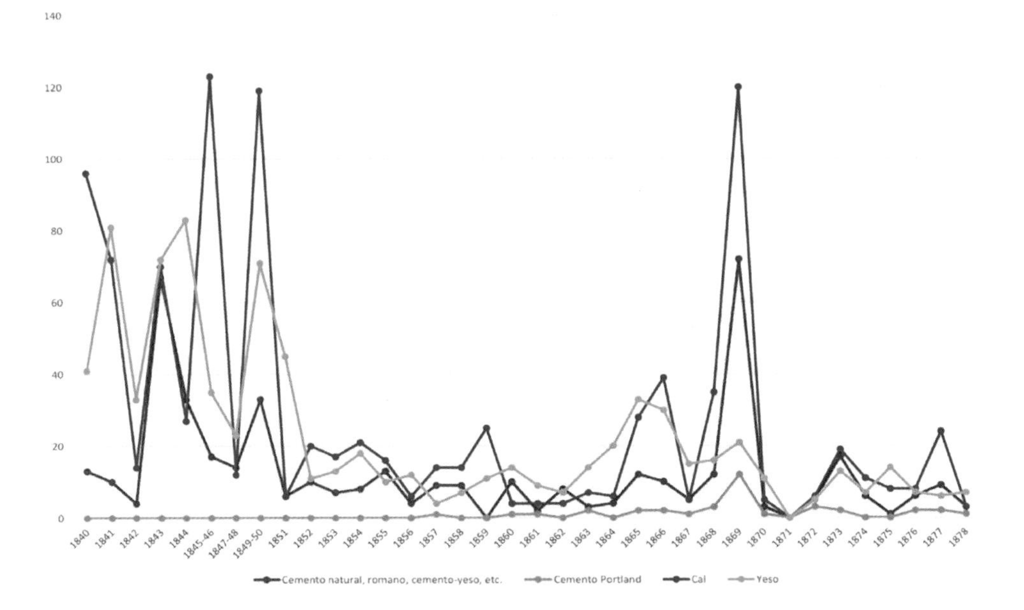

En esta revista, se puede destacar un artículo publicado en plenos estudios de Guastavino, que señala la construcción de bóvedas tabicadas rebajadas de dos estratos de rasilla recibidos ambos con mortero de cemento, -se sobreentiende natural-, para cubrir algunos depósitos de agua en Passy, en París (Daly 1862, 129-30), lo que implica que ya en aquella época se utilizaba la bóveda tabicada recibida con mortero de cemento natural para situaciones expuestas al agua. Son también interesantes algunos artículos posteriores que pueden haber marcado algunos de sus criterios profesionales, a juzgar por la similitud de los planteamientos y razonamientos.

A señalar el texto escrito por un ingeniero militar que defiende la cohesión de las bóvedas concrecionadas (*voûtes monolithes*) respecto al equilibrio de las formadas por dovelas (*voûtes en voussoirs*) que se pueden desarticular, y destaca especialmente las prestaciones de las bóvedas tabicadas con mortero de cemento que se transforman en una sola masa," (Cosseron de Villenoisy 1869, 146-53). En efecto, el paralelismo con los escritos posteriores de Guastavino donde defiende el concepto de la bóveda cohesiva o por asimilación frente a la bóveda mecánica o por gravedad (Guastavino 1893a, 46-50, entre otros) es incontestable.

En lo que atañe a los libros, el cemento brilla por su ausencia en los tratados españoles de Villanueva (1827); en las tres ediciones del libro de Fornés y Gurrea (1841, 1857, 1872), muy interesante por otra parte por su edición valenciana, su incidencia en las bóvedas tabicadas y la coincidencia de la 2ª edición con la estancia de Guastavino en Valencia; y en el vocabulario de Matallana, que únicamente nombra al *cimento romano* como equivalente a la cal hidráulica (Matallana 1848, 90).

Esta situación cambió radicalmente con la aparición del manual de Espinosa (1859), que vino a llenar un importante vacío en la literatura técnica escrita en castellano. Este manual incluye tipos de horno, fabricación y análisis químicos del comportamiento de las cales hidráulicas y cementos. Espinosa da fe del éxito creciente del cemento Portland (Espinosa 1859, 86), e incluso está al día de su fabricación en Boulogne-sur-Mer (Espinosa 1859, 87). También traza un panorama amplio de la producción antaño de cales hidráulicas y cemento en España. Significativamente, Espinosa señala también la posibilidad de construir bóvedas tabicadas, una técnica usada sobre todo en Cataluña para erigir escaleras y cubrir crujías de edificios rurales, no solo con yeso sino también cemento. Y no solo para el doblado, sino también para el primer estrato, si su fraguado era suficientemente rápido (Espinosa 1859, 284-5).

Existe además un interesante manuscrito del capitán de ingenieros Ramón de Ballesteros, que da la medida del estado del empleo de esta técnica en aquel momento y su eventual aparejado con cemento (Ballesteros 1869). Estas memorias redactadas por los ingenieros militares de la época priorizaban la atención en los nuevos materiales y novedades internacionales y buscaban reflejar soluciones concretas de posible aplicación a construcciones de ámbito militar (Ferreras 1998). Ballesteros señala la existencia de las bóvedas tabicadas con cemento mencionadas en los depósitos de Passy, en París, y otras similares en los depósitos de agua de Béziers y Agde, también en Francia, o Mers-el-Rebir cerca de Orán (Argelia). Además, señala la existencia de bóvedas similares en una fábrica de cemento romano de Vassy (Francia) y en la bóveda ojival de una iglesia de Barcelona (sin especificar cuál). A destacar que, salvo Passy en París y Vassy, que producían cemento romano, el resto de enclaves se encuentran en el ámbito histórico tradicional de las bóvedas tabicadas: Cataluña, el Languedoc-Rosellón y el Magreb. La luz de estas bóvedas reseñadas oscilaba entre 13,50 y los 18,60 m y su espesor, con dos o tres estratos de rasillas y un fino alisado de cemento superior, entre 8 y 11 cm. Si bien Guastavino difícilmente pudo acceder a este manuscrito, es interesante porque señala que la combinación de las bóvedas tabicadas con pasta o mortero de cemento tenía ya varios precedentes en 1869.

El cemento natural en la arquitectura de Guastavino

En el inicio de su carrera, Guastavino afirmó haber hecho unas tentativas con la construcción de hormigón en masa con cemento natural, en sus palabras "cemento mezclado con fragmentos de piedra, grava o arena" (Guastavino 1893a, 14), que descartó finalmente en favor de la bóveda tabicada recibida con cemento, que resultaba más fácil de ejecutar. Se desconoce en qué obra ensayó en el empleo del cemento romano para realizar hormigón en masa.

En la cimentación de la fábrica Batlló (1868-70), tuvo problemas reiterados con las diversas marcas de cemento romano que adquirió, porque el hormigón no llegaba a fraguar. Tras muchas pruebas, se fabricó un mortero hidráulico en obra de fraguado lento formado por dos partes de cal, dos de arena y tres partes de polvo de ladrillo (Guastavino 1893a, 57), siguiendo seguramente las enseñanzas obtenidas de su maestro Torras (Farga Pellicer 1867-68, 195). Esta experiencia negativa por la irregularidad del cemento romano, variable en sus características de marca a marca e incluso de saco a saco de un mismo fabricante, despertó en él seguramente el deseo de trabajar con un mortero artificial de cemento, el Portland que le ofreciera un resultado con garantías (Guastavino 1893a, 17, 42). En el resto de la fábrica Batlló, empleó un cemento semi-rápido de Gerona (Wight 1901a, 80), quizás el cemento romano de Figueras,[4] para doblar los revoltones del primer piso y los tableros del pavimento del edificio de hilaturas, y doblar con tres gruesos las bóvedas vaídas de los telares (Graus et al. 2008, 328-32). El empleo de cemento en pasta o mortero es significativo porque su precio era muy alto y la extensión de la fábrica notable, pero servía para garantizar la impermeabilidad e incolumidad de las bóvedas vaídas de la semienterrada sala de telares. En obras posteriores y hasta 1872, continuó empleando el mortero romano semi-rápido de Gerona (Wight 1901a, 80), tanto para el doblado de las bóvedas tabicadas, como para la decoración de fachada, como en la Casa Blajot (1871).

En Estados Unidos, Guastavino recurrió siempre que pudo al cemento Portland, pero existen algunas excepciones a esta regla. Por ejemplo, las bóvedas de Carnegie Hall en Nueva York (1890) están construidas con cemento natural con aditivos puzolánicos (Lane 2000, 37). Se desconoce la razón de esta elección, salvo por la eventualidad de que en aquella época la producción y la distribución del cemento Portland no estaba tan desarrollada en Estados Unidos frente a la del cemento natural. Incluso el promotor español José Francisco Navarro Arzac (1823-1910) tuvo que recurrir tanto al cemento Portland como al Rosendale durante la erección de los apartamentos Navarro frente a Central Park de Nueva York en la década de 1880 y la impredecibilidad en la calidad y la distribución de ambos le exasperó al punto de interesarse personalmente en la mejora de la fabricación del cemento Portland (Navarro 1904, 63), quién sabe si también espoleado por su propio compatriota Guastavino.

Por lo demás, Guastavino propuso el empleo del hormigón de cemento Rosendale como eventual relleno para las enjutas de las bóvedas, como alternativa a la solución construir tabiquillos en el trasdós para soportar el tablero del pavimento (Guastavino 1893a, Lám. I). Sin embargo, este conglomerado formado por piedra, grava y cemento, a menudo mezclado con cenizas o carbonilla, no era apreciado por Guastavino como material de construcción estructural o permanente (Guastavino 1904, 17).

Guastavino reconocía la calidad del cemento Rosendale y apreciaba su fraguado más rápido que el Portland, pero le reprochaba su bajo contenido de silicato y el uso incorrecto de que era objeto por parte de los albañiles de antaño, que lo manipulaban y utilizaban como si tratara de cal o como si fraguara a la velocidad más lenta del Portland, dejando la masa mezclada durante horas o incluso hasta el día siguiente (Guastavino 1904, 43). De este modo, no se aprovechaba nunca su primer fraguado hidráulico, sino solo el denominado segundo fraguado aéreo, en realidad el endurecimiento producido por la carbonatación del hidróxido de calcio, mucho más lento, de meses de duración y con necesaria exposición al dióxido de carbono del aire. El lento e imperfecto o inacabado endurecimiento en el interior de la fábrica podía congelarse en invierno y provocar colapsos y accidentes (Guastavino 1893b, 128). Guastavino también se escandalizaba de la costumbre arraigada de añadir algo de cal al mortero de cemento para aparejar los ladrillos con un clima helado (Guastavino 1896, 21).

La piedra artificial de cemento en la obra de Guastavino

Guastavino también empleó el cemento natural semi-rápido de Gerona (Wight 1901a, 80) para la creación de un friso en fachada de la Casa Blajot (1871) con la historia de los progresos de la humanidad (Rogent y Doménech 1897, 161) que, curiosamente, parece inspirado en el frontispicio de la revista *Revue Générale de l'Architecture et des Travaux Publics* (fig. 2). El escultor Rosendo

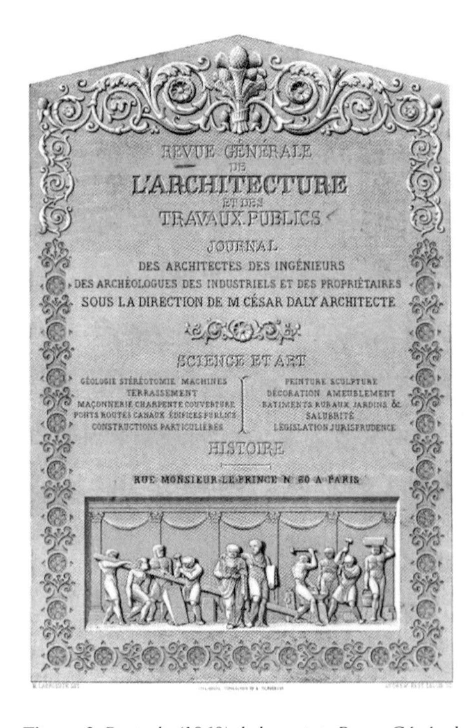
REVUE GÉNÉRALE
DE
L'ARCHITECTURE
ET DES
TRAVAUX PUBLICS
JOURNAL
DES ARCHITECTES DES INGÉNIEURS
DES ARCHÉOLOGUES DES INDUSTRIELS ET DES PROPRIÉTAIRES
SOUS LA DIRECTION DE M CÉSAR DALY ARCHITECTE
SCIENCE ET ART
GÉOLOGIE STÉRÉOTOMIE MACHINES
TERRASSEMENT
MAÇONNERIE CHARPENTE COUVERTURE
PONTS ROUTES CANAUX ÉDIFICES PUBLICS
CONSTRUCTIONS PARTICULIÈRES
PEINTURE SCULPTURE
DÉCORATION AMEUBLEMENT
BATIMENTS RURAUX JARDINS &c
SALUBRITÉ
LÉGISLATION JURISPRUDENCE
HISTOIRE
RUE MONSIEUR-LE-PRINCE N 30 A PARIS

Figura 2. *Portada (1869) de la revista Revue Générale de l'Architecture et des Travaux Publics, cuyo frontispicio parece haber inspirado el friso con la historia de los progresos de la humanidad diseñado por Rafael Guastavino para la Casa Blajot (1871) (New York Public Library).*

Figura 3. *Casa Blajot (1871) de Rafael Guastavino, apenas construida, con la presencia del friso sobre la entrada principal (ÁLVAREZ, F., 1872-1874. Álbum fotográfico de los monumentos y edificios más notables que existen en Barcelona. Barcelona: Tipografía de L. Obradors y P. Sulé. Arxiu fotogràfic de Barcelona).*

Nobás i Ballbé (1838-1891) se encargó del modelado en arcilla para la creación del molde donde verter el cemento romano (Wight 1901a, 81) en forma de pasta, sin árido, a juzgar por la información observable en la última restauración[5] (Marí 2014) (fig. 3). La decoración en piedra artificial con cemento romano constituía una novedad en España. A nivel internacional, el inventor británico F. Ransome (1818-1891) ostentaba una patente de fabricación y había creado la Patent Concrete Stone Company en 1865, que se había exhibido en la Exposición de París de 1867 (Lavezzari 1869; Ferrand 1870). El profesor Joan Torras se había hecho eco en el curso 1867-1868 de estos recientes experimentos, pero la técnica era muy reciente y todavía por introducir en el mercado (Farga Pellicer 1867-68, 212-217).

Asimismo, la cuarta patente concedida a Guastavino en Estados Unidos (Guastavino 1888) incluía losetas decorativas en bajorrelieve prefabricadas de cemento, sin indicar si era natural o artificial, que se aparejaban en arco para formar revoltones de forjados de viguetas metálicas cuya ala inferior quedaba protegida también por una moldura prefabricada de cemento (fig. 4).

Si bien Guastavino despreció posteriormente el empleo de la piedra artificial de cemento por el tratamiento químico de antaño mediante ácido sulfúrico, cuya acción aumentaba el sulfato cálcico tornando el material más perecedero (Guastavino 1904, 17), tras su muerte, su hijo recurriría a la piedra artificial para brindar mejoras acústicas a sus bóvedas. En efecto, junto

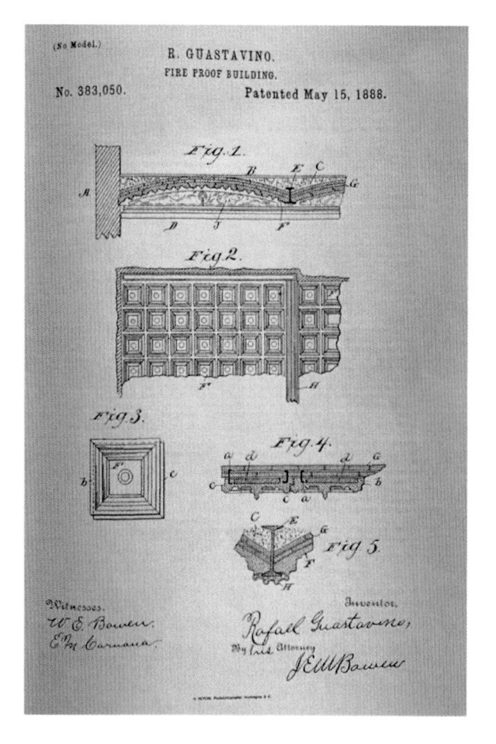

Figura 4. *Patente de bóvedas ignífugas decoradas con plaquetas decorativas de piedra artificial a base de cemento. Fire-proof building. May 15, 1888. Inventor: Rafael Guastavino. United States Patent Office (APT Bulletin Vol. XXX, n. 4, 1999).*

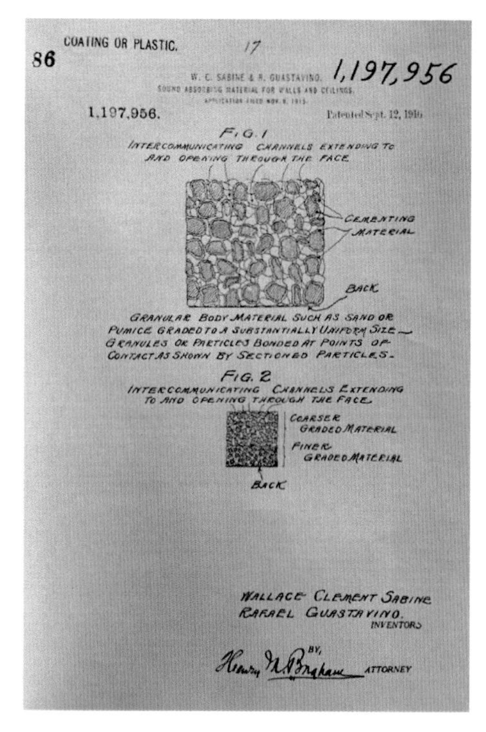

Figura 5. *Patente de la plaqueta Akoustolith conformada por fraguado de cemento con piedra pómez con granulometría homogénea en modo de dejar muchos huecos aptos para la absorción. Sound-absorbing material for walls and ceilings. Sept. 12, 1916. Inventors: Wallace Clement Sabine and Rafael Guastavino. United States Patent Office (APT Bulletin Vol. XXX, n. 4, 1999).*

con el ingeniero W.C. Sabine (1868-1919), tras la primera experiencia semifallida de cerámica acústica Rumford (1914), fabricó las plaquetas acústicas denominadas Akoustolith (1916), que no eran fruto de una cocción cerámica, sino del fraguado del cemento Portland con árido grueso seleccionado de piedra pómez (fig. 5) (Pounds et al. 1999). La porosidad necesaria para garantizar las virtudes acústicas que generaba una cierta fragilidad e irregularidad en la cerámica Rumford se gestionaba con mayor seguridad, solvencia y economía en el conglomerado cementicio de granulometría controlada de la plaqueta Akoustolith. Guastavino padre, que reseñó en vida el empleo de la piedra pómez en los cementos de la Antigüedad romana (Guastavino 1893b, 126; Guastavino 1904, 69), no llegó a imaginar que su hijo la emplearía para producir piedra artificial con virtudes acústicas.

El cemento artificial Portland en la arquitectura de Guastavino

En 1872, Guastavino importó cemento Portland desde Inglaterra para la construcción de su propia casa en la calle Aragón de Barcelona (fig. 6) (Wight 1901a, 80). Este hecho inusitado da la medida de la trascendencia que le concedía Guastavino a este cemento, ya que consta que en 1870 la única ciudad española que comercializaba cemento Portland inglés era Sevilla (Valdés 1870, 660-73). El alto precio del Portland importado y los aranceles añadidos a esta importación para proteger la producción de cemento romano local dificultaron su adquisición y empleo (Redacción DH 1878; Guastavino IV 2006, 7). Guastavino reaccionó ante estas dificultadas promoviendo la producción de cemento Portland en España. El arquitecto había comprado en 1871 unos terrenos en Almudévar (Huesca) para crear una explotación vitivinícola. Al pie de la vecina estación de tren de Tardienta se erguía la fábrica de yeso y cemento romano de Rafael Montestruc (fig. 7), a quien Guastavino regaló el libro de Vicat (1818) e instruyó personalmente para fabricar cemento Portland. Las obras que realizó el arquitecto a partir de mediados de la década de 1870 emplearon cemento Portland de la fábrica de Montestruc (Wight 1901a, 80). La experiencia no trascendió, porque en 1885 Pardo afirmaba que el cemento Portland no se fabricaba en España (Pardo 1885, 81), aunque por otro lado en 1893 Guastavino afirmaba conocer el precio del

Figura 6. *Casa propia de Rafael Guastavino en Barcelona (1872-1875) construida con amplias bóvedas tabicadas recibidas con mortero de cemento Portland importado desde Inglaterra, que cubrían habitaciones enteras (cliché original de Rafael Guastavino, 1881, propiedad de los autores).*

Figura 7. *Estado actual de la fábrica de Rafael Montestruc en Almudévar (Huesca), que produjo cemento artificial Portland en la década de 1870 con la ayuda de Rafael Guastavino (Víctor Cantero, 2016).*

Figura 8.

cemento Portland local español, (probablemente el Portland de Montestruc, a razón de 3$ por barril, frente a los 2,5$ que costaba en Estados Unidos (Guastavino 1893a, 119-20).

En 1881 Guastavino emigró a Estados Unidos en busca de éxito, pero también, supuestamente y según su testimonio, por la calidad superior y garantías de su cemento Portland (Wight 1901b, 101). Pero la producción de cemento Portland era limitada respecto a la preponderante producción de cemento Rosendale y la situación era tal que algunos fabricantes estadounidenses de Portland llegaban a estampar en sus sacos falsas marcas europeas por el mayor prestigio de estas (Hadley 1945, 17).

Guastavino necesitaba conocer exactamente la calidad y prestaciones del cemento Portland a emplear (Guastavino 1893a, 17). Sin embargo, en las últimas dos décadas del siglo XIX, las prestaciones y la velocidad de fraguado de las diversas marcas de cemento Portland estadounidenses adolecían de resultados fidedignos y regularidad matemática (Guastavino 1893a, p. 43).

En sus primeras obras en Nueva York, como los apartamentos de la Av. Columbus (1883) y el Arion Club (1886), a falta de confianza en los cementos Portland estadounidenses, producidos entonces todavía en hornos de carga discontinua[6], Guastavino optó por recibir los dos primeros estratos de la bóveda tabicada con yeso y las tres siguientes con mortero de cemento Portland (Wight 1901c, 185; Wight 1901d, 214).

El mismo Guastavino reconocía la deuda con los fabricantes ingleses de cemento Portland por su mayor seguridad y vaticinaba que, cuando se pudiera producir Portland de manera segura en Estados Unidos, su precio

***Figuras 8** (pág. anterior) y **9**. Bóvedas tabicadas de la fábrica Asland en el Clot del Moro, Castellar de n'Hug, Barcelona, concebida a instancias de la sugerencia y contacto que estableció Rafael Guastavino entre Eusebi Güell y José Francisco Navarro. Diseñada por el mismo Guastavino desde su oficina en Nueva York, se debió construir con cemento fabricado in situ en hornos verticales tradicionales, a la espera de la instalación de los hornos horizontales rotatorios suministrados por la entonces recién creada empresa Allis-Chalmers e importados desde Estados Unidos, que permitieron la producción masiva de cemento artificial Portland en España (Vegas & Mileto, 2018).*

habría sido un 20% más barato que el inglés (Guastavino 1893a, 146). Esta situación llegaría con la consolidación de la producción en los hornos horizontales rotatorios de Navarro al filo del siglo XX (Hadley 1945). Guastavino contactó con Eusebi Güell desde Estados Unidos para proponerle la creación de una fábrica de cemento artificial Portland en Barcelona (fig. 8) a partir de la patente de hornos horizontales de Navarro (Redacción El Financiero 1924, 196), con lo que se puede afirmar que no solo pilotó la primera producción española de cemento Portland en la década de 1870, sino que también promovió en España la producción moderna de cemento Portland.

Composición y puesta en obra de los morteros de Guastavino

Lo que es cierto en cualquier caso es que Guastavino controlaba minuciosamente la proporción de los materiales en sus morteros de cemento y el proceso de mezcla y ejecución. Prefería el empleo de árido anguloso o de machaqueo frente al árido redondeado, porque aumentaba la resistencia de la estructura interna del mortero (Guastavino 1904, 28; Lane 2000, 31). Disciplinado por la importancia del agua en las pasteras de yeso, estaba atento a la proporción de agua de la mezcla y usaba ladrillos porosos que permitieran absorber el eventual exceso de agua del mortero de cemento Portland (Guastavino 1893a, 144).

Es interesante apuntar que Guastavino aceleraba el fraguado del mortero de cemento Portland calentando el árido para deshidratarlo y forzar una mayor avidez al agua o, simplemente, para elevar la temperatura de la mezcla y acelerar el fraguado (Guastavino 1890b). El ingeniero Lavezzari, cuyos artículos de química parecía seguir Guastavino (Vegas et al. 2020), había sugerido un procedimiento similar en un artículo de 1866. Lavezzari proponía elevar la temperatura de los componentes de un mortero hidráulico, lo que favorecía la combinación química y aumentaba hasta veinte veces la velocidad de fraguado. Sugería además otros acelerantes de fraguado de los morteros hidráulicos, como la cal viva en polvo o el yeso, que había experimentado con gran éxito (Lavezzari 1866, 175-7), si bien no nos consta que Guastavino los empleara.

En todo caso de octubre a abril, la época más fría del año, además de calentar el árido, Guastavino encarecía el empleo exclusivo de cemento Portland para aprovechar su fraguado hidráulico. Este mortero era fiable, no requería exposición al aire para fraguar y permitía acelerar el proceso (Guastavino 1893a, 110). La proporción prescrita para esta época era de 1:2 cemento Portland y arena angulosa y lavada, que fraguaba incluso hasta 6 grados bajo cero (Guastavino 1893b, 128).

Se debe destacar que, en otras ocasiones documentadas, como el test de las bóvedas contra incendios que realizó a instancias del Buildings Department de Nueva York en 1897, empleó una proporción de una parte de cemento Portland por cada parte de arena de Cow Bay (Parks y Neumann 1996, 29), proporción quizás debida a la necesidad de soportar mejor el fuego. En esta prueba, el Portland fue importado desde Inglaterra porque Guastavino no se fiaba del Portland local y no quería arriesgar un resultado fallido (Lane 2000, 18, 31-2).

Guastavino hijo heredó todos los arcanos de su padre. En 1909, la construcción de la cúpula de St. John the Divine, sin andamio, desde el trasdós, apoyándose en los tramos construidos el día anterior inclinados sobre el vacío, es una buena muestra de la confianza en el resultado de sus materiales y proceso de mezcla y ejecución. Tras un primer estrato probablemente recibido con pasta de yeso mezclado con muy poca agua para aumentar la resistencia,7 el mortero de cemento prescrito en la cúpula lucía una proporción de 1 de cemento por cada 2,5 de árido, similar a la empleada en otras bóvedas, mientras que el mortero usado en sus fábricas era de 1 de cemento por cada 3 de árido, diferencia que brinda una idea la precisión de sus prescripciones (Lane 2000, 29-31).

Otro tipo de mortero diferente empleado por la empresa Guastavino era el requerido para aplacar el intradós con un patrón decorativo, un azulejo eventualmente esmaltado o una baldosa acústica. En la cúpula del Parlamento de Nueva Delhi (India), Guastavino hijo a través de Blodgett recomendó emplear un mortero con una proporción de 3 partes de cal y 8 de árido, una pequeña cantidad de cemento Portland añadido a sentimiento (Blodgett 1923).

Conclusión

Parece que la única clave de todo el proceso radicaba en conocer muy bien la materia prima que empleaba y mezclar cemento con buena arena seca y limpia de arcilla o polvo. De todas formas, en un mundo competitivo como Estados Unidos, la falta de un secreto en especial parecía la mejor razón para generar misterio en torno a la composición del mortero y así proteger la exclusividad de las patentes sobre el sistema constructivo (Lane 2000, 28-9). A pesar de las indicaciones que dejó Guastavino en sus presupuestos, proyectos y escritos, revistas de la época como *Science* afirmaban que la composición exacta de los morteros era un secreto (Redacción S. 1890, 137).

Guastavino fue un pionero en el empleo y la promoción del cemento Portland, no solo en España, donde pilotó la primera producción de este cemento en hornos de carga discontinua 25 años antes de lo que indica la bibliografía oficial, sino también en Estados Unidos, donde su trayectoria discurrió en paralelo con la creación y consolidación de la producción de cemento en hornos horizontales rotatorios por parte de su compatriota José Francisco Navarro, para cuya difusión en España sirvió además de mediador en la fábrica Asland. No en vano poseyó un conocimiento químico y destreza en la manipulación del material que le permitieron el desarrollo junto con su hijo de una obra que sorprende hoy todavía.

Notes

1. No se puede conocer el contenido de las clases de Construcción que impartía el profesor Joan Torras Guardiola en el curso 1862-1863 (Rotaeche, 2013, 953) que estuvo matriculado como alumno Rafael Guastavino Moreno, pero sí se puede tener una aproximación bastante certera a través de los apuntes manuscritos tomados por el alumno Rafael Farga Pellicer de esta asignatura en el curso 1867-1868 que se conservan en el archivo histórico de la Escuela Técnica Superior de Arquitectura de Barcelona.
2. Se sabe que Guastavino no conocía el inglés antes de emigrar a EEUU (Guastavino IV, 2006, X, 11-2), y no lo llegó a dominar (Blodgett, 1938, 20).
3. Se sabe que Guastavino conocía el francés de manera indirecta por dos motivos: en primer lugar, su conocimiento del libro de Louis Vicat (1818) (Wight, 1901, 80); en segundo lugar, porque se matriculó en el primer curso de la Escuela Politécnica Provincial de Barcelona en 1871, y uno de los requisitos de entrada era el conocimiento del francés (Rotaeche, 2013, 956).
4. En un artículo previo, los autores especulaban con que el cemento fuera producido por el empresario Ignacio Girona y Agrafel (1824-1889) en las Minas de la Granja de Escarpe (Lleida), dados los errores que existen en este artículo de Wight, pero el testimonio de Espinosa (1859, 135), permite conocer que existía producción de cemento en la provincia de Gerona que encajaría en estas características.
5. Agradecemos a Pedro Tojeiro del Institut Municipal de Paisatge Urbà de Barcelona la información proporcionada.
6. El pionero David O. Saylor fue el único productor de cemento Portland en Estados Unidos hasta 1885, y su empresa, Coplay Cement Company, solo instaló los primeros hornos de carga continua en 1893, que estuvieron activos hasta 1904, cuando la producción fue desbancada por los hornos rotatorios de Navarro.
7. De la observación directa y táctil de la cúpula por el intradós por parte de los autores durante unas obras de reparación en 2006 se puede afirmar que el primer estrato estaba recibido con una pasta, no con un mortero, ante la falta de árido, probablemente de yeso, ya que es muy dudoso que Guastavino hijo confiara el primer estrato a la resistencia de una pasta de cemento Rosendale en una obra tan comprometida.

Referencias

BALLESTEROS, R. (1869). *Bóvedas tabicadas y otras aplicadas a construcciones modernas*. En REDONDO, E. 2013. Op.cit., 465-80.

BASSEGODA NONELL, J. (1973). *Los maestros de obras de Barcelona*. Barcelona: Eds. Técnicos Asociados.

BLODGETT, W.E. (1923-10-01). *Letter to Baker*. RIBA. V&A. BaH/61/1.

BLODGETT, W.E. (1938). *Memoirs*. Inédito.

COSSERON DE VILLENOISY. (1869). "Remarques sur les théories les plus répandues de la poussée des terres et de la poussée des voutes". *Revue Générale de l'Architecture et des Travaux Publics*, Vol. XXVII, 146-53.

DALY, C. (1862). "Panorama du Mouvement Architectural du Monde. France". *Revue Générale de l'Architecture et des Travaux Publics*, Vol. XX, 112-32.

ESPINOSA, P.C. (1859). *Construcciones de albañilería*. Madrid: Severiano Baz.

FARGA PELLICER, R. 1867-68. *Lecciones de construcción (dictadas por el Profesor Joan Torras Guardiola). Curso de 1867 á 68*. Academia de Bellas Artes de Barcelona. Barcelona: inédito.

FELIU, A. (2011). "La biblioteca personal de Joan Torras Guardiola". En FELIU, A. & VILANOVA A. (ed.), *La Barcelona de ferro*. Barcelona: MUHBA et al., 290-3.

FERNÁNDEZ, M. (2006). *La fábrica de ciment Asland de Castellar de n'Hug*. Barcelona: MNACTEC.

FERRAND, S. (1870). *Étude critique. Les ciments hydrauliques. Le passé, le present, l'avenir*. Reseñado por LAVEZZARI, É. 1872. Revue Générale de l'Architecture et des Travaux Publics, Vol. XXIX, 236-8.

FERRERAS, F.J. (1998). "Las memorias del Cuerpo de Ingenieros Militares". BORES, F. et al. *Actas del 2° CNHC*. Madrid: Inst. Juan de Herrera et al., 165-71.

FORNÉS y GURREA, M. (1982) [1841] *El arte de edificar*. Madrid: Poniente.

GRAUS, R. ROSELL, J. y M. VILLAVERDE (2008). *L'Escola Industrial de Barcelona. Cent anys d'ensenyament tècnic i d'arquitectura*. Barcelona: Diputació et al.

GUASTAVINO, R. (1888). "Fire-proof building". US Patent Office, n. 383.050, *APT Bulletin* vol. 30, n° 4, 59-156.

GUASTAVINO, R. (1890a). "Details of fireproof factory". *The American Architect and Building News* vol. XXVII, n° 739. 22 Feb. Lám. I.

GUASTAVINO, R. (1890b). "Construction of Tiled Arches for Ceilings, Staircases, etc." US Patent Office, n° 430.122, *APT Bulletin* vol. 30, n° 4, 59-156.

GUASTAVINO, R. (1893a). *Essay on the theory and history of cohesive construction applied especially to the timbrel vault*. Boston: Ticknor and Co.

GUASTAVINO, R. (1893b). "Cohesive Construction. Its pasts, its present, its future". *The American Architect and Building News*. Agosto 26, 125-9.

GUASTAVINO, R. (1896). *Prologomenos on the function of masonry in modern architectural structures. Part I*. New York: Record and Guide Press.

GUASTAVINO, R. (1904). *The function of masonry in modern architectural structures. Part II*. Boston: America Printing Co.

GUASTAVINO IV, R. (2006). *An Architect and his Son*. Maryland: Heritage Books.

HADLEY, E.J. (1945). *The magic powder: history of the Universal Atlas Cement company and the cement industry*, New York: G.P. Putnam's Sons.

ISAC, Á. (1988). *Eclecticismo y pensamiento arquitectónico en España (1846-1919)*. Granada: Dip. Provincial.

LANE, D.R. (2000). *Putting Guastavino in context: a scientific and historic analysis of his materials, methods and technology*. Tesis inédita. NYC: Univ. of Columbia.

LAVEZZARI, É. (1866). "Un mot de chimie a propos des mortiers". *Revue Générale de l'Architecture et des Travaux Publics*, Vol. XXIV, 172-8.

LAVEZZARI, É. (1869). "Exposition Universelle de 1867. Les chaux, les ciments et les matériaux artificiels". *Revue Générale de l'Architecture et des Travaux Publics*, Vol. XXVII, 264-73.

MARÍ, J.C. (2014). *Restauració d façanes principals de la Casa V. Blajot*. Barcelona: inédito.

MATALLANA, M. (1848). *Vocabulario de arquitectura civil*. Madrid: F. Rodríguez.

MAYO CORROCHANO, C. (2015). *El cemento natural en el Madrid de los siglos XIX y XX*. Tesis doctoral inédita. Madrid: UPM.

MONTANER, J.M. (1983). *L'ofici de l'arquitectura*. Barcelona: UPB.

NAVARRO, J.F. (1904). *Sixty-six business record*, New York: L.H. Biglow & C.

NEWBY, F. (2001). Early Reinforced Concrete. Vol. 11, *Studies in the History of Civil Engineering*. Brown, J. (ed). Aldershot-Hampshire: Ashgate.

PARDO, M. (1885). *Materiales de construcción*. Madrid: M. Tello.

PARKS, J. & NEUMANN, A.G. (1996). *The Old world builds the New. The Guastavino Company and the technology of the catalán vault, 1885-1962*. New York: Columbia University.

POUNDS, R., RAICHEL, D. & WEAVER, M. (1999). "The Unseen World of Guastavino Acoustical Tile Construction: History, Development, Production", *APT Bulletin* vol. 30, n° 4, 33-9.

REDACCIÓN DH. (1878). *Diario de Huesca*, 16 marzo.

REDACCIÓN *El Financiero*, Años XXIV, Octubre de 1924, p. 196.

REDACCIÓN ROP. (1855). "Noticias varias". *Revistas de Obras Públicas* 18, 216.

REDACCIÓN S. (1890). "A new system of fire-proof floor-construction". *Science* vol. 15, n. 369 (feb. 28, 1890), 137-138.

REDONDO MARTÍNEZ, E. (2013). *La bóveda tabicada en España en el siglo XIX: La transformación de un sistema constructivo.* Tesis doctoral inédita. Madrid: UPM.

ROGENT PEDROSA, F. & DOMÉNECH i MONTANER, L. (1897). *Arquitectura moderna de Barcelona,* Barcelona: Parera y Cia.

ROTAECHE, M. (2013). "Rafael Guastavino Moreno, maestro de obras en España: del taller de sastrería al Privilegio de Invención". *Actas 8º CNHC.* Madrid: Inst. Juan de Herrera, 949-60.

TEN, A.E. y CELI, M. (1996). *Catálogo de las revistas científicas y técnicas publicadas en España durante el siglo XIX.* Valencia: Universitat de València – CSIC.

VALDÉS, N. (1870). *Manual del ingeniero y del arquitecto.* 2ª ed. Madrid: G. Alhambra.

VEGAS, F., & MILETO, C. (2012). "Guastavino y el eslabón perdido" en AAVV. *Construyendo bóvedas tabicadas*. Valencia: UPV, 133-156.

VEGAS, F., MILETO, C., CANTERO, V. (2017). "El arquitecto Rafael Guastavino (1842-1908): obra en cuatro actos". *Ars Longa* nº 26, 209-30.

VEGAS, F., CANTERO, V. MILETO, C. (2019). "La construcción según Juan José Nadal". HUERTA, S., GIL, I. *Actas del 11º CNHC*, 1115-22.

VEGAS, F., MILETO, C., CANTERO, V. (2020). "Aproximación al higienismo en la arquitectura de Rafael Guastavino". *Ars Longa* nº 29, 201-218.

VICAT, J.L. (1818). *Recherches expérimentales sur les chaux de construction, les betons et les mortiers ordinaires*. París: Goujon.

VILLANUEVA, J. [1827] (1977). *Arte de la albañilería*. Madrid: Casariego.

WIGHT, P.B. (1901a). "The Works of Rafael Guastavino I". *The Brickbuilder* 10, April: 79-81.

WIGHT, P.B. (1901b). "The Works of Rafael Guastavino II", *The Brickbuilder* 10, May: 100-2.

WIGHT, P.B. (1901c). "The Works of Rafael Guastavino III", *The Brickbuilder* 10, Sept.: 184-8.

WIGHT, P.B. (1901d). "The Works of Rafael Guastavino IV", *The Brickbuilder* 10, Oct.: 211-4.

Columbia University. St. Paul's Chapel (Machado 2014)

ISBN. 978-84-9048-827-0

Comportamiento estructural de las cúpulas tabicadas

René Machado
Socio colaborador Vault Zafra

Abstract

This article treats on the structural analysis of the tile domes so much of one as of two leaves and, especially, of the relation between its behavior and its geometry. This tile domes are composed by a material essentially discontinue and anisotropic, in this case, conformed by an assembly of pieces of small dimensions with regard to the global dimensions of the structure. The analysis of these in no case can be considered as that of a continuous and elastic element, since the resistance relationship is due to equilibrium and geometry, never to an elastic behavior.

Keywords: *Domes, timbrel, geometry, structures.*

Resumen

Este artículo trata sobre el análisis estructural de cúpulas tabicadas de una o dos hojas y de la relación de su comportamiento con la forma del elemento. Estas bóvedas de ladrillo están compuestas por materiales esencialmente anisótropos, formadas por pequeñas piezas que componen la globalidad de la estructura. El análisis de estas en ningún caso se puede considerar como el de un elemento continuo y elástico, ya que la relación de resistencia se debe al equilibrio y la forma, por lo que nunca responde a un comportamiento elástico.

Palabras clave: *Cúpulas, tabicadas, forma geométrica, estructura*

Introducción

Como en toda construcción, el formato conceptualmente válido para el tratamiento de las estructuras consiste en comparar las solicitaciones con las capacidades resistentes. Lo primero se resuelve con el tan justamente ponderado análisis estructural, dotado hoy de herramientas poderosas, pero que deben emplearse con mucho juicio y haciendo uso de diferentes aproximaciones.

El análisis estructural de elementos de fábrica requiere de metodologías especiales adaptadas a estructuras que no son medios continuos, ni están formadas por materiales que resisten tan bien a tracción como a compresión. Son estructuras discontinuas, capaces de resistir elevadas compresiones, pero incapaces de resistir tracciones simples, aunque movilizan mecanismos resistentes.

En el análisis se tiene en cuenta el nivel de incertidumbre relativo a las condiciones y al estado de los elementos. A estos efectos, se ajusta la dispersión asumida, entre otros, para la capacidad portante de los elementos.

Con todos estos datos y el análisis referido, se puede determinar con gran precisión cuál es el comportamiento del elemento ante las solicitaciones e incluso, se puede determinar la metodología de reparación y/o refuerzo necesario para que el elemento funcione de manera segura.

El coeficiente de seguridad es geométrico (no tensional) y vendrá expresado de forma porcentual, siendo determinado por la hipótesis de alineación de las articulaciones que indica cual es el punto de colapso o estado límite del elemento basándonos en la "Teoría de los Estados Límite" de Jaques Heyman (Heyman 1999). Con la forma definida, el estado de cargas fijado, y siguiendo los principios de Jacques Heyman, se escoge una "línea de fuerza" (Heyman 1999) de entre todas las que cumplan el Teorema de Seguridad, la que menor empuje horizontal produzca. Dicha "línea de fuerza" nos ofrece varios resultados: Primero las reacciones en los apoyos. Segundo la tensión de trabajo en cada punto del elemento. Tercero el coeficiente de seguridad geométrico en cada punto del elemento. Cuarto los puntos críticos, aquellos los que el coeficiente de seguridad geométrico es mínimo, siendo los puntos donde se producirán las articulaciones y consecuentemente donde aparecerán las grietas.

El comportamiento del arco según Heyman admite un criterio de análisis basado en el método de los cortes, usando porciones de bóveda. Esta técnica de división de segmentos puede extenderse a cualquier tipo de bóveda. Los segmentos deben ser simétricos al eje central, a través del cual corre la línea de fuerza de empuje, línea de fuerza coplanar contenida en el plano medio, que actúa como eje de simetría.

Para el análisis de la cúpula hemisférica y sus derivados se toma un segmento en forma de cuña, una porción o sección de la cúpula extendida en la tercera dimensión con un espesor variable que alcanza su valor máximo en el arranque y mínimo en la clave, también con plano de simetría central. Alrededor del segmento del eje coplanar circula una línea de empuje de fuerza. Esta línea, también llamada línea de empujes, es el lugar de cruce de la resultante por un sistema de planos de corte dados. En el caso de las cúpulas debe considerarse además que cada uno de ellos está soportado en el siguiente generando así un valor de empuje radial fundamental para el establecimiento del equilibrio.

Teoría plástica

La teoría elástica (Coulomb) (Baker 1956) determina que la deformación de un elemento estructural es proporcional a la acción que se ejerce sobre él.

La teoría plástica se basa en los principios de Gvozdev (Gvozdev 1938). Este advierte que sólo se pueden escribir tres tipos de ecuaciones. En primer lugar, las ecuaciones de equilibrio; en segundo, las condiciones de transferencia (ninguna de las tensiones internas debe exceder la presión límite del material); y en tercer lugar algún mecanismo de deformación debe ocurrir en el colapso de la estructura.

Jacques Heyman

En 1966 Heyman publicó su artículo "El esqueleto de piedra" (Heyman 1966) donde con enorme originalidad y lucidez explica la adaptación de la teoría plástica al campo de la construcción de fábrica tradicional. Esta teoría constituye hasta ahora el modelo más cercano a la realidad para muchos investigadores. Heyman (Heyman 1999) estableció los siguientes principios para las estructuras de fábrica:

1. La piedra no tiene resistencia a la tracción.
2. La resistencia a compresión de la piedra es infinita
3. No se produce deslizamiento de una dovela sobre otra.

Las dovelas solo transmiten compresiones, aunque exista mortero entre las piezas, se considera que no transmiten tracciones. Entre las dovelas hay una fricción que le impide deslizarse una contra otra. Cuando aparece una tensión de tracción se forma una grieta y, en consecuencia, inmediatamente desaparece ese esfuerzo, que no puede ser transmitido a la pieza contigua. La tensión de trabajo es mínima. El material trabaja a tensiones bajas y nunca alcanza la tensión máxima de rotura a efectos de cálculo. De hecho, se puede considerar que la compresión de trabajo es infinita, según Heyman (Heyman 1999).

Las cúpulas

Se ha desarrollado una metodología que intenta acreditar las hipótesis anteriormente expuestas para el caso de las cúpulas. Esta consiste en sistematizar el análisis del comportamiento estructural de las cúpulas, sobre la base de la Teoría de los Estados Límite de Jacques Heyman (Heyman 1999). Se aplica esta metodología a estructuras de forma diferente, los resultados contrastados se comparan la relación entre geometría y comportamiento, y tratando de definir la relación en términos numéricos. En definitiva, se pretende acreditar que el modelo a escala se comporta como el modelo numérico para dar credibilidad a este último y poder usarlo para predecir de manera teórica el comportamiento de estos elementos.

Utilizando la metodología de segmentación desarrollada por el profesor Manuel Fortea y la herramienta de cálculo CARYBO (Fortea Luna 2013), se pretende definir en términos numéricos el comportamiento de cada una de las piezas y de su montaje, lo que permite obtener un modelo capaz de predecir el comportamiento del elemento antes de las acciones a las que este puede ser expuesto.

Esta técnica de división de gajos puede extenderse a cualquier tipo de bóveda. Los gajos deben ser simétricos al eje central, a través del cual corre la de empuje. Línea de fuerza coplanar contenida en el plano medio, que actúa como eje de simetría.

La cúpula hemisférica, y sus derivados, producen un segmento en forma de cuña. Es una sección de la cúpula extendida en la tercera dimensión con un valor variable. Arco de espesor

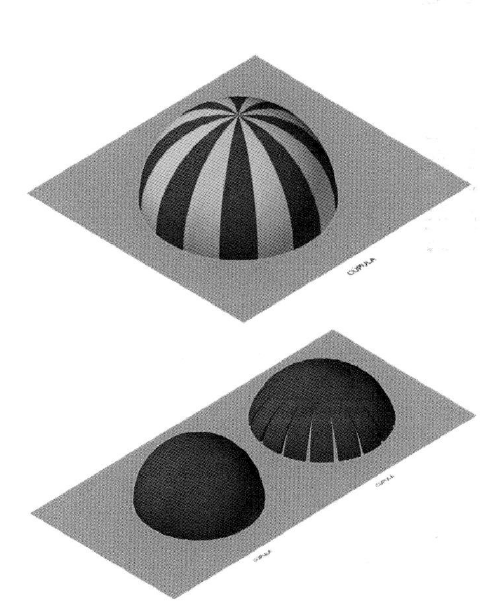

Figura 1. *Si se desea descomponer una cúpula en gajos, estos no serán de caras paralelas como en el caso de las bóvedas de cañón. En este caso se está ante una superficie de revolución que, para descomponerla en gajos, los mismos deben adoptar forma de cuña, teniendo cada uno la parte más estrecha en la clave, y la parte más ancha en la base o apoyo.*

variable, máximo en el soporte y mínimo en la clave, también con plano de simetría central. Alrededor del segmento del eje coplanar circula una línea de empuje de fuerza. Esta línea, también llamada línea de empujes, es el punto de corte de la resultante por un sistema de planos de corte dados.

En el caso de las cúpulas debe considerarse además que cada uno de ellos esta soportado en el siguiente generando así un valor de empuje radial fundamental para el establecimiento del equilibrio.

Cuando se aísla un gajo de bóveda, se observa que cada uno es autosuficiente, y cada medio gajo está equilibrado por su oponente. Sin embargo, en la cúpula cada gajo, que corresponde a la semisección de la cúpula, no está equilibrado por su oponente, sino que está sostenido por los colaterales. Este razonamiento es más claro si se imagina una cúpula con óculo central, donde no existe ningún contacto entre gajos opuestos

Una bóveda tabicada está compuesta de dos elementos esenciales. El primero es una hoja de ladrillos colocados horizontalmente y tomados con yeso. El segundo elemento, colocado directamente sobre el primero, puede ser bien otra hoja de ladrillos esta vez tomados con mortero de cal, bien unas hiladas dobladas en forma de nervio superior, bien unas costillas colocadas verticalmente sobre la primera hoja, bien un relleno de otro material, bien una simple capa de mortero. El primer elemento, la hoja de yeso, tiene por objetivo fundamental poder ser construirla sin cimbra, es decir, este primer elemento sirve de sustento para el segundo. El segundo elemento tiene por objeto aumentar la sección de la bóveda, ya que la primera hoja es manifiestamente delgada, consiguiendo una sección total (suma de las dos partes) que es suficiente.

Los morteros de transición actúan como otra dovela de geometría variable, citando a Heyman, "la resistencia a compresión de la piedra es infinita..." (Heyman 1999).

Las estructuras de fábrica no son capaces de soportar tracciones, y por esto es necesario incorporar elementos que las absorban allá donde se produzcan.

Ensayos sobre cúpulas

Se construyó una cúpula tabicada de 2,47 metros de luz y 0,47 metros de flecha. Dicha cúpula está formada por una sola hoja de ladrillos cogidos con yeso con un espesor total de 0,05 metros. A efectos de evaluación estructural, se estimó una división virtual del elemento en 8 gajos y se la sometió a una carga uniforme sobre la clave, aplicada en una extensión de un metro de diámetro.

Tabla 1. *Datos, resultados y comparativo de ensayo.*

DATOS MATERIALES	Valor
Densidad (kN/m^3)	12,3
Tensión máxima permitida (N/mm^2)	4
Lectura más desfavorable en F2 durante la prueba (N/mm^2)	5 x10^9

Los datos obtenidos demuestran que el comportamiento del modelo en CARYBO y los resultados de Laboratorio coinciden con un gran nivel de exactitud. Este hecho da respuesta a una serie de importantes extremos. Las tracciones son lo suficientemente bajas como para no ser consideradas relevantes, excepto en alguna zona bien localizada como el arranque de las cúpulas donde es necesario colocar elementos auxiliares de refuerzo. Esto, además, implica que, cuando aparecen las tracciones, aparecen las grietas, como explican los valores obtenidos. Por tanto, queda acreditado que estos elementos solo trabajan a compresión. No son capaces de soportar tracciones y, cuando se producen, tienden a deformarse o colapsar.

La resistencia de los materiales en estos elementos no es determinante, pero sí lo es su forma geométrica, como ha quedado demostrado con las lecturas de valores tensionales obtenidas por los ensayos con gatos planos. Si la resistencia de los morteros de transición fuera determinante, las lecturas lo habrían demostrado. En el caso de las cúpulas, por su forma peculiar, existen otras variables adicionales que deben ser consideradas como lo son las tensiones anulares y las tensiones radiales.

Este aspecto también queda demostrado en el comparativo de las lecturas de laboratorio y los resultados de cálculo.

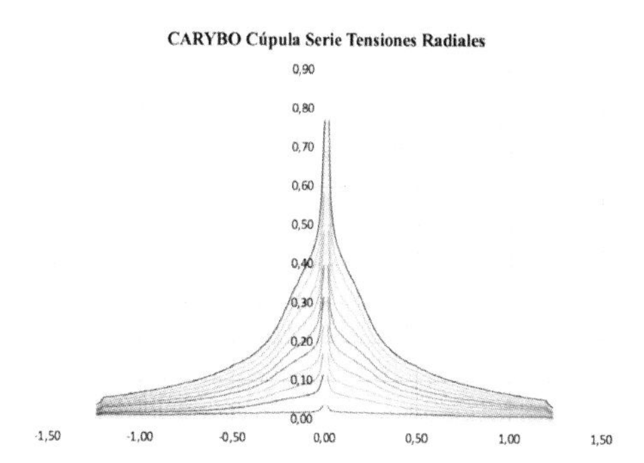

Figura 2. Resultados analíticos de la serie de tensiones radiales de la cúpula sometida al ensayo mediante el programa CARYBO.

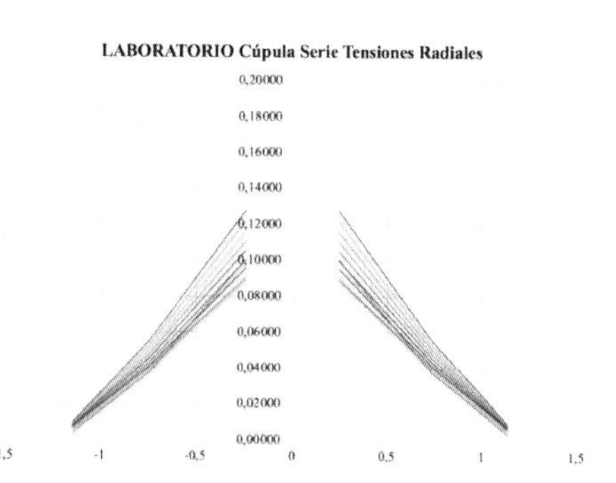

Figura 3. Resultados de laboratorio de la serie de tensiones radiales de la cúpula sometida al ensayo mediante pruebas de carga.

Tabla 2. *Resultados de medición con gatos planos en función de los puntos seleccionados en el ensayo.*

Timbrel Dome
Load carry test at Key

Axis X, horizontal positions Flat Jacks at positions

Dome data — Position 1 X
Flat Jacks position 1,2,3

CaseType	F1	F2	F3	Load
Text	N	N	N	N
Load1 results	1,0067	0,3765	0,03489	0
Load2 results	0,8945	0,3986	0,06845	1000
Load3 results	0,9065	0,3987	0,06852	2000
Load 4 results	0,9548	0,4132	0,07124	3000
Load5 results	1,00254	0,43386	0,07480	4000
Load6 results	1,05267	0,45555	0,07854	5000
Load7 results	1,10530	0,47833	0,08247	6000
Load8 results	1,16057	0,50225	0,08659	7000
load9 results	1,21859	0,52736	0,09092	8000

Axis Y vertical positions Flat Jacks at positions

Dome data — Position 2 Y
Flat Jacks position 1,2,3

CaseType	F1	F2	F3	Load
Text	N	N	N	N
Load1 results	0,00143	0,00267	0,00398	0
Load2 results	0,00143	0,00272	0,12196	1000
Load3 results	0,00143	0,00327	0,18293	2000
Load 4 results	0,00144	0,00392	0,27440	3000
Load5 results	0,00144	0,00471	0,41160	4000
Load6 results	0,00144	0,00565	0,61740	5000
Load7 results	0,00144	0,00678	0,92610	6000
Load8 results	0,00144	0,00813	0,93737	7000
load9 results	0,00144	0,00976	0,94684	8000

Tabla 3. *Resultados de medición con dinamómetro en el arranque.*

	F1	F2	F3	Load
load10 results	1,27952	0,55373	0,09547	9000
NO LOAD	NO LOAD	NO LOAD	NO LOAD	10000

	F1	F2	F3	Load
load10 results	0,00144	0,01171	0,95640	9000
NO LOAD	NO LOAD	NO LOAD	NO LOAD	10000

l0cm from base	F1
50cm from base	F2
100cm from base	F3

Horizontal dynamometer

	N
Load1	0,00098
Load2	0,09898
Load3	0,19698
Load4	0,29498
Load5	0,39298
Load 6	0,49098
Load7	0,58898
Load8	0,68698
Load9	0,78498
Load10	0,88298

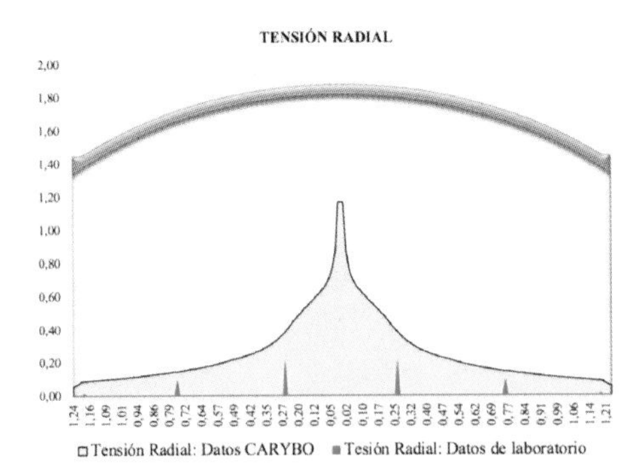

Figura 4. *Comparativa entre las tensiones radiales obtenidas con el programa CARYBO y las arrojadas por los ensayos de laboratorio para la cúpula 247-48 sometida a una carga de 7.000 N.*

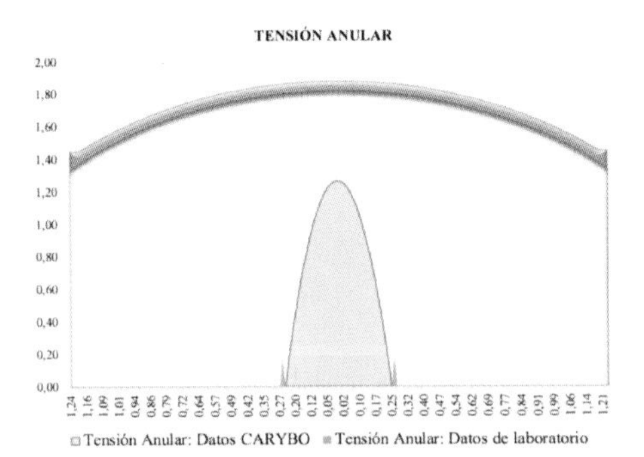

Figura 5. *Comparativa entre las tensiones anulares (en la dirección de los paralelos) obtenidas con el programa CARYBO y las arrojadas por los ensayos de laboratorio para la cúpula 247-48 sometida a una carga de 7.000 N.*

Conclusiones

El análisis gráfico utilizado para estudiar las estructuras de fábrica, especialmente las bóvedas y en este caso las cúpulas tabicadas, ha demostrado su efectividad en cuanto a la aproximación entre el modelo de inicio y los resultados de los ensayos de laboratorio.

Este tipo de análisis, además, es simple, efectivo y económico en términos de tiempo y recursos. En general, se puede determinar con bastante precisión cuando se va a producir el mecanismo de colapso y la carga que es capaz de soportar para obtener un coeficiente de seguridad porcentual de la citada estructura.

Igualmente, esto sería aplicable a acciones no gravitatorias aplicando el mismo criterio, pero variando la dirección de los esfuerzos, aunque este no era el objeto de este ensayo.

El primer asunto referente a las cúpulas tabicadas, y a las de fábrica en general, es que:

- no se pueden analizar como los arcos, ya que en ella intervienen otros factores que deben ser considerados.
- gracias a los ensayos realizados, podemos asegurar extremos como las tensiones radiales, las tensiones anulares, y la teoría de los gajos convergentes (Fortea Luna 2013, Heyman 1999).

En ese sentido, las tensiones anulares nos indican donde van a aparecer las tracciones en función de los esfuerzos a compresión y gracias al ensayo, nos permite saber con mayor precisión cual es su comportamiento. Las tracciones son muy bajas para ser consideradas, exceptuando la zona de arranque de las cúpulas. Donde aparecen tracciones, aparecen las grietas. Esto explica la aparición de elementos de confinamiento en estos elementos, tanto como elementos auxiliares de construcción como para su estabilidad misma.

La resistencia de los materiales no es determinante, sino la forma de la bóveda, como se demuestra con la lectura de las tensiones por los gatos planos.

Nota: Salvo indicación contraria, las imágenes, gráficas y simulaciones de este artículo pertenecen al autor.

Referencias

ALBARRÁN, J. (1885). *Bóvedas de ladrillo que se ejecutan sin cimbra*. Madrid: Imprenta del Memorial de Ingenieros.

BAKER, J. H. (1956). *The steel skeleton. Vol. 2: Plastic behavior and design*. Cambridge: Cambridge University Press.

FORTEA LUNA M. y V. LOPEZ BERNAL (1998). *Bóvedas Extremeñas. Proceso Constructivo y análisis estructural de bóvedas de arista.* Badajoz: Colegio Oficial de Arquitectos de Extremadura.

FORTEA LUNA, M. (2011). *Análisis del comportamiento estructural del claustro de la Colegiata de Santa María de Valpuesta.* Work elaborated by order of the Main directorate of Cultural Patrimony of the Junta de Castilla y León and the Archbishopric of Burgos.

FORTEA LUNA, M. (2008). *Origen de la Bóveda Tabicada*. Zafra: Centro de Oficios de Zafra.

FORTEA LUNA, M. (2011). *Estabilidad de la construcción sin cimbra*. Simposio Internacional sobre Bóvedas Tabicadas. Valencia.

FORTEA LUNA, M. (2013). *Análisis estructural de bóvedas de Fábrica. La eficacia de la geometría.* Universidad de Extremadura Escuela de Ingenierías Industriales de Badajoz Departamento de expresión gráfica.

GUASTAVINO, R. (1893). *Essay on the Theory and History of Cohesive Construction applied especially to the timbrel Vault*. Boston: Ticknor and Company.

GVOZDEV, A. A. (1938). *Calculation of the value of the statically indeterminate systems collapse load that suffer plastic deformations.* Moscú.

HEYMAN, J. (1999). *El esqueleto de piedra. Mecánica de la arquitectura de fábrica.* Madrid: Instituto Juan de Herrera. CEHOPU.

HEYMAN, J. (1999). *Heyman, Jacques. The Science of Structural Engineering.* London: Imperial College Press.

HEYMAN, J. (1995). *Teoría, historia y restauración de estructuras de fábrica. Colección de ensayos*. Madrid: Ed. Santiago Huerta. Instituto Juan de Herrera. CEHOPU.

HEYMAN, J. (1966). *The Stone skeleton.* International Journal of Solids and Structures.

HUERTA, S. (2004). *Arcos, bóvedas y cúpulas. Geometría y equilibrio en el cálculo tradicional de estructuras de fábrica.* Madrid: Instituto Juan de Herrera. Escuela Técnica Superior de Arquitectura de Madrid.

Muestra de consolidación extradosal de bóveda tabicada con aplicación de yeso de cal reforzado con fibra de vidrio. Laboratorio MGN, Schio, Vicenza

ISBN. 978-84-9048-827-0

Comportamiento estructural de las bóvedas tabicadas ante los terremotos. Observaciones tras los terremotos recientes de Italia

Francesco Doglioni
Università IUAV de Venecia

Abstract

The technique of the tile vault, much more present in Italy than has originally been recognized to date, nevertheless finds in this country an important difficulty: its weakness in the face of the frequent earthquakes that plague the country, in particular, if it is not properly built. This text analyzes several tile vaults affected by earthquakes, their construction, weaknesses, response and possible repair, reinforcement or restoration, so that they will be able to better withstand a future telluric movement of the same characteristics. The lessons to be drawn are useful not only for the Italian context, but for the construction of tile vaults in any international context.

Keywords: *Tile vault, earthquake, pathology, reinforcement, reinforcement.*

Resumen

La técnica de la bóveda tabicada, mucho más presente en Italia de lo que en un principio se ha reconocido hasta la fecha, encuentra sin embargo en este país una importante dificultad: su debilidad frente a los frecuentes terremotos que asolan al país, en particular, si no está construida adecuadamente. Este texto analiza varias bóvedas tabicadas afectadas por seísmos, su construcción, puntos débiles, respuesta y posible reparación, refuerzo o restauración, con el fin de que sean capaces de soportar mejor un futuro movimiento telúrico de las mismas características. Las lecciones a extraer no solo son útiles para el refuerzo antisísmico de las bóvedas tabicadas en el contexto italiano, sino también en el contexto internacional.

Palabras clave: *Bóveda tabicada, terremoto, patología, refuerzo, refuerzo.*

Introducción

En este texto se exponen algunas reflexiones sobre los daños y colapsos que han sufrido las delgadas bóvedas tabicadas ("in foglio" según la denominación adoptada normalmente en Italia[1]), tras los terremotos acaecidos en la última década. No se trata por tanto de una lectura sistemática ni de una interpretación mecánica apoyada en modelos, sino solo de unas observaciones del comportamiento real que pensamos que, en todo caso, pueden tener interés.

Las primeras observaciones se refieren a los daños causados por el terremoto de L'Aquila en 2009. La región de L'Aquila está sometida periódicamente a terremotos catastróficos. Tras el seísmo de 1703, pero también anteriormente en la reconstrucción tras un terremoto de mitad del siglo XV, se estudiaron, adoptaron precauciones e instalaron dispositivos de seguridad para proteger a los edificios frente ulteriores terremotos[2].

Se trata sobre todo de encadenados lígneos insertados longitudinalmente en las fábricas de los muros, con cabezales metálicos en las esquinas; o de pares de cerchas acuñados contra el muro, esto es prolongados al exterior del muro y anclados a este con una cuña de madera insertada en un ojal en el extremo de la viga. Parece evidente que estos dispositivos de seguridad se concibieron *ad hoc* para contrastar los mecanismos de daño observados en los terremotos antaño recientes para salvaguardar los edificios reconstruidos o proteger las construcciones que habían sobrevivido.

El mecanismo más extendido y peligroso de todos ellos es sin duda la salida fuera de plano o angular de los muros externos, con pérdida del apoyo de los forjados, estructuras abovedadas y cubiertas, y el consecuente derrumbamiento de las fachadas y/o colapso del interior (fig. 1).

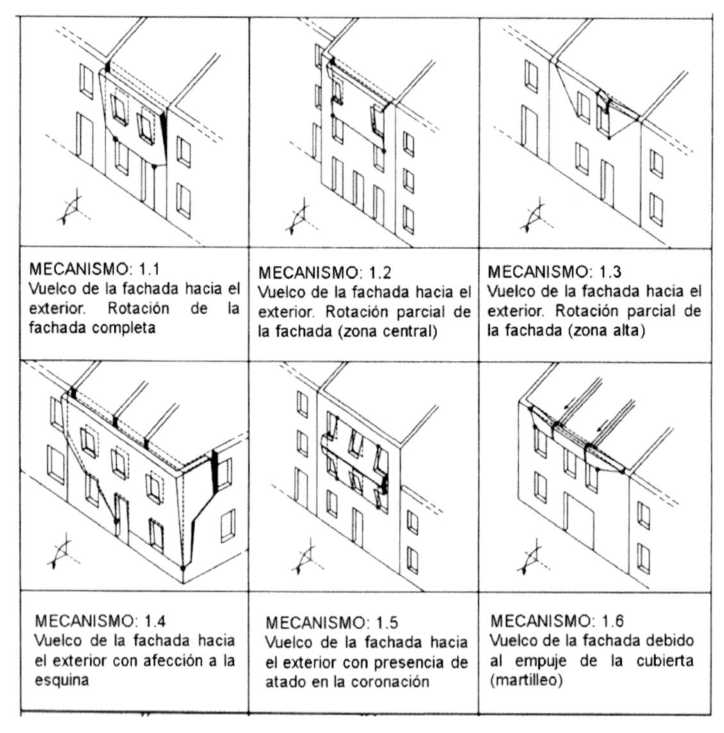

Figura 1. *Mecanismos de daño sísmico propios de los frentes construidos. De DOGLIONI, F., Codice di pratica (linee guida) per la progettazione degli interventi di riparazione, miglioramento sismico e restauro dei beni architettonici danneggiati dal terremoto umbro-marchigiano del 1997, Regione Marche, Ancona, 2000.*

En general, se constata que en las fases de reconstrucción más próximas a los terremotos estas precauciones constructivas se aplican de manera más extendida y sistemática; mientras que conforme se aleja el evento en el tiempo, se abandonan o se olvidan, incluso mermando o dañando posteriormente los dispositivos de seguridad instalados previamente. Tras el terremoto de 1703, en L'Aquila las bóvedas se realizaron de medio pie, a menudo con nervaduras por el extradós, y con tirantes insertados o refuerzos por el extradós para constrastar el empuje. Las bóvedas tabicadas se difundieron en L'Aquila sobre todo en el siglo XIX, en especial después de su anexión al Reino de Italia, tras la importación de esta técnica desde otras áreas.

Figura 2. *Vista del Patio del Liceo, L'Aquila, tras el terremoto de 2009.*

Un gran complejo construido en una manzana de la ciudad, denominado Grande Isolato o Isolato Quattro Cantoni, que hemos tenido ocasión de examinar directamente[3] para la elaboración del proyecto de restauración y mejora antisísmica, nos ha permitido elaborar algunas observaciones y comparaciones.

Figura 3. *Amarre extradosal de madera que se encuentra sobre la bóveda de un solo cabezal del siglo XVIII, lado norte del pórtico.*

El patio porticado con arcos en sus cuatro lados, denominado Cortile del Liceo (fig. 2), se construyó en varias fases y con técnicas diversas, cuyo comportamiento frente al terremoto de 2009 es interesante comparar.

Los lados más antiguos se erigieron en los primeros años del siglo XVIII, después del terremoto de 1703. Presentan bóvedas de arista de medio pie de ladrillo y un sistema de contención de su empuje formado por vigas tirante de madera por el extradós, a las cuales se vincula con tornapuntas (fig. 3), cuyo objetivo es dirigir la contención hacia el centro del empuje de la bóveda; tanto la viga superior como el tornapunta se unen a un cabezal metálico colocado en la parte externa del muro. El cuadro fisurativo del muro suprayacente demuestra la importante función de este original dispositivo de contención: en el lado interno, en la zona inmediatamente superior a la bóveda y los tirantes, de hecho, se han formado lesiones horizontales (fig. 4) que indican la apertura de charnelas horizontales de inicio de mecanismo de vuelco, que por el contrario se contuvo en la zona inferior.

Figura 4. *Cuadro fisurativo de grietas horizontales para activar el vuelco por encima del punto de aplicación del tirante de madera.*

Figura 5. *El lado este del pórtico tras el derrumbe de las bóvedas.*

Figura 6. *Detalle del peduccio tras el derrumbe de la bóveda.*

En el lado oeste del mismo patio porticado, erigido ex novo hacia 1880, se adoptó un sistema constructivo de bóvedas de arista tabicadas de una sola hoja de ladrillo de 4,5-5 cm de espesor aproximado, recibido con mortero, con arcos de fábrica intermedios en cada pilastra, sobre los cuales se dispuso un tirante metálico de contención.

Estas bóvedas poseen un modesto apoyo en las esquinas con relleno de mortero y fábrica no trabado con la bóveda, vertido por el interior en las enjutas de las bóvedas ya construidas. Las bóvedas así construidas han colapsado todas salvo una (fig. 5), sin que se hayan verificarado graves daños en los muros de apoyo y, sobre todo, sin que se desarrollase el mecanismo de vuelco del frente externo, que en general es la causa principal de la caída de las bóvedas, favorecida por su proprio empuje cuando no está contenido.

La observación de la fractura del relleno remanente permite proponer una interpretación del mecanismo de colapso durante el terremoto (fig. 6).

En la frontera entre el relleno, –los ladrillos del arco y el muro interno–, y la bóveda tabicada se verifica un cambio de rigidez muy acentuado, tanto por el tipo de material como por la estructura tridimensional del relleno. El relleno no se deforma con las oscilaciones horizontales y, en cambio, se mueve con los movimientos de la fábrica, que se concentran en el punto de contacto con la bóveda tabicada sin relleno, más deformable, formando una charnela de flexión, que se abre y se cierra repetidas veces disgregando el punto de contacto. Los esfuerzos verticales y su inversión en el punto de contacto entre la bóveda y el relleno, ya debilitado y sin una sección que le consienta encontrar un punto de apoyo alternativo donde transferir solicitaciones, provocan la rotura por cortante y la bóveda colapsa por completo. La fractura tendencialmente vertical o inclinada hacia dentro de los restos del relleno remanentes parece compatible con esta interpretación (Fig. 7).

Se debe tener presente que los desplazamientos horizontales y verticales se combinan durante la fase sísmica, generando solicitaciones

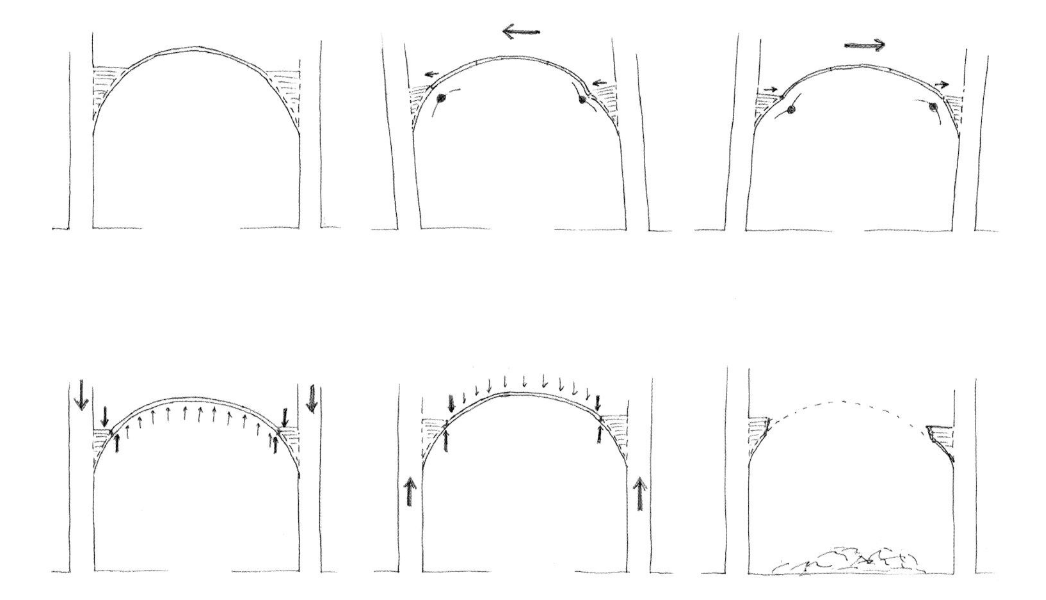

Figura 7. Esquema interpretativo del comportamiento sísmico de la bóveda en los esfuerzos horizontal (arriba) y vertical (abajo), considerados por separado. En realidad, los esfuerzos actúan en combinación.

de flexocortante o flexocompresión esviada especialmente peligrosas para las estructuras esbeltas de comportamiento frágil, como es el caso de la bóveda tabicada.

En los seísmos acaecidos en la última década en Italia (L'Aquila 2009, Emilia 2012, terremoto de Amatrice, que se abatió sobre la zona de los Apeninos entre las regiones de Umbría, Las Marcas y el Lacio en 2016), las solicitaciones verticales alcanzaron valores similares o muy próximos a 1 g, donde g es la fuerza de la gravedad. Esto significa que la carga en acción, por ejemplo en el relleno de las bóvedas, puede variar en un tiempo muy breve desde 0 –cuando la estructura desciende, perdiendo su peso propio y por tanto también el rozamiento ligado al mismo– a dos veces su propio peso, cuando la solicitación empuja la estructura hacia arriba[4].

En este caso de estudio, además, no había un forjado autoportante sobre las bóvedas, que habrían debido así soportar los rellenos inertes entre la bóveda y el pavimento y el peso del pavimento mismo. Está claro que, si la carga superior sobre la bóveda, a menudo considerada como estabilizadora en las bóvedas de mayor espesor, se concentra en pequeños apoyos y redobla su entidad durante el seísmo, puede llegar fácilmente a superar la resistencia a rotura de los mismos.

De la observación del extradós de la única bóveda de este lado del patio que sobrevivió al seísmo (fig. 8), se puede destacar la presencia de un nervio tabicado superpuesto en aspa sobre los encuentros de los cuatro tramos, precaución constructiva que en cualquier caso parece haber tenido poco efecto en el conjunto.

Por tanto, observando otras bóvedas de arista, no se puede excluir que el factor desencadenante del colapso no haya sido la limitada conexión entre los ladrillos en su encuentro en las aristas, ya que en el curso del terremoto se pueden haber separado progresivamente hasta alcanzar el colapso (fig. 9).

Figura 8. Vista del extradós de la única bóveda no derrumbada en el lado este del pórtico.

Figura 11. Bóveda del pabellón con una cabeza gravemente dañada pero no colapsada.

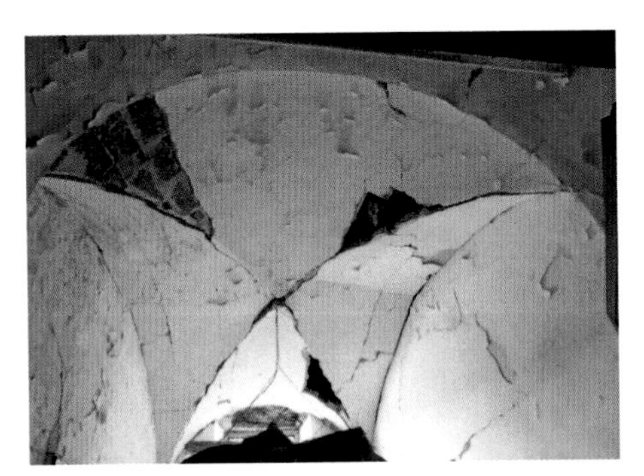

Figura 9. Bóveda de crucería con separación de velas.

Figura 10. Bóveda en hoja de pabellón con derrumbe parcial por inicio del vuelco del muro de fachada, con consecuente daño interno.

Por el contrario, las bóvedas tabicadas esquifadas presentes en el complejo parecen haberse comportado de manera relativamente más eficiente. Esto puede atribuirse a la presencia de un apoyo distribuido a lo largo de las cuatro paredes, en lugar de quedar concentrado en las ménsulas de esquina; o a la traba entre los ladrillos en los encuentros entre los diversos paños, mucho más factible en las bóvedas esquifadas que en las bóvedas de arista.

En algunos casos, el inicio del colapso parcial se puede imputar más claramente al alejamiento de los muros de apoyo. En el caso de la bóveda esquifada observable en la imagen (fig. 10), en cualquier caso, se constata cómo un alejamiento entre los apoyos del orden de 5-6 cm ha sido suficiente para desencadenar el colapso, aunque solo se tratara de un solo paño.

En el conjunto, incluso en presencia de pequeños alejamientos entre los muros de apoyo por el efecto de contención de los tirantes sobre los arcos de las pilastras, las bóvedas tabicadas presentes en esta manzana construida han mostrado un comportamiento muy desfavorable, contribuyendo a los graves colapsos internos y a las víctimas consecuentes[5] sin que hayan tenido lugar simultáneamente derrumbamientos generalizados del conjunto de los muros de cerramientos externo.

En general, las bóvedas tabicadas parecen haber adolecido de la capacidad de resiliencia que, por el contrario, poseen los arcos y las bóvedas de mayor sección, reencontrando una posición de equilibrio sin llegar a colapsar, incluso tras fuertes perturbaciones y lesiones (fig. 11).

En otros casos se ha observado la absoluta inadecuación de los apoyos en el muro de las bóvedas tabicadas, especialmente las de gran luz, en los cuales no solo la bóveda sino la misma ménsula aparecen adosados al muro sin base de descarga, confiando solo en el rozamiento de los morteros laterales, como es bien visible en el muro completamente liso después del colapso de la bóveda (fig. 12).

También tras el terremoto de 2012 en Emilia se ha podido observar el comportamiento frente al terremoto de estructuras de bóvedas tabicadas. Frecuentemente empleadas en el interior de las iglesias, incluso con grandes luces (fig. 13), se desea aquí reseñar su empleo para realizar las zancas de las escaleras.

En la región de Emilia es frecuente la utilización de escaleras de tramos a montacaballo sobre bóveda tabicada. Se trata de estructuras de gran versatilidad, eficacia en equilibrio y economía de medios. En cualquier caso, en fase sísmica pueden presentar una gran vulnerabilidad.

En el curso de la intervención de restauración y mejora sísmica del Palacio Corbelli en Concordia sulla Secchia (Modena), actualmente sede del ayuntamiento[6], se ha observado el comportamiento de dos escaleras, una realizada en el curso del siglo XIX y la otra, de carácter monumental, realizada en 1907.

La primera de las dos escaleras ha sufrido el colapso de un tramo entero, que se ha separado de los descansillos de apoyo y desembarco (fig. 14). Se debe observar cómo el

Figura 12. Bóveda de crucería, primer piso del internado. El vano completamente colapsado permite observar la limitación de los soportes a las ménsulas.

Figura 13. *Colapso parcial de la bóveda de la nave de la iglesia de S. Martino Piccolo en Correggio (Reggio Emilia), tras el terremoto de 1997.*

descansillo de apoyo ha sido punzonado en fase sísmica por el peso del tramo sobre la bóveda, dado que estaba simplemente adosada al muro lateral sin roza alguna de encastre. Un cedimiento incluso pequeño del descansillo, como se observa en el tramo contiguo no caído, usurpa o al menos merma el apoyo del tramo (fig. 15), que a su vez resulta cargado de manera no axial y se lesiona destacándose de la pared lateral.

La escalera monumental del palacio Corbelli, realizada en 1907, se construyó sobre bóvedas tabicadas con ladrillos de espesor considerable (6,5-7 cm). El tramo central se sostiene sobre una bóveda que empuja hasta el muro perimetral, soportando también los dos tramos laterales subsiguientes (fig. 16). En un tramo se ha observado la separación lateral y la caída de ladrillos, además de lesiones generalizadas.

En este caso se ha verificado una suerte de efecto dominó: el muro perimetral, impelido también por el empuje de la bóveda del tramo central, se ha desplomado hacia fuera; en consecuencia, ha descendido esta bóveda central, los tramos laterales han perdido el apoyo externo que, al quedar descargado, ha llevado a la caída de parte de los ladrillos de la bóveda (fig. 17). Se debe señalar, también en este caso, el efecto de punzonamiento del tramo superior que se apoya en el borde del tramo parcialmente colapsado (fig. 18). En algunos tramos, la existencia de perfiles en L metálicos curvados siguiendo la curvatura de la bóveda y aplicados al borde externo parece haber desempeñado una función positiva de confinamiento lateral y de auxilio de la bóveda (fig. 19).

No hay duda que muchas de las situaciones de colapso o grave daño observadas tanto en L'Aquila, como en Emilia, presentaban desde el origen graves carencias constructivas por la limitación de los apoyos en el muro, por la ausencia de unión con el relleno de las enjutas, además de por su geometría desfavorable, en especial en las bóvedas de arista en los

Figura 14. *Palacio Corbelli en Concordia sulla Secchia. Colapso de todo un tramo de escaleras con estructura de chapa abovedada.*

Figura 16. *Palazzo Corbelli en Concordia sulla Secchia. Escalera monumental sobre bóvedas tabicadas.*

Figura 15. *Daños en el rellano por efecto de punzonado de la escalera apoyada.*

encuentros entre los paños, donde resulta complejo trabar los ladrillos. Además, el empleo de un solo estrato de ladrillo da como resultado una bóveda demasiado delgada, acentuando las consecuencias de su comportamiento frágil.

Y por este motivo que las técnicas de consolidación de las bóvedas tabicadas consisten en doblar las bóvedas por el extradós (fig. 21); o bien enfoscando el extradós con mortero de cal armado con fibras de vidrio o de otro tipo (fig. 20) o, incluso -y es muy habitual- aplicando haces de fibra de carbono fijados al extradós con resina epoxídica.

La conservación de las bóvedas tabicadas de un solo estrato de ladrillos, como es frecuente en algunas zonas de Italia, en zona sísmica debe ir de la mano de un análisis atento para verificar y contrastar las carencias latentes de base, como la debilidad de los apoyos, y para reducir la vulnerabilidad sísmica con

Figura 17. *Daños en un tramo de escaleras.*

Figura 19. *Refuerzo metálico de un tramo de escaleras.*

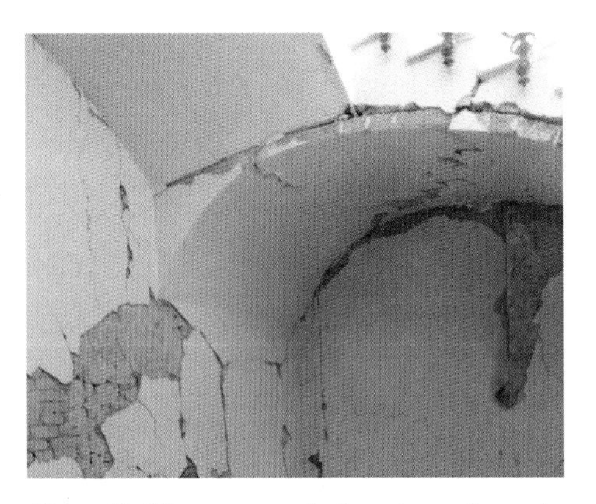

Figura 18. *Efecto punzonado de un tramo de escaleras en la estructura de chapa abovedada de la rampa de apoyo.*

Figura 20. *Muestra de consolidación extradosal de bóveda tabicada con aplicación de yeso de cal reforzado con fibra de vidrio. Laboratorio MGN, Schio, Vicenza.*

intervenciones que no adulteren su naturaleza estructural y su comportamiento la estructura y su comportamiento, y que al mismo tiempo puedan conferir a las bóvedas ductilidad y capacidad de deformarse sin sufrir un colapso en caso de terremoto.

Nota: Salvo indicación contraria, las imágenes de este artículo pertenecen al autor.

Notas

1 Las bóvedas tabicadas en Italia son raras en el área alpina y prealpina véneta y lombarda; están más difundidas en el área padana de la región de Emilia-Romaña, en la cual prevalece la construcción en ladrillo, y es frecuente a lo largo de la espinal dorsal de los Apeninos. Se puede proponer, simplificando mucho, que su difusión es mayor donde resulta más difícil el suministro de madera regular para la realización de forjados

2 Véase M. D'ANTONIO, *Ita terraemotus damna impedire. Note sulle tecniche antisismiche storiche in Abruzzo*, CARSA Edizioni, L'Aquila, 2013.

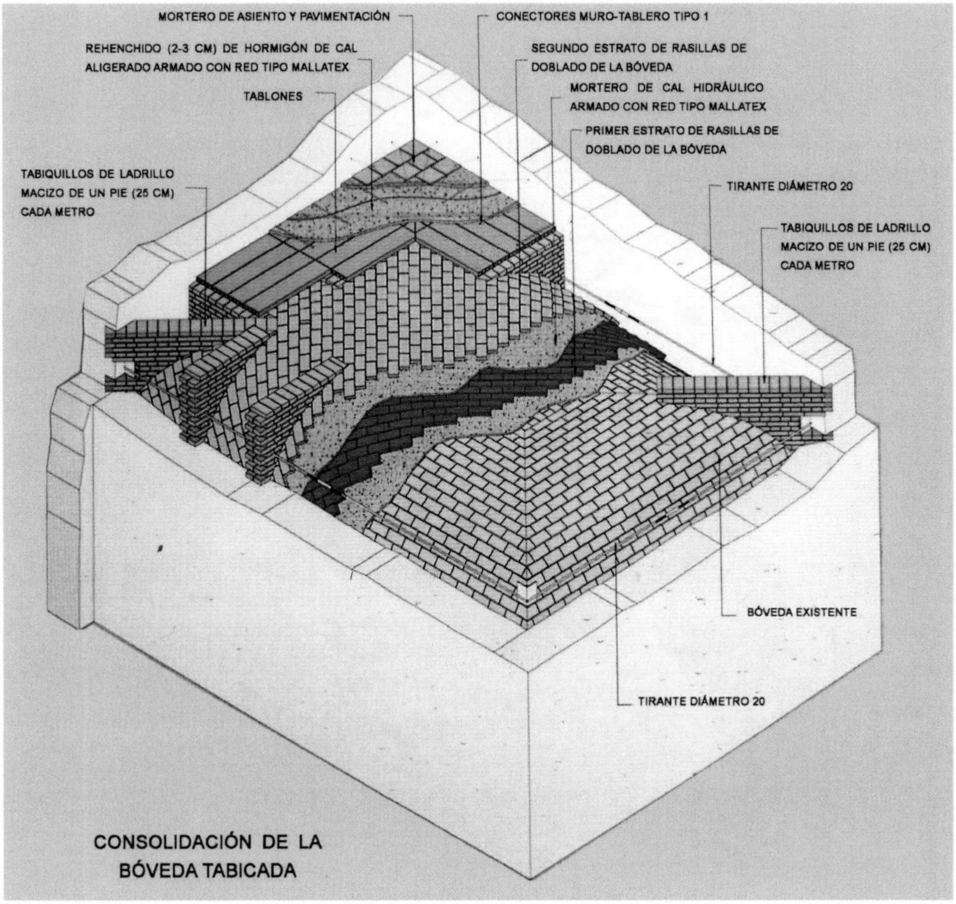

Figura 21. *Gráfico ilustrativo del proyecto de consolidación "a la catalana" de bóveda esquifada tabicada. L'Aquila, Palazzo Pica Alfieri, proyecto eng. Riccardo Vetturini e ing. Giacomo Di Marco.*

[3] El proyecto para la recuperación del Isolato Quattro Cantoni en L'Aquila ha sido redactado por el Consorzio Leonardo (Modena), el estudio GA Associati de Milán y, para el proyecto de restauración propiamente dicho, por los arquitectos Francesco Doglioni y Renata Daminato en 2016.

[4] Para un estudio de los efectos de la componente vertical del seísmo y de su combinación con la componente horizontal, véase M. MARIANI, F. PUGI, *Jerk: effetti delle azioni sismiche impulsive e crisi locali nelle strutture in muratura*, consultabile in www.ingenio-web.it 27402. En este estudio, además de una bibliografía específica sore el seísmo vertical, se aportan los acelerogramas del seísmo de L'Aquila (2009) y Emilia (2012).

[5] Los derrumbamientos internos del seísmo del 6 de abril de 2009 han causado la muerte de seis estudiantes alojados en la residencia presente en la zona sur de la manzana construida.

[6] El proyecto de consolidación con mejora sísmica del Palazzo Comunale già Palazzo Corbelli en Concordia sulla Secchia (Modena) ha sido redactado por la Politecnica Ingegneria e Architettura (Modena) y por los arquitectos Francesco Doglioni y Renata Daminato en 2019.

Cúpulas, capilla Comunión, Sant Roc de Oliva. Valencia

ISBN. 978-84-9048-827-0

Las cúpulas azules. Intervenciones de conservación

Rafael Soler Verdú[a], Alba Soler Estrela[b]
[a] Universitat Politècnica de València
[b] Universitat Jaume I

Abstract

After conducting studies and interventions on a wide sample of Valencian domes of the XVIII century, particularly of its state of conservation, it is possible to affirm that the problems are usually common and are located in certain critical points. The interventions carried out are described, setting out in an orderly manner the methodology, the construction criteria and the solutions applied. Due to the high patrimonial value, the minimum intervention and maximum respect to the original solutions prevails, prioritizing traditional solutions, but with the timely incorporation of new materials and technologies, if necessary, to correct the pathology, understood as any functional deficiency, not only strictly structural. The interventions and conclusions are applicable to the domes that have been built using brick masonry techniques and tile roofing, spread over a wide Mediterranean area and over a long period of time.

Keywords: *Valencian domes, XVIII century, interventions, construction criteria, solutions.*

Resumen

Después de realizar estudios e intervenciones sobre una amplia muestra de cúpulas valencianas del siglo XVIII, particularmente de su estado de conservación, es posible afirmar que los problemas suelen ser comunes y estar localizados en ciertos puntos críticos. Se describen las intervenciones realizadas, exponiendo de manera ordenada la metodología, los criterios constructivos y las soluciones aplicadas. Debido a su alto valor patrimonial, prevalece la mínima intervención, de máximo respeto a las soluciones originales, primando las soluciones tradicionales, pero con la incorporación puntual de nuevos materiales y tecnologías, en caso necesario, para subsanar la patología, entendida como cualquier deficiencia funcional, no sólo estrictamente estructural. Las intervenciones y conclusiones son de aplicación a las cúpulas que han sido construidas mediante técnicas de albañilería y revestimiento de teja, extendidas en una amplia área mediterránea y en un dilatado periodo de tiempo.

Palabras clave: *Cúpulas valencianas, siglo XVIII, intervenciones, criterios constructivos, soluciones.*

Contexto cultural

El presente artículo trata de reflejar lo expuesto en el II Simposium Internacional sobre Bóvedas Tabicadas, en la sesión dedicada a la "Intervención". En la misma se describieron sucintamente las actuaciones llevadas a cabo en los puntos críticos de las cúpulas, para subsanar las patologías. Los condicionantes del formato del artículo, impiden reproducir la información contenida en las cien imágenes proyectadas y comentarios "ad hoc", por lo que remitimos al video grabado de la sesión, para complementar el presente texto.

Las cúpulas valencianas son representativas de innumerables cúpulas que se diseminan en una amplia ribera mediterránea, caracterizada por sus similitudes culturales, intensas relaciones y mutuas influencias (Bares 2011). La historiadora Mercedes Gómez-Ferrer, excelente investigadora de la arquitectura valenciana, ha exhumado fuentes documentales, que nos dan con gran detalle noticias del empleo de las bóvedas tabicadas, desde finales del trescientos (Gómez-Ferrer 2011). El ámbito cronológico y geográfico, ha sido tratado extensamente en el I Simposium Internacional sobre Bóvedas Tabicadas (Zaragoza 2011), así como el epígono de Rafael Guastavino (Ochendorf 2010) y las últimas realizaciones del arquitecto Peter Rich, concretamente las extraordinarias cúpulas en el Mapungubwe National Park Interpretativ (Rich 2010). Estos últimos episodios permiten augurar que está lejana su muerte, como ave Fénix.

En el caso de las cúpulas tabicadas de ladrillo y yeso, aunque tienen mucho en común con los sistemas de abovedamiento realizados mediante esta técnica, suponen un particular episodio, por sus características constructivas y arquitectónicas, cuya excepcionalidad requiere su propio estudio y diferenciado tratamiento.

Concepto de construcción

El II Simposium Internacional de Bóvedas tabicadas, se enmarca en la conservación del patrimonio arquitectónico. Cualquier intervención, es una forma de construcción: reconstrucción, destrucción, consolidación, reparación, mantenimiento, salvaguarda, limitada en el mundo acotado de lo construible.

Por tanto, es esencial hablar de construcción, pero ¿Qué es construcción? No creemos que todos los ponentes de este Simposium, tengamos la misma opinión, deducida del contenido de algunas exposiciones y confirmado por debates que hemos tenido durante años sobre la materia. Nos identificamos con un concepto de construcción que supera la dimensión técnica. Es arte y ciencia aplicada, es teoría y práctica. Todo lo anterior unido, son caras del mismo poliedro. La construcción es un hecho cultural, materializado por oficios, técnicas, materiales, condicionados por un tiempo y un lugar. Es un arte científico comprometido con el uso: diseño, cálculos, exigencias funcionales. La construcción es todo eso y todavía más, como expresan Jean Baptiste Rondelet, Eugene Manuel Viollet le-Duc, o desde la visión poética Paul Valery.

A efectos del simposio sobre bóvedas tabicadas interesa aplicar el concepto de construcción como sistema lingüístico. Sintaxis, reglas y excepciones, declinaciones, concordancias, lengua culta, prosa, poesía, vernácula o internacional.

Pero sobre todo recomendamos la lectura del patrimonio no sólo desde la historia, sino desde la construcción. La fuente fundamental es el patrimonio construido, nuestro laboratorio son: las fortificaciones en estado de ruina, las cúpulas agrietadas, las torres desplomadas, las catedrales incendiadas

Con antelación a redactar el proyecto de conservación, es imprescindible realizar una serie de estudios previos principalmente el levantamiento geométrico y la definición del artefacto realmente construido reflejando el estado anterior a la intervención, con especial atención a las manifestaciones patológicas (Soler 2012).

Las fuentes documentales, los diseños originales deben ser contrastados por el levantamiento geométrico y definidos sus componentes constructivos mediante catas puntuales con gran precisión. Es frecuente que los diseños iniciales hayan sido modificados radicalmente, o resulten insuficientes a los efectos de la intervención.

Cúpulas tabicadas

Geometría

Conviene resaltar algunas generalidades de las cúpulas tabicadas. Las cúpulas son un caso particular de bóvedas. Las cúpulas son bóvedas de revolución, de doble curvatura gaussiana positiva, generalmente elipsoides. Esta geometría, a la que hay que añadir el mínimo espesor de las bóvedas tabicadas, frente a las dimensiones de los espacios a cubrir, da como resultado su extraordinaria esbeltez. Esta circunstancia condiciona su comportamiento mecánico inexorablemente, se trata de membranas sometidas a unas acciones no limitadas a las gravitatorias, que son irrelevantes.

Figura 1. *La hoja interior de la cúpula del Ermitorio de San Marcos de Olocau del Rey, replica la proporcionalidad de la cáscara del huevo (diámetro 920 cm, espesor 3 cm).*

La técnica de volteo empleada, sin necesidad de cimbras permite desarrollar superficies de gran complejidad, sin los límites que imponen las soluciones que provienen de la cantería.

Cubierta

Las Cúpulas pertenecen al sistema constructivo de las cubiertas. La bóveda tabicada es un componente importante, actuando como calota o esqueleto estructural, dentro de un sistema de compleja sintaxis constructiva. Es fundamental definir su contexto constructivo y las múltiples exigencias funcionales a las que está sometida, como componente del sistema constructivo a las que pertenece (las cubiertas) sometido a un listado amplio de exigencias funcionales.

Tipología

No es posible abordar la intervención desde una visión general, abstracta, ni del particularismo del caso a caso sin conectar con otros similares. Se propone la vía de la asignación o clasificación tipológica de la cúpula objeto de la intervención.

Los casos referenciados en este artículo se clasifican de acuerdo con los estudios realizados (Soler 2015) que han establecido los siguientes tipos de cúpula: Tipo A: Cúpulas trasdosada (A1 por cubierta de madera, A2 por tabiquillos). Tipo B: Cúpulas sin trasdosar (B1 de una hoja, B2 de dos hojas). Las cúpulas seleccionadas, se corresponden con nuestra participación en obras de conservación: Església Sant Roc, Capella Comunió en Oliva (tipo B1); Ermitorio de San Marcos en Olocau del Rey (tipo B2); Iglesia Arciprestal San Jaime en Vila-Real (tipo B2); Iglesia de San Bartolomé en La Todolella (tipo B1); Iglesia Asunción en Carcaixent (tipo B2). Suponen una muestra representativa de un rico y variado repertorio tipológico, con la característica común de su extremada esbeltez.

Albañilería

Para la ejecución de las cúpulas no se utilizan ni las técnicas de carpintería de armar, ni las de cantería, el dominio de la albañilería es absoluto.

La hoja tabicada, hay que entenderla como una obra de albañilería, del "obrer de vila", del *al-banyil*. Sus materiales, ladrillos, yesos o las cales y tejas, no son naturales como la piedra o la madera, sino el resultado de procesos productivos que transforman sus propiedades, a modo de alquimia. La hoja tabicada es el resultado del empleo de aparejos, trabas y solapes... de la adherencia, de la cohesión, de la tixotropía, de la puesta en obra.

La doble capa

El elemento constructivo casi sin excepción, para la formación de la hoja resistente se basa en una primera capa de ladrillo tomado con pasta de yeso, un trasdosado de capa fina de pasta de yeso y otra capa de ladrillo a rompejuntas con la primera. Habría que añadir, en ocasiones, una capa de revestimiento de yeso por el interior y otra capa de mortero de yeso o de cal por el exterior. Con el doblado se obtiene un elemento resistente en que las capas de ladrillo, están unidas gracias a la gran adherencia de los materiales y la técnica empleada durante su ejecución. Es la solución más segura y económica a la vez.

A partir del elemento básico de la doble capa, se derivan diversas soluciones. Una bastante utilizada es la de disponer costillas de ladrillo perpendiculares rematadas superiormente con tableros de ladrillo. Otras soluciones se generan a partir de las formas de conectar las dos hojas, o de la aparición de cúpulas con aristas por intersección de bóvedas.

A partir del elemento de la doble capa tabicada, gracias a sus conexiones y trasdosados se generan unos artefactos constructivos de una gran complejidad constructiva y funcional, que en ocasiones son objeto de simplificaciones que alejan el modelo teórico del artefacto real. Es muy importante discernir cuando la doble capa es la hoja interior o es la hoja exterior, ya que son muy diferentes las exigencias funcionales a las que está sometida, debido principalmente al gradiente térmico. Esta cuestión se desarrolla ampliamente en Construyendo bóvedas tabicadas (Soler 2011).

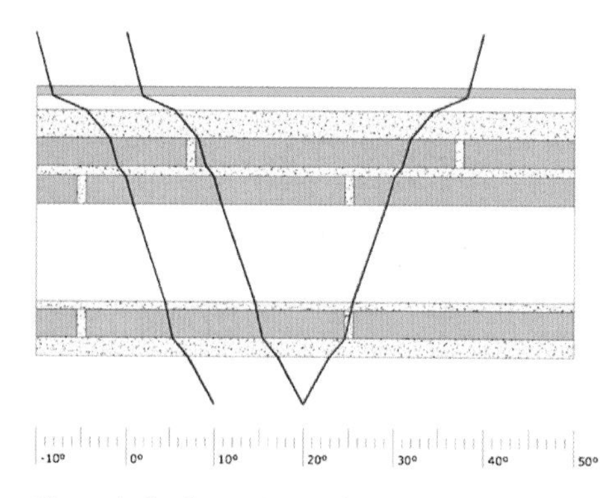

Figura 2. *Gradiente térmico de las hojas exterior e interior. Hipótesis situación estacionaria verano invierno.*

Las tejas

En un amplio ámbito europeo el revestimiento de las cúpulas se realiza con piezas de pizarra o mediante chapas de plomo, de cobre o de zinc que se acoplan a su trasdós con facilidad. En el entorno valenciano se materializa mediante tejas vidriadas que deben acoplarse a superficies no desarrollables y disponerse sobre pendientes que se mueven entre cero e infinito por lo que su colocación tiene grandes dificultades. En las cúpulas analizadas la superficie se despieza en faldones mediante ocho limatesas, coincidentes con los lados del tambor. La teja se solapa de modo variable en función de la pendiente y su colocación lo hace sobre un lecho de mortero de yeso. Es recibida con mortero pobre de cal y en zonas de mayor pendiente es además fijada con clavos a través de los orificios practicados en la zona de solape de la teja. Se ha encontrado clavos de madera que se conservan en buen estado desde su puesta inicial, clavos cerámicos algunos rotos por su fragilidad, y clavos de hierro que deben de proscribirse porque en su proceso de oxidación fisuran o rompen las tejas.

El revestimiento de la calota mediante la disposición de las tejas, ríos, cobijas y limas, crea unas capas envolventes que, a modo de plumas de las aves, realiza una importante y benefactora protección térmica, además de la imprescindible frente a la lluvia.

Las manifestaciones patológicas

La prensa recientemente ha dado noticias como "las cúpulas se derriten por el calor", "se caen las tejas en Catadau", "en Pego se cae la teja de un faldón", "agrietada por los rayos en la cúpula del Temple caen fragmentos". Patologías diversas y problemas similares se presentan en la Escuela Pía de Valencia, en la arciprestal de Vila-Real, en San Marcos de Olocau del Rey, en San Bartolomé de La Todolella, en la Asunción de Carcaixent, la lista es más larga. También las bóvedas de Guastavino en Estados Unidos presentan lesiones de los zunchos metálicos, desprendimientos de ladrillo, humedades

Las patologías hacen referencia a puntos críticos, no obstante, su comportamiento general de los aspectos principales, es aceptable. Las cúpulas no presentan graves problemas estructurales que afecten a la estabilidad de la calota resistente. Incluso en situaciones de asientos de cimentación o deficiencias en elementos sustentantes como el tambor o arcos torales su respuesta es satisfactoria (Martínez 2010), como se ha evidenciado en el terremoto de Lorca en 2011, que cúpulas fracturadas con desplazamientos y giros de sus apoyos se mantuvieron erguidas.

La patología más generalizada está asociada a la condición de cubierta de las cúpulas. En los casos estudiados era preocupante el estado del revestimiento de teja de las cúpulas, con roturas, pérdida del vidriado, o deslizamientos por inadecuada fijación con el peligro de desprendimiento y caída. La situación anterior puede provocar la entrada de agua al interior de la iglesia y afectar de modo preocupante a la resistencia de la calota de la cúpula, de ladrillo y yeso, así como a los revestimientos decorativos del ámbito interior.

Además de la citada patología, aparecen ciertos problemas que se manifiestan con cierta intensidad en los puntos críticos, que pasamos a describir y que han motivado las intervenciones.

Los remates superiores exteriores que coronan las cúpulas, suelen encontrarse en un estado alarmante. Están formados por elementos de hierro (las cruces o veletas) y pedestales de piedra. En unos casos el vástago estaba muy inclinado y oscilaba libremente o la barra de hierro había perdido gran parte de su sección debido a la oxidación. Las piezas de los pináculos de piedra estaban partidas, desplazadas o incluso desaparecidas.

Figura 3. *Cúpula sobre tambor fisurado, arcos torales rotos por asiento diferencial en pilastra. Iglesia de La Todolella.*

Como consecuencia de esta situación, se produce la entrada de agua entre el vástago y el orificio de la piedra, así como en la zona de la cubierta alrededor del remate de piedra, de escasa pendiente y deficientes rellenos de mortero.

El remate interior del centro de las cúpulas es un punto destacado que suele resolverse con grandes florones decorativos de los que pueden incluso colgar algunas esculturas. Son elementos que pueden alcanzar relativamente grandes dimensiones y peso, siendo difícil conocer con detalle su composición constructiva, materiales y el modo de fijación. Son puntos de frecuente entrada de agua y en ocasiones representan un gran peligro potencial por la posible caída de fragmentos o a la precaria estabilidad de elementos colgados.

En ningún caso los muros del tambor plantean problemas estructurales, pero si en sus revestimientos exteriores. Rematando superiormente los tambores se sitúan las cornisas de ladrillo, cuyo estado hay que revisar, puesto que es habitual que presenten diversos problemas de grietas y pérdidas, roturas de piezas y grave deterioro de sus revestimientos. En casos excepcionales se produce el desprendimiento de la caída de la cornisa, incluso del soporte y tejas de algún faldón.

Intervenciones

Criterios

En este seminario de Bóvedas tabicadas se nos ha recomendado exponer intervenciones en Cúpulas tabicadas, cumpliremos el compromiso. Somos deudores de todos los que han participado en estas difíciles intervenciones peones, albañiles, colaboradores, encargados, jefe de obra, aparejadores, arquitectos técnicos, arquitectos, ingenieros, con los que hemos compartimos muchas horas de andamio, paseos por los desvanes, dudas y preocupaciones. las soluciones adoptadas son el resultado de la confrontación y finalmente del acuerdo.

Nuestras intervenciones son pretendidamente mínimas, estrictas, necesarias, estamos ante cúpulas centenarias, artefactos que son una fuente inagotable de estudio, que constituyen un patrimonio en virtud de sus valores arquitectónicos e históricos, pero insuficientemente valorados y comprendidos por su dimensión constructiva.

La postura se identifica con la "Restauración filológica crítica" con intervenciones basadas en no falsificar y respetar el artefacto construido y la concepción inicial. Intervenciones desde el máximo respeto, humildad y amor, hacia los artífices, todos ellos dirigiendo una mano de obra experta, dominadora de los oficios de albañilería transmitida y evolucionada desde tiempo inmemorial.

Dejaremos para otra ocasión entrar en el conflicto entre arquitectos académicos, maestros de obras, aparejadores… Algunos han alcanzado la celebridad, la mayoría todavía en el anonimato, concibieron y ejecutaron unos artefactos que hoy interpretamos generalmente con modelos virtuales idealizados, pero simplificadores. Las cúpulas no son exclusivamente de autor, la praxis local, los oficios, la albañilería impone su ley.

Sus epígonos algunos célebres, una vez más los reivindicamos, a Manuel Fornés, Rafael Guastavino, también a Félix Cardellach, el inigualable Antoni Gaudí, o sus discípulos Bergós, Terradas, Bassegoda, también a Luis Moya.

Planteamiento exigencial

Para definir las intervenciones es fundamental tener en cuenta la visión funcional. La cúpula es una cubierta, envolvente superior de un edificio con la misión de proteger el interior del mismo de las acciones meteorológicas. Se trata de un sistema constructivo sometido a exigencias específicas y múltiples, que superan el dominio estrictamente estructural.

Desde el punto de vista funcional está sometida a requisitos como estabilidad y resistencia, barrera a la intemperie, comportamiento higrotérmico, barrera acústica, resistencia al fuego, durabilidad, pero también relacionados con el ámbito interior, iluminación y acabados decorativos. De acuerdo con esta visión funcional descrita, se han aplicado las múltiples exigencias que debe soportar, de manera ordenada a sus diversos componentes constructivos. Este planteamiento exigencial de la construcción relaciona la construcción y la ciencia, superando la mera práctica.

Se trata de operaciones focalizadas para corregir las soluciones iniciales que han generado graves patologías. Desde la máxima fidelidad y respeto formal, se introducen variaciones, utilizando tecnologías y materiales actuales, sofisticados, de los que evidentemente no disponían en el momento de la ejecución inicial y desde un conocimiento mayor de la construcción y de la cuantificación de los requisitos funcionales. El objetivo es alcanzar unos niveles de seguridad aceptables y una mayor durabilidad.

Estos criterios generales deben adaptarse a los distintos casos concretos, y a su estado de conservación. Las modificaciones o mejoras se introducen tras el análisis de la solución inicial, tratando de respetar al máximo el artefacto original si su estado de conservación lo permite.

El revestimiento de teja

Uno de los problemas habituales es el mal estado de las tejas que revisten las cúpulas, lo que obliga a una intervención con el objeto de paralizar la entrada de agua al interior de la iglesia y que puede afectar de modo preocupante a la calota resistente de la cúpula y al ámbito interior.

Como criterio general, en todos los casos se ha tratado de evitar el desmontaje y sustitución total de las tejas, ya que se ha pretendido no alterar ni las disposiciones, ni los materiales de las capas de revestimiento de la calota resistente de la cúpula, con el fin de no modificar el artefacto construido. No por sólo por razones de índole económica, sino fundamentalmente por no alterar un sistema constructivo en el que pequeñas modificaciones pueden ocasionar variaciones imprevisibles en el comportamiento general. Además, el momento de una intervención de ese tipo supone un peligro tanto por la posible entrada de agua, pero sobre todo por la ampliación de las variaciones térmicas que podría provocar en la calota, unas tensiones inadmisibles. Por ello se descarta la renovación y sustitución total de las tejas, optando por una sustitución mínima, la estrictamente necesaria.

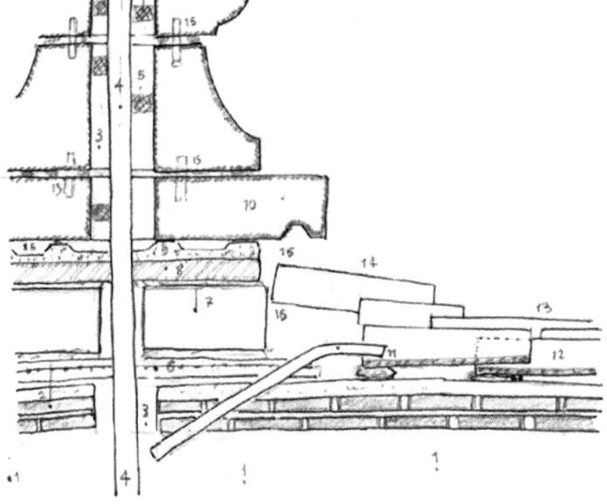

LEYENDA
1. *Desván ventilado.*
2. *Calota doble capa de ladrillo, mortero cal soporte teja.*
3. *Hueco ventilación desván.*
4. *Vástago de hierrotro.*
5. *Calzos separadores.*
6. *Refuerzo calota capas de yeso armado malla textil.*
7. *Refuerzo calota costillas de ladrillo según limas.*
8. *Tablero cerámico apoyo pináculo.*
9. *Capa de mortero con maestras resaltadas para ventilación.*
10. *Base de piedra de mayor dimensión que la original rota para disponer goterón.*
11. *Tubos ventilación desván.*
12. *Teja río.*
13. *Teja cobija.*
14. *Teja lima.*
15. *Varillas de fibra de vidrio para conectar piezas pináculo.*

Figura 4. *Ermitorio San Marcos en Olocau del Rey. Encuentro base pináculo faldones y refuerzo calota hoja exterior.*

Siguiendo este principio, se mantienen en su posición las tejas que se encuentren sin roturas ni grietas, incluso en determinados casos se reparan si tiene fisuras de poca entidad o si su sustitución provoca males mayores al tener que eliminar un elevado número de tejas. En las zonas donde es necesaria la sustitución, se colocarán tejas de dimensiones y formato similar a las desaparecidas y se procederá en caso necesario a restituir el revestimiento vidriado, mediante técnica pictórica, con el objeto de mantener in situ el mayor número de tejas, o aprovechar las más similares. En las tejas río se procederá a su limpieza, eliminando la costra existente, sin eliminar su pátina. También se recurrirá a la utilización de tejas viejas compatibles con las existentes, en caso de que el formato de las que actualmente se fabrican sean incompatibles. La colocación se realizará por operarios expertos y el mortero de agarre a utilizar será de cal, de las mismas características que el existente primando su elasticidad.

En las zonas a retejar, se han realizado meticulosas operaciones de albañilería, en el trasdós empleando pastas de yeso o morteros de cal. Una decisión a tomar era el tipo de clavo a utilizar en las zonas reparadas en que la pendiente de la cúpula exige anclar las tejas. Tras considerar distintas opciones, se ha descartado emplear clavos de nylon de excelente diseño que resolvían perfectamente la fijación, porque la garantía es de 25 años. Se han colocado clavos de madera de boj, puesto que se ha comprobado que han tenido una duración de más de doscientos años en las cúpulas. Para favorecer el ritmo de colocación, se emplean además masillas adhesivas, con una resistencia inicial que no tiene el mortero de colocación.

La calota resistente

Tanto por los resultados de los estudios estructurales realizados (Soler 2006b) como por la ausencia de patologías en las cúpulas estudiadas,

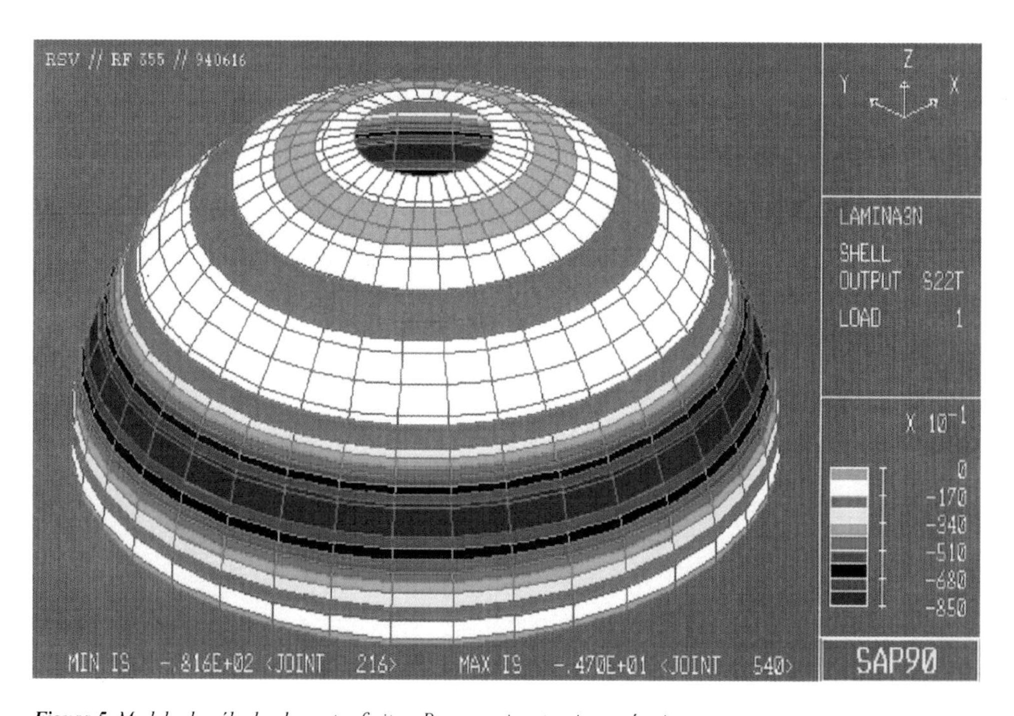

Figura 5. *Modelo de cálculo elementos finitos. Peso propio y tensiones térmicas.*

***Figura 6.** Capilla Comunión, Sant Roc en Oliva. Pináculo exterior. Refuerzo calota. Pieza especial base de pináculo de piedra. Varilla de acero roscado alojada en tubo forrada con aislante. Pieza decorativa pináculo superior con rotura de puente térmico. Teja lima bajo de goterón. Ventilación superior del faldón. Florón reforzado de madera suspendido con tirantes estabilizadores.*

no estaba justificado intervenir de modo general en toda la calota.

No somos partidarios de trasdosados con hormigones, práctica llevada a cabo en algunas ocasiones, que afecta muy negativamente al comportamiento del sistema constructivo de la cúpula. Por otra parte, sería imprudente modificar capas de materiales que trabajan armónicamente, de forma compatible. Es innegable el gran interés del modelo original, en cuanto a su autenticidad constructiva por ser testimonio de técnicas y materiales tradicionales, cuya longevidad es evidente.

Sólo se ha intervenido en aquellos puntos singulares afectados por la entrada de agua y de modo particular en la coronación o el arranque, por considerarlos críticos, tanto por la existencia de cargas puntuales como por la posible pérdida de resistencia del yeso.

En aquellos puntos en los que la calota manifieste alguna patología, fisura o humedad, la intervención se basa en trasdosar la calota, con

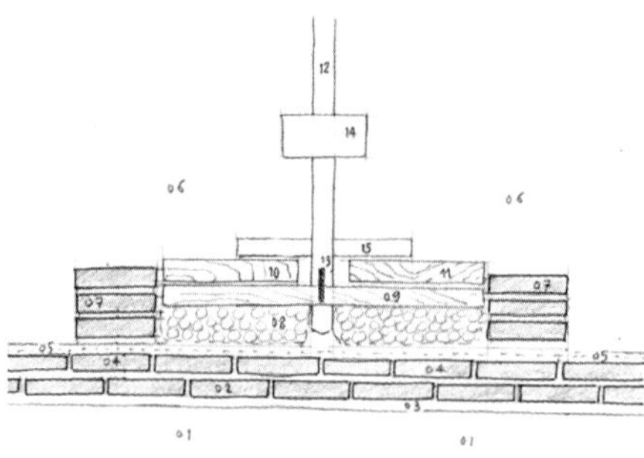

LEYENDA
1. *Ámbito interior iglesia.*
2. *Hoja interior capa de ladrillo tabicado.*
3. *Revestimiento interior, tendido y enlucido de yeso y pintura.*
4. *Doblado capa de ladrillo en zona coronación.*
5. *Refuerzo calota capas de yeso armado malla textil.*
6. *Desván ventilado.*
7. *Arqueta citara de tres hiladas de ladrillo para encajar las tablas.*
8. *Capa de gravilla para ventilar tablas.*
9. *Tabla de madera hendidura pasador inferior.*
10. 11. *Tabla de madera apoyo nuevo pasador.*
12. *Vástago de hierro macizo con pintura de protección.*
13. Pasador existente del *vástago.*
14. *Cazoleta recogida posibles condensaciones.*
15. *Nuevo pasador ortogonal al anterior para equilibrio transversal.*

Figura 7. *Ermitorio San Marcos en Olocau del Rey. Croquis encuentro vástago hoja interior.*

capas planas o costillas de materiales compatibles (ladrillo, morteros de yeso o cal, mallas textiles), para aumentar la seguridad y la durabilidad. En ocasiones es necesario un saneado previo.

Desvanes y cámaras

Deben tenerse en cuenta consideraciones respecto a la ventilación del desván delimitado por la hoja interior y la exterior, que mejora tanto las condiciones higrotérmicas. Es aconsejable un grado de ventilación débil, que reduce los grandes sobrecalentamientos por radiación solar e indirectamente minimiza las tensiones de origen térmico y limita las pérdidas caloríficas en situación de invierno. La ventilación evita que se pudran elementos decorativos de madera y puede secar zonas con eventuales humedades en los revestimientos de yeso, que en caso contrario se deteriorarían. Esto era tenido en cuenta por los constructores de la época, se han observado en ocasiones orificios en la cornisa para la ventilación.

Las intervenciones realizadas han tratado de favorecer este aspecto. En el Ermitorio San Marcos, para crear una débil ventilación del desván, se han realizado en ocho puntos repartidos simétricamente tres perforaciones en la hoja interior. En la hoja exterior se colocan tejas de ventilación en los faldones y por la coronación se ha reforzado el tiro mediante un diseño adecuado del encuentro entre las tejas limas y el pedestal.

En Sant Roc que representa un caso límite en que las dos hojas crean una cámara compartimentada en cajones se ha buscado la ventilación al tener que renovar la coronación, mediante un diseño que dispone de tubos de ventilación en la parte superior, entre las tejas y el pedestal. En la Arciprestal de Vila-Real a mitad altura de la hoja exterior, se han practicado unos tubos de ventilación, bajo tejas cobija, además de los conductos dispuestos en la cornisa.

Pináculos y pinjantes

El remate interior del centro de las cúpulas es un punto singular que suele resolverse con elementos decorativos adosados a la cúpula o puede incluso colgar alguna escultura. Además, son puntos de frecuente entrada de agua y en ocasiones representan un gran peligro potencial por la posible caída de fragmentos o elementos colgados. La intervención debe de mejorar la seguridad de las personas y una mayor durabilidad de los materiales y soluciones existentes.

El remate superior exterior es un punto singular que presenta deficiencias por una parte debido a la incompatibilidad del encuentro entre el vástago de hierro y las piezas de piedra y por otro el apoyo de las piezas ornamentales sobre la calota y la incorrecta intersección con las tejas en la coronación.

En Sant Roc el pinjante inferior era un florón de estructura de madera de grandes dimensiones, bellamente decorado, colgado del extremo inferior de la barra de hierro que atraviesa la cúpula de ladrillo. El florón oscilaba y se desconocía el modo de anclaje de la madera a la barra de hierro, al parecer inadecuado con el peligro que esta disposición comportaba, agravada por la entrada de agua.

Se procedió en una actuación de urgencia, a su desmontaje. Estudiada la unión de la madera y un pequeño pasador de la barra de hierro, se comprobó la insuficiente seguridad de la misma y el peligro que esta disposición comportaba. Una vez comprobado el estado de la madera, esta recibió un tratamiento antitermita y antiparasitario. Utilizando técnicas de carpintería se han repasado las uniones de las tablas de la estructura de madera, para asegurar su correcta disposición y se han repuesto las tablas pérdidas. Los estucos, y dorados, se han restaurado de modo que se distinga sutilmente la parte original de la restaurada. Para evitar que la fijación del vástago se realice de modo concentrado en un único punto de una tabla, forrando las tablas se dispone una chapa de acero inoxidable, trasdosada con dos perfiles inoxidable según los ejes para que el pinjante se suspenda de diversos puntos de la calota. Esta disposición le dota de mayor estabilidad y mejora la seguridad, respecto a la suspensión únicamente de la barra situada en el eje.

En la Arciprestal de Vila-Real, un ángel formado por piezas de madera estaba colgado de un sólo punto a un gran florón de mortero de yeso. En la intervención se procedió al desmontaje del ángel para sanear en taller toda la estructura de madera y restaurar sus dorados. Además de la fijación en un solo punto de la solución original, muy arriesgada, se mejora notablemente la seguridad añadiendo otros puntos de soporte con cables de la escultura del ángel.

Cuando el intradós estaba decorado con pinturas de reconocido valor artístico se ha procedido a su restauración por personal especialista que ha seguido un meticuloso protocolo.

Mantenimiento

Los rayos suponen un grave peligro para las personas y han causado graves desperfectos en cúpulas y campanarios, algunos recientemente. Hay que instalar un sistema de protección contra las descargas eléctricas. Generalmente suele haber alguna instalación protectora, pero pueden estar fuera de servicio, o con materiales obsoletos. Al inicio del montaje de los andamios debe de revisarse su estado. La instalación de los mismos puede alcanzar una elevada complejidad y coste. En ocasiones es necesario diseñar estructuras provisionales que apeen las cargas que no pueden ser soportadas directamente por la cúpula.

Uno de los principales problemas de las cúpulas es la falta de mantenimiento de sus cubiertas de teja, en parte debidas a las dificultades de acceso. Para mejorar este aspecto, uno de los objetivos de las intervenciones ha sido mejorar un itinerario que permita el acceso con seguridad.

Conclusiones. Recomendaciones

Las obras de intervención llevadas a cabo han permitido la definición completa de las cúpulas, y especialmente de las técnicas y materiales empleados. Esto confirma su gran valor como documento material de la historia de la arquitectura y la construcción. Se descubre un rico repertorio de cúpulas de ladrillo tabicado. A pesar del pequeño espesor y gran ligereza de las cáscaras, el comportamiento estructural general es adecuado.

Para asegurar la calidad de las intervenciones, se propone, a partir de la experiencia, una metodología específica que hace especial hincapié en garantizar el conocimiento profundo previo a la intervención, y que se resume en los siguientes aspectos:

- Contexto histórico y constructivo.
- Conocimiento tipológico.
- Historia de su construcción.
- Definición geométrica.
- Definición constructiva: técnicas y materiales.
- Manifestaciones patológicas.
- Estudio funcional que incluya un particular estudio estructural.
- Aplicación de cartas internacionales de restauración.
- Definición de las soluciones concretas.
- Mano de obra especializada.
- Supervisión de las obras.

El objetivo primordial de las intervenciones realizadas es el de conservar y entregar a las generaciones futuras, en el mejor y más auténtico estado posible, estos ejemplares de cúpulas mediterráneas, como herencia cultural a preservar, de acuerdo con las cartas internacionales de restauración. El criterio seguido es el de mínima intervención, tanto por su excepcional valor histórico como documento material, como para no modificar la concepción original de la construcción.

El estado general de conservación es bueno, no obstante, un estudio en profundidad detecta una serie de puntos críticos comunes: el revestimiento de teja, los arranques desde el tambor y los remates de coronación. Por los motivos expuestos, se respetan al máximo el artefacto original, pero no se renuncia a la incorporación de los avances tecnológicos actuales, tanto para la comprensión y análisis de los modelos, como para la introducción de mejoras puntuales relativas a:

- Estabilidad, estanqueidad y rotura de puentes térmicos en los remates exteriores de coronación.
- Seguridad en la fijación de los elementos decorativos interiores.
- Favorecer y controlar la ventilación de los desvanes o cámaras.

Nuestra participación en el II Simposio sobre bóvedas tabicadas, al exponer las intervenciones realizadas, pretende impulsar la conservación del patrimonio arquitectónico, de acuerdo con los principios enunciados. A nuestros colegas, que tienen encomendada esta esforzada tarea, está dedicado el presente artículo.

Nota: Salvo indicación contraria, las imágenes de este artículo pertenecen a los autores.

Referencias

BARES, M. y M.A. NOBILE (2011). Volte tabicadas nelle grandi isole del Mediterraneo: Sicilia e Sardegna XV-XVIII secolo. p119-132. En *Construyendo bóvedas tabicadas. Actas Simposio Internacional sobre bóvedas tabicadas*. Edited by Zaragoza, A., Soler, R., Marín, R., 119-132. Valencia: Universidad Politécnica.

GÓMEZ-FERRER, M. (2011). Las bóvedas tabicadas en la arquitectura valenciana pp 61-80 en *Construyendo bóvedas tabicadas. Actas Simposio Internacional sobre bóvedas tabicadas*. Edited by Zaragoza, A., Soler, R., Marín, R., 119-132. Valencia: Editorial UPV.

MARTÍNEZ BOQUERA, A., A. ALONSO DURÁ, R. SOLER VERDU y A. SOLER ESTRELA (2010). Reinforcement work carried out on the Todolella Parish Church after the collapse of a pilaster supporting the classical style dome; Castellon, Spain. In *Fracture Mechanics of Concrete and Concrete Structures. Assessment, Durability, Monitoring and Retrofitting of Concrete Structures*- Edited by Byung Hwan Oh. Seoul: Korea Concrete Institute.

OCHSENDORF, J. (2010). *Guastavino Vaulting. The Art of Structural Tile.* New York: Chronicle Books LLC.

RICH, P., J. OSCHENDORF, J.K. BELLAMY, P. BLOCK (2010). Design and construction of the Mapungubwe National Park Interpretative Centre, South Africa. *ATDF Journal*, 7(1,2):14-23.

SOLER VERDÚ, R. (2006). Más allá del límite. Las cúpulas tabicadas pp 299-320. En *Las Cúpulas azules de la Comunidad Valenciana*

SOLER VERDÚ, R. (2006b). Los modelos virtuales. De la geometría a las ecuaciones. p. 321-334. En *Las Cúpulas azules de la Comunidad Valenciana.*

SOLER VERDÚ, R. y A. SOLER ESTRELA (2011). Navegando por el trasdós de las cúpulas tabicadas, p.177-204 en *Construyendo bóvedas tabicadas*. Actas Simposio Internacional sobre bóvedas tabicadas. Edited by Zaragoza, A., Soler, R., Marín, R., 119-132. Valencia: Universidad Politécnica.

SOLER VERDÚ, R. (2012). Propuesta de metodología de estudios previos a la restauración. pp 433-460. en *24 lecciones sobre conservación del patrimonio arquitectónico. Su razón de ser.*

SOLER VERDÚ, R. y A. SOLER ESTRELA (2015). Tipología de cúpulas tabicadas. Geometría y construcción en la Valencia del siglo XVIII. *Informes de la construcción* nº67 (538).

SOLER-ESTRELA, A. Y R. SOLER-VERDÚ (2016). Restoration Techniques Applied to Tile Dome Conservation in the Western Mediterranean. Valencia, Spain, *International Journal of Architectural Heritage,* 10:5, 570-588.

ZARAGOZA, A. (2011). Hacia una historia de las bóvedas tabicadas. p 11-46 en. *Construyendo bóvedas tabicadas.* Actas Simposio Internacional sobre bóvedas tabicadas.Edited by Zaragoza, A., Soler, R., Marín, R., 119-132. Valencia: Universidad Politécnica.

Cúpula del Santísimo. Parroquial de Lloret de Mar de 1910

ISBN. 978-84-9048-827-0

Las cúpulas tabicadas armadas de Domènech i Montaner, entre el colapso y la restauración: ¿Pudieron tener otro diseño?

José Luis González Moreno-Navarro
Universitat Politècnica de Catalunya.

Abstract

The author, together with other architects who carried out the preliminary studies, the projects and the construction management of the intervention in the Sant Manuel pavilion and, in part, in the Administration pavilion of the Hospital de Sant Pau in Barcelona, have exhibited in different events the details and the possible reasons why Lluís Domènech i Montaner (1850-1923) imagined his architecture. One of the issues analysed has been the case of the domes of the day rooms, of which, due to the sudden collapse of one of them and the conclusions of the study of a similar one, it can be assured that they had a poor design. This document aims to answer the logical question of whether another design has been possible. To do this, it addresses the state of the art at the beginning of the 20th century in relation to the construction of domes that can vary from historical solutions to contemporary cases, including the scientific communications of the time.

Keywords: *Hospital de Sant Pau in Barcelona, Lluís Domènech i Montaner, dome, design, construction.*

Resumen

El autor del texto junto con otros arquitectos que llevaron a cabo los estudios previos, los proyectos y dirección de obras de la intervención en el pabellón de Sant Manuel y, en parte, en el de Administración del Hospital de Sant Pau de Barcelona, han expuesto en diferentes ocasiones los detalles y las posibles razones por las cuales Lluís Domènech i Montaner (1850-1923) imaginó su arquitectura. Una de las cuestiones analizadas ha sido el caso de las cúpulas de las salas de día, de las cuales, debido al colapso repentino de una de ellas y las conclusiones del estudio de una similar, se puede asegurar que tenían un diseño deficiente. Este documento tiene como objetivo responder la pregunta lógica de si otro diseño hubiera sido posible. Para hacerlo, se aborda el estado de la cuestión a principios del siglo XX en relación con la construcción de cúpulas que puede variar desde soluciones históricas hasta casos concretos contemporáneos, incluidas las comunicaciones científicas de la época.

Palabras clave: *Hospital de Sant Pau de Barcelona, Lluís Domènech i Montaner, cúpula, diseño, construcción.*

A las 10:30 del 20 de abril 2004, sin ningún indicio previo, se hundió la cúpula de la sala de día del pabellón de la Mercè, junto con su linterna de varias toneladas, atrapando en su caída a las dieciséis personas que estaban a la espera de ser atendidas (Casals et al. 2012, n.16). Un año más tarde, se amplió la cuestión a la del pabellón de Sant Manuel y se concluyó el defectuoso diseño inicial (Casals et al. 2013).

Si en el proceso de restauración se concluye que un elemento histórico no fue bien diseñado o construido, se abre la incógnita de si existían en su momento soluciones alternativas. Si fuera así, estas alternativas podrían ser la manera de corregir el error y, en caso contrario, la solución podría pasar por diseños no históricos.

En la intervención que se realizó en el pabellón de Sant Manuel del Hospital de Sant Pau estuvo muy presente el recuerdo del colapso en 2004 de la cúpula del pabellón de la Mercè. (Casals et al. 2012, n.16). En el estudio específico que se hizo sobre su cúpula, igual a la colapsada, se concluyó como defectuoso el diseño original de ambas (Casals et al. 2013).

Si en el proceso de restauración se manifiesta que un elemento histórico no fue bien diseñado o construido, es posible aplicar el criterio de averiguar si existían en su momento alternativas de mejora aplicables hoy y, en caso contrario, la solución de refuerzo podría pasar por diseños no históricos. Las restauraciones efectuadas en las cúpulas de tres pabellones del Hospital (Merçé, Sant Salvador y Sant Manuel) adoptaron tres criterios diferentes.

Objetivo y procedimiento

En consecuencia, el objetivo concreto de este texto es brindar una respuesta a la pregunta de si Domènech y Montaner tenía a su alcance conocimientos, documentos o experiencias en casos concretos que le hubieran permitido ser consciente del posible fallo y buscar alternativas más fiables. Dicho de otro modo, se trata de saber cuál era el estado de la cuestión sobre la construcción de cúpulas tabicadas con linternas pesadas, que podía abarcar desde las soluciones tradicionales hasta casos concretos contemporáneos o comunicaciones científicas antaño recientes. A pesar de la gran cantidad de estudios realizados, hasta ahora no se ha abordado esta cuestión.

El primer paso deberá ser el poner de manifiesto, de manera resumida y mínimamente crítica, el diseño original de las cúpulas, del cual se tienen datos concretos. Hecho lo anterior se pasará al objetivo principal que es tener una aproximación al citado estado de la cuestión para lo cual se hará un repaso de los documentos sobre los conocimientos que al respecto existían en aquel momento en el ámbito catalán, a lo que se añadirá una revisión de las cúpulas construidas en un contexto geográfico cercano, que se podrían haber considerado en aquel momento. Tanto de los documentos, como de las cúpulas, se agregarán las existentes en Norteamérica en ese mismo período, aunque no llegarán a difundirse en nuestro país.

Si bien los antecedentes históricos estarán presentes en este texto, el período de tiempo considerado como contemporáneo de aquel momento es el de 40 años que recorre desde 1880 hasta 1920, justo antes de la construcción del pabellón de Sant Manuel. Todo ello permitirá reflexionar sobre cuáles habrían podido ser las alternativas a tener en cuenta por Domènech i Montaner para las cúpulas de las salas de día. Se finalizará con un comentario sobre las restauraciones realizadas.

El diseño original de las cúpulas

La cúpula de la Sala de Día del pabellón de Sant Manuel de 1922 estaba formada por dos hojas que delimitaban una cámara de aire, ventilada en su parte superior por un respiradero configurado a modo de linterna (Casals 2013, 174-7). La de la Merçè de 1904 era prácticamente igual (Brazo 2010, 74-77). El informe del hundimiento de la Merçè no es accesible salvo por reseñas periodísticas de la conferencia de prensa que ofreció Lluís Moya Ferrer, arquitecto autor del informe. Una de ellas tiene por título, "Las deficiencias de la estructura original y las obras causaron el desplome de la cúpula de Sant Pau" (El Mundo, 13/05/2004) y la otra "El desplome de la cúpula de Sant Pau se debió a la suma de seis factores "imprevisibles"" (ABC Cataluña, 14/05/2004). Ambas aportan explicaciones claras, concretas y coincidentes y, hoy por hoy, ambas son accesibles en la red.

En Sant Manuel, la primera inspección determinó el relativo buen estado de conservación de todos los elementos metálicos. Sin embargo, el estudio del comportamiento mecánico según análisis de membrana, realizado mediante el método de Wolfe, aplicó tres hipótesis en relación con el gran peso relativo del respiradero: 1) la hoja superior de cerámica lo soporta completamente, 2) la hoja superior sólo soporta la mitad y 3) la hoja superior sólo soporta su peso propio. En la figura 1 se observa la situación de los tres paralelos en los que aparecen tracciones. Se concluye que no se soporta ni a sí misma (fig. 1).

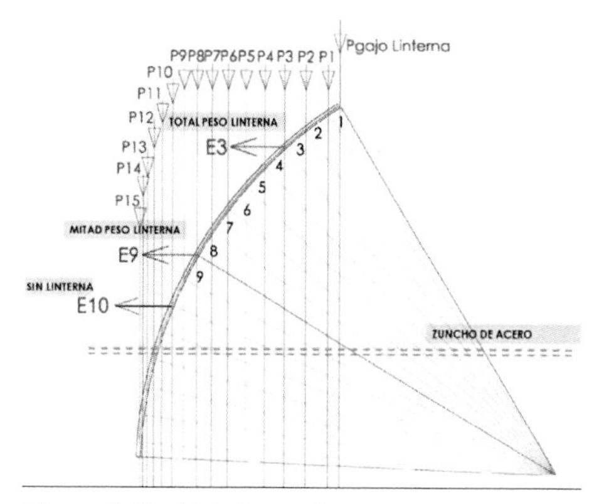

Figura 1. *Perfil de la cúpula con el resultado de la aplicación del método de Wolfe. E3 es el paralelo en el que aparecen las tracciones debido al peso total del respiradero. E9 corresponde a la mitad de ese peso y E10 al peso propio sólo de la cúpula.*

Los meridianos metálicos parecerían imprescindibles, aunque también se comprueba su incapacidad por sí mismos para soportar el respiradero, por lo que la conclusión no puede ser otra, aunque imposible de modelizar, que sólo el muy dudoso comportamiento conjunto del tabicado y meridianos metálicos resolvía el problema (Casals 2013, 178).

Como hipótesis totalmente razonable, todo lo anterior justifica la afirmación apuntada al principio sobre un diseño estructural manifiestamente mejorable. Con todo, una cuestión importante nunca contemplada hasta ahora, que añade más dudas sobre el diseño original, es cuál era la función del conjunto descrito.

La función estética exterior e interior era evidente. La de orden práctico, una cámara de aire ventilada semejante a la de la cubierta a la catalana, útil especialmente en verano, no tenía sentido alguno para aquel local perfectamente ventilable con la fácil abertura de sus amplias carpinterías perimetrales. Sin embargo, tuvo unos efectos secundarios totalmente inadecuados para un hospital.

El autor lo pudo comprobar personalmente cuando, con la intención de observar el estado de conservación de los meridianos metálicos de la hoja superior y equipado con ropaje y mascarilla herméticos, se introdujo en la cámara de aire a través de un boquete abierto en la hoja inferior. El trasdós de la cúpula inferior presentaba una gruesa capa de excrementos de paloma acumulados durante unos 80 años (Casals et al. 2013) (fig. 2).

Figura 2. *Arriba, intradós de la cúpula exterior con sus perfiles metálicos de refuerzo y óculo abierto al respiradero. Abajo, extradós de la cúpula interior.*

Documentos sobre cúpulas tabicadas

Textos específicos

Cualquier referencia a las bóvedas tabicadas históricas se ha de remontar hasta el tratado de Fray Lorenzo de San Nicolás (1593-1679) de 1633 para encontrar una manera de entender su auténtico comportamiento.

Basado en su amplísima experiencia como constructor, este fraile siempre aconsejaba rellenar las enjutas de las bóvedas hasta 2/3 de la altura. Ahora bien, paradójicamente, en el ámbito de las cúpulas solo dejó consejo de cómo construir las encamonadas.

Todos los que escribieron posteriormente, aunque lo citen, parten de una manera errónea de entender el comportamiento de las bóvedas de cañón, de pañuelo, etc. Tal como expone clara y ampliamente (Huerta 2001, 87-112), ninguno de ellos alcanzó a comprender el auténtico comportamiento de las bóvedas, ignorando por supuesto una vez más las cúpulas.

El Congreso de 1904

Durante el periodo de estudio, 1880-1920, los arquitectos organizaron diversos congresos internacionales desde 1867 y nacionales en Madrid en 1881, y Barcelona en 1888. En el de 1904 de Madrid coincidieron los dos ámbitos. Los años posteriores fueron celebrando en cada lugar a su propio ritmo.

Rafael Guastavino Moreno (1842-1908) aprovechó la celebración del internacional de 1904 para presentar una larga comunicación en francés por medio del arquitecto y amigo Mariano Belmás (1850-1916), buen conocedor del mundo anglosajón y norteamericano, que pudo disponer de un álbum de fotografías de sus obras, de las que sólo se conocen las publicadas por Luis Moya Blanco (1904-1990) (Moya 1947). Sólo una de ellas mostraba una solución constructiva de una cúpula, la del banco de Montreal, construida en el invierno de 1904 en 19 días por cuatro albañiles.

Pues bien, nada de todo ello lo pudo conocer directamente Domènech y Montaner, ya que fue uno de los pocos arquitectos catalanes que no asistió al congreso (Graus 2012, 130). Por el contrario, Josep Puig i Cadafalch (1867-1956) sí lo hizo y dejó constancia por escrito por medio de una nota sobre la historia de la bóveda tabicada en la que al final hacía una muy elogiosa referencia a la obra de Guastavino en un periódico catalán de amplia difusión (Graus 2012, 261-5). Es razonable pensar que la inasistencia de Domènech i Montaner al Congreso no fue un factor irrelevante.

La patente de Guastavino de 1908

Rafael Guastavino hijo (1872-1950) condensó nuevos conocimientos y larga experiencia en su patente presentada tanto en los EE.UU. como en España en 1908 (fig. 3) (Graus 2012, 307). Quizá lo hizo pensando en las cúpulas de las salas de día del hospital, cuyo proyecto fue público en 1902 y sus obras comenzaron en 1905.

El artículo de Jeroni Martorell de 1910

Jeroni Martorell i Terrats (1876-1951), un arquitecto joven implicado activamente en el devenir arquitectónico cultural de la Cataluña de la época y, en principio, bien informado (Graus 2012, 87-122), publicó un artículo que describía la novedad que, en su opinión, se había iniciado pocos años antes, según la cual, la ancestral técnica de la bóveda tabicada alcanzaba nuevas posibilidades arquitectónicas mediante el uso de perfiles de acero, ubicados en los lugares oportunos, con el objetivo de equilibrar los empujes de arcos y bóvedas (Martorell 1910, 119-46).

Con todo, reconoce que lo explicado no es tan novedoso cuando afirma que "el empleo del tirante de hierro, para destruir el empuje del arco, es cosa vieja", citando a continuación algunos casos históricos italianos o catalanes. Remata el tema afirmando que Eugène Viollet-le Duc (1814-1879) y Rafael Guastavino Moreno fueron dos eminentes predecesores del procedimiento. Sin embargo, más adelante, del valenciano destaca que, a pesar de haber

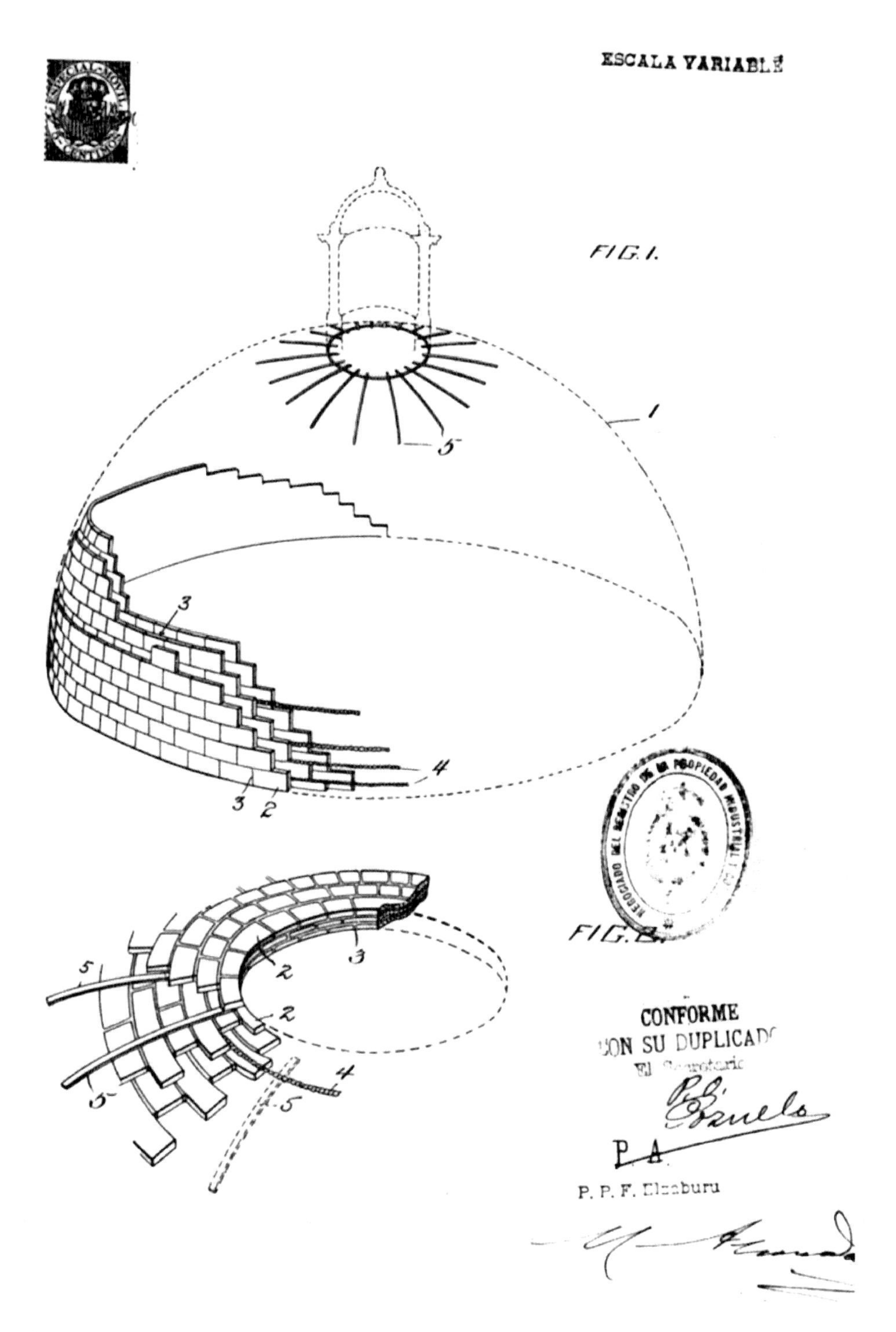

Figura 3. *Documento de la patente presentada en España.*

utilizado en Cataluña tirantes en sus bóvedas, en los Estados Unidos presentaba los sistemas catalanes exclusivamente como medio para evitar la propagación del fuego (Martorell 1910: 124-5).

> En el tomo del congreso internacional de arquitectura, celebrado en 1906 en Londres, se encuentra la reproducción en fotografía, de dos obras de Guastavino (...); en una y otra, el oficio del hierro como tirante, no aparece tampoco claramente.

Sorprende que Martorell se refiera al congreso de 1906 en Londres y no al de 1904 en Madrid. Y concluye:

> Si las construcciones de Guastavino merecen atención, creemos que, con mayor motivo, serán conocidas con interés las modernas construcciones catalanas en que la bóveda tabicada el hierro atirantado son la esencia de su estructura.

En realidad, el contenido concreto del artículo recorre ampliamente la sustitución de los habituales elementos de cubierta en madera, cuchillos, correas, latas y tejas, por bóvedas tabicadas soportadas por cuchillos u otros elementos metálicos, y la única novedad aparece al final cuando hace referencia a tirantes ocultos en el grueso de los muros y en cuatro casos concretos: dos sobre planta cuadrada, dos de las extraordinarias bóvedas del pabellón de Administración del Hospital de San Pablo, y dos sobre planta circular, el pabellón de higiene del Sanatorio del Tibidabo de Barcelona y la sala de día protagonista de este artículo. En estos dos casos no las denomina cúpulas, sino bóvedas cuyos tirantes son zunchos anulares sin dar muchas aclaraciones de sobre su situación.

En el último apartado sobre procedimientos de cálculo, con una sola frase resume su opinión (Martorell 1910: 143):

> (...) la cohesión, la rigidez de las bóvedas tabicadas, disminuye en gran manera su empuje y a la vez permite dar las formas inverosímiles, que así fuera láminas metálicas.

Se puede afirmar que el texto de Martorell se configura como un documento muy representativo del estado de la cuestión de aquel momento en su ciudad.

El análisis de membrana gráfico de 1878 a 1921

Como es bien sabido, la teoría de membrana indica que, en las cúpulas esféricas tanto delgadas como tabicadas, las cargas verticales (de peso propio o cargas superiores) se transmiten siguiendo la misma forma curva del meridiano (y no la forma de la catenaria invertida de Hooke como en el caso de los arcos, o gajos de cúpulas gruesas), por lo que las tensiones en ellos son siempre de compresión simple. En los paralelos, las tensiones varían según la latitud. En la parte superior, las tensiones son de compresión hasta

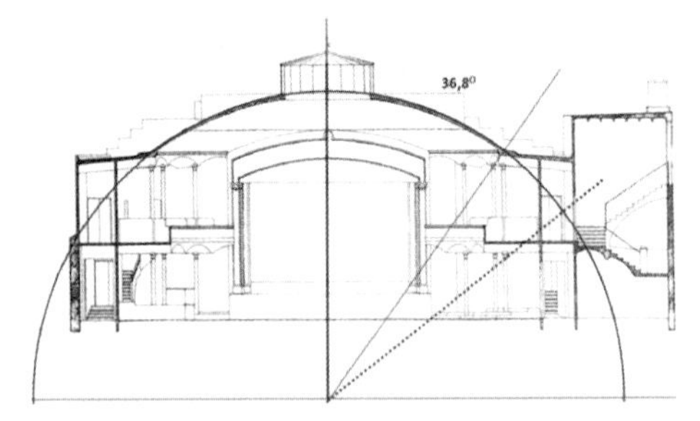

Figura 4. *Sección del teatro de La Massa de Vilassar de Dalt sobre la cual se ha grafiado la directriz completa de la cúpula con el fin de destacar su carácter de casquete rebajado de ángulo 36,8°.*

un ángulo aproximado de 52° desde el eje vertical, por debajo del cual se convierten en tracción y deformación centrífuga.

Por ello, es posible abrir un óculo en la clave de la cúpula, que además contribuye a reducir las tensiones de tracción. En contra, el peso de una posible linterna ocasiona que el primer paralelo traccionado se sitúe más arriba. Pero una cosa es saber todo esto y otra es disponer de un método gráfico que permita determinar el valor y signo de las tensiones y su situación.

Redondo (2013, 281-6) apunta que, en 1878, Eddy fue el primero en proponer un método gráfico de análisis de membrana. En 1904, Dunn

Figura 5. Conjunto de la iglesia de Sant Andreu del Palomar.

aportó mayor claridad al anterior y, en 1908, el mismo Dunn escribió un nuevo artículo dedicado a cúpulas de fábrica donde se citaron varios ejemplos de las cúpulas construidas por los Guastavino en América, que constituye la primera aplicación concreta del análisis de membrana a cúpulas tabicadas. El método de Dunn de 1904 fue ampliado por Wolfe en 1921.

El método de Wolfe fue prácticamente desconocido en nuestro país hasta la publicación en 2011 en tres idiomas y a cargo del ayuntamiento de Vilassar de Dalt, de la monografía de la norteamericana ganadora del Premio Guastavino, Megan Reese (Reese 2010). Gracias a esta publicación se pudo realizar el análisis de membrana de la cúpula de Sant Manuel expuesto anteriormente.

El desconocimiento de Jeroni Martorell de la teoría de membrana para el cálculo de cúpulas delgadas no se puede considerar un fallo propio, sino más bien es un fallo del colectivo de nuestros arquitectos e ingenieros, dado que la teoría cohesiva y sus derivados se mantuvo en todos los teóricos que abordaron la cuestión.

Tal como irónicamente señala Redondo (2015, 297):

> Algunos autores españoles analizan las bóvedas tabicadas empleando la teoría de la membrana, aunque…, con unos cuantos años de retraso: Juan Bergós en 1945 y Bassegoda Musté en 1947 y 1952.

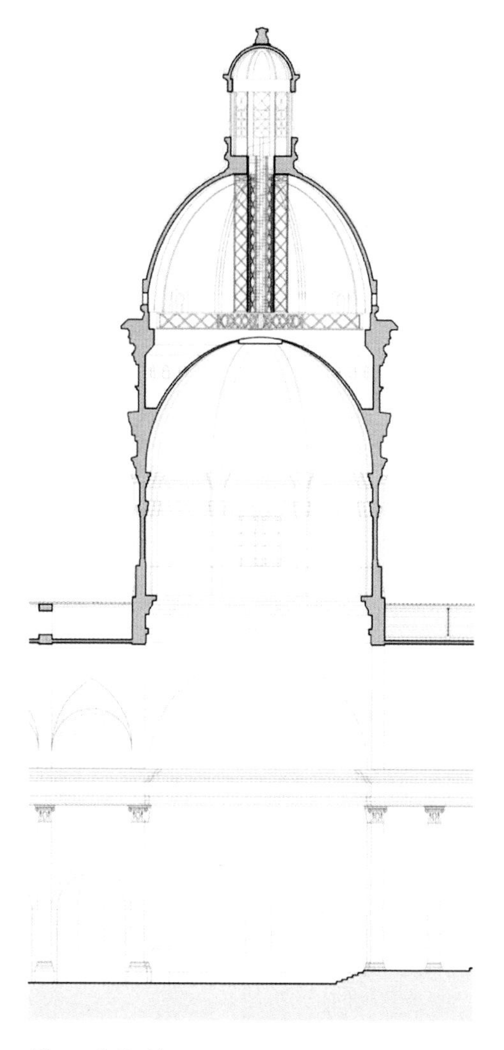

Figura 6. (Doble en vertical). Sección por el eje de la nave principal del conjunto de cúpulas del crucero.

Cúpulas tabicadas construidas

El Barroco catalán o valenciano

Se puede evitar el empuje hacia el exterior que se produce por debajo del paralelo situado a los 52° situando elementos macizos que lo impidan como muros gruesos del cimborrio o tabiques a la manera de las lengüetas o similares, todos ellos muy habituales en la tradición constructiva catalana o valenciana. Los constructores barrocos no sabían nada de la teoría de membranas, pero si hacían cúpulas esféricas delgadas completas se les caían.

La primera de Guastavino de 1881

Si la esfera se corta horizontalmente por un paralelo situado a un ángulo menor de 52° se obtiene una cúpula con forma de casquete esférico sin tracciones en sus paralelos, excepto en el de contacto con su soporte inferior donde siempre debe aparecer un elemento resistente a tracción a manera de zuncho inferior.

Y eso es lo que hizo Guastavino en el teatro de Vilassar de Dalt, con un casquete de 36,8°, alejado del ángulo de 52° y un zuncho inferior metálico (fig. 4). Tampoco sabía en aquel momento nada de la teoría de membranas, pero echó mano de su intuición y su experiencia.

Figura 7. *Conjunto de la cúpula con la imagen de la virgen de la Mercè en su parte superior.*

Sant Andreu del Palomar de 1885

El arquitecto Pere Falques i Urpi (1850-1916) en 1880 recibió el encargo de construir la nueva iglesia de San Andreu del Palomar que se inauguró en 1881, proyecto del que no parece existir ningún documento gráfico. El 9 de agosto de 1882 la cúpula colapsó durante un acto religioso, ocasionando 7 muertos y 11 heridos. No tuvieron tanta suerte como los ocupantes del pabellón de la Mercè en 2004. Josep Domènech i Estapà (1858-1917), en colaboración con Joan Torras i Guardiola (1827-1910), arquitecto especialista en construcciones metálicas, rehízo el proyecto y lo finalizó en 1885 (fig. 5).

El objetivo de este texto no pretende más que describir su configuración constructiva (fig. 6) a partir de los aportado por (Batllori 2015), sin entrar en la justificación de su propuesta arquitectónica, ni de su desmesurada dimensión en relación con el pueblo al que servía en aquel momento, municipio independiente de Barcelona hasta 1897.

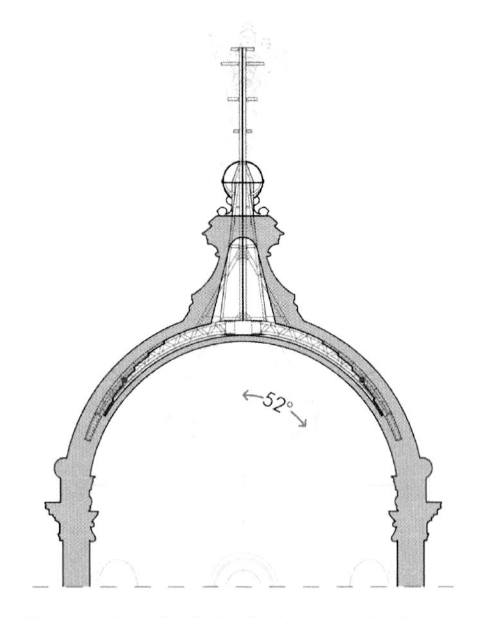

Figura 8. *Sección de la cúpula con el detalle en de la estructura metálica de soporte de todo el conjunto.*

Sobre los cuatro arcos torales habituales del crucero con las correspondientes pechinas, se eleva un tambor con una primera configuración en planta cuadrada exterior y circular interior que soporta la cúpula semiesférica inferior tabicada de varios gruesos de rasilla. Le sigue un segundo tambor de menor altura de planta circular, sobre el que descansa la cúpula superior que a su vez da soporte a una altísima linterna.

Si se trazan dos líneas inclinadas entre en la base de la linterna y la cornisa perimetral de la cúpula inferior, no deja de aparecer una cierta relación con la cúpula cónica que consiguió ejecutar Wren al final, después de diversas soluciones, o extravagantes, o imposibles, en la catedral de Saint Paul de Londres. Para un problema similar, obviamente, Domenech i Estapà y Torras i Guardiola aprovecharon los recursos técnicos de su momento, y lo resolvieron con ocho diámetros de jácenas en celosía de un metro de canto apoyadas en los muros perimetrales del segundo tambor, en cuya intersección central soportan ocho pies derechos en celosía sobre los que descansa directamente la linterna. Todo hace suponer que Torras i Guardiola disfrutó.

La cúpula exterior con un perfil algo más apuntado, toda revestida de piezas cerámicas, es tabicada con una capa de rasilla y tres capas

Figura 10. *Sección por el plano de simetría coincidente aproximadamente con la vista anterior.*

Figura 9. *Vista desde el oeste del conjunto de cúpulas cónicas en su estado actual.*

más de ladrillo macizo, y está reforzada por ocho nervios exteriores y ocho interiores. Los primeros, con una anchura de un metro, añaden tres capas más de ladillo macizo. Los interiores, aparentemente de ladrillo, están realizados por vigas curvas en celosía de 55 cm de canto con cuatro perfiles metálicos solidarizados por pasamanos y remaches, que unidas a la fábrica de la cúpula están recubiertas con piezas cerámicas y se apoyan sobre el perímetro del tambor.

La pregunta es obvia, si la linterna ya tiene su soporte ¿Qué papel cumplen estos nervios de acero en la cúpula superior? En espera de que se realicen nuevas calas y cálculos, la hipótesis que apunta Batllori (2015), basada en un cálculo realizado por el método de Wolfe, sostiene que la cúpula exterior no tenía el espesor suficiente para evitar tracciones en los paralelos inferiores debido a su propio peso, problema que se resolvió mediante esos elementos en celosía. No se han encontrado datos del método de cálculo utilizado que, probablemente, fue el propio de la estructura metálica. Sin duda, se está frente a un conjunto notable de cúpulas tabicadas atirantadas con hierro.

La Mare de Deu de la Mercè de Barcelona de 1888

En el año 1888, con motivo de la declaración de la Virgen de la Mercè como patrona de la diócesis, sobre el edificio original barroco, desamortizado y vuelto a consagrar, se construyó la nueva cúpula sobre el crucero coronada con una estatua de bronce de la Virgen según proyecto de Joan Martorell i Montells (1833-1906) que, siguiendo su eclecticismo, adoptó una composición que puede recordar el dibujo de Palladio para la villa Trissino (fig. 7) (Batllori 2015).

Se trata de una cúpula más bien rebajada que debe dar soporte no a una linterna, sino a un elemento escultórico de mayor peso que, mediante un vástago axial firmemente anclado, ha de evitar que la escultura pueda quedar afectada por los empujes del viento.

La solución difícilmente podría haber sido diferente de la adoptada por medio de ocho diámetros de vigas en celosía metálicas encajadas entre la cúpula exterior de ladrillo en panderete y la cúpula interior tabicada, que aportan empotramiento frente a cargas horizontales y transmiten las cargas verticales hacia el apoyo en el tambor. No obstante, en previsión de posibles deformaciones hacia el exterior fueron dispuestos unos tirantes anclados de nervio en los puntos señalados en rojo en la figura, según el paralelo situado a 52° que aportan el papel de

Figura 11. *A la izquierda la cúpula del Santísimo y a la derecha la de la Sacristía.*

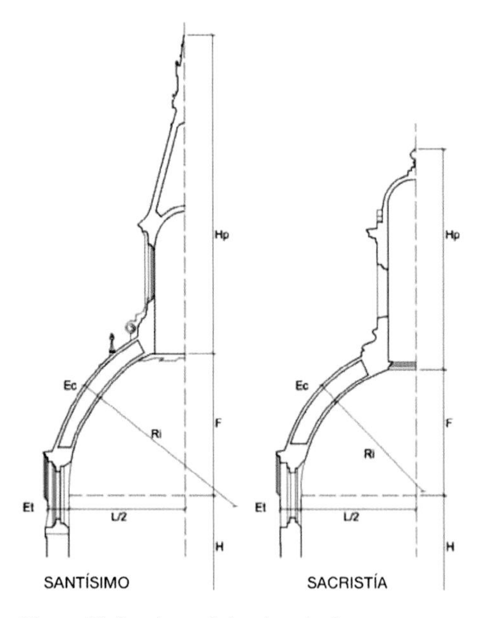

Figura 12. *Secciones de las dos cúpulas.*

zuncho perimetral de planta octogonal (fig. 8) (Batllori 2015). Sin duda, en este caso se está también frente a conjunto notable de cúpulas de ladrillo atirantadas con hierro.

El Sanatorio del Tibidabo de 1905

El proyecto de sanatorio antituberculoso fue encargado al arquitecto Joan Rubió i Bellver (1870-1952) pero, a pesar de que se levantaron algunos edificios del conjunto sanitario, no llegó nunca a funcionar como tal y sólo queda el pabellón que debía utilizar como lavadero y para desinfección. El resto fue destruido durante la guerra civil.

El edificio está compuesto por dos plantas con cuerpo central circular, rodeado nueve torres cilíndricas. Los forjados intermedios son de bóveda tabicada, y especialmente interesante la del cuerpo central, al estar formado por una bóveda palmeada circular soportada por un pilar central. Todas las cubiertas se resuelven mediante cúpulas cónicas tabicadas, la mayor de ellas de 5 gruesos de rasilla, que estuvieron recubiertas de *trencadís* y, a pesar del tristísimo y absoluto abandono del edificio, se conservan en un muy buen estado (fig. 9).

El único cálculo necesario fue el necesario para averiguar la componente horizontal de los esfuerzos inclinados, exclusivamente a compresión en toda su longitud (fig. 10), generador por el peso propio de las cúpulas, y el de la linterna en la mayor de ellas con tal de determinar las tensiones perimetrales a las que estaba sometido el correspondiente zuncho metálico en el borde inferior, con su sección correspondiente (Munné, Giménez y Ros 1993).

La Parroquial de Lloret de Mar de 1910

Bonaventura Conill i Montobbio (1875-1946), arquitecto con título de 1898 y forzosamente alumno de Domènech i Montaner, proyectó en 1910 y finalizó en 1914, una muy ambiciosa remodelación de este edificio de lejano origen gótico que, entre otras muchas obras, incluyó una nueva capilla del Santísimo y una nueva sacristía, ambas cubiertas con dos cúpulas rematadas por unas potentísimas linternas (fig. 11).

Las dos se basaban en un conjunto formado por dos hojas tabicadas de 2 gruesos de rasilla, una exterior revestida con cerámica y la otra interior con yeso y, entre las dos, 16 nervios meridianos de ladrillo macizo, de sección rectangular en la cúpula de la Sacristía y en forma de T en la del Santísimo. Esta composición, así como su directriz muy apuntada, con unas curvas de presión todavía más tensas, fue consecuencia del peso de las dos grandes linternas (fig. 12). Con todo, en los dos casos la estática gráfica indica la necesidad únicamente de un zuncho inferior, que se realizó con dos angulares situados en el intradós y el extradós y atados entre sí por pletinas en zigzag y que su estado de corrosión aconsejó su sustitución en 2010 (Sanz 2007, 855-62).

Guastavino en los EE.UU. 1880-1920

El único objetivo de este apartado es que no quede al menos sin una breve cita el hecho de que, durante los 40 años que dura el periodo de análisis de la presente comunicación, Guastavino y su hijo construyeron muchas cúpulas tabicadas, incluso antes de que fueran utilizables los métodos gráficos para el análisis de membrana. Esto se puede comprobar por ejemplo en la cúpula en construcción del East Boston High School de 1899 donde, a manera de lo que ya Fray Lorenzo

Figura 13. *Una de las cuatro semicerchas radiales de prevención de fallos de los perfiles metálicos originales protegidos mediante la inyección de mortero.*

llamaba lengüetas, unos tabicones desvían los posibles empujes de la parte inferior de la cúpula hacia un perímetro zunchado. Sin duda, el mejor documento actual para dar un repaso rápido a ese conjunto de cúpulas construido durante cuarenta años, complementado por el construido durante los cuarenta posteriores, es el tomo editado por Santiago Huerta "Las bóvedas de Guastavino en América" citado anteriormente.

Algunas respuestas a la pregunta inicial

Sin entrar en detalles, a la vista de todo lo expuesto y sin alterar la directriz exterior adoptada por Domènech i Montaner para el pabellón de la Mercè, son razonables algunas propuestas factibles en aquel momento y de comportamiento más seguro. La inmensa composición de Sant Andreu del Palomar, en principio, difícilmente pudo sugerir ninguna alternativa. La opción más directa sería la misma patente de Guastavino de 1908, aunque habiendo cuidado especialmente la protección de todos elementos anulares de los paralelos. La alternativa que, en principio, no plantearía ningún problema de protección de los elementos metálicos sería el recurso de la iglesia de la Mercè, adaptado a las menores dimensiones de nuestro caso. La solución tradicional de las cúpulas de Lloret, de similar tamaño y configuración exterior, resolvería también cualquier peso excesivo del respiradero, aunque habría precisado también la protección de su zuncho inferior. La adopción de una simple cúpula cónica como en el Sanatorio del Tibidabo, igualmente sin problemas de corrosión excepto en el zuncho inferior, podría dar lugar a dos alternativas diferentes:

- Una de ellas similar a la diseñada por Sir Christopher Wren (1632-1723) para Saint Paul en Londres, con la cónica dando soporte al respiradero superior, la superficie de la cúpula exterior tabicada apoyada en la cúpula cónica y un falso techo de casquete esférico en el interior. Obviamente desaparecería la controvertida cámara de aire.
- La otra solución, también sin cámara de aire, sería aún más radical. Suprimido el falso techo esférico, la cúpula cónica daría soporte a la cúpula exterior y al remate superior convertido en respiradero de la propia sala de día al igual que la anterior, quedando su espacio superior con una sección similar a la del baptisterio de la catedral de Pisa, aunque menos apuntado.

De las restauraciones efectuadas recientemente, la posible referencia a alguno de los casos históricos se concretó solo en uno de ellos dado que las tres partían de estados patológicos diferentes y de criterios de intervención muy diversos.

En el en el caso del *pabellón de la Mercè*, en el que se habían producido colapso total de las dos cúpulas existentes, la solución que se adoptó fue la reconstrucción mimética de las dos cúpulas tabicadas con la única variante que fueran las dos cúpulas las que soportaran conjuntamente el gran peso del lucernario por lo que se pudieron obviar los refuerzos metálicos originales (Brazo 2010, 74-7).

En el *pabellón de San Salvador*, el estado patológico se concretaba en un estado difuso y heterogéneo de fisuración de las bóvedas y de oxidación de los elementos metálicos, por lo que se adoptó por el mantenimiento de los elementos originales y la sustitución y refuerzo de los más dañados (Fernández, Bernuz 2015, 24-42).

Fue en el *pabellón de San Manuel*, en el que se adoptó una solución coincidente con uno de los casos históricos apuntados, la de la iglesia de la Mercè. Dado el relativo buen estado del conjunto, se siguió el criterio adoptado en el resto del pabellón, en el que se hizo refuerzo preventivo ante un posible fallo futuro del acero original que se concretó en una estructura de cerchas formadas por dos perfiles T60 de acero galvanizado, unidos mediante redondos de acero de diámetro 16mm, situadas bajo los perfiles originales sobre la que se apoyaba la estructura del respiradero, la cual se reforzó de manera similar (Casals 2013) (fig. 13).

Nota: Salvo indicación contraria, las imágenes de este artículo pertenecen a autor.

Referencias

ABC Cataluña. 14/05/2004. "El desplome de la cúpula de Sant Pau se debió a la suma de seis factores "imprevisibles""

BATLLORI, S. (2015). *Estudio comparativo de cúpulas en iglesias de Barcelona.* Projecte Final de Màster universitari en Tecnologia a l'Arquitectura.

Disponible en: http://hdl.handle.net/2117/89890.

BRAZO, P. (2010). Sensacions inicials. Reportatge: Recinte històric de l'Hospital de la Santa Creu i Sant Pau. *L'informatiu del CAATEEB.* Noviembre 2010.

CASALS, A., A. DOTOR, E. GARCÍA y B. ONECHA (2013). La Cúpula del Pabellón de Sant Manuel del Hospital de Sant Pau de Barcelona. *Actas del Octavo Congreso Nacional de Historia de la Construcción.* Madrid, 9-12 de octubre de 2013. Madrid: Instituto Juan de Herrera.

CASALS, A., J.L. GONZÁLEZ, B. ONECHA y C. SANMARTÍ (2012). Las razones del uso masivo de la bóveda tabicada en el hospital de Sant Pau de Barcelona: una hipótesis para el debate. *Construyendo bóvedas tabicadas. Actas del Simposio Internacional sobre Bóvedas Tabicadas.* Valencia 26, 27 y 28 de mayo de 2011. Valencia: Universitat Politènica de València.

EL MUNDO. 13/05/2004. "Las deficiencias de la estructura original y las obras causaron el desplome de la cúpula de Sant Pau"

FERNÁNDEZ, M. y J. BERNUZ (2015). Restauració de la cúpula del pavelló de Sant Rafael de l'Hospital de la Santa Creu i Sant Pau de Barcelona. *Dijous a l'ACE: Associació de Consultors d'Estructures*, N°. 54.

GONZÁLEZ, J.L., A. CASALS, B. ONECHA y C. SANMARTÍ (2011). Los sistemas de estribado de las bóvedas tabicadas del hospital de Sant Pau Barcelona: tirantes, zunchos y pórticos. *Actas del Séptimo Congreso Nacional de Historia de la Construcción.* Santiago de Compostela, 26 - 29 octubre 2011. Madrid: Instituto Juan de Herrera.

GRAUS, R. (2012). *Modernització tècnica i arquitectura a Catalunya 1903-1929.* Tesi doctoral, UPC, Departament de Composició Arquitectònica.

Disponible en: <http://hdl.handle.net/2117/94719>

HUERTA, S. (2001). La mecánica de las bóvedas tabicadas en su contexto histórico: la aportación de los Guastavino, HUERTA, Santiago (ed.): *Las bóvedas de Guastavino en América.* Madrid: Instituto Juan de Herrera, CEHOPU, CEDEX, Min. de Fomento.

MARTORELL, J. (1910). Estructuras de ladrillo y hierro atirantado en la Arquitectura catalana moderna, *Anuario de la Asociación de Arquitectos de Cataluña.*

MOYA, L. (1947). *Bóvedas tabicadas.* Ministerio de la Gobernación, Dirección General de Arquitectura. Madrid

MUNNÉ, P., E. GIMÉNEZ y B. ROS (1993). *El Castell: edificio de lavaderos y desinfección del sanatorio del Tibidabo.* Projecte final de carrera. UPC. Escola Universitària Politècnica de Barcelona.

REDONDO, E. (2013). La bóveda tabicada en España en el siglo XIX: la transformación de un sistema constructivo. Tesis doctoral. Departamento de Estructuras de Edificación. U.P.M

REESE, M. (2010). *Structural analysis and assessment of Guastavino vaulting. Anàlisi estructural i avaluació de les voltes de Guastavino. Análisis estructural y evalución de las bóvedas de Guastavino.* Ajuntament de Vilassar de Dalt.

SANZ, J. (2007). Configuración constructiva y comportamiento mecánico de las cúpulas modernistas de la iglesia de Sant Romá de Lloret de Mar (Gerona). *Actas del Quinto Congreso Nacional de Historia de la Construcción,* Burgos, 7-9 junio 2007. Madrid: Instituto Juan de Herrera.

Catedral Santa María de Tuy (Spain), lateral aisle (Angelo Gaetani)

ISBN. 978-84-9048-827-0

Influences and analogies between masonry arch and cross vault: from construction to seismic response

Angelo Gaetani, Paulo B. Lourenço
ISISE, Department of Civil Engineering, University of Minho

Abstract

Masonry cross vaults are among the most representative elements of European cultural heritage buildings. Despite their structural capacity under gravitational loads, validated by the very existence of the buildings today, recent seismic events have shown how masonry vaults are particularly vulnerable to horizontal actions. In this regard, given the broad literature and the more intuitive understanding, the present work is aimed at introducing masonry cross vaults from the arch perspective. Accordingly, the influence of the arch-shaped ribs construction on the overall form evolution of cross vaults are described, as well as the relative sizing rules. Additionally, a parallel between the seismic behaviour of masonry arch and cross vault is stressed according to FEM nonlinear analyses with rigid-infinitely resistant blocks and Coulomb interface elements.

Keywords: *Cross vaults, structural capacity, seismic events, arch-shaped ribs.*

Resumen

Las bóvedas de crucería de fábrica se encuentran entre los elementos más representativos de los edificios del patrimonio arquitectónico europeo. A pesar de su capacidad estructural frente a cargas gravitacionales, validada por la misma existencia de los edificios, recientes eventos sísmicos han demostrado que las bóvedas de fábrica son particularmente vulnerables a las acciones horizontales. En este sentido, dada la amplia literatura y la comprensión más intuitiva, el presente trabajo introduce la bóveda de crucería desde la particular perspectiva del arco. En consecuencia, se describe la influencia de la construcción de los nervios en la evolución de la forma de las bóvedas de crucería, así como las correspondientes reglas tradicionales de proyecto. Además, se destaca el paralelismo entre el comportamiento sísmico del arco y la bóveda de crucería a raíz del análisis de elementos finitos no lineales con bloques rígidos infinitamente resistentes y elementos de interfaz con rozamiento.

Palabras clave: *Bóvedas de crucería, capacidad estructural, sismo, nervios.*

Introduction

Clay brick, stone and masonry vaults are diffused all over the world with almost seven thousand years of history (Choisy 1873). Representing probably the first form of permanent dwellings in the prehistory (e.g. the beehive houses in the Middle East), the vaults assumed a religious and political symbolism that have likewise developed over time. The Arch of Constantine, Baths of Caracalla and Pantheon are a few examples of impressive vaults built by Romans. During the Middle Ages, the construction of vaults was strongly influenced by economic and technological aspects (e.g. as enduring substitutes to the easy inflammable timber beams and floors), reaching a level of beauty and technological perfection that still impresses the modern observer.

However, despite the relevance and the long-lasting history of vaults, which clearly indicates some sort of consolidated design process, in ancient times the workmanship followed what would be presently defined as "a rudimentary scientific approach", i.e. trial-and-error and experience. In fact, each building could be considered a scaled specimen of a new one to be built, if not by effectively using a scaled model, as for the case of Brunelleschi's dome (Heyman 1966). Based on successful achievements, ancient builders gathered competence under so-called rules of thumb achieving high levels of complexity long before theory caught up with them.

Nevertheless, the rules of thumb addressed only dead loads. The first reference to seismic behaviour of vaults is found in the Naturalis Historia (around 79 AD) by Pliny the Elder, who described small pozzolana concrete vaults as the safest place in case of earthquake. Unfortunately, the high seismic vulnerability of the masonry vaults soon revealed itself. For instance, in 1909, following the catastrophic earthquake of Messina in 1908, an Italian Royal Decree, although in a limited territory, forbade their construction.

Due to a growing interest in conservation of cultural heritage buildings, it is only in recent times that new attention is being paid to the seismic vulnerability of masonry constructions. In particular, the systematic collection of damage that occurred during strong Italian earthquakes in the last 40 years have emphasised the high vulnerability of vaulted structures, sometimes with incalculable loss in terms of cultural heritage. The collapse of the vaults frescoed by Giotto and Cimabue in the Basilica of St. Francis of Assisi in 1997 is an appalling example. More recently, Podestà et al. (2010) showed that L'Aquila earthquake in 2009 damaged more than 70% of vaults of the inspected churches.

This proves how the seismic vulnerability of masonry vaulted structures is still an open and delicate issue in the conservation of historical buildings. In this regard, despite the large consensus reached for the seismic response of masonry arch, very few is known for masonry cross vaults, among the most diffused and fascinating structural topologies of the European cultural built heritage. Since arch geometry and behaviour can be easily pictured and understood, the present work is aimed at describing masonry cross vaults from the arch perspective. Accordingly, the form evolution of cross vaults is presented underlying the geometrical influence of the arch-shaped ribs. Analogously, the ancient rules of thumb were invented moving according to the geometry of the same arches. In turn, the elementary arches were used in the past to analyse the cross vaults and simplified analysis tools still rely on the same schematization (according to the so-called slicing technique). Finally, a strong analogy between the seismic response of masonry arch and cross vaults is presented.

Cross vault along the history

For a detailed review on historical aspects of cross vaults, the reader is referred to Huerta (2004) and Gaetani et al. (2016), whereas Willis (1842) still represents a valuable reference for the study of gothic vault geometry.

Form evolution

Cross vaults appeared in Europe during the Roman Empire Age (1st century BC - 5th century AD) with the construction of thermal baths. The first form was the rounded cross vault composed by the orthogonal intersection of two semi-circular barrel vaults, i.e. two semi-cylindrical shells on a square bay with no ribs, which is generally referred to as *groin vault*. The Basilica of Maxentius and the Baths of Diocletian, both spanning more than 25 m, are remarkable results of the Roman technical skills and of the unique features of *opus caementicium* (pozzolana concrete). However, although Romans conceived the vault as a one-piece structure, Tomasoni (2008) stressed how the possible cracks development could have led the builders to strengthen the most stressed parts of the structure by placing brickwork hidden ribs in the concrete mass. For cross vaults, this means perimeter arches and internal diagonal ribs (Choisy 1873).

At the end of the 5th century AD, the decline and subsequent fall of the Roman Empire led to the Early Middle Ages, characterized by an overall impoverishment of the building yard, both in terms of techniques and materials, and the consequent disappearance of the pozzolana concrete. It is only since the 10th century that high and wide spanned vaulted structures reappeared in Central Europe reaching the climax two centuries later when more than 350 Gothic cathedrals were built in less than 30 years. This architectural style was based on a more rational and optimized building approach: each element was assigned to a precise structural role, giving to gothic churches a sense of profound elegance, along with a considerable saving of resources (Huerta 2004).

From the structural point of view, directing the self-weight of a vault to the four corner pillars allowed lateral walls to become non-structural elements, to be soon replaced by large stained glass windows. The originally hidden ribs of the Roman vaults became now of fundamental importance: they were made visible at the intrados and, starting from the 11th century, they represented a sort of independent structural frame supporting the thinner webs. Although, in the last two centuries a great debate arose regarding the structural role of the ribs during and after the construction process, studies and experiments suggest that the centring that supported the ribs remained in place until the webs were completed (Wendland 2007). In this so-called rib cross vaults, the preferential force flow path proved to be so efficient that it was possible to build them with 10-15 m span and only 0.20 m thickness, which implied less weight and, thus, less thrust.

Looking at the construction process, the intersection of two semi-cylinders produces semi-elliptical diagonals, difficult to be built for the masons of that time who started to prefer segmental arcs with circular shape, that is, its centre below the springings, or semi-four-centred arc ribs (Willis 1842). Accordingly, defining the cross arches as autonomous elements, it could be reasonable to adopt an elementary geometry, simply and straightforwardly attainable (Wendland 2007). On the basis of constructive criteria of rationality and simplification, this process improved even more leading to ribs with the same curvature, that is, to carve identical voussoirs for different parts of the vault (Willis 1842).

This practical approach inevitably affected the shape, leading the crown of the vault to be higher than the lateral arches and forcing the webs to be portions of a double-curvature irregular spheroid (Huerta 2004), providing a higher overall stability both in the construction phases and once completed (Wendland 2007). Besides this first variation, already largely adopted in Middle East countries, it was during the 12th century that the pointed arch appeared in France and England, representing a geometrical revolution allowing for an easier arrangement of the vault geometry: the height of the lateral arches was no longer constrained and the bay could be rectangular. The same goal could be accomplished also rising the arch upon stilts ("stilted arch") which are straight prolongations of the arch until meeting the springings (Willis 1842). The pointed arch had also structural relevance because, as stressed by Viollet-le-Duc, it reveals the ability of the masons of approaching, without any scientific assumption, the closest arch shape to the thrust line.

Rules of thumb

Regarding masonry vaults, until the 15th century, the treatises of architecture did not provide any information about their design. In particular, during almost the entire Gothic period

(12th - 16th century), the rules were simply handed over mostly in secrecy, appearing only in Renaissance and Baroque treatises, with a delay of almost four centuries.

The most famous rule was the so-called "Blondel's rule", also known as "Fr. Derand's rule" (Blondel 1675, 419; Derand 1643, 2, plate 1). It consisted in the division of the transversal arch in three equal parts from which it was possible to geometrically obtain the width of the abutment as reported in Figure 1a (Heyman 1982; Benvenuto 1991; Huerta 2004). The rule was already cited in Boccojani's lost treatise of 1546, which means that it is was defined at least during Late Gothic. Despite the clear relevance for Gothic structures, as showed in Figure 1b, there is no evidence to consider it as a genuine gothic rule. However, the evident handiness, together with the correct ability of providing wider supports for larger thrust (from pointed to flat arches), made this rule rapidly spread, even after the Gothic period, and even in case other types of vault were considered.

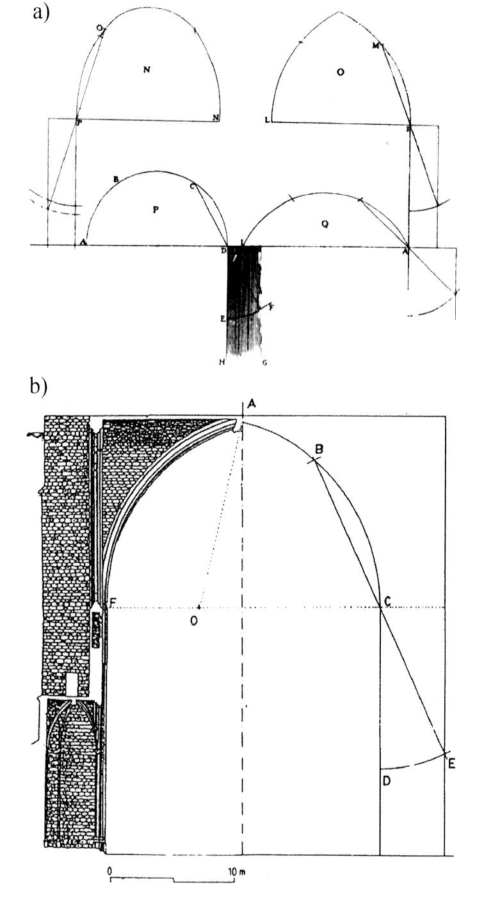

Figure 1. *Fr. Derand's rule: a) application to different type of arches (Derand 1643, 2, plate 1), b) to the Cathedral of Girona, Spain (Huerta 2004).*

Slightly different from Fr. Derand's rule, in 1560 Hernán Ruiz el Joven introduced the arch thickness into the geometrical construction for the abutment width design, which is possibly the first approach to take into account the weight of the vault (fig. 2). Moreover, for the first time, the stabilizing importance of the infill was stressed and it was recommended to add it until half of the arch rise, while the thickness of the arch should be not less than 1/10 of the span (Navascués Palacio 1974).

In turn, whereas the previous two rules concerned only the abutment width, the German Gothic builders set up a list of geometrical proportions that, without any structural purpose, starting from the span of chorus, led up to the smallest details, e.g. the vault ribs cross-section.

A similar but more pronounced approach was adopted also by Cataneo (1567) who, instead of suggesting geometrical proportions,

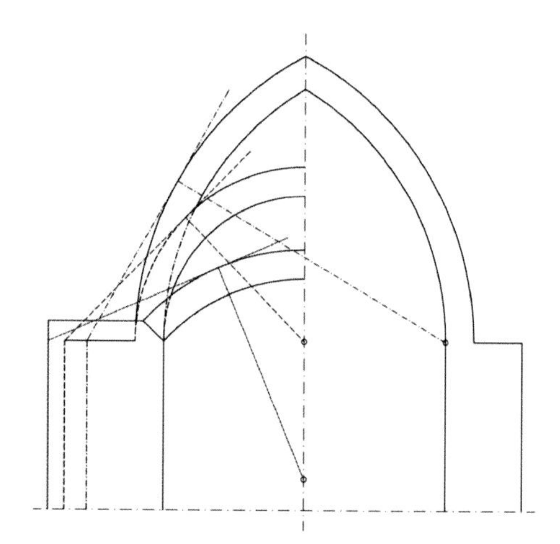

Figure 2. *Abutment width calculation after Hernán Ruiz el Joven's rule (after Navascués Palacio, 1974).*

proposed the true dimensions of all the parts of five Latin cross-plan churches. The abutment width is suggested equal to one-third of the clear span of the aisle, which, together with a thick external wall, leads to an overall massive buttressing system able to balance the large thrust of the Renaissance rounded vaults. In this regard, Cataneo (1567) did not define the type of vault in the lateral aisles, even if the square bay may suggest cross or sail vaults.

Contemporaneous of Cataneo, Rodrigo Gil de Hontañón, one of the most important Spanish architects of the past, wrote a booklet (c. 1544 - 1554, unfortunately lost but partially copied by Simón García before 1681) in which Gothic tradition is merged with new mathematical tools and humanist ideas (Sanabria 1982; Huerta 2004). Focusing only on cross vaults, he: a) proposed an unexplained geometrical proportion for the abutment width equal to one fourth of the span; b) approached analytical formulations for the sizing of the pier diameter, the abutment width and the weight of the keystone. Regarding the use of analytical formulations, it represents a proof of new mathematical tools and it reveals the efforts of Rodrigo Gil de Hontañón of considering the design process according to a proper structural intuition rather than simple proportions (Sanabria 1982).

Almost one hundred years later, Friar Lorenzo de San Nicolás wrote one of the last works on architecture before the Age of Enlightenment (between 1639 and 1664), addressing general aspects of cross vaults construction without giving practical rules about their dimensions. Nevertheless, in case of rounded cross vaults, the author erroneously pointed out that the structural stability was guaranteed only thanks to the infill weight (until one-third of the rise) with no need of abutments (Huerta 2004).

Slicing technique

During the 18th century, the study of masonry vaulted structures led modern mechanics to make great progress, providing outcomes still at the basis of current structural approaches in the framework of limit analysis. In this scenario in which the masonry arch was the protagonist of the scientific debate, the only scholar who focused on masonry cross vaults was Mascheroni (1785). Starting from Bouguer's lesson about the domes of finite thickness, he criticized the slicing technique performed until then, which allowed to disassemble a compound vault in its elementary arches, i.e. a reduction from a three-dimensional problem into a well-known in-plane one. This was the case of the famous Poleni's report on Rome's St. Peter's Basilica in 1748. Although this approach is the easiest way to study compound vaults, it inevitably neglects the interaction between two adjacent slices, e.g. the compressive circumferential stresses of the dome (Benvenuto 1991).

Mascheroni (1785) dedicated one chapter of his treatise to the study of compound arches and vaults. Despite his original intent, he approached the study of cross vaults by the usual slicing technique, which includes independent web strips whose resultant action is applied to the diagonal arch. However, regarding the diagonal arches and the webs as the main elements (fig. 3), he proposed a dual problem: given the shape of one arch, calculate the balanced profile of the other arch. He also provided hints in case the generatrix of the webs, i.e. line ML and MT in Figure 3, were not horizontal but inclined or curved. With this aim, he extensively used the concept of catenary, later at the basis of the 3D catenary net proposed by Andreu et al. (2007).

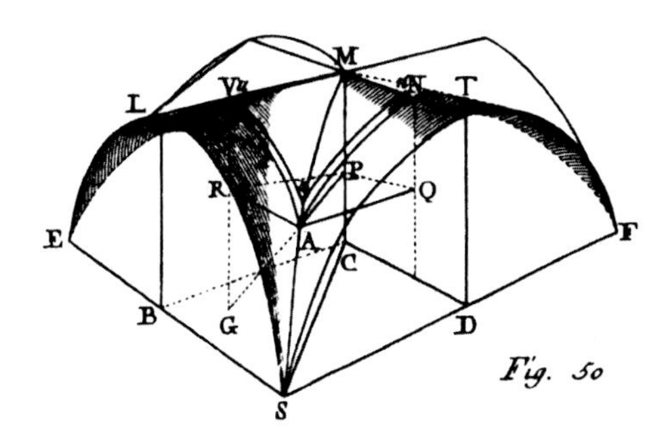

Figure 3. *Mascheroni's analysis of cross vault (Chart XII).*

Around one century later, foster by the contribution of Culmann, graphical statics gained new vigour for vaulted structures analysis. In this regard, Figure 4 shows the analysis proposed by Wolfe (1921), which basically consists in the slicing technique, the only feasible for hand calculation. For complex geometry, Ungewitter-Mohrmann (1890) suggested to divide the webs in elementary arches following the idea of a ball rolling down the extrados. The same idea was followed by Sabouret and Abraham (in 1928 and 1934, respectively) but, since only the latter provided explicative drawings (fig. 5), the entire credit was given to Abraham (Huerta 2009).

Recently, thanks to automatic procedures, the concept has been extended to catch the three-dimensional behaviour of vaulted structures (O'Dwyer 1999; Andreu, Gil, and Roca 2007; Block 2009).

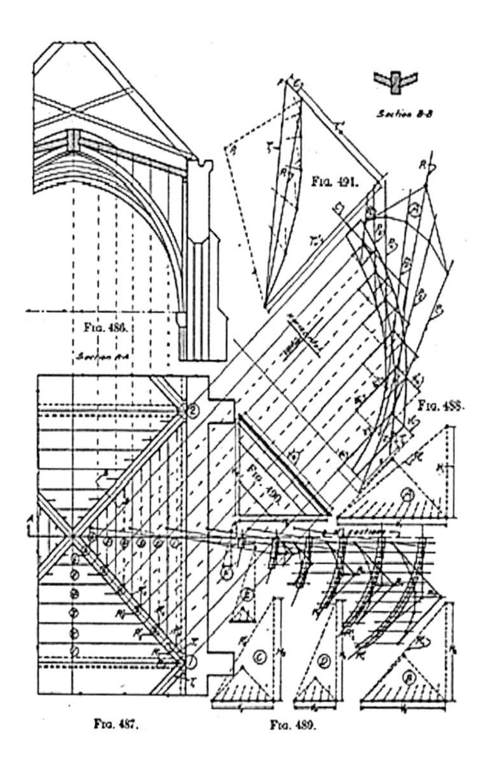

Figure 4. *Graphical statics applied to cross vaults according to Wolfe (1921).*

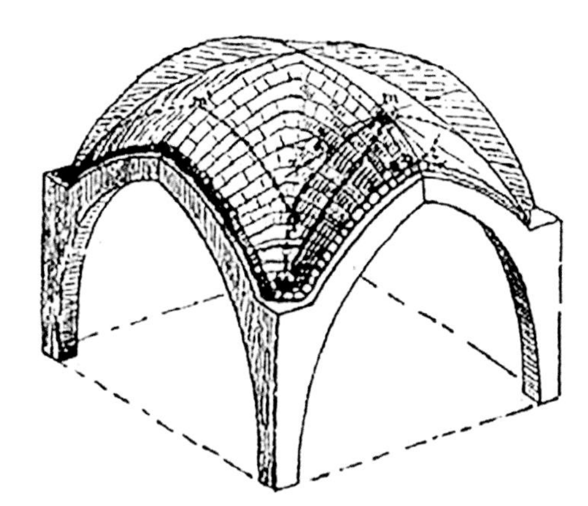

Figure 5. *Slicing technique and "ball principle" according to (Abraham 1934).*

Seismic analysis

Masonry arch

With the aim of better understanding the seismic response of vaulted masonry structures, the present section deals with the numerical analysis of a tilting test performed on a scaled arch assembled by dry-joint 3D printed voussoirs according to a FE analyses. Once validated, the outcome of this phase was extended to the analysis of groin vaults, discussed in the following section. For further details, see (Gaetani, Lourenço, Monti, and Moroni 2017).

Tilting test regards the quasi-static rotation of the base platform on which the model lays until failure occurs. Dealing with rigid blocks, tilting test can be regarded as a first-order seismic assessment method to evaluate the collapse mechanism and the corresponding horizontal load multiplier. This is the fraction of the gravity acceleration necessary to transform the arch in a SDOF (four-link rigid block mechanism). In turn, being based on a quasi-static method, it assumes an infinite duration of the loading. It is worth noticing that, in the local reference, tilting the model implies that the vertical acceleration reduces in magnitude as the horizontal acceleration increases. However, since the problem is purely based on the stability and not on the stresses within the structure, this issue is not relevant. The goal is thus only to obtain the ratio between horizontal and vertical acceleration, which is basically the tangent of the angle of tilt.

The numerical analysis has been carried out through a commercial FEM software, considering rigid-infinitely resistant voussoirs and friction interface elements. A Coulomb friction interface has been adopted with cohesion, tensile strength and dilatancy set to zero. The friction angle was assumed 34°, as measures in experiments, whereas the mass density of the voussoirs was set equal to 450 kg/m3. The normal and tangential stiffness assigned to the interfaces was of capital importance. Since the peculiarity of the material adopted in the tests, a parametric analysis has been performed. In order to avoid large block interpenetration, values larger than Kn = 0.1 MPa/mm and Kt = 0.04 MPa/mm (normal and tangential, respectively) have been investigated.

Regarding the geometry of the physical model, it must be noted that slight variations in block size, rounded corners and the imperfection of the manually assembled geometry, may lead to inaccurate match of the voussoir lateral surfaces or an imperfect semi-circular shape, ending up with an overall reduction of capacity. In order to account for these physical imperfections, DeJong et al. (2008) suggested to adopt a numerical model with reduced thickness of 20%, in comparison to actual tests. In the present study, considering the higher accuracy provided by the 3D printer, an overall reduction of the thickness of 10% was implemented (maintaining the same centreline radius).

Considering the horizontal displacement of the keystone as control point, Figure 6 shows the capacity curve of the arch adopting three sets of interface stiffness, either with or without considering Geometrical Nonlinearities, GN, (dot and solid line, respectively). Neglecting GN, the curves approach asymptotically the result of the tilting test ($\lambda = 0.29$), showing, as expected, a steeper initial branch for the stiffer interface. The asymptotic behaviour is due to the fact that, by neglecting GN, initial configuration is assumed as reference for the equilibrium conditions to be calculated. Therefore, since the failure is due to equilibrium loss (i.e. instability), neglecting the real position of the blocks always leads to the maximum capacity.

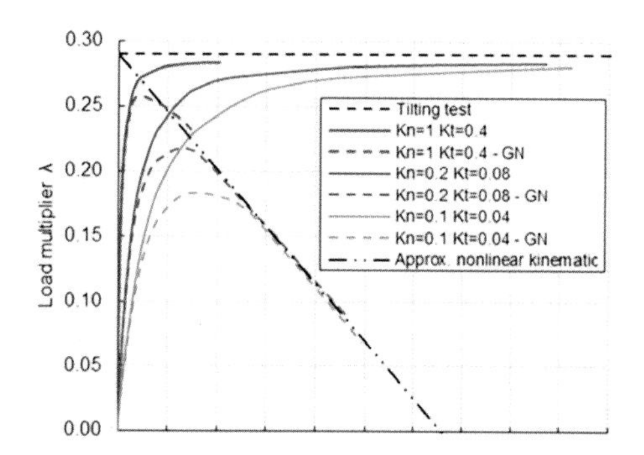

Figure 6. *Arch capacity curves varying the interface stiffness (with and without considering GN).*

In turn, in case GN is accounted for, the results change dramatically. Although the early stage behaviour is the same in both cases (with or without GN), the main difference is that the capacity never reaches the one provided by the tilting analysis, unless for large values of stiffness.

This behaviour can be ascribed to the normal stiffness of the interface. A small value inevitably leads to interpenetration of the voussoirs and the position of the hinge (supposed either at the intrados or at the extrados) to move inward, "reducing" the effective thickness (Figure 7). This means the arch is basically thinner and with a

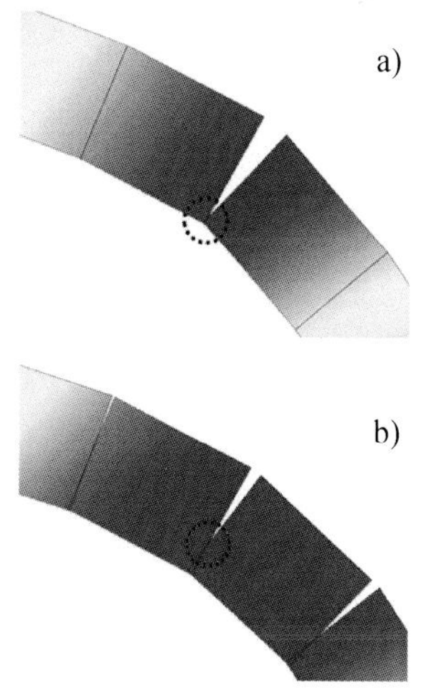

Figure 7. *Hinge location for: a) Kn = Kt = 0.1 MPa/mm, and b) Kn = Kt = 10 MPa/mm.*

lower capacity. In reverse, a hypothetical infinite value would cause the hinges to locate on the edge line of the arch, achieving higher values of stiffness and capacity.

Figure 8 reports the frame of the collapsing arch during the tilting test and the analogous deformed shape of the static nonlinear analysis Kn = Kt = 1 MPa/mm. As it is possible to notice, the numerical results approached significantly the experimental results in terms of hinge locations.

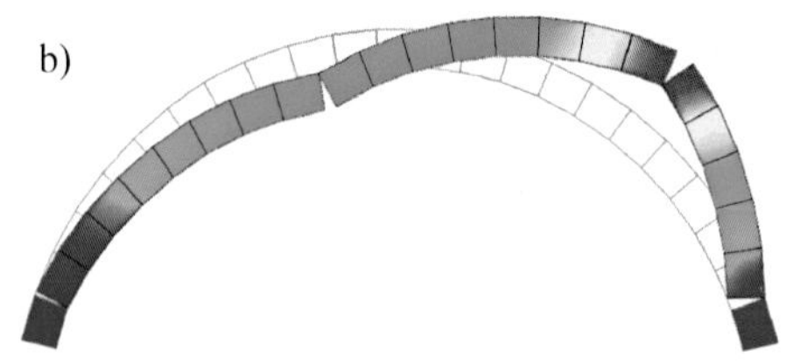

Figure 8. *Tilting test failure mechanism: a) frame recorded during the experiment and b) deformed shape of the numerical analysis (the lowest voussoirs are additional and simulate the fixed supports).*

Looking at Figure 6, the softening branch of the curves clearly tends to a unique displacement (estimated equal to 6.6 mm) which can be regarded as the ultimate displacement of the arch, whereas the envelope of all the curves can be approximated with a straight line. This shape parallels the nonlinear kinematic capacity curve of a rigid block undergoing horizontal forces and rocking in the base.

Figure 9a shows the theoretical nonlinear behaviour of the block for the limit conditions of rigid-infinitely resistant elements (for both the block and the support). In order to activate the hinge and the right bottom toe, an initial larger horizontal force is requested. Once the mechanism is activated, the larger the displacement, the lower the horizontal force which complies with equilibrium conditions. In general, this behaviour is approximated by a straight line, up to a displacement that corresponds to a null horizontal force, i.e. collapse. On the other hand, a more realistic behaviour is depicted in Figure 9b: the structure follows the previous curve only after a linear and plastic branch. It is easy to note that, in case the hinge does not coincide with the corner (due to a finite resistance and stiffness of both the block and the support, i.e. interpenetration), the ultimate displacement may be reduced.

Moving back to Figure 6, the curves that consider GN are in strong analogy with the single block behaviour described in Figure 9b.

Masonry groin vault

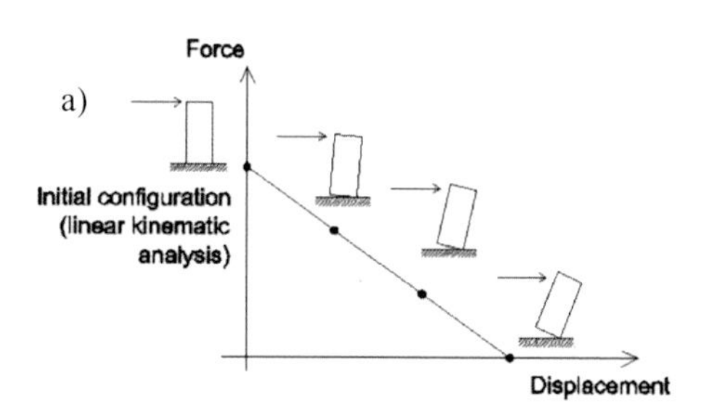

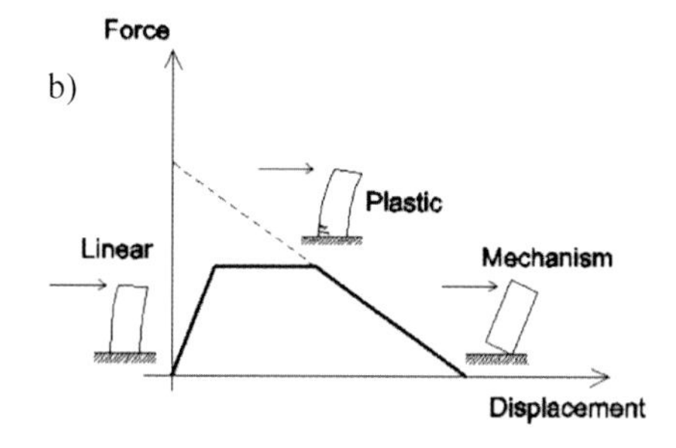

Figure 9. *chematization of the nonlinear behaviour of a rigid block undergoing horizontal action: a) limit condition and b) supposed real behaviour.*

Considering the outcomes of the previous section, the numerical model was extended to the analysis of a 1:5 scaled groin vault experimentally tested by Rossi and Co-workers (2016; 2015). For a more detailed dissertation, the reader is referred to the cited publications and to (Gaetani and Lourenço 2018).

Paralleling the previous section, after a 10% reduction of the thickness, the first aim of the analysis was to investigate the influence of the interface stiffness. In particular, the following values have been considered: Kn = 0.5 - 1 - 10 MPa/mm and Kt = 0.1 - 0.4 - 1 × Kn, that is nine combinations. For an illustrative purpose, only the results using normal stiffness Kn = 1 MPa/mm and tangential stiffness Kt = 0.1, 0.4, 1 MPa/mm are reported in Figure 10. The figure shows the comparison in terms of horizontal load multiplier λ vs. horizontal displacement. In terms of capacity, no appreciable differences can be detected if GN are neglected: for all the curves, no matter the interface stiffness (either normal or tangential), they display a monotonic increasing trend achieving a horizontal load multiplier almost equal to λ = 0.58, considerably different from the experimental outcome (λ = 0.35). Additionally, the curve with Kt = 0.1, 0.4 MPa/mm are almost coincident.

Given the similarity of the results in case Kt / Kn = 0.4 and 1, and since the ratio equal to 0.1 can be regarded as too severe (with more pronounced sliding not evident in the experimental tests), the comparison accounting for GN is limited to the cases Kn = Kt. According to what already discussed in the previous section (see Figure 6), the results are in line with the schematization of Figure 9b. The model with Kn = Kt = 1 MPa/mm well approximates the tilting test capacity of the vault.

The relative results in terms of failure mechanism are reported in Figure 11, displaying no substantial differences from what already shown. The numerical results are compared with the lateral picture of the test. The crack pattern correctly approaches the one provided by the experimental test, with strong analogy with the arch behaviour shown in Figure 8. For further details on the parallels between seismic behaviour of arch and cross vault, the reader is referred to (Gaetani, Lourenço, Monti, and Milani 2017).

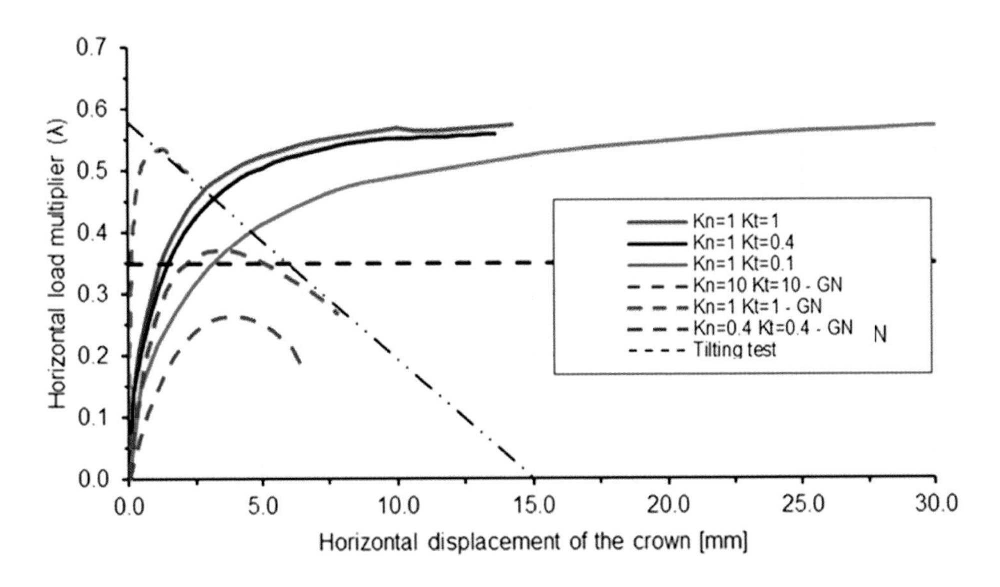

Figure 10. *Groin vault capacity curves varying the interface stiffness (with and without considering GN.*

Figure 11. *Tilting test: deformed shape with Kn = 1, Kt = 1 MPa/mm (considering GN).*

Conclusions

The present work has given a brief introduction about influences and analogies between masonry arch and cross vaults. First, the evolution of the cross vault in terms of both design and construction process was deeply influenced by the geometry of its arch-shaped constitutive elements (e.g. diagonal ribs and transversal arch). In turn, the decomposition in elementary arches is still at the base of modern simplified structural analysis tools for gravitational loads.

Due to the complexity of the phenomenon, the same approach cannot be pursued for the seismic action, for which a more heuristic approach is preferred. In this regard, the seismic behaviour of a masonry arch and cross vault have been investigated through a FE nonlinear analysis, highlighting a strong analogy in terms of failure mechanism and capacity curve.

The latter in particular showed a behaviour similar to a rigid block undergoing horizontal forces and rocking in the base. Further studies on this matter may lead to simplify seismic analysis tools.

Note: Unless otherwise indicated, the images of this article belong to the authors.

References

ABRAHAM, P. (1934). *Viollet-Le-Duc et Le Rationalisme Médiéval.* Paris: Vicent, Fréal et Cie.

ANDREU, A., GIL, Ll. & P. ROCA. (2007). "Computational Analysis of Masonry Structures with a Funicular Model." *Journal of Engineering Mechanics* 133 (4): 473–80.

BENVENUTO, E. (1991). *An Introduction to the History of Structural Mechanics - Part II: Vaulted Structures and Elastic.* New York: Springer-Verlag Inc.

BLOCK, P. (2009). *Thrust Network Analysis: Exploring Three-Dimensional Equilibrium*. PhD dissertation, Massachusetts Institute of Technology.

BLONDEL, F. (1675). *Cours d'architecture Enseigné Dans l'Academie Royale d'architecture*. Paris: Lambert Roulland.

CATANEO, P. (1567). *L'architettura*. Venezia: In casa de' figliuoli di Aldo.

CHOISY, A. (1873). *L'art de Bâtir Chez Les Romains*. Edited by Ducher et C.ie. Paris: Librairie generale de l'architecture et des travaux publics (Anastatic reprint, Bologna: Forni, 1984).

DEJONG, M., L. DE LORENZIS, S. ADAMS, & J. OCHSENDORF. (2008). "Rocking Stability of Masonry Arches in Seismic Regions." *Earthquake Spectra* 24 (4): 847–65.

DERAND, F. (1643). *L'architecture Des Voûtes, Ou l'art Des Traits et Coupes Des Voûtes*. Paris: André Cailleau.

GAETANI, A. & P. B. LOURENÇO. (2018). "Finite Element Modelling of Masonry Cross Vaults: Considerations on Block Interlocking and Interface Properties." In *10th International Masonry Conference,* edited by G. Milani, A. Taliercio, and S Garrity. Milan.

GAETANI, A., P. B. LOURENÇO, G. MONTI, & G. MILANI. (2017). "A Parametric Investigation on the Seismic Capacity of Masonry Cross Vaults." *Engineering Structures* 148 (October): 686–703.

GAETANI, A., P. B. LOURENÇO, G. MONTI, & M. MORONI. (2017). "Shaking Table Tests and Numerical Analyses on a Scaled Dry-Joint Arch Undergoing Windowed Sine Pulses." *Bulletin of Earthquake Engineering* 15 (11): 4939–61.

GAETANI, A., GIORGIO M., P. B. LOURENÇO, & G. MARCARI. (2016). "Design and Analysis of Cross Vaults along History." *International Journal of Architectural Heritage* 10 (7): 841–56.

HEYMAN, J. (1966). "The Stone Skeleton." *International Journal of Solids and Structures 2* (2): 249–79.

HEYMAN, J. (1982). *The Masonry Arch. Chichester*: Ellis Horwood Ltd.

HUERTA, S. (2004). Arcos, Bóvedas y Cúpulas: Geometría y Equilibrio En *El Cálculo Tradicional de Estructuras de Fábrica*. Madrid: Instituto Juan de Herrera.

HUERTA; S. (2009). "The Debate about the Structural Behaviour of Gothic Vaults: From Viollet-Le-Duc to Heyman." In *Construction History*, 837–44. Cottbus.

MASCHERONI, L. (1785). *Nuove Ricerche Sull'equilibrio Delle Volte*. Bergamo: Francesco Locatelli.

NAVASCUÉS PALACIO, P. (1974). *El Libro de Arquitectura de Hernán Ruiz, El Joven*. Madrid: Escuela Tecnica Superior de Arquitectura de Madrid, ETSAM.

O'DWYER, D. (1999). "Funicular Analysis of Masonry Vaults." *Computers & Structures* 73 (1–5): 187–97.

PODESTÀ, S., A. B., E. CURTI, S. PARODI, & A. LEMME (2010). "Damage Assessment and Seismic Vulnerability of Churches: The Abruzzo Earthquake." *Ingegneria Sismica XXVII* (1): 21–35.

ROSSI, M. (2015). *Evaluation of the Seismic Response of Masonry Cross-Vaults*. PhD dissertation, University of Genoa.

ROSSI, M., C. CALDERINI, & S. LAGOMARSINO (2016). "Experimental Testing of the Seismic In-Plane Displacement Capacity of Masonry Cross Vaults through a Scale Model." *Bulletin of Earthquake Engineering* 14 (1): 261–81.

SANABRIA, S. L. (1982). "The Mechanization of Design in the 16th Century: The Structural Formulae of Rodrigo Gil de Hontañón." *Journal of the Society of Architectural Historians 41* (4): 281–93.

TOMASONI, E. (2008). *Le Volte in Muratura Negli Edifici Storici: Tecniche Costruttive e Comportamento Strutturale*. PhD dissertation, Università degli Studi di Trento.

UNGEWITTER, G.G., & K. MOHRMANN (1890). *Lehrbuch Der Gotischen Konstruktionen*. 3rd ed. Leipzig: Weigel.

WENDLAND, D. (2007). "Traditional Vault Construction without Formwork: Masonry Pattern and Vault Shape in the Historical Technical Literature and in Experimental Studies." *International Journal of Architectural Heritage 1* (4): 311–65.

WILLIS, R. (1842). *On the Construction of the Vaults of the Middle Ages*. London: Transactions of the Royal Institute of British Architects, Vol. 1, Part 2.

WOLFE, W. S. (1921). *Graphical Analysis: A Handbook on Graphic Statics*. New York: McGraw-Hill Book Company.

Cúpulas de la Escuela de Artes Plásticas de Ricardo Porro

ISBN. 978-84-9048-827-0

Las Escuelas Nacional de Artes de La Habana, Cuba: uso, degradación, consolidación y restauración

Michele Paradiso
Dipartimento di Architettura DiDA, Universitá degli Studi di Firenze

Abstract

The National Art Schools of Cubanacan in Havana were built by the will of Fidel Castro in the year 1961. The complex of five buildings was designed by Ricardo Porro (Cuban architect), Vittorio Garatti and Roberto Gottardi (Italian architects). The schools should be design on the principles of low price and local resources; therefore, the technique of the Catalan vaults was chosen. The buildings were realised with the expert hands and know-how of building masters with Valencian origins. Their construction was interrupted in the year 1964 and they have been partially misused until today. The schools were brought back to the international attention in the year 1997 by John A. Loomis' Revolution of Forms. Since that time they have been included in the World Monument Watch list of the WMF of New York. Thanks to the international attention, in the year 2000-2011 some restoration works were done; nevertheless, the restoration was not completed for loss of financial support. Because of the loss of maintenance and the critical economical situation in Cuba, the schools are in material, structural and functional decay. In the present paper the state of current degradation is reported.

Keywords: *National Art Schools, Havana, tile vaults, restoration.*

Resumen

Las Escuelas Nacionales de Arte (ENA) de Cubanacán en La Habana fueron construidas por la voluntad de Fidel Castro en el año 1961. El complejo de cinco edificios fue diseñado por Ricardo Porro (arquitecto cubano), Vittorio Garatti y Roberto Gottardi (arquitectos italianos). Las escuelas fueron diseñadas de acuerdo con los principios de bajo coste y empleo de recursos locales; por ende se eligió la técnica de las bóvedas tabicadas. Los edificios se realizaron con las manos expertas y el saber de maestros de orígenes valencianos. Su construcción se interrumpió en el año 1964 y, desde entonces hasta nuestros días, han sido mal utilizadas parcialmente. Las escuelas llamaron la atención internacional en el año 1997 gracias al libro de John A. Loomis. A partir de ese momento fueron incluidas en la Lista de Vigilancia del WMF de Nueva York. Gracias a la atención internacional, en el año 2000-2011 se realizaron algunos trabajos de restauración, que no se completaron por la pérdida de apoyo financiero. Debido a la falta de mantenimiento y la crítica situación económica en Cuba, las escuelas están en deterioro material, estructural y funcional. En el presente documento se informa sobre el estado de la degradación actual.

Palabras clave: *Escuelas Nacionales de Arte, La Habana, bóveda tabicada, restauración.*

Introducción

Inmediatamente después del *Triunfo de la Revolución*, Fidel Castro Ruz y Ernesto Che Guevara, durante un partido de golf en el campo del Country Club, símbolo de la alta burguesía cubana de la época de Batista, decidieron transformar aquel lugar en un centro internacional para la formación de artistas. "*...Cuba va a poder contar con la más hermosa Academia de Artes de todo el mundo (...) La academia va a estar situada en el medio del Country Club, donde un grupo de arquitectos-artistas ya han diseñado las construcciones que se van a realizar (...) Las escuelas de música, danza, ballet, teatro y artes plásticas estarán en medio del campo de golf, en una naturaleza que es un sueño.*" (Fidel Castro, Palabras a los Intelectuales, La Habana. 30 de Junio de 1961). Hoy en día, después de 55 años, la Escuelas de Nacional de Arte de Cubanacán (ENA) se encuentran en una situación dramática: realizadas solo parcialmente y por lo tanto utilizadas de manera diferente al proyecto original, no obstante tímidos recientes intentos de restauración y completamiento por parte del Gobierno Cubano (2000-2011), se encuentran en una situación de degradación físico-mecánica, incluso con algunas de ellas nunca utilizadas y totalmente abandonadas (Escuela de Ballet, Escuela de Música). Es importante explicar por qué han llegado a esa situación y, por ello, resulta necesario comenzar por su contexto histórico.

Contexto histórico

El proyecto fue asignado a tres jóvenes arquitectos: el cubano Ricardo Porro Hidalgo (Camagüey 1925-París 2014) y los italianos Roberto Gottardi (Venecia 1927-La Habana 2017) y Vittorio Garatti (Milán 1927), amigos entre sí. Los tres habían coincidido y estrechado amistad en Venezuela. Ricardo Porro había acudido allí como exiliado voluntario frente a la dictadura de Batista, mientras que los dos italianos, Gottardi graduado en Venecia y alumno de Carlo Scarpa, Garatti en Milán y alumno de Ernesto Nathan Rogers, se habían desplazado a América Latina en busca de nuevas experiencias profesionales.

Los arquitectos con su proyecto realizaron una obra que se diferenciaba de la arquitectura predominante en la época en Cuba, que estaba influida por el Movimiento Moderno, al punto que las E.N.A. se pueden considerar un espectacular ejemplo de arquitectura orgánica. Dos fueron los principios básicos de esa empresa: integración en el paisaje y utilización de un único material y del mismo sistema constructivo. El autor del presente artículo recomienda consultar las referencias bibliográficas para darse cuenta de la fascinante historia sobre cómo y por qué nacieron, quedaron inacabadas, no pudieron ser adecuadamente conservadas durante los primeros 35 años de vida, puesto que este texto solo pretende reflexionar sintéticamente sobre los aspectos técnicos-constructivos, cuestión, hasta ahora no suficientemente investigada, por lo que consta al autor.

Los tres arquitectos decidieron utilizar el único material que se podía encontrar fácilmente en aquel tiempo en Cuba, el ladrillo, en estrecha relación con la naturaleza y la cultura cubana, asociándolos en la técnica de las bóvedas tabicadas, por su posibilidad de ofrecer una gran libertad en formas arquitectónicas, inspirándose en la obra de Antoni Gaudí. De hecho, existían en La Habana experiencias precedentes con bóvedas tabicadas, pero se había perdido de alguna manera la sabiduría constructiva. La suerte les hizo conocer a un albañil, de quien se ha afirmado que había trabajado con Rafael Guastavino (Giani 2006).

En reuniones que el autor tuvo en 2007 con los funcionarios del Ministerio de Cultura de Cuba, que habían vivido la etapa de la construcción, resultó que muy probablemente era un albañil inmigrado desde Valencia (España) Este maestro de obras, que tuvo un papel fundamental en la construcción de las escuelas, solo es recordado por su nombre, según una costumbre típicamente latinoamericana: Gumersindo. Gumersindo enseñó a los albañiles cubanos la técnica y realizó muchas maquetas a escala real, con pruebas de carga, para demostrar el potencial de resistencia de la técnica, sobre todo al Ministerio de la Construcción, encargado de la realización de la obra, que no confiaba mucho en la técnica. En los testimonios gráficos aparece

Figura 1. *Cúpulas de la Escuela de Artes Plásticas de Ricardo Porro.*

Figura 2. *Vista de la Escuela de Danza de Ricardo Porro.*

Figura 3. *Bóvedas tabicadas de la Escuela de Arte Dramático de Roberto Gottardi.*

Figura 4. *Detalle de las bóvedas en la Escuela de Música de Vittorio Garatti.*

Figura 5. *Bóvedas del pasillo de entrada en la Escuela de Ballet de Vittorio Garatti.*

Figura 6. *Las cúpulas de la Escuela de Ballet de Vittorio Garatti.*

Figura 7. *Bóvedas de la Escuela de Ballet de Vittorio Garatti.*

bien claro que, desde el punto de vista técnico, las ENA son un ejemplo de técnica mixta por la frecuente presencia del hormigón armado, utilizado tanto cuando la envergadura de las bóvedas y cúpulas era grande, como cuando los elementos arquitectónicos eran muy delicados desde el punto de vista estructural. A este respecto se debe afirmar que solamente algunas partes (los pasillos de la Escuela de Artes Plásticas, Danza, Ballet y Música, y algunas partes de Arte Dramático) se pueden considerar bóvedas tabicadas puras. De todas formas, el maestro albañil Gumersindo, su vida y su trabajo, siguen siendo todavía un misterio que antes o después se deberá descifrar.

Los edificios de las E.N.A. funcionaron de forma descuidada y quedaron casi totalmente olvidados internacionalmente hasta finales del siglo pasado, cuando John A. Loomis publicó un texto fundamental (*Revolution of Forms*), que permitió su redescubrimiento. Además, el *World*

Monument Fund incluyó en 2000 las Escuelas en el Programa *World Monuments Watch* (repitiendo su inclusión en 2002 y 2016). Tras un debate interno cubano, finalmente el Gobierno de Cuba incoó un proceso de restauración y completamiento.

Historia reciente, uso, degradación, restauración

En 1997, el complejo arquitectónico de las Escuelas Nacionales de Arte fue declarado monumento por la *Comisión Nacional de Monumentos, Zona de Protección* y fue inscrito en el conjunto de las obras emblemáticas del *Movimiento Moderno de la Arquitectura en Cuba* por el DOCOMOMO de Cuba. De hecho, en 1999, el Estado cubano dio inicio oficialmente a las obras "para su rehabilitación y completamiento", lo que llevó a considerar que la satisfacción de las nuevas funciones modernas de formación artística múltiple dentro del proceso de refuncionalización arquitectónica de los edificios de Porro, Garatti y Gottardi correría necesariamente el riesgo de modificar siquiera parcialmente la estructura arquitectónica del conjunto. Inicialmente se elaboró un plan director de intervención para las cinco escuelas. Este plan director, denominado localmente *Plan Rector*, que preveía completar la recualificación de todo el complejo en no más de cinco años, consideraba también la inserción de nuevos edificios junto a los históricos.

El programa asociado de acciones a realizar consideraba los siguientes momentos cardinales de la intervención: restauración y conservación arquitectónica de los edificios patrimoniales; remodelación y adecuación funcional interior de los edificios emblemáticos preservando su imagen; transformación arquitectónica y cambio de uso de los edificios de acuerdo con la estrategia docente; reconstrucción, completamiento y ampliación de los edificios inconclusos, a tenor de su factibilidad; obras nuevas que garanticen el funcionamiento racional de las instituciones; paisajismo como complemento integrador de todas las obras del conjunto. Se nota rápidamente como, de los seis puntos arriba citados, más de la mitad implicarían profundas modificaciones a la naturaleza del complejo, en términos de obra nueva y ampliaciones. Es procedente cuestionarse si se había reflexionado bien sobre el riesgo que sobreviene de alterar aquella idea original de un complejo arquitectónico, funcional y cultural, único en su género. Se diseñó una metodología de intervención, partiendo de unos estudios previos a realizar en el año 2002: levantamientos topográficos y arquitectónicos; peritajes técnicos en cada edificación para cuantificar y evaluar el deterioro de elementos constructivos y materiales de terminación; análisis especializados como la caracterización de los materiales cerámicos y estudios estructurales de lesiones, grietas, corrosión; estudios sobre problemas ambientales microbiológicos; estudio analítico del arbolado y tala selectiva. Esta metodología se debió aplicar a cada una de las cinco escuelas, pero de hecho se inició con las únicas dos escuelas que fueron terminadas en su tiempo, las de Ricardo Porro, la Escuela de Artes Plásticas y la Escuela de Danza. Los estudios previos y obras de restauración de las escuelas de Porro prosiguieron durante años, con muchos escollos, algunos de las cuales derivados de la crisis económica que ha sufrido y todavía golpea la nación cubana, otras de las dificultades técnicas objetivas ligadas a la intervención. Pero la restauración material y sobre todo de los revestimientos cerámicos no fueron una intervención completa, sino parcial, "mancha de leopardo". Se actuó solo donde la evidente y dramática situación de la degradación lo requería, al punto que al final de la operación resultaron evidentes las partes objeto de intervención y aquellas que no lo fueron. Los materiales utilizados para reemplazar las rasillas deterioradas se importaron de la en sentido amplio vecina Venezuela, con las consecuencias típicas del empleo de materiales de calidad diversa en la restauración. Los mismos técnicos encargados de las obras de restauración debieron admitir en un recorrido junto al autor de este texto en 2011, que la adquisición no había sido muy feliz y que, a tres años de la terminación de la restauración, las rasillas ya presentaban problemas. La restauración de la Escuela de Artes Plásticas y de la Escuela de Danza fue concluida en el año 2008. En 2013, las Escuelas de Arte fueron declaradas *Monumento Nacional*. A pesar de la incomprensión, la desconfianza y las diferencias en puntos de vista, el gran esfuerzo emprendido por el gobierno cubano en 1999 continuó durante doce años. De hecho, las obras se interrumpieron en 2011 cuando, a causa de la crisis económica internacional, el gobierno cubano redujo el presupuesto de la restauración hasta un mísero 20%. Las obras se detuvieron completamente, ya que este mermado presupuesto no podía cubrir ni el simple mantenimiento de lo existente.

A la fecha de hoy, el estado de conservación material y estructural de las cinco escuelas es el siguiente:

1. Escuela de Artes Plásticas y la Escuela de Danza: la restauración, concluida hace unos años, revela sus defectos hasta el punto de que se está comenzando en ese momento una obra de re-restauración.
2. Escuela de Arte Dramático: debido a la inevitable falta de mantenimiento, la situación de degradación se ha ido acentuando aún más. La degradación del material del trasdós de las bóvedas y la continua presencia vegetal en las juntas de mortero requieren una inmediata intervención para la puesta en seguridad.
3. Las Escuelas de Ballet y de Música. La Escuela de Ballet, jamás utilizada, ha sido objeto de vandalismo continuo que ha eliminado prácticamente todas las baldosas de la escalera y de la fuente de la entrada, presencia de macro- y micro-vegetación, pérdida de cohesión y degradación del material del último estrato de bóveda tabicada. La Escuela de Música, actualmente poco utilizada, es aún más objeto de colonización vegetal con pérdida de resistencia de las bóvedas tabicadas.

Por último, se deben señalar en primer lugar algunos errores que se cometieron en los trabajos de consolidación estructural, y en segundo lugar demostrar el riesgo estructural al que están sometidas las bóvedas. En efecto, nuestros estudios sobre la restauración y consolidación de la Escuela de Artes Plásticas han demostrado la inutilidad de la intervención en el pasillo de la Escuela de Artes Plásticas, donde se distorsionó el comportamiento estructural con una intervención incompatible consistente en la inserción de una prótesis de hormigón armado en los contrafuertes de ladrillo a fin de eliminar las lesiones presentes. En realidad aquellas lesiones eran "fisiológicas", como indica Jacques Heyman (1999).

Figura 8. *Muro degradado de la Escuela de Arte Dramático.*

Figura 9. *Lesiones en los contrafuertes del pasillo de la Escuela de Artes Plásticas.*

Figura 10. *Detalle de la lesión en un contrafuerte.*

Figura 11. Ejemplo de consolidación agresiva del contrafuerte.

Figura 12. Pérdida de rasillas en las bóvedas de la Escuela de Ballet.

Figura 13. Bóveda lesionada del pasillo de la Escuela de Música.

Figura 14. Pérdida de baldosas en el pasillo de la Escuela de Ballet.

En segundo lugar, cabe señalar un factor relativo al comportamiento estructural del magnífico ejemplo de las bóvedas tabicadas de las Escuelas de Arte. En la actualidad, la bóveda tabicada es sobradamente conocida en su constitución, puesta en obra, funcionamiento estructural, potencial expresivo y estético y su historia, desde sus inicios en el siglo XIV en territorio valenciano, hasta Rafael Guastavino, Antoni Gaudí y Eladio Dieste. De hecho, las Escuelas de Arte se construyeron con una presencia importante de hormigón armado: vigas en la base de las bóvedas (Gottardi), láminas en todas las cúpulas (Porro, Garatti) y sospecha de su presencia también en el espesor del paquete de capas de rasillas, sobre todo en las bóvedas que presentan claraboyas. En el caso de la Escuela de Arte Teatral de Gottardi, se trataba de eliminar los empujes, junto a la presencia de tensores de acero. Y, en el caso de los pasillos de entrada de la Escuelas de Ballet, donde no hay tensores, para ayudar a la resistencia estructural dada su curvatura muy rebajada.

Actualmente, todas las escuelas sufren de los mismos problemas y conducen a una cuestión primordial: una pérdida de fuerza estructural a causa de las mismas razones antes mencionadas, que ha llevado a la falta casi completa del último estrato de las bóvedas. De hecho, en una bóveda tabicada, todas las capas contribuyen a una buena durabilidad. Si una hoja está dañada, se pierde gran parte de la resistencia global. En las ENA se han perdido por robo o por falta de mantenimiento casi todas las rasillas del estrato superior y la resistencia ha mermado en proporción a esta progresiva pérdida de rasillas. Considerando también la calidad defectuosa de las rasillas de las hojas inferiores en conjunción con los fenómenos de degradación descrito hasta ahora, la mayoría de las estructuras abovedadas de Ballet, Música y Arte Dramático poseen no más del 60% de la resistencia de servicio útil. La situación estructural está evolucionando hacia una situación que se podría definir de "pre-colapso". Considerando que la falta de mantenimiento conlleva un coste anual de la intervención en toda la superficie de las Escuelas de Arte (unos 55.000 m2), de aproximadamente 700.000 dólares, se comprende la exigencia de no prorrogar una eventual intervención.

Una solución compartida internacionalmente

En el verano de 2011 se organizó en el *Museo de Trastevere* de Roma una exposición sobre la presencia italiana en la historia de Cuba (*Cuba, una historia también italiana: Museo de Roma en Trastevere, 17 de junio - 2 octubre de 2011*). En el contexto de ese evento se dedicó un seminario titulado *Arquitectura y Utopía: tres arquitectos italianos de la Revolución cubana* a la situación de Escuelas de Arte y su posible recuperación, con la participación, entre otros, de los mismos Vittorio Garatti y Roberto Gottardi. Una de las cuestiones en juego, además de la necesidad urgente de intervenir para poner en seguridad estructural las ENA, fue establecer el coste total de una posible intervención de consolidación, restauración y completamiento: con alrededor de 55.000 m2 de superficie útil de las cinco escuelas, incluyendo el edificio central de la Rectoría, y con 610.000 m2 de áreas verdes. Sin tener en cuenta el coste del completamiento de las Escuelas de Arte Dramático y de Música y el importe de la intervención en las zonas verdes, por lo tanto, sólo refiriéndose a los gastos de consolidación y restauración, se alcanzaba un monto total de alrededor de 15 millones de dólares. Esta cifra impensable nunca habría podido ser cubierta totalmente por el gobierno cubano, sobre todo en aquellos años que empezaba ya dramáticamente la crisis económica mundial. Fue en aquel entonces cuando surgió la idea de una visión internacional del problema, proponiendo la construcción de una red internacional que podría acceder a los fondos de los programas de las principales organizaciones internacionales (Naciones Unidas, Unión Europea, UNESCO, ICOMOS, Banco Mundial...) para proyectos de cooperación sin afán de lucro que se centraran no sólo en la intervención técnica en los edificios, sino también en las actividades de desarrollo humano, dada la gran importancia cultural de las escuelas y su vocación de herramienta de difusión de la memoria histórica de la cultura cubana post revolucionaria, con el pueblo y para el pueblo. También se hizo evidente que una estrategia de este tipo podría obtener el apoyo no sólo del gobierno cubano y sus instituciones encargadas de la conservación del patrimonio histórico construido, sino también de gobiernos de otras naciones, en primer lugar Italia, líder en el tema de la conservación y de la restauración, España, cuna indiscutible de la técnica constructiva de la bóvedas tabicadas, y, entre otros, Estados Unidos de América. Desde aquel entonces comenzó el dialogo con el Ministerio de Cultura de Cuba que ha llevado en enero del 2016 a que fuesen invitados a La Habana para debatir y decidir estrategias compartidas una serie de expertos internacionales, entre ellos los mismos Vittorio Garatti y Roberto Gottardi, John A. Loomis, Norma Barbacci del World Monuments Fund, Gustavo Araoz como Presidente de ICOMOS Internacional, y Michele Paradiso, coautor de este texto.

En la conclusión de los trabajos del grupo de expertos invitados se emitió un documento dirigido al Ministerio de Cultura, que contiene tanto la historia de las actividades como la opinión de los expertos sobre el estado de degradación de las escuelas, indicando la prioridad imperiosa de la consolidación estructural del conjunto. El documento reafirmó la necesidad de la construcción de la red de cooperación internacional. De hecho, muy positivamente, la Agenzia Italiana per la Cooperazione e lo Sviluppo se comprometió a aportar financiación para la rehabilitación de las Escuelas de Arte Dramático. Esta iniciativa debe ser considerada como el primer acto de formación de la asociación internacional, que se remonta a la idea embrionaria del Seminario en Roma de 2011, y que podría ser, de realizarse, el inicio atractivo de otras iniciativas similares, para cubrir el cuadro completo de las acciones necesarias para restaurar y refuncionalizar todo el complejo de las cinco escuelas. En estos últimos meses se ha estado trabajando en un proyecto detallado de *Cooperación al Desarrollo Humano*, que ha aportado los primeros dos millones de euros. Además, tanto la sede cubana de la UNESCO como la misma Embajada de España en La Habana han manifestado interés en colaborar a la estrategia internacional. Quizás sea verdaderamente el primer paso significativo para que no se pierda esa maravillosa arquitectura que nació, en la mente de tres jóvenes arquitectos gracias a la labor del maestro Antoni Gaudí.

Conclusiones

Gracias al intenso trabajo de colaboración entre el DiDA, representado por Michele Paradiso, el Ministerio de Cultura de Cuba y la Embajada de Italia en La Habana, el 30 de agosto del 2018 se presentó para su evaluación a la Agenzia Italiana per la Cooperazione e lo Sviluppo (AICS-MARCE) un proyecto de cooperación al desarrollo humano, que incluye la restauración y la consolidación de los edificios de la Escuela de Arte Dramático. El proyecto fue aprobado por la AICS el pasado 20 de diciembre del 2018. Las actividades comenzaron oficialmente a mediados de septiembre del 2019. El importe asignado es de 2.500.000 euros, de los cuales dos millones van destinados a la gestión directa cubana y medio millón para la asesoría técnica del DiDA y las actividades se desarrollarán en un tiempo de tres años. En la componente de formación y de restauración y consolidación el Departamento de Arquitectura de Firenze (DiDA) colaborará con la Universitat Politècnica de València. El reto es que este primer paso pueda generar un proceso virtuoso internacional para el completo rescate del conjunto de las Escuelas de Artes de La Habana.

Nota: Salvo indicación contraria, las imágenes de este artículo pertenecen al autor.

Referencias

COYULA COWLEY, M. (1965). *Cuban architecture. Its history and its possibilities.* Revolution and Culture 2: 12-25.

GARATTI, V. (1982). *Ricordi di Cubanacán.* Modo 6: 47-8.

GOTTARDI, R., M. BOTTA, P. NOEVER y otros (2003). *Carlo Scarpa: Das Handwerk der Architektur.* The Craft of Architecture. Viena: Hatje Cantz Publishers.

LOOMIS, J. A. (1999). *Revolution of Forms, Cuba's Forgotten Art Schools.* New York: Princeton Architectural Press.

HEYMAN, J. (1999). *El esqueleto de piedra, Mecánica de la arquitectura de fábrica.* Madrid: Instituto Juan De Herrera

LOOMIS, J.A. (2015). *Una Revolución de Formas, Las Escuelas Olvidadas de Cuba.* Barcelona: DPR-Barcelona.

MACHETTI, C., G. MENGOZZI, SPITONI (2011). *Cuba, Scuole Nazionali d'Arte.* Milán: Editorial Skira.

PARADISO, M. (2004). "Cuba. Las Escuelas de Arte. Intervista a Roberto Gottardi", *Progettare. Architettura-Cittá-Territorio,* 3: 18, 76 - 81.

PARADISO, M. (2005). "Il restauro delle Escuelas Nacionales de Arte a La Habana, Cuba". *Costruire in laterizio* 18: 107.

PARADISO, M. (2006). "Análisis estructural de la Escuela de Artes Plásticas de Ricardo Porro en La Habana". En *Actas del 7th International Symposium of Structures, Geotechnics and Constructions Materials,* Santa Clara. Cd-Rom.

PARADISO, M. (2006). "Las grietas del pasillo de la Escuela de Artes Plásticas de Ricardo Porro. Análisis estructural y interpretación: una contribución al debate". En *Actas de la II Bienál de Arquitectura de La Habana.* Cd-Rom.

PARADISO, M. (2006). "La recuperación arquitectonica y estructural de las Escuelas de Arte de Cubanacán, en La Habana, Cuba". En *Actas del 11th International Seminar on Forum Unesco*, University and Heritage, Firenze. Cd-Rom.

PARADISO, M. (curador). (2016). *Las Escuelas de Artes de Cubanacán: pasado, presente y futuro*, Firenze: DiDAPress.

GIANI, E. (2006). *Il riscatto del progetto. Vittorio Garatti e l'ENA dell'Avana*. Roma: Officina Edizioni

PARADISO, M. (2012). Fare Architettura. En *Cuba, Scuole Nazionali d'Arte*. Milán: Editorial Skira.

PIZARRO JUANAS, M. J. (2012). "*En el límite de la arquitectura-paisaje. Las Escuelas de Arte de La Habana*". Tesis de doctorado. Director: José González Gallegos. Madrid: Escuela Técnica Superior de Arquitectura de Madrid, Universidad Politécnica de Madrid.

PIZARRO JUANAS, M. J. & O. RUEDA JIMÉNEZ (2013). "Las Escuelas Nacionales de Arte de La Habana: Análisis Constructivo de la Escuela de Ballet de Vittorio Garatti como ejemplo de la recuperación de la bóveda tabicada en la Cuba revolucionaria a principios de los años 60". En *Actas del Octavo Congreso Nacional de la Historia de la Construcción*.

PORRO HIDALGO, R. (1994). *Ricardo Porro Architekt*. Viena: Ediciones Ritter Klagenfurt.

PORRO HIDALGO, R. (1995). *Una arquitectura romántica. La Habana. 1952-1961. El final de un mundo, el principio de una ilusión*. Colección Memoria de las ciudades, 46 - 49.

RODRÍGUEZ FERNÁNDEZ, E. L. (2001). *La Habana. Arquitectura del Siglo XX*. Barcelona: Blume.

SEGRE, R. (1999). *Encrucijadas de la arquitectura en Cuba: Realismo Mágico, realismo socialista y realismo crítico*. Archivos de Arquitectura Antillana, 4,9: 57-59.